DER
KUNST
BROCK
HAUS
Band 6

DER KUNST-BROCKHAUS

Aktualisierte Taschenbuchausgabe
in zehn Bänden

Band 6
Laf–Moc

B.I.-Taschenbuchverlag
Mannheim/Leipzig/Wien/Zürich

Redaktion der Taschenbuchausgabe:
Eberhard Anger M. A.

Layout: Gerd Schäfer

CIP-Kurztitelaufnahme der Deutschen Bibliothek
Der Kunst-Brockhaus: Aktualisierte Taschenbuchausg. in 10 Bd. – Mannheim; Wien, Zürich: BI-Taschenbuchverlag
ISBN 3-411-02930-7
Bd. 6. Laf–Moc. – 1987
ISBN 3-411-02936-6

Druck: Druckhaus Kaufmann, Lahr
Einband: Augsburger Industriebuchbinderei GmbH
Printed in Germany
Gesamtwerk: ISBN 3-411-02930-7
Band 6: ISBN 3-411-02936-6

La F

La Farge [ləf'ɑːdʒ], John, amerikan. Maler, *New York 31. 3. 1835, †Providence (Rhode Island) 14. 11. 1910, bildete sich bei T. COUTURE in Paris und unter dem Einfluß der Präraffaeliten. La F. schuf Wandgemälde (Trinity Church, Boston; Church of Ascension, New York), Glasmalereien und, auf Reisen in die Südsee, exot. Figuren- und Landschaftsbilder.

La Ferrière [lafɛrj'ɛːr], Zitadelle bei →Milot, Haiti.

La Fosse [laf'oːs], **1) Lafosse,** Charles de, frz. Maler, *Paris 15. 6. 1636, †ebd. 13. 12. 1716, Schüler von C. LEBRUN; 1658–63 in Rom und Venedig, erreichte in seinen reiferen Jahren durch seine Verehrung für die venezian. Malerei, für P. P. RUBENS und CORREGGIO eine in Frankreich bis dahin unbekannte Annäherung an das Ideal des Barock (›Mariae Tempelgang‹, 1682; Toulouse, Mus. des Augustins) und wurde, auch als Förderer A. WATTEAUS, zu einem Wegbereiter des Rokoko.

WW: Fresken im Schloß von Versailles (1671–88 in den Salons d'Apollon et de Diane, 1688 im Grand Trianon, 1710 in der Schloßkapelle) und in der Kuppel des Invalidendoms in Paris (1702–05).

2) Louis Rémy de, frz. Baumeister, *Paris 1636, †Darmstadt 17. 9. 1726, wurde 1706 Hofbaumeister des Kurfürsten GEORG LUDWIG von Hannover (Bau des Landständehauses, 1710–12 in typisch frz. Formen; 1881 abgerissen), entwarf 1709/10 den Plan für Schloß Weißenstein (später Wilhelmshöhe/Kassel – im Mittelrisalit Anklänge an ital.-süddt. Barockformen); baute als Oberbaumeister des Landgrafen ERNST LUDWIG von Hessen-Darmstadt in Darmstadt (seit 1714) zum Alten Schloß einen neuen Mittelrisalit und einen Flügel (1716–26) sowie die Orangerie (1719 ff. – Anlehnung an den Stil von J. HARDOUIN-MANSART), 1727/28 auch das Herrenhaus der ›Holzhausenschen Öde‹ bei Frankfurt/Main und entwarf den Plan zum ehem. Großherzogl. Jagdschloß Wolfsgarten in Langen (1721–24).

Lafrensen, frz. **Lavreince** [lavr'ɛ̃s], Niklas d. J., schwed. Maler, *Stockholm 30. 10. 1737, †ebd. 6. 12. 1807, Hofminiaturmaler GUSTAVS III., lebte 1762–69 und 1774–91 in Paris. Seine elegant-frivolen Schilderungen der vornehmen Gesellschaft in Gouache und Aquarell fanden durch Kupferstiche weite Verbreitung. Nach seiner Rückkehr nach Schweden widmete er sich hauptsächlich der Porträtminiatur.

La Fresnaye [lafrɛn 'ɛ], Roger-Noël-François de, frz. Maler, *Le Mans 11. 7. 1885, †Grasse 27. 11. 1925, Schüler von M. DENIS und P. SÉRUSIER, beeinflußt von P. CÉZANNE. Seine v. a. die klassizist. Komponente betonenden Bilder stehen zw. dem synthet. Kubismus und der →Section d'Or.

Lagae [laːx'aː], Jules, belg. Bildhauer, *Rousselaere 15. 3. 1862, †Brügge 2. 6. 1931, bildete sich an der Brüsseler Akad. und in Italien; er schuf große Marmor- und Bronzegruppen, darunter die des Kongreßdenkmals in Buenos Aires (1911–14), ferner Medaillen.

Lagasch, sumerische Stadt in S-Babylonien, zw. Euphrat und Tigris (KARTE Alter Orient), heute **El-**

Hiba. Das schon im 4. Jahrtsd. v. Chr. bewohnte L. erlangte Bedeutung um die Mitte des 3. Jahrtsd. v. Chr. unter den Herrschern EANNATUM und ENTEMENA; in neusumer. Zeit Sitz des Stadtfürsten →Gudea. Amerikan. Ausgrabungen legten in jüngster Zeit Teile des Tempelkomplexes Bagarra des Gottes Ningirsu mit Tempeloval frei. Die zu L. gehörige Kultstadt war jedoch →Girsu.

La Ghriba, Synagoge auf der tunes. Insel Djerba, 9 km südlich von Homt Souk; Ursprung um 600 v. Chr., heute prachtvoller tempelartiger Bau (1920) mit blauem Fliesendekor im Innern; bed. Wallfahrtsstätte.

Lagina, antiker Ort in Karien, beim heutigen Leyne in der türk. Prov. Aydın. Hier wurde die kleinasiat. Göttin Hekate verehrt; Ausgrabungen legten im Tempelbez. v. a. ein monumentales Propylon und den Tempel der Hekate (2. Jh. n. Chr.) frei, von dessen Gebälkfries 34 Reliefplatten gefunden wurden (Istanbul, Archäolog. Mus.).

Lagos [engl. lˈeɪgɔs], Hauptstadt Nigerias, an einer Lagune der Bucht von Benin auf mehreren, durch Brükken miteinander verbundenen Inseln und dem Festland, etwa 5 Mio. Ew. (Agglomeration). Im Nat.-Mus. Funde der Benin-, Nok-, Ife- und Yoruba-Kunst. In der Altstadt Häuser im afro-brasilian. Stil. Zeitgenöss. Kunst: 18 Türen des Parlaments mit Reliefschnitztafeln von FELIX IDUBOR; an der Museumsfassade Bronzeskulptur von BEN ENWONWU; in 2 modernen Gebäuden Mosaiken von JIMOH BURAIMOH.

La Granja de San Ildefonso [laγrˈaŋxa ðe-], span. Schloß, →San Ildefonso.

La Guardia, span. Städtchen (2000 Ew.) in der Prov. Álava, rd. 40 km südlich von Vitoria, umgeben von ma. Stadtmauern (mit 11 Türmen); got. Kirche S. María de los Reyes (13. Jh.) mit qualitätvollen Portalskulpturen (Tympanon mit Marienzyklus, Apostelfiguren an den Türpfeilern); Kirche S. Juan (14. Jh.).

Lahnstein, Stadt im Rhein-Lahn-Kr., Rheinl.-Pf., 19300 Ew. Im Ortsteil **Oberlahnstein** (bis 1803 nördlichster Außenposten des Erzbistums Mainz) die Martinsburg, eine kurmainzische Zollburg (im wesentlichen 14./15. und 18. Jh.), Martinskirche (13./18. Jh.) und spätgot. Fachwerkrathaus (1507). Im Ortsteil **Niederlahnstein** (seit dem 11. Jh. dem Erzstift Trier zugehörig) die Johanniskirche (Mitte 12. Jh.), eine roman., flachgedeckte Emporenbasilika mit markantem Westturm. Über L. die mainzische Feste **Burg Lahneck** (1240/45; 1854 ff. im Stil engl. Neugotik wiederaufgebaut; Mus.).

Lahore, Lahor, zweitgrößte Stadt Pakistans, im Pandschab nahe der ind. Grenze, 2,1 Mio. Ew. L. ist vorwiegend islamisch geprägt mit einer bis in hinduist. Vergangenheit reichenden Geschichte; erhielt unter der Mogul-Dynastie seine zahlreichen Monumente. Die N- und O-Wand des ausgedehnten, unter Akbar beg. und durch Jahangir und Shah Jahan erweiterten Forts ist mit großformatigen farbigen Kachelmosaiken verse-

Lahore: Haupttor der Badshahi-Moschee

hen. Im Fort Audienzsäle, Gärten, Palastgebäude und eine Moschee. Dem Akbar-Tor des Forts liegt die unter Aurangzeb erbaute Badshahi-Moschee gegenüber, die größte Moschee des Landes. Die 1634 aus Ziegeln erbaute und mit Mosaiken aus farbig glasierten Kacheln verzierte Wasir-Khan-Moschee verrät pers. Einfluß. Gleichzeitig entstanden die mit Wasserläufen, Springbrunnen und zahlreichen Pavillons bestückten Shalimar-Gärten. Am Rand der Stadt liegen mehrere Mogulmausoleen, u. a. das inmitten eines Gartens gelegene kuppellose Grabmal des Jahangir mit 4 Minaretten. Das 1894 eröffnete Museum birgt Miniaturen und Objekte der Gandhara-Kunst.

Lahụn, Illahụn, Kahụn, ägypt. Ort am SO-Rand des Faijum. In der Nähe die Pyramide SESOSTRIS' II. (1897 bis 1878 v. Chr.) und Gräber seiner Töchter, aus denen der Schatzfund von L. stammt (kostbarer Schmuck der Prinzessin SITH-HATHOR-JUNET, jetzt New York, Metropol. Mus., und Kairo, Ägypt. Mus.).

La Hyre, La Hire [la'i:r], Laurent de, frz. Maler, *Paris 27. 2. 1606, †28. 12. 1656, war als Eklektiker zunächst vom Manierismus der Schule von Fontainebleau, dann bes. von N. POUSSIN und CLAUDE LORRAIN beeinflußt, wenn er sich auch durch einen beschaul. Zug in seiner Malerei von ihnen unterscheidet. Seine Bilder sind zarte, farblich überaus feine Landschaften von linearer Klarheit und oft kühner Perspektive.

Laib, 1) Conrad, Maler, *Enslingen im Ries, 1440 bis 1460 in Salzburg tätig. Wie K. WITZ und H. MULTSCHER gehörte L. zu den Realisten, die sich der altniederländ. Kunst (ROGIER VAN DER WEYDEN) öffneten und sich damit vom →Schönen Stil abwandten.

HW: Orgelflügel (um 1445; Salzburg; Mus. Carolino-Augusteum); Kreuzigung (1449; Wien, Österr. Gal., Unteres Belvedere); Hochaltarbild (1457; Graz, Diözesan-Mus.).

L. v. BALDASS: C. L. u. die beiden Rueland Frueauf (1946); Spätgotik in Salzburg, Ausst.-Kat., Salzburg (1972).

2) Wolfgang, Künstler, *Metzingen 25. 3. 1950, studierte Medizin, als Künstler Autodidakt. Seine Arbeiten sind Meditationsobjekte zur Versenkung in die Metaphern des natürl. Lebens: polierte Marmorstücke, auf denen Milch verläuft, Blütenstaub, der in Gläsern gesammelt und nach Farben geordnet wird.

Laibach, Stadt in Jugoslawien, →Ljubljana.

Laibung, Leibung, bei Gewölben die innere (untere) Wölbfläche, bei Fenstern und Türen die der Öffnung zugekehrten Mauerflächen.

Laienmalerei, →Naive Malerei.

Lairesse [lɛr'ɛs], Gérard de, niederländ. Maler, Kunstschriftst., *Lüttich 11. 9. 1640, begraben Amsterdam 28. 7. 1711, Schüler von B. FLÉMAL, war in Amsterdam (seit 1667) der führende Maler des neuen, von Frankreich (bes. von N. POUSSIN) ausgehenden Classicisme, den er in seinen meist mythologisch-histor. Tafel-, Decken- und Wandgemälden mit der weichen kultivierten Oberflächenmalerei der Holländer verband.

Schriften: Grondlegginge ter Teekenkonst (1701 u. ö.; dt. 1705 u. ö.); Het Groot Schilderboek, 2 Bde. (1707 u. ö., Nachdruck 1972; dt. 1728 u. ö.).

Lakạbi-Ware, Laqạbi-Ware, eine Art →Quarz-Fritte-Keramik mit figürl. Kerbschnitt, welcher die Farboxide (Kobalt, Mangan, Kupfer) beim Brand innerhalb der deckenden Glasur an den gewünschten Partien hält. Produktion in Raj (?), sicher in Rakka (12. Jh.).

Lakkụndi, Tempelstadt in S-Indien, nahe →Gadag.

Lakọnische Vasen, Keramik aus der Landschaft Lakonien, südl. Peloponnes, Griechenland, seit Mitte des 7. Jh. v. Chr. mit geometr. Dekoration, schwarzfigurig etwa 590–540 v. Chr. Eine Besonderheit der L. V. ist das Ausschnittartige vieler Bilder im Schaleninneren (Kriegerschale, Berlin-West, Staatl. Museen). Häufigste Themen der Darstellung sind Tänzer und Musikanten sowie Mythenszenen. Auffällig ist bei der lakon. →Arkesila(o)sschale die Realitätsschilderung.

Lakshmi [-ʃ-, Skt.], volkstüml. Glücksgöttin der ind. Kunst, im Hinduismus die Gattin Vishnus (auch Shri genannt). Sie wird mit einer Lotusblüte dargestellt. Eine bes. Form der L. ist die →Gajalakshmi. (BILD S. 9)

Lạkshminarạyana [Skt.], Darstellung des Götterpaares Lakshmi und Narayana, meist auf dem myth. Vogel Garuda reitend; in der Kunst von Kaschmir auch in einer Person aus den vertikalen Hälften beider zusammengesetzt. (BILD Kaschmir, Kunst)

Lalanne [lal'an], Maxime, frz. Maler, Graphiker, *Bordeaux 27. 11. 1827, †Nogent-sur-Marne 29. 7. 1886, radierte im Anschluß an C. MERYON Städteansichten, bes. aus dem alten Paris; schrieb ein Lb. der Radierung (›Traité de la gravure à l'eau-forte‹, Paris 1866).

Lalibẹla, nach einem äthiop. König L. der Zagwe-Dynastie (12. Jh.) benannter Ort im äthiop. Amhara-

Lakshmi als Himmelsgöttin; Relief im Adivaraha-Felsentempel in Mamallapuram (frühes 7. Jh.)

Hochland. König L. werden auch die dort erh. 11 Felsenkirchen zugeschrieben. Sie liegen verborgen in der Erde und werden erst vom Rand einer Schlucht aus sichtbar. Die Kirchen wurden z.T. als Monolith aus dem Gestein herausgehauen und vom übrigen Fels durch einen Schacht getrennt. Der freiliegende Felsblock wurde bearbeitet und erhielt Details (Türen, Fenster u.a.) durch Herausarbeiten aus dem Gestein.

Lalibela: St.-Georgs-Kirche, monolithischer Bau in einer Ausschachtung, nur durch einen nach unten führenden Gang mit Tunneln zugänglich: 12. Jh.

Lalique [lal'ik], René, frz. Goldschmied, Glaskünstler, *L'Hay-les-Roses (Val-de-Marne) 6. 4. 1860, †Paris 1. 5. 1945, Hauptvertreter des frz. Jugendstils; seine Schmuckstücke sind häufig Naturformen nachgebildet und bestehen neben Edel-, Schmucksteinen und Perlen aus bis dahin ungebräuchl. Materialien (Email, Elfenbein, Schildpatt).

L. glass. The complete illustrated catalogue, hg. v. J. MARTIN (Paris, Nachdr. 1981).

Lalitạsana [Skt.], Sitzhaltung ind. Bildwerke (→Asana).

L'Allemand [lalm'ã], Fritz, österr. Maler, getauft Hanau 24. 5. 1812, †Wien 20. 9. 1866, malte Schlachten- und Historienbilder, ebenso sein Neffe Siegmund L'A. (*1840, †1910), der auch als Porträtist tätig war.

Lam, Wifredo, auch Wilfredo, kuban. Maler, *Sagua la Grande (Kuba) 8. 12. 1902, † Paris 11. 9. 1982; studierte in Barcelona und Madrid, kam 1937 nach Paris und hatte enge Kontakte mit PICASSO und den Surrealisten. 1941 emigrierte er, gemeinsam mit der Kerngruppe des Surrealismus, nach Martinique, später nach Havanna. Seit 1947 lebte er auf Kuba, in Italien und Paris. Seine Bilder verbinden die dämon. Ikonographie und die Urwaldstimmung Afrikas und der Antillen mit einzelnen kubist. Stilmitteln und der Grundhaltung des Surrealismus, zu dessen führenden Persönlichkeiten L. seit 1940 gehörte.

lamaistische Kunst, die Kunst des Lamaismus in Tibet. Diese Sonderform des Buddhismus erhielt ihren Namen von den relig. Einsiedlern und Mönchen (Lama, tibet. ›unübertreffl. Lehrer‹). Die l. K. verbreitete sich ausgehend von Tibet (→tibetische Kunst) auch in der Mongolei (→Mongolen-Kunst), im Kgr. Bhutan, in Sikkim und Ladakh (heute beide zum größten Teil zu Indien gehörend). Ladakh mit Lahaul und Spiti ist eines der wenigen Gebiete in der tibet. und l. K., die der Forschung, und seit einigen Jahren auch westl. Reisenden, zugänglich waren. Die Kloster- und Tempelanlage von →Alchi gehört zu den ältesten dieser Region. Weitere wichtige Tempelanlagen sind die von Lamayuru (v. a. 12. Jh.), Sptuk (Anf. 15. Jh.) und Tikse (17. bis 19. Jh.).

S. HUMMEL: Die L. K. in der Umwelt von Tibet (1955); D. L. SNELLGROVE und T. SKORUPSKI: The cultural heritage of Ladakh (Warminster 1977); ANNELIESE und P. KEILHAUER: Ladakh und Zanskar (1980).

Lamạschtu, böse Dämonin Babyloniens, soll (Kindbett-) Fieber verursacht haben; dargestellt als Löwin mit Vogelkrallen, die ein Schwein und einen Hund säugt, oft auch Schlangen in den Krallen haltend. Die Dämonin ist v. a. auf Amuletten abgebildet.

Lamạssu, Schutzgeister in der babylon. Religion. Auch die Torlaibungsstiere mit menschl. Haupt, die als apotropäische Figuren in Überlebensgröße den Zugang zu den Palästen neuassyr. Zeit bewachten, werden L. genannt. Es gab sie, gemäß den Inschriften, auch in Bronze, zuweilen auch als Wächterfiguren am Tempel.

Lambach, Marktgem. bei Wels, OÖ, 3450 Ew. Die 790 erwähnte Burg wurde im 11. Jh. in ein Benediktinerkloster umgewandelt. Von der roman. Kirche (1089 gew.) blieben beim barocken Neubau (1652–56) das Westwerk (ehem. Läuthaus) mit bed. Fresken (um 1080) erh.; qualitätvolle barocke Ausstattung. Barocke Konventsbauten (17.–18. Jh.), im Refektorium und Ambulatorium festl. Stuckierung von D. F. CARLONE, Bibl. u. a. Räume mit Deckenfresken von M. STEIDL.

Lambaesis, →Lambese.

Lambayeque [lambaj'eke, span.], Tal an der Küste N-Perus, in dem viele archäolog. Funde in zahlreichen Ruinenstätten gemacht wurden, die überwiegend der Moche- oder der Chimú-Kultur zugeordnet werden. Die Keramik ist gekennzeichnet durch einen spitzkon. Ausguß an runden, kugelförmigen Gefäßen, die zweifarbig bemalt sind (Darstellungen von Binsenbooten). L. hat v. a. einen eigenen Regionalstil der Goldbearbeitung (1000–1200) entwickelt. Überliefert sind Goldblecharbeiten, z. B. Becher und Zeremonialmesser. In der Verzierung finden sich viereckig stilisierte menschl. Gesichter mit typischen, nach oben gezogenen äußeren Augenwinkeln und großem halbmondförmigem, doppelreihigem Kopfputz.

Lambeaux [lãb'o], Jef, belg. Bildhauer, *Antwerpen 14. 1. 1852, †Brüssel 5. 6. 1908. Seine Marmor- und Bronzegruppen zeigen einen bewegten pathet. Stil in bewußter Anlehnung an den fläm. Barock.

HW: Brabo-Brunnen, Antwerpen (1887); Marmorrelief ›Die menschl. Leidenschaften‹, Antwerpen, Mus. (1900).

Lamberie [frz.], Wandvertäfelung mit Marmor, Stuck oder (bes. im Barock) Holz. Die Bez. L. wird fast nur noch für niedrige Holzsockel gebraucht.

Lamberti, Niccolò, gen. **il Pela,** ital. Bildhauer, Baumeister, *um 1370, †Florenz 1451, einer der letzten Vertreter der von der Renaissance noch nicht berührten florentin. Spätgotik; beteiligt an der Ausschmückung des Domes in Florenz (u. a. Porta della Mandorla); 1415 mit seinem Sohn Pietro (*1393, †1437) nach Venedig berufen, dort Oberaufseher über die Bildhauerarbeiten an den Fassaden von S. Marco.

Lambese [frz. lãb'ɛ:z], Dorf in NO-Algerien, 12 km östlich von Batna, inmitten des Ruinenfelds der röm. Garnison- und Bürgerstadt **Lambaesis** (1.–4. Jh.). Ummauertes Legionslager (500 × 420 m, heute Gefängnis) mit zweistöckigem Praetorium (72 × 62 m, dreiseitige Säulenhalle, dreischiffige Basilika) und 4 Toren; Quadrifrons (vierseitiger Triumphbogen), Bogen des Commodus, quadratisch-pyramidenförmiges Mausoleum des Quintus Flavius (3. Jh.) und Amphitheater (105 × 95 m). Südlich die Bürgerstadt mit Kapitol (doppelte Cella), Thermenanlagen, Äskulap-Tempel, einigen Bogen, sechsbogigem Aquädukt und byzantin. Fort (7. Jh.). Im Mus. röm. Mosaiken und Skulpturen.

Lambrecht, Stadt im Kr. Bad Dürkheim, Rheinl.-Pf., mit ehem. Dominikanerinnenkloster (987 als Benediktinerabtei gegr.). Die Kirche ist ein typ. Beispiel got. Bettelordensarchitektur (um 1300 beg.); Wandmalereien 1. H. 14. Jh.

Lambrequin [lãbrək'ɛ̃, frz.] *das,* Querbehang bei Vorhängen an Türen und Fenstern, wie auch an Decken als Schmuckmotiv, mit geschwungenem oder ausgeschnittenem Saum. – In der Architektur und Plastik des Barock wurde das L. in Stein, Stuck oder Bronze umgesetzt, so z. B. am Tabernakel G. L. Berninis in St. Peter in Rom, aber auch an Thronbaldachinen, Betthimmeln, und Fensterrahmungen (Würzburger Residenz). – Auch im →maurischen Stil kommen L.-Bogen vor.

Lamego [-γu], Bischofsstadt im portug. Distrikt Viseu, 10300 Ew.; Kathedrale (12.–17. Jh.) mit reichem Skulpturenschmuck am spätgot. Portal; auf einem Hügel über L. die doppeltürmige barocke Wallfahrtskirche Nossa Senhora dos Remédios mit großer Treppen- und achteckiger Platzanlage Largo dos Reis (18. Jh.); Bürgerhäuser (16.–18. Jh.); im ehem. Bischofspalast Mus. (u. a. portug. Malerei, Gobelin-Samml.).

Lamego: Nossa Senhora dos Remédios; 1750–61

Lami, Eugène Louis, frz. Maler, Graphiker, *Paris 12. 1. 1800, †ebd. 19. 12. 1890, schuf Schlachtenbilder, Aquarelle, Lithographien und Holzschnitte mit Szenen aus dem Pariser Gesellschaftsleben, das er mit sprühender Lebendigkeit schilderte.

Lamm Gottes, ein wohl nach der Gestalt des jüd. Passah-Lamms entstandenes bibl. Bild für die sühnende Kraft des Opfertodes Christi, dargestellt schon in der frühchristl. Kunst als Bild der menschl. Seele, die durch den Guten Hirten heimgetragen wird (Katakombenmalerei und Sarkophage des 3. und 4. Jh., Statuetten, Inschriften). Die nachkonstantin. Zeit setzte das L. G. gleich mit Christus (→Agnus Dei), mit den Aposteln, mit den Gläubigen. Der apokalypt. Vorstellung entspricht seine Darstellung auf dem Berg des Paradieses (Ravenna, Mausoleum der Galla Placidia) oder auf dem apokalypt. Thron; oft wird es der Maiestas Domini zugeordnet. Die Anbetung des Lammes wird zum Thema der roman. Bauplastik wie später zum Motiv von Gemälden (P. P. Rubens). – Als Attribut begegnet das Lamm bei Johannes dem Täufer.

La Mohammedia, Ort in Tunesien, →Mohammedia.

Lamorinière [lamɔrinj'ɛ:r], François, belg. Maler, *Antwerpen 28. 4. 1828, †ebd. 3. 1. 1911, schuf minuziös gezeichnete Bilder der heim. Landschaft; auch Radierungen.

Lampe, →Leuchte, →Öllampe.

Lampenschwarz, auch **Flammruß,** Maltechnik: schwärzestes Schwarz, das bei der Verbrennung von Öl oder Talg entsteht. L. ist seit der Antike bekannt und wurde v. a. für Lackarbeiten oder für die schwarzen Muster auf schwarzen Damasten der altniederländ. Maler gebraucht.

Lamphun, Stadt in N-Thailand, vom 9.–13. Jh. als **Haripunjaya (Haripunchai)** Hauptstadt des Mon-Reiches, mit dem aus dieser Zeit wichtigsten Bauwerk Wat Kukut (12./13. Jh.), eine hohe Stufenpyramide mit Nischen für Buddhafiguren aus Terrakotta, deren Köpfe modelgeformt und deren Körper, ähnlich stereotyp, handgeformt waren.

Die Stadt war auch in der Kunst von Lan Na bed., wofür das Wat Haripunchai (19. Jh. angeblich in Vorläufern bereits vor dem Jahr 1000 gegr.) Zeugnis ablegt: Der Hauptstupa, über einer Replik des Wat Kukut errichtet, mit Goldbronze überzogen über einer weißen Basis, zeigt den typ. birman. Einfluß; Museum.

Lampi, Johann Baptist d. Ä. Edler von L., österr. Maler, *Romeno (Südtirol) 31. 12. 1751, †Wien 11. 2. 1830, war Porträtmaler des österr. und russ. Hofes im Stil des Spät-Rokoko mit Elementen bürgerl. Realistik.

Lamspringe, Gem. im Kr. Hildesheim, Ndsachs., mit ehem. Benediktinerinnenabtei (gegr. 9. Jh.); schlichte Klosterkirche (1670–91), deren prunkvolle Ausstattung zu den bedeutendsten Werken des Barock in Ndsachs. gehört, u. a. Hochaltar von J. M. GRÖNINGER (1695), prächtige Chorschranken (1701), Weihwasserbecken (1710) in Scagliola-Technik. Barocke Klostergebäude (1731).

Lamu, Koralleninsel in der Küstenprovinz Kenias, 10 km lang, 7 km breit. Die Stadt L., 7500 Ew., hat, wie früher auch die übrigen Städte der ostafrikan. Küste, ein geschlossenes unverfälschtes Stadtbild in arab. Stil. An engen Gassen liegen die 2–3geschossigen Steinhäuser (viele aus der Zeit vor 1830), mit fensterlosen Fassaden, deren Türen häufig mit reichen Schnitzereien verziert sind (Rahmen, Türsturz und Mittelpfosten). Die Holzschnitzkunst L.s (neben Türen auch Armsessel, Bettgestelle, Truhen) hat in letzter Zeit eine Renaissance erfahren; ebenso haben sich die traditionellen Flechtarbeiten (Matten mit geometr. Mustern) gehalten. Die alte Kunst der Metallbearbeitung ist verloren gegangen. Im Mus. (Suaheli-Kultur) die etwa 2 m langen Zeremonialhörner von L. (Messing) und von der Insel Pate (Elfenbein), um die Wende 17./18. Jh. entstanden, mit arab. Inschriften versehen.

Südöstlich der Stadt L. liegt **Shela,** weitgehend von den einheim. Bewohnern verlassen (neuerdings durch europ. und amerikan. Zuwanderer restauriert). Außen- und Innenwände der Paläste aus dem 17.–19. Jh. sind erh. (Korallengestein) und weisen reiche Stukkaturen

Lamu: Holzschnitzereien an einer Tür

auf; Nischenwände der Innenräume, wie sie auch in L. üblich waren, dienten der Zurschaustellung kostbarer Dinge. Dieser Nischendekor, der auch in den prachtvollen Baderäumen Verwendung fand, kennzeichnete die L.-Baukunst des 18. Jh.

Auf der Nachbarinsel **Manda** die Überreste der steinernen ummauerten Stadt →Takwa.

Lana, Gem. im Etschtal, südlich von Meran, Südtirol. In **Niederlana** die Pfarrkirche Mariä Himmelfahrt (1485–92) mit dem größten (13 m hoch), reich geschnitzten Flügelaltar Tirols (von H. SCHNATTERPECK, 1503–11; Flügelbilder von H. SCHÄUFFELEIN); Kirche St. Margareth (roman. Fresken um 1220). Bei L. die Burgen Braunsberg (13. Jh.), Brandis (um 1220, Ruine), Leonburg (13. Jh.).

Lanceray [lãsər'ɛ, frz.], Jewgenij Jewgenjewitsch, →Lansere.

Lancret [lãkr'ɛ], Nicolas, frz. Maler, *Paris 22. 1. 1690, †ebd. 14. 9. 1743, von A. WATTEAU beeinflußt, in dessen Art er sorgfältig vorbereitete, koloristisch reizvolle Genrebilder (v. a. Theaterszenen und galante Feste) in kleinem Format malte. L. gilt neben J.-B. PATER und F. BOUCHER als Hauptmeister des frz. Rokoko (HW im Louvre; in Leningrad, Eremitage; London, Nat.-Gal. und Wallace Collection; Potsdam, Neues Palais und Sanssouci).

Łańcut [l'ajntsut], Stadt in der Wwschaft Rzeszów, Polen, 13 800 Ew; frühbarockes Schloß, 1629–41 errichtet (18./19. Jh. umgebaut), umgeben von fünfeckig angelegten Bastionen (1624–41; 1894–1903 umgebaut) und einem Park (im 18. Jh. angelegt) mit mehreren Gartenpavillons (18.–19. Jh.), in einem der Pavillons Pferdekutschen-Mus. Im Schloß, einem rechteckigen Bau mit 4 Türmen und Hof, ist heute ein Mus. für Innenarchitektur u. a. Samml.

Land Art [lænd ɑ:t, engl.], seit Ende der 1960er Jahre entstandene Richtung der →zeitgenössischen Kunst, in der Landschaft, Erdformation und Horizont zum Gestaltungsmaterial für riesige Projekte wurden. Die geistesgeschichtl. Wurzeln liegen in der pittoresken Land-

Land Art: Robert Morris, Ohne Titel, 1977; Kassel, Documenta 6

schaftsmalerei des 18. und 19. Jh., Anregungen kamen von prähistor. Erdwällen, Ritzzeichnungen im Boden u. ä. Das Spektrum reicht von der Versetzung gewaltiger Erdmassen (M. HEIZER: Double Negative, Arizona) bis zur Zeichnung kilometerlanger Linien in der Wüste (W. DE MARIA: Mile Long Drawing, Nevada). Die Grundhaltung ist letztlich eine romant. Zivilisationskritik. Vorläufer waren I. NOGUCHI, H. BAYER; weitere Vertreter sind die Amerikaner R. SMITHSON, R. MORRIS, D. OPPENHEIM und der Engländer R. LONG.

Landau in der Pfalz, Stadt an der südl. Weinstraße, Rheinl.-Pf., 36800 Ew.; zw. 1679 und 1815 frz. und bis 1871 dt. Bundesfestung (1688–91 von VAUBAN als 16ekkiges Bollwerk gebaut, 2 Torbauten erh.). Die beiden Hauptkirchen sind got. gewölbte Rundpfeilerbasiliken: evang. Stiftskirche (1333 voll., Westturm ab 1349) unter Einfluß der Bettelordenarchitektur; ehem. Augustinerklosterkirche (1405–13) mit schöner Westrose, Kreuzgang (15. Jh.) und barocken Klostergebäuden (18. Jh.). Katharinenkapelle (1344); Rathaus (1691/1827); Festhalle (1905–07 im Jugendstil); Städt. Heimat-Mus. und Städt. Gal. Villa Streccius.

Landeck, Stadt in Tirol, Österreich, 7400 Ew.; Pfarrkirche (1493 gew.) mit bed. spätgot. Flügelaltar (Anf. 16. Jh.); Erkerhäuser (16.–17. Jh.) des Oberinntaler Typs; über der Stadt Burg L. (13. Jh.) mit mächtigem Bergfried und dreigeschossigem Palas.

Landeshut i. Schles., poln. **Kamienna Góra** [kamj'ɛnna g'ura], Stadt in der poln. Wwschaft Jelenia Góra (Hirschberg im Riesengebirge), 21800 Ew., am Bober; Pfarrkirche aus Gotik und Spätrenaissance; ehem. evang. Barockkirche (1709–17); am Marktplatz Häuser mit barocken Fassaden (18. Jh.). Von einem Renaissance-Schloß (16. Jh.) sind nur Ruinen erh.

Landgrafen-Psalter, eine reichbebilderte Hs., (Stuttgart, Landesbibl.), HW der →Thüringisch-sächsischen Malerschule, im Auftrag des Landgrafen HERMANN VON THÜRINGEN 1211/13 geschaffen, mit Darstellungen der Familie des Landgrafen und seiner königl. Verwandten in Böhmen und Ungarn.

Landkirchen auf Fehmarn, Gem. in Schlesw.-Holst.; die got. Backsteinhallenkirche (Mitte 13. Jh.)

besitzt eine reiche Ausstattung des 17./18. Jh. (u. a. das drittälteste erh. Votivschiff von 1617); freistehender Holzglockenturm (1638).

Landsberg, **1)** Stadt östlich von Halle, Dt. Dem. Rep., 5000 Ew., mit einem der schönsten spätroman. Bauwerke in Mittel-Dtl., einer zweigeschossigen, dreischiffigen Doppelkapelle, im 14. Jh. zu Wohnzwecken um ein Geschoß erhöht; spätroman. Stadtkirche (um 1200).

2) Landsberg am Lech, Kreisstadt in Oberbayern, 18 200 Ew., hat ein sehr gut erh., barock geprägtes Ortsbild mit ma. Mauerring und Stadttoren. Große spätgot. Pfarrkirche (1458–88, um 1700 barockisiert) mit reichem Stuck der Wessobrunner Schule und mächtigem richtungweisendem Hochaltar (1680). Ehem. Jesuitenkirche (1752–55) mit Doppelturmfassade und prunkvollem, mit Fresken geschmücktem Innenraum. L. war 1716–53 Wohnsitz D. ZIMMERMANNS, der hier viele Bauten errichtete und ausschmückte: die prächtige Stuckfassade (1720) des 1699–1702 erbauten Rathauses, Johanniskirche (1741–52) mit originellen Rokokoaltären, Ursulinenkirche und -kloster (1720/25, Umbau 1763 bis 1766) mit maler. Doppelempore u. a.

3) Landsberg (Warthe), poln. **Gorzów Wi|elkopǫlski** [g'ɔʒuf-], Hauptstadt der Wwschaft Gorzów, Polen, 99 000 Ew.; got. Dom (um 1300; Turm Anf. 14. Jh.; Presbyterium 1489) mit keram. Dekoration, spätgot. Skulpturen und Wandmalereien. Unweit des Domes z. T. erh. Stadtmauer (1321–25); klassizist. Zeughaus (18./19. Jh.); Speicher von 1798.

Landschaftsmalerei [wohl von Dürer zum erstenmal als Begriff benutzt] ist im Lauf der Zeit zu einem Gattungsbegriff geworden. Die reine Landschaft findet man in der abendländ. Kunst erst seit der Renaissance, hingegen sind Naturdarstellungen zur Verdeutlichung des Handlungsortes bereits formelhaft in der altoriental. und ägypt. Kunst sowie in der Kunst Kretas (Palast von Knossos, 16. Jh. v. Chr.) und Etruriens (Tarquinia, Tomba della caccia e pesca, um 520 v. Chr.) benutzt worden. Zum räuml. Schauplatz wurde die Landschaft erst seit dem Späthellenismus (Odysseelandschaften, 1. Jh. v. Chr., Vatikan); in der röm. Kaiserzeit folgten illusionist. Ideallandschaften (3. Stil der pompejan. Wanddekoration).

In der abendländ. Kunst begann die L. nach formelhaft verkürzten Ansätzen in der Buchmalerei, Bildwirkerei und in der Kathedralplastik bei GIOTTO (Franziskuslegende) und setzte als räuml. Schauplatz in der sienes. Malerei des SIMONE MARTINI und der Brüder LORENZETTI um 1330 ein. In den Stundenbüchern der Brüder →Limburg wurden Anf. des 15. Jh. Monats- und Jahreszeitenbilder als L. wiedergegeben. K. WITZ schuf 1444 in seinem Genfer Altar die erste bestimmbare Landschaft auf einem Tafelbild als Hintergrund zum ›Fischzug Petri‹. Durch die Entdeckung der Zentralperspektive in der ital. Frührenaissance gelangen A. DEL POLLAIUOLO und GIOVANNI BELLINI wirklichkeitsnahe L. LEONARDO DA VINCI und A. DÜRER begannen mit einer gewissen Systematik Naturerscheinungen und -forma-

Landschaftsmalerei: Konrad Witz, ›Fischzug Petri‹; 1444 (Genf, Musée d'Art et d'Histoire)

tionen zu studieren, die sie als Formenvorrat für ihre Bilder verwendeten. Sie wagten darüber hinaus die ersten figurenlosen Landschaftsdarstellungen in Zeichnung und Aquarell. Ihnen folgend, stachen A. ALTDORFER, H. S. LAUTENSACK und W. HUBER reine Landschaften. Von Altdorfer stammt auch das figurenlose Landschaftsgemälde (Donaulandschaft bei Regensburg, 1520/25; München, Alte Pinakothek. Weiteres BILD Donauschule). Die Niederländer hingegen hielten vorerst an kombinierten Kompositionen fest. J. PATINIR baute in seinen Bildern weite, unermeßlich erscheinende ›Weltlandschaften‹, in die er seine kleinen Szenen setzte. Diese betont kosm. Darstellungen finden sich in den Bildern von P. BRUEGEL D. Ä., J. DE MOMPER und den VALCKENBORGHS im 16. Jh. wieder, doch zeigen sie mehr Atmosphäre; sie lassen den Betrachter Kälte und Wärme der unterschiedl. Jahreszeiten miterleben. A. ELSHEIMER gelang es schließlich, die wirkl. Kontinuität des landschaftl. Raumes durchzugestalten und die szen. Darstellungen mit ihm zu einer Einheit zu verschmelzen.

Aus dieser neuen Raumauffassung ging einerseits die ›Heroische Landschaft‹ (heroische Staffage, klass. Architektur, Gestalten aus der antiken Mythologie) mit den Hauptvertretern N. POUSSIN, G. DUGHET und CLAUDE LORRAIN (von letzterem wurde jedoch stärker das Idyllische betont; BILD Claude Lorrain) hervor; andererseits entwickelten hieraus die Niederländer des 17. Jh. eine stärker realist. L. Dort kann wohl zum erstenmal von der L. als selbständigem Fach gesprochen werden. Aus den sich ausbildenden Gattungen der Kü-

Landschaftsmalerei: Albrecht Altdorfer, ›Donaulandschaft bei Regensburg‹; 1520/25 (München, Alte Pinakothek)

sten-, See-, Weide-, Wald-, Winter- und Abendlandschaften heben sich fortan die →Seestücke, Marine- und Vedutenmalerei als Spezialgebiete heraus. Zu dramat. Naturereignissen wurde die Landschaftsgestaltung bei P. P. RUBENS, REMBRANDT und J. VAN RUISDAEL. Im 18. Jh. trat die natürl. Landschaft hinter der künstl. Parklandschaft zurück (Fêtes Galantes, A. WATTEAU). Die höf. Vorstellung vom Landleben ließ die Idylle wieder aufleben (Schäferszenen). Das Landschaftsbild entfernte sich immer mehr von der Natur und erstarrte allmählich in einer Art von akadem. Formalismus (J. P. HACKERT).

Erst um 1800 ist wieder eine bewußte Hinwendung zur Natur zu beobachten. Die Landschaft wurde nun zum Träger des dualist. Bewußtseins (Mensch–Schöpfer). Zu den Wegbereitern gehörte J. A. KOCH, der seinerseits auf C. P. FOHR und L. RICHTER wirkte. Bei C. D. FRIEDRICH wird noch einmal durch die Landschaft ein starkes christl. Weltgefühl dargestellt. In den 30er Jahren des 19. Jh. drang von England her eine wieder realist. Richtung (J. CONSTABLE, BILD; R. P. BONINGTON) auf das Festland. Die Künstler der Schule von →Barbizon malten stimmungsvolle Naturausschnitte (›Paysage intime‹). Während die Realisten (G. COURBET) die Dinge greifbar darstellten, studierten die Impressionisten die Gegenstände und ihre Farbigkeit unter der Wirkung des momentanen Lichts, wobei Licht und Farbe die landschaftl. Formen und damit den perspektiv. Raum auflösten. Die Künstler des Symbolismus und Jugendstils gingen von der Bildfläche aus und gestalteten ihre Landschaften durch stark konturierende Linien (F. HODLER). P. CÉZANNE verwandelte die vor ihm liegende Landschaft durch Vereinfachung der von aller Stofflichkeit gelösten Formen in eine neue, nur im Bild existierende Landschaft. Für V. VAN GOGH wie auch für E. MUNCH war die Landschaft Ausdrucksmittel der eigenen Unruhe und Ängste.

In Ostasien ist die Landschaft seit der Sung-Zeit das Hauptthema der Malerei. Der chines. Ausdruck shanshui (japan. sansui), ›Berg und Wasser‹, für Landschaft deutet an, daß beide Elemente in jeder Darstellung, auch nur als Fels oder Nebel, vorhanden sein müssen, um die Landschaft als Sinnbild des Kosmos erscheinen zu lassen. Nach einem Höhepunkt im 8. Jh. (LI SSU-HSÜN, WANG WEI) setzte eine Weiterentwicklung der L. in den um realist. Wiedergabe bemühten monochromen Meisterwerken des 11. und 12. Jh. (FAN K'UAN, KUO HSI, HSÜ TAO-NING) ein. An der Akad. der Südl. Sung-Dynastie bildete sich ein lyr. Landschaftsstil (Eineck-Komposition), wie ihn MA YÜAN und HSIA KUEI pflegten (BILD chinesische Kunst). In die Yüan-Zeit fiel die Blüte der Literatenmalerei, die die L. als Ausdruck der Persönlichkeit auffaßte und die Handschrift des Künstlers im Spiel der Linienführung betonte (HUANG KUNG-WANG, WU CHEN, NI TSAN, WANG MENG). In der Nachfolge der Literatenmalerei der Yüan-Zeit sind die Wu-Schule (SHEN CHOU, WEN CHENG-MING, T'ANG YIN) und die Literatenmaler der Ch'ing-Zeit (WANG HUI) zu nennen. Im 17. Jh. entstand der originelle expressive Stil der ›Individualisten‹ (PA-TA-SHAN-JEN, SHI-T'AO, SEIH-CH'I). Im 18. und 19. Jh. ist die L. durch eklektizist. Strömungen gekennzeichnet. Im 20. Jh. setzte man sich in China mit westl. L. auseinander.

In Japan entwickelte sich die L. zw. dem 8. und 11. Jh. aus der buddhist. Malerei (Landschaftsschirme im Toji und Jingoji, Kioto; Wandgemälde von 1053 im Byodoin, Uji). Noch im 14. bis 16. Jh. können die Tuschlandschaften der Mönchmaler (im Sung-Stil), wie MINCHO, SHUBUN und SESSHU, als Ausdruck des Zen gesehen werden (BILDER japanische Kunst und Sesshu).

Landschaftsmalerei: Joseph Anton Koch, ›Heroische Landschaft mit Regenbogen‹; 1805 (Karlsruhe, Kunsthalle)

Doch ab Ende 16. Jh. (Momoyama-Zeit) wurde die L. zu einer selbständigen Kunstrichtung in betont dekorativem Stil. Um 1820 wurde die Landschaft auch in den Farbholzschnitten des Ukiyo-e beliebt.

K. CLARK: Landscape into art (London 1949); M. SULLIVAN: The birth of the landscape painting in China (Berkeley 1962); ders.: Chinese landscape painting (ebd. 1980); W. STECHOW: Dutch landscape painting in the 17th century (ebd. 1966); H. LEHMANN: Formen landschaftl. Raumerfahrung im Spiegel der bildenden Kunst (1968); M. EBERLE: Individuum und Landschaft. Zur Entstehung u. Entwicklung der L. (1980).

Landschütz, Ort in der ČSSR, →Bernolákovo.

Landseer [l'ænsɪə], **1)** Charles, engl. Maler, Bruder von 2), *London 12. 8. 1799, †ebd. 22. 7. 1879, bekannt durch Genre- und Historienbilder.

2) Sir (1850) Edwin Henry, engl. Maler, Bildhauer, Bruder von 1), *London 7. 3. 1802, †ebd. 1. 10. 1873, stellte v. a. Tiere dar, denen er den Ausdruck menschl. Empfindungen gab.

HW: Bronze der 4 ruhenden Kolossallöwen an der Nelson-Säule (1865; London, Trafalgar Square).

L. CAMPBELL: L. The Victorian paragon (London 1976).

Landshut, Stadt an der Isar, Niederbayern, 1392 bis 1503 wittelsbachische Residenzstadt, 55 500 Ew., mit gut erh. Ortsbild; charakteristisch die Straßenmärkte ›Altstadt‹ (1279 Stadtrecht) und ›Neustadt‹ (1338 ff.) mit maler. Giebelhäusern und Laubengängen. Die Martinskirche (um 1385–1432, HW von H. STETHAIMER; BILD) ist die bedeutendste got. Hallenkirche in S-Dtl. und besitzt den zweithöchsten Turm des dt. MA. (1500 voll., 130,6 m hoch); wertvolle spätgot. Ausstattung, u. a. Muttergottes von H. LEINBERGER (um 1515 bis 1520). Ebenfalls von Stethaimer ist die Heiliggeistkirche (1407–61), eine majestät. Backsteinhalle mit polygonalem Umgangschor. Weitere Kirchen: St. Jodok (1338–1450) in Backsteingotik; die Jesuitenkirche (1631–41) in einzigartiger städtebaul. Situation am südl. Ende der ›Neustadt‹, mit Stuck von M. SCHMUZER; barocke Sebastians- (1666) und Ursulinenkirche (1672). Die roman. Klosterkirche der Zisterzienserinnen (Seligenthal) und die gotische der Dominikaner wurden 1733/34 und 1747–49 durch J. B. ZIMMERMANN barockisiert. Die Stadtresidenz bauten als ersten Renaissancepalast nördlich der Alpen 1536–43 ital. Bauleute aus Mantua; kostbar ausgestattete Innenräume (Mus.). Über L. die 1204 beg. **Burg Trausnitz,** 1579 ff. im Renaissancestil ausgebaut (Arkadenhof, Narrentreppe); spätroman. Burgkapelle (um 1210/20) mit gleichzeitigem reichem Skulpturenschmuck.

Lanfranco, Giovanni, ital. Maler, *Parma 26. 1. 1582, †Rom 30. 11. 1647, Schüler der Brüder AGOSTINO und ANNIBALE CARRACCI; letzterem half er bei der Ausmalung des Palazzo Farnese in Rom. 1633–46 arbeitete er in Neapel, dann wieder in Rom. – L. setzte in seinen Decken- und Kuppelfresken den illusionist. Stil CORREGGIOS im Sinn einer lichterfüllten maler. Gestaltung fort. Seine großzügig komponierten Altarbilder sind in ihrem kontrastreichen Helldunkel von dramatisch-monumentaler Wirkung.

HW: Kuppelfresko der Himmelfahrt Mariä, Rom, S. Andrea della Valle (1625–28); Kuppelfresko, Cappella di S. Gennaro, Neapel, Dom (1641); Fresko der Chorapsis von S. Carlo ai Catinari, Rom (1647). – Vision der Hl. Margarete v. Cortona (Florenz, Palazzo Pitti).

Lang, 1) Albert, Maler, *Karlsruhe 15. 11. 1847, †München 1. 12. 1933, malte, von K. SCHUCH und W. TRÜBNER, später von H. THOMA beeinflußt, Landschaften und Stilleben.

2) Nikolaus, Künstler, *Oberammergau 12. 2. 1941, kam um 1970 zu seiner eigentl. Kunstform, der subjektiven Durchdringung und musealen Ordnung von Fundstücken, die er auf seinen Reisen (Japan, London, Toskana) oder in der Umgebung seines Wohnorts Bayersoien gesammelt hat und in Schaukästen und -tafeln darstellt. L. wurde zum bekanntesten dt. Künstler der Spurensicherung (BILD).

N. L., Ausst.-Kat., Münster (1978).

Lange, Ludwig, Baumeister, *Darmstadt 22. 3. 1808, †München 31. 3. 1868, Schüler von K. ROTTMANN ebd.; beeinflußt von roman. und byzantin. Bauten baute er 1856 in Leipzig das Mus. der bildenden Künste, 1860 in Athen das Archäolog. Mus.

Langeais [lãʒ'ɛ], Stadt im frz. Dép. Indre-et-Loire, 3900 Ew., mit dem auf Veranlassung LUDWIGS XI. 1465–69 erbauten Schloß; als Abwehr gegen die Bretonen geplant, hat es festungsähnl. Aussehen (Türme, Wehrgraben); Innenausstattung aus Gotik und Renaissance (u. a. fläm. Wandteppiche).

Langeisen, Christof, Ulmer Bildhauer des 16. Jh., schnitzte 1509/10 und 1516/17 mit JÖRG SYRLIN D. J. für 7 Altäre des Klosters Zwiefalten u. a. Szenen aus der Leidensgeschichte Christi (erh. die Schreinfüllungen, Stuttgart, Württ. Landesmus.), 1514 auch ein Chorgestühl. – Sein Werk zeigt in heftigen Bewegungen einen oft grotesken Realismus; mit ihm beginnt in Ulm die Renaissance.

Lange Mauern, die zw. Athen und Piräus 461 bis 456 v. Chr. errichteten Festungsmauern.

Langenburg, Stadt im Kr. Schwäbisch-Hall, über dem Jagsttal, Bad.-Württ., seit 1232/35 Besitz der Grafen von Hohenlohe, seit 1585 deren Residenz. Mächtiges Renaissanceschloß (1576–87 und 1610–16 ausgebaut) mit maler. Innenhof (Mus.), barocker Ostflügel 1757–59. Spätgot. Stadtkirche mit guter Ausstattung des 17. Jh.

Langenhorst, Stadtteil von Ochtrup, Kr. Steinfurt, NRW; die Kirche (um 1230 voll.) des ehem. Augustinerinnenklosters ist eine münsterländ. got. Hallenkirche im →gebundenen System mit Chorflankentürmen und reich verzierten Kelchblockkapitellen.

Langensalza, Bad L., Stadt im Thüringer Becken, Dt. Dem. Rep., 16500 Ew.; gut erh. Stadtbild mit fast vollständigem ma. Mauerring und zahlreichen Fachwerkhäusern (15.–18. Jh.). St. Bonifatius (beg. 1395, v. a. 2. H. 15. Jh.) ist eine spätgot. Hallenkirche, Turmaufsatz im Renaissancestil (1592 voll.). Barockbauten sind das Friederikenschlößchen (1749/50) und das Rathaus (1742–52, Turm im Kern spätgotisch).

Langer, 1) Johann Peter von (1808), Maler, Vater von 2), getauft Kalkum bei Düsseldorf 1. 7. 1756, †Haidhausen (heute zu München) 6. 8. 1824, wurde 1790 Direktor der Düsseldorfer, 1806 der Münchner Akad.; malte unter dem Einfluß des frz. Klassizismus (J. L. DAVID) mytholog. Szenen und Historienbilder. Frischer sind seine Porträts.

2) Robert, Maler, Sohn von 1), *Düsseldorf 9. 3. 1783, †Haidhausen (heute zu München) 6. 10. 1846, war in München Direktor des Handzeichnungskabinetts und der Kleinplastiken, dann der Gemäldegal.; malte im klassizist. Stil seines Vaters bes. Fresken; auch Federzeichnungen zu Dante.

Langhammer, Arthur, Maler, *Lützen 6. 7. 1855, †Dachau 4. 7. 1901, gehörte mit A. HÖLZEL und L. DILL ebd. zur Malschule von →Neu-Dachau. Als Figurenmaler suchte L. seinen ländl. und relig. Motiven eine über den Realismus hinausgehende symbolist. Bedeutung zu geben.

Langhans, 1) Carl Ferdinand, Baumeister, Sohn von 2), *Breslau 14. 1. 1782, †Berlin 22. 11. 1869 als Oberbaurat, Schüler von K. F. SCHINKEL. Er war in Breslau und v. a. in Berlin tätig, bes. als Theaterbaumeister.

HW: Börse in Breslau (1821); Palais Wilhelms I. (Berlin, 1834 bis 1836). Theater: Breslau (1843), Liegnitz (1839), Dessau (1855/56), Leipzig (1864–67).

2) Carl Gotthard, Baumeister, Vater von 1), *Landeshut i. Schles. 15. 12. 1732, †Grüneiche (bei Breslau) 1. 10. 1808, war nach Auslandsreisen (Italien 1768, Niederlande, England und Frankreich 1775) in Schlesien tätig (seit 1775 Oberbaurat) und wurde 1788 Direktor des Oberhofbauamts in Berlin. Seine Bauten zeigten zunächst Elemente des Barock; seit dem Bau des Brandenburger Tores in Berlin (1788–91, nach dem Vorbild der Propyläen in Athen) gehören sie zum Frühklassizismus.

WW: Palais Hatzfeld (1766–73; Breslau); protestant. Kirchen in Groß-Wartenberg, Waldenburg, Reichenbach, Münsterberg, Rawitsch; Landschlösser in Schlesien; Altes Schauspielhaus in Berlin; Theater in Charlottenburg (1788) und Potsdam (voll. 1795); Säle im Niederländ. Palais und Schloß Bellevue, Berlin; Innenausstattung des Marmorpalais, Potsdam.

Langhaus, Langschiff, Baukunst: der längs zur Altarachse, i. d. R. nach O gerichtete Teil einer Kirche, der bei der →Basilika und der →Hallenkirche aus dem Mittelschiff und den parallel fluchtenden Seitenschiffen, bei der →Saalkirche aus einem Schiff besteht.

Langko, Dietrich, Maler, *Hamburg 1. 6. 1819, †München 8. 11. 1896, schloß sich ebd. (seit 1840) dem Kreis um C. SPITZWEG und v. a. E. SCHLEICH an. Seine kleinformatigen, intimen Landschaftsbilder stehen der Schule von →Barbizon nahe.

langobardische Kunst, 1) Teilgebiet der german. Kunst vor und während der Völkerwanderungszeit mit eigenem Schmuckstil, der sich auf kleinen Goldkreuzen

(Langobardenkreuze, Rom, Thermenmus.) erh. hat. 2) Die Kunst im Langobardenreich (568–774) mit der Hauptstadt Pavia. In →Cividale del Friuli, dem Sitz langobard. Herzöge, blieben Baudenkmäler dieser Zeit rein erh.

Langres [lãgr], Stadt und ehem. Festung im frz. Dép. Haute-Marne, an der Marne, auf einem Bergsporn des Plateau von L. gelegen, 12 500 Ew. Innerhalb der von Befestigungswällen mit Toren (Rest eines gallo-röm. Tors erh.) und Türmen umgebenen Stadt liegen die Kathedrale (12./13. Jh., Fassade 18. Jh.) und die Kirche St. Martin (13.–18. Jh.). Mus. du Breuil de St. Germain (Kunsthandwerk des 16. und 17. Jh.), Mus. St. Didier (u. a. Funde aus Vor- und Frühgeschichte).

Langschiff, Baukunst: das →Langhaus.

Lan Na, nach dem Reich L. N. benannter Kunststil in N-Thailand, Ende 13./14. Jh. in der Plastik, bis heute in der Architektur. Hauptstadt dieses Reiches war →Chieng Mai, bed. Kunstzentrum →Chieng Sen. In der sehr qualitätvollen plast. Kunst wurden v. a. Buddhafiguren in Bronze hergestellt, häufig in der sonst seltenen Pose des Meditationssitzes (Vajrasana), mit einem starken Einfluß der Pala-Sena-Schule. In der Architektur wurden Heiligtümer häufig nach birman. Vorbildern errichtet, meist auf dem Schutt älterer Tempel.

Lansere, Lanceray [lãsər'ɛ, frz.], Jewgenij Jewgenjewitsch, russ. Maler, *Pawlowsk (Gebiet Leningrad) 4. 9. 1875, †Moskau 13. 9. 1946, Mitgl. von Mir Iskusstwa, bevorzugte Themen des 18. Jh., schuf auch Buchillustrationen, später zunehmend monumentale Wandgemälde (›Palast der Arbeiter‹ in Charkow, 1931/32); auch Bühnenausstatter.

Lanskoy, André, russisch-frz. Maler, *Moskau 31. 3. 1902, †Paris 22. 8. 1976, lebte ebd. seit 1921. Bes. beeinflußt von W. Kandinsky, wurde er ein Vertreter des Abstrakten Expressionismus; malte ungegenständl. Bilder von heller, heiterer Farbigkeit.

Lanzettbogen, Baukunst: überhöhter Spitzbogen, eine in der engl. Gotik häufige Form des →Bogens.

Laodikeia am Lykos, antike Stadt in Phrygien in der heutigen türk. Prov. Denizli, von dem Seleukidenkönig Antiochos II. von Syrien vor 253 v. Chr. gegr. Von der im Späthellenismus bed. Stadt wurden ein Odeion, 2 Theater, ein Stadion, Hallenbauten und ein Nymphaeum freigelegt.

Laoko|on, grch. Mythos: ein trojan. Priester des Apoll, der nach Vergil vor dem hölzernen Pferd der Griechen warnte. Während der Opferhandlung wurden er und seine beiden Söhne von 2 Schlangen erwürgt, was im Altertum als Strafe für L. oder als Vorzeichen für den Untergang Trojas gedeutet wurde. Vasenbilder, Terrakotten, pompejan. Wandgemälde u. a. geben seit archaischer Zeit den Tod des L. und seiner Söhne wieder. Die bedeutendste Darstellung ist die Marmorgruppe wohl aus dem 1. Jh. v. Chr. der rhodischen Bildhauer Hagesandros, Polydoros und Athenadoros (Vatikan). Die Gruppe hat nach ihrer Wiederentdek-

Laokoon: Marmorgruppe; wohl aus dem 1. Jh. v. Chr. (Rom, Vatikan. Museen)

kung 1506 im Goldenen Haus des Nero wie kein zweites antikes Werk anregend auf die Kunst gewirkt (G. E. LESSING, J. J. WINCKELMANN). Die seinerzeit offensichtlich falsche Wiederherstellung der Gruppe, bes. des rechten Armes des L., durch MONTORSOLI wurde, einer Anregung MICHELANGELOS oder A. SANSOVINOS folgend, 1960 berichtigt.

B. ANDREAE: Odysseus (1982).

La Oliva [- ol'iβa], ehem. Zisterzienserkloster (1134 gegr.) in der span. Prov. Navarra, mit dreischiffiger, 70 m langer Kirche im schmucklosen Stil der Zisterzienserbaukunst (Ende 12./Anf. 13. Jh.); Kreuzgang (15. Jh.).

Laon [lã], Hauptstadt des Dép. Aisne, auf einem von einer Zitadelle gekrönten Bergrücken in der nordfrz. Ebene des Laonnois, 30 200 Ew. Die Kathedrale (um 1160 beg., W-Fassade 1205 voll.), eine dreischiffige Basilika mit dreischiffigem Querhaus, hat einen geraden Chorabschluß und 5 Türme (urspr. 7 geplant), darunter der innen offene Vierungsturm. Die Langhauswände sind viergeschossig: Arkaden, Empore, Triforium und Obergaden. V. a. die W-Türme mit ihren übereck gestellten Tabernakeln in allen 3 Geschossen gelten als die schönsten und formenreichsten ihrer Zeit. An der W-Fassade Fensterrose und reicher Skulpturenschmuck an den 3 Portalen. Im Chor und im Querhaus befinden sich bed. Glasfenster des 13. Jh. Die Kathedrale von L. ist neben der Abteikirche von St. Denis und den Kathedralen von Chartres und Paris die bedeutendste frühgot. Kathedrale Frankreichs. Sie hat eine außerordentl. Wirkung auch auf die dt. Baukunst ausgeübt, so auf die Dome von Magdeburg, Limburg a. d.

Laon: Kathedrale von L.; begonnen um 1160 (Innenansicht)

Lahn, Bamberg und Naumburg sowie auf die Kathedrale von Lausanne. – Die oktogonale Templerkapelle entstand um 1140, die Kirche St. Martin im 12./13. Jh. (mit Grabdenkmälern des 13./14. Jh.), der Justizpalast (ehem. Bischofspalast) im 15. Jh. (mit Resten aus dem 13. Jh.); 2 Stadttore des 13. Jh. erh.; Archäolog. Mus.

La Paz [lap'as], die Hauptstadt Boliviens, 3600 bis 4000 m ü. M., 720000 Ew. Zu den ältesten erh. Bauten der Stadt gehört die Kirche San Pedro (voll. 1790), überwiegend im Renaissancestil, Fassade barock mit klassizist. Einfluß; innen barocke Retabeln, Gemälde und Kanzel. Die Kirche S. Agustín (dreischiffig; gegr. 17. Jh., Fassade 20. Jh.) besitzt wertvolle Skulpturen (18. Jh.) und Retabeln, die Kirche del Carmen (gegr. 1718) kunstvolle Altartafeln. Die Kathedrale (gegr. 1556, heutiger Bau beg. 1835, gew. 1925) in klassizist. Stil zeigt barocke Anklänge. Die Kirche S. Francisco (beg. 1743, gew. 1784), eine dreischiffige Basilika mit großer Kuppel und Turm (1890), im Innern Retabeln und Kanzel (18. Jh.), ist ebenso wie die Kirche S. Domingo (2. H. 17. Jh.) ein HW des indian. Barockstils jener Region (zweistöckige Fassaden, überreich mit Ornamenten verziert; gewundene Säulen, Kleeblatt-Portale; im Innern Gestühl, 18. Jh.). In einem Barockpalast des 18. Jh. das Mus. Nacional de Arte; im Mus. Nacional Tiahuanaco Samml. von Kunst Altamerikas, im Mus. ›Casa de Murillo‹ v. a. Kolonialkunst.

Lapicque [lap'ik], Charles, frz. Maler, *Theizé (Dép. Rhône) 6. 10. 1898, prägte mit seinem maler., farbig reichen und dynam. Stil zw. figürl. Andeutung und netzartigen Linienstrukturen eine eigene Variante der ›École de Paris‹, die sich den Weg von der Abstraktion zur Landschaft und zum Figurenbild immer offenhielt.

C. L., Ausst.-Kat., Zürich (1978); G. Blache und B. Balanei: C. L., Catalogue raisoné de l'œuvre complet des lithographies, eaux-fortes et gravures (Paris 1982).

Lapidarium [lat. lapis ›Stein‹] *das,* Samml. von Steindenkmälern, Grabsteinen, Epitaphien, Altären, Sarkophagen oder Grabungsfunden, die am Fundort aufgestellt werden, häufig in den Kreuzgängen von Klöstern.

Lapislazuli [lat. lapis ›Stein‹ und pers. läžwärd ›Lasurstein‹, ›blaue Farbe‹] *der,* **Lasurit, Lasurstein, 1)** der **Lazur-Stein** des MA. und **Saphir** der Griechen und Römer, tiefblaues, undurchsichtiges, oft mit weißen (Kalkspat), meist metallisch-goldenen Flecken (Pyrit) durchsetztes Mineral. Hauptvorkommen: Kokscha-Tal (Afghanistan), Baikalsee, Birma, Chile, San Bernardino (Kalifornien).

Der L. wurde im Alten Orient wegen seiner blauen Farbe als Apotropeion geschätzt. Von der einzigen Fundstelle im altoriental. Bereich, Badaschan (N-Afghanistan), wurde er schon früh weithin verkauft und zu Perlen, Siegelzylindern, Werken der Kleinkunst (z. T. bei Einlegearbeiten) verarbeitet. Wegen seiner Kostbarkeit bald durch blaue Paste (Fritte, Fayence) und Glas ersetzt.

In Ägypten wurde der L. v.a. in Schmuckstücken (Skarabäen-Anhänger aus dem Tut-ench-Amun-Schatz) verarbeitet. In Europa wurden in der Renaissance und im Barock aus L. Vasen, Tassen, Schalen u. a. kunsthandwerkl. Gegenstände hergestellt; dünne Plättchen wurden zur Wandtäfelung verwendet.

2) Maltechnik: Durch Zerstoßen des L. und ein kompliziertes Aufbereitungsverfahren wurde das wertvolle Blau (Lazurblau) früher Malereien gewonnen. In der reinsten Form wird L. als Ultramarin bezeichnet.

Lapithen, grch. Mythos: vorzeitl. Heldengeschlecht aus Thessalien, Gegner der →Kentauren.

La Plata, Hauptstadt der Prov. Buenos Aires, Argentinien, 473 200 Ew.; moderne, 1882 nach dem Vorbild von Washington, D. C., angelegte Stadt; kath. Erzbischofssitz. Die Kathedrale (beg. 1885) in neugot. Stil ist wohl dem Kölner Dom nachempfunden. La P. hat eines der bed. naturhistor. Museen Südamerikas.

La Quemada [-ke-], archäolog. Fundstätte im Bundesstaat Zacatecas, Mexiko, die der Chalchihuites-Kultur zugerechnet wird (900–1200). Bemerkenswerte Bauwerke der burgähnlich befestigten Siedlung mit einem Zeremonialzentrum sind ein hoher Turm aus massivem Mauerwerk, eine große rechteckige Plattform am Fuß des Burgberges, die an allen 4 Seiten von 11 runden Säulen eingerahmt wird. Die Architektur zeigt starke toltek. Einflüsse.

L'Aquila, L'Aquila degli Abruzzi [l'a:kuila d'eʎi abr'uttsi], Hauptstadt der ital. Region Abruzzen, Erzbischofssitz, 66 000 Ew. Die Stadt, nach Plänen FRIEDRICHS II. von Hohenstaufen 1250 gegr., wurde durch Erdbeben häufig zerstört. Die spätroman. Kirche S. Maria di Collemaggio (1287 beg.) besitzt eine reiche weiß-rosa inkrustierte Fassade mit 3 Rundbogenportalen (v. a. das Mittelportal reich skulptiert); in der Kirche S. Bernardino (1454–72, Fassade 1527) das Mausoleum des Titelheiligen; Dom (urspr. 13. Jh., nach Erdbeben 1703 neu errichtet) und zahlreiche weitere Kirchen. Brunnen mit 99 Röhren (›Fontana delle 99 Canelle‹, urspr. 13. Jh., im 15. Jh. verändert). Das Kastell (1535 beg.) ist heute Sitz des Nat.-Mus. der Abruzzen (archäolog. Samml., Skulpturen, Gemälde).

Larache [-tʃɛ], Stadt in Marokko, →El-Araisch.

Lara Jonggrang, Candi L. J. [tç-], Hauptmonument der Tempelanlagen von Prambanan in Zentraljava (KARTE indonesische Kunst), benannt nach einer javan. Form der Göttin Durga, deren Skulptur in der N-Zelle steht. Der Tempel (9./10. Jh.) hat einen quadrat. Grundriß (30 × 30 m, Höhe etwa 45 m). Bei L. J. sind, ähnlich wie in der zentralind. ma. Architektur, die vertikalen Bauglieder betont. An der Innen-Balustrade 42 Bas-Reliefs mit Darstellungen aus dem Ramayana, Vorprägung des späteren ostjavan. Stils. (BILD indonesische Kunst)

Lärchenterpentin, Straßburger oder **Venetianer Terpentin,** Maltechnik: dickflüssiger Balsam von Lärchen (u. a. Kiefernarten). L. wurde in kleinen Mengen dem Malöl oder dem Firnis zugesetzt, um Glanz und Farbverlauf zu verbessern. L. gilbt sehr und führt zur Versprödung der Malfarbe.

Lardera, Berto, ital. Bildhauer, *La Spezia 18. 12. 1911, Autodidakt, lehrte 1958–61 an der Hochschule für Bildende Kunst in Hamburg. Er konstruiert allseitig geöffnete Plastiken (auch monumentale Freiplastiken) aus durchbrochenen, gezackten oder eingeschnittenen Blechplatten (Eisen, Aluminium, Kupfer).

B. L., Ausst.-Kat., Duisburg (1976).

Laren, lat. **Lares,** altröm. Gottheiten mit vielen Beinamen, die sie als Schützer eines Ortes oder dessen Besitzers ausweisen. Als **Lares familiares** wurden sie von jeder röm. Familie in einem Schrein (lararium) am häusl. Herd verehrt. In Kapellen am Kreuzweg (compitum) verehrten die Besitzer der angrenzenden Fluren die **Lares compitales.** Seit Augustus hatte jedes röm. Stadtviertel ein compitum mit 2 L., die den Genius des Kaisers umgaben **(Lares Augusti).** Hauptfest waren die Compitalia gegen Ende des Jahres. Darstellungen haben sich v. a. aus der Kaiserzeit in vielen Statuetten, Altarreliefs und Wandbildern (Pompeji) erhalten: meist 2 tanzende Jünglinge mit flatternden Haaren und Gewändern, in der einen Hand eine Schale, in die sich ein Strahl aus dem Trinkhorn in der anderen Hand ergießt.

Largillière, Largillierre [larʒiʎ'ɛːr], Nicolas de, frz. Maler, *Paris 10. 10. 1656, †ebd. 20. 3. 1746, lernte in Antwerpen, ging 1674 nach England und kehrte 1682 nach Paris zurück, wo er 1686 Mitgl., 1705 Prof., 1743 Kanzler der Akad. wurde. L. war neben H. RIGAUD der beste frz. Porträtmaler seiner Zeit, aber i. S. des 18. Jh. moderner als jener. Seine über 1500 Porträts entfernen sich vom repräsentativen offiziellen Hofstil unter Ludwig XIV. (Louis-quatorze), sind von ungezwungener Anmut und damit charakteristisch für die Zeit der Régence und des beginnenden frz. Rokoko (Louis-quinze); ihre farbige Haltung läßt seine fläm. Ausbildung erkennen. L. hat v.a. Mitglieder des Parlaments und das reiche Bürgertum porträtiert; schuf auch zahlreiche Stilleben nach holländ. Vorbild.

Larionow, Michail Fjodorowitsch, russ. Maler, *Tiraspol (bei Odessa) 3. 6. 1881, †Fontenay-aux-Roses (bei Paris) 10. 5. 1964, ausgebildet in Moskau, Mitbegründer der Gruppe Karobube; entwickelte nach impressionist. und primitivist. Anfängen (→Primitivismus) 1910–14 den →Rayonismus. Seit 1916 lebte er meist in Paris, wo er v.a. Bühnenbilder und Dekorationen für die ›Ballets Russes‹ von S. DIAGHILEW schuf. L.s Frau war die Malerin NATALJA SERGEJEWNA GONTSCHAROWA.

WALDEMAR-GEORGE: L. (a.d. Russ., 1968).

Larisa am Hermos, antike grch. Stadt (schon in vorgrch. Zeit besiedelt) an der kleinasiat. Westküste, etwa 30 km nördlich von Izmir. Reste der Ummauerung und eines ausgedehnten griechisch-pers. Herrscherpalastes (seit 550 v.Chr. mehrmals umgebaut) sind erhalten.

Larnaka, Larnaca, Hafenstadt an der SO-Küste Zyperns, 19800 Ew. L., das antike **Kition,** entwickelte sich in der späten Bronzezeit zu einem bed. Handelszentrum und gelangte im 14./13. Jh. v.Chr. zu hoher Blüte. Ausgrabungen größeren Stils sind wegen Überbauung durch das heutige L. schwer möglich. Reiche Funde wurden aber in den Gräbern des 14./13. Jh. gemacht (Goldschmuck, Bronzegerät, Alabastervasen, Elfenbeinschnitzerei, myken. Keramik). Im 8. Jh. v.Chr. wurde Kition ein Stützpunkt der Phöniker und zeitweilig Sitz eines kyprischen Königreichs.

Larnax [grch.] *die, Mz.* **Larnakes,** kretisch-myken. →Sarkophag.

La Rochelle [larɔʃ'ɛl], Hauptstadt des frz. Dép. Charente-Maritime, 77500 Ew.; kath. Bischofssitz. Seit dem MA. eine bed. Hafenstadt, war La R. in den Religionskriegen Hauptstützpunkt der Hugenotten. Die Einfahrt zum alten Hafen wird von 2 Türmen (Tour St. Nicolas, Tour de la Chaîne, beide 14. Jh.) flankiert, westlich davon der ehem. Leuchtturm Tour de la Lanterne (Mitte 15. Jh.); Stadttor Porte de la Grosse-Horloge (14./15. Jh., Bekrönung 18. Jh.), Kathedrale St. Louis (von J.-A. GABRIEL, 1742–84), Rathaus (16./17. Jh.). Mehrere Museen, u.a. Mus. des Beaux-Arts (Gemälde aller Epochen), Mus. d'Orbigny (v.a. Fayencen-Samml. des 18. Jh. aus La R.), Mus. Lafaille (Völkerkunde-Mus.).

Larsa, babylon. Stadt südöstlich von Uruk (KARTE Alter Orient), heute die Ruinenstätte **Senkere** (Irak). L. war bedeutsam bes. in altbabylon. Zeit (etwa 1932 bis 1763 v. Chr.) mit eigener Dynastie, deren letzter Herrscher RIMSIN von HAMMURAPI entthront wurde. Kultstadt des Sonnengottes Utu (babylonisch Schamach), dessen Tempelkomplex Ebabbar z. T. von frz. Archäologen ausgegraben wurde.

Larsson, 1) Carl, schwed. Maler, *Stockholm 28. 5.

1853, †Sundborn bei Falun 22. 1. 1919, begann 1882 als Freilichtmaler in der skandinav. Künstlerkolonie Grez bei Fontainebleau, wurde später Hauptmeister des Jugendstils in Schweden (Bilder mit Motiven der schwed. Kunstgeschichte im Treppenhaus des Nat.-Mus., 1895/96). L. war ein glänzender Zeichner und produktiver Buchillustrator. Volkstümlich wurde er durch die vielen Aquarellfolgen, die sein Heim und Familienleben in Sundborn schildern (als Buch ›Das Haus in der Sonne‹, 1909); malte außerdem viele Porträts bed. Zeitgenossen (A. Strindberg, Selma Lagerlöf).

C. L.s Welt, hg. v. H.-C. Köster (1982).

2) Marcus, schwed. Maler, *Örsätter (Östergötland) 5. 1. 1825, †London 25. 1. 1864, hielt sich 1852–57 meist in Düsseldorf auf, wo er von A. Achenbach beeinflußt wurde; malte Landschaften, häufig romantisch gefärbt und mit theatral. Effekten.

La Sarraz [lasar'a], Städtchen im schweizer. Kt. Waadt; Schloß (13. Jh., 1475 zerstört, danach wiederhergestellt) von burgartigem Aussehen, beherbergt das Mus. romand mit bed. Porträtsamml. (15.–19. Jh.), Porzellan (v. a. Nyon, Sèvres) und Möbeln, die zum größten Teil zur Originalausstattung gehörten.

Lascaux [lask'o], 1940 entdeckte Höhle bei Montignac a. d. Vézère im frz. Dép. Dordogne, enthält Malereien und Gravierungen des jüngeren Paläolithikums, die den Höhepunkt der eiszeitl. Felsbildkunst um 15 000 v. Chr. bilden. Bes. eindrucksvoll sind mehrfarbige Tierfriese mit überdimensionalen Stierbildern sowie Darstellungen ›ziehender‹ Wildpferd- und Hirschrudel. Symbol. Zeichen und kultisch-mytholog. Szenen dokumentieren eine auf das Jagdtier bezogene relig. Grundhaltung. (Bild Felsbilder)

L. Höhle der Eiszeit, Ausst.-Kat., Hildesheim (1982).

Laschkạr-i Bazạr, Ruinenstadt in S-Afghanistan, von den Ghasnawiden Mahmud (998–1030) und Mas'ud I. (1030–1041) als Winterresidenz mit 3 prächtigen Palästen errichtet, die sich mit Höfen und Mauern 7 km lang am O-Ufer des Hilmend entlangziehen. Im südl. Palast (4-Iwan-Hof, dem 1. Beispiel einer solchen Anlage in Afghanistan) ist nur die Audienzhalle erhalten, reich geschmückt mit Skulpturen und Wandgemälden (türk. Gardisten vor einem Hintergrund von Blumen, Bäumen, Vögeln, Gazellen u. a.). Von den Ghoriden z. T., von den Mongolen 1221 zerstört.

Lasieren, Maltechnik: Farbe dünn auftragen oder eine Lasurfarbe in transparentem Bindemittel verwenden, so daß der Grund durchscheint.

Las Pạlmas de Gran Canạria, span. Stadt und Erzbischofssitz im NO von Gran Canaria, Kanar. Inseln, 368 000 Ew.; Kathedrale (1497–1570, erneuert 1781 bis 1820) mit klassizist. Fassade und spätgot. Innenraum. In der Casa de Colón (Kolumbus-Haus, Ende 15. Jh.; Residenz der ersten span. Statthalter) kunsthistor. Mus. (Gemälde- und archäolog. Samml.).

Lassaw [l'æsɔː], Ibrahim, amerikan. Plastiker, *Alexandria (Ägypten) 4. 5. 1913, gehörte um 1932 zu den Begründern der abstrakten Plastik in den USA, gestaltete durch Schweißen zusammengefügte, labyrinth. Formgitter aus dünnen Metallstäben und Drähten, eine ›Art von Raumtanz‹. In den 60er Jahren schuf er Großplastiken aus Bronze- und Messingplatten, in denen er, von der Zen-Philosophie inspiriert, Modelle der Einheit von Mensch, Natur, Kosmos sieht.

Lastman, Pieter, holländ. Maler, *Amsterdam um 1583, begraben ebd. 4. 4. 1633, wurde von H. ROTTENHAMMER in Venedig und um 1603/06 in Rom von A. ELSHEIMER beeinflußt. Er übertrug, auch unter Kenntnis CARAVAGGIOS und der CARRACCI, Elsheimers Kleinmalerei auf bibl. und mytholog. Bilder im holländ. Kabinettformat. Seine Historienbilder verzichten auf allegor. und schmückendes Beiwerk und konzentrieren sich auf die Wiedergabe menschl. Leidenschaften. Hierin übte er Einfluß auf seinen Schüler REMBRANDT (1623/24) aus, zu dessen bedeutendstem Vorläufer (Prärembrandtisten) er neben J. PYNAS gehört.

HW: Konstantinschlacht (1613; Bremen, Kunsthalle); Susanna und die beiden Alten (1614; Berlin-West, Staatl. Museen); Taufe des Kämmerers (1620; München, Alte Pinakothek).

Lasur *die,* Maltechnik: durchscheinende oder durchscheinend aufgetragene Farbschicht.

Lasurfarben. Die L. der Lackier-, Mal- und Drucktechnik haben i. Ggs. zu den Deckfarben das Vermögen, die Eigenfarbe des Untergrundes oder Zeichnungen und dgl. durchscheinen zu lassen. Auch unter den Pigmenten unterscheidet man L. wie Ultramarinblau und Krapplack von Deckpigmenten wie Englischrot.

Lasurmalerei, Maltechnik: farbige Lasuren auf opakem Untergrund, meist auf Grauuntermalung.

László [l'a:slo:], Fülöp Elek von, ungar. Maler, *Budapest 1. 6. 1869, †London 22. 11. 1937, schuf in glatter, an den engl. Porträtisten des 18. Jh. geschulter Manier zahlreiche Porträts von Königen, Fürsten und hohen Würdenträgern seiner Zeit.

lateinamerikanische Kunst, die Kunst, die sich in der Neuen Welt nach der Eroberung durch Spanien und Portugal (16. Jh.) bis zum Entstehen unabhängiger Staaten (Anf. 18. Jh.) entwickelte und sich v. a. in Sakralbauten manifestiert hat.

Spanisches Einflußgebiet: Der kolonialspan. Baustil bildete sich im 16. Jh. unter dem Einfluß der span. Renaissance heraus, geprägt durch dekorative Formen aus Gotik (Gewölbe von S. Domingo, Lima) und Renaissance (Portal in Actopan), mit Mudéjar- (Kassettendekke in S. Clara, Tunja) und Platereskenstil (Portal in Acolman). Im 17. bis Ende 18. Jh. folgten Barock- und churrigueresker Stil, verändert durch die eigene Formenwelt der Indianer, v. a. in der Ornamentik. Als Reaktion gegen den Barock gewann um 1780 der klassizist. Baustil an Einfluß (in Mexiko durch die Baumeister F. E. →Tresguerras und M. →Tolsá), der auch nach der Unabhängigkeit noch großen Anklang fand.

Die nach der Eroberung in die Neue Welt gekommenen span. Mönche (Dominikaner, Franziskaner und

lateinamerikanische Kunst: Jesuitenkirche in Cuzco, 17. Jh.

Augustiner) bauten nach ersten provisor. Gebäuden im 16. Jh. Klöster. Bes. in Mexiko waren diese mit weiten Innenhöfen (Atrien) für die Massenbekehrung ausgestattet, an den vier Ecken mit →Posas (Huejotzingo), z. T. mit →Offenen Kapellen versehen (Actopan). Die frühen Klosterkirchen (einschiffige Saalkirchen) hatten bes. in Mexiko (Huejotzingo, Acolman u. a.) Festungscharakter (mit ma. Wartturm). Später wurden mehrschiffige Hallenkirchen, zunächst ohne Querschiff, errichtet, meist von einfachen Holzdecken, aber auch von Tonnen- und Kreuzgewölben geschlossen. Chor und Apsis wurden von den Schiffen durch Säulen und Bogenkonstruktionen nach Art des Triumphbogens abgesetzt. Massive, mächtige Kathedralen (Puebla, Antigua, Cuzco, Lima, Cartagena, Quito) traten später an die Stelle der provisor. Bauwerke; die früheste (1520–41) war die von Santo Domingo. Ende des 16. Jh. begann man, Kirchen mit kreuzförmigen Grundrissen und Rippengewölben zu bauen. Im 17. Jh. wurde die Jesuitenkirche Il Gesú in Rom vorbildlich für ganz Spanisch-Amerika. In Quito, Cuzco, Lima, Arequipa und Córdoba entstanden eindrucksvolle Jesuitenkirchen, im Innern bes. prunkvoll ausgestaltet, die beispielgebend für weitere Kirchenbauten wurden. Die im 18. Jh. in Neuspanien (Mexiko) geschaffenen Kuppelkonstruktionen waren an Monumentalität kaum zu übertreffen (Kathedrale von Puebla, Kirche S. Francisco in San Luis Potosí). Die Kuppeln wurden innen mit Gemälden und Stukkaturen verziert, so in der Capilla del Rosario, Puebla; die dort, in S. Domingo, Oaxaca (BILD) u. a. mexikan. Kirchen anzutreffenden vergoldeten Stuckarbeiten vermitteln den Eindruck großer Pracht. Im churrigueresken Stil, im frühen 18. Jh. in Mexiko eingeführt, entstanden dekorative, meist mehrstöckige, ornamentierte Portale, mit Estípites, gewundenen Säulen, Reliefs, Nischen, Tympanon geschmückt, in ihrer Gliederung auch vom Element des Retablo beeinflußt (in Guatemala v. a. Antigua, in Peru: Potosí, in Mexiko: San Cristóbal de las Casas). Bes. reich ornamentiert waren die Barockportale in der 2. H. des 18. Jh. im Staat

lateinamerikanische Kunst: Altar in der Kirche São Francisco de Assis in Ouro Preto, 18. Jh.

Tlaxcala, Mexiko; eine großartige volkstüml. Version eines solchen Portals findet sich in Ocotlán (→Tlaxcala). Regional zeigen die Barockkirchen viel stilist. Eigenständigkeit. In den Silberminenstädten Mexikos wurde die Ornamentik der Steinmetzarbeiten bis zum Filigran verfeinert (La Valenciana in Guanajuato; BILD). Die Barockkirchen Perus zeigen fast immer Stukkaturen an den Portalen, an Pfeilern, Bogen und Gewölben (La Merced und San Pedro in Lima). In Quito, La Paz, Potosí und in den Kirchen um den Titicacasee sind die Verzierungen der Sakralbauten mit indian. Motiven durchsetzt. In Mexiko ist das indian. Element in der Baukunst bes. um Puebla überzeugend zu finden; als schönste Beispiele für den →Poblano-Stil gelten die Kirchen in Acatepec und Tonantzintla.

In Zentralamerika (v.a. in Guatemala) baute man bes. dicke Mauern und massive Strebepfeiler mit reicher Stuckverzierung und intensiver Farbigkeit (›Erdbebenbarock‹). In Paraguay, am Río Paraná, errichteten die Jesuiten seit 1585 Missionen in Form kleiner Dörfer. Die Fassaden ihrer Kirchen erhielten durch die Gestaltungsvorstellungen der Indianer ihr typ. Gepräge (→Jesuitenbaukunst).

Für den kolonialen Städtebau war das altröm. rechtwinklige Straßennetz charakteristisch (soweit es die Geländeformen zuließen) mit einem Platz (Zócalo, Plaza mayor) im Zentrum. Die Wohnhäuser des 16. Jh. entstanden noch in ma. Bauweise; im 17. Jh. wurden Fassaden offener gestaltet, im 18. Jh. mit dekorativen Portalen (Palacio Torre-Tagle, Lima), Fenstern, Balkonen.

Die Malerei entwickelte sich unter dem Einfluß von Renaissance und Frühbarock nach Vorbildern aus Spanien, Italien und Flandern. Wegen ihrer guten Verbreitungsmöglichkeiten waren europ. Kupferstiche Hauptanregung für die Maler (indian. Laienkünstler, Mönche, eingewanderte europ. Künstler). Die Klöster wurden anfangs mit Wandmalereien (Actopan, Huejotzingo), Mitte des 16. Jh. schon mit Leinwandbildern geschmückt. Langsam entwickelte sich auch die Porträtmalerei.

Span. Skulpturen (v. a. aus Sevilla) waren Vorbilder für die Schnitzer von Heiligenfiguren. Ihre streng naturalistische Auffassung sprach das religiöse Grundgefühl der Indianer an, deren Kunstauffassung und Vorstellungswelt sich, wenn auch stark unterschiedlich, auf die Gestaltung auswirkte. Großen Einfluß in Spanisch-Amerika hatte das Franziskanerkloster von Quito; von dort wurden viele Kunstwerke in andere Gegenden der span. Vizekönigreiche exportiert. Die Skulpturenschule von Guatemala zeichnet sich durch feine Linienführung und starke Ausdruckskraft aus.

Portugiesisches Einflußgebiet: Im kolonialen Brasilien gab es keine Bauten im Renaissance-Stil. Nach ersten rustikalen Gründungen prägten Jesuiten, bis zu ihrer Ausweisung (1759), die Architektur. Das von ihnen eingeführte Bauschema (nach dem Vorbild der vom ital. Manierismus beeinflußten Kirchen S. Roque und S. Francisco de Fora in Lissabon) wurde im ganzen Land kopiert und variiert. Es entstanden einschiffige Kirchen, mit und ohne Seitenkapellen, meist ohne Vierung. Schiff und Altarraum wurden mit Tonnengewölben geschlossen (meist aus Holz, oft mit kunstvoller Kassettierung). Eine Besonderheit gegenüber Spanisch-Amerika stellen bes. die Seitenkapellen des Presbyteriums dar. Die Kirchenfassaden des 17. Jh. waren relativ schmucklos, oft flankiert von 2 quadrat. Türmen (Olinda, Recife, Salvador). Giebel, Tür- und Fensterumrahmungen wurden sorgfältig ausgearbeitet. Diese Fassadengestaltung fand ihre Krönung im luso-brasilian. Rokoko (João Pessoa). Häufig wurden Bauteile (v. a. Schmuckformen, auch Azulejos, die, wie in der portugies. Baukunst, eine wichtige Rolle spielen) im Mutterland gefertigt und nach Brasilien gebracht. Hervorragende Beispiele für die Verwendung von Azulejos sind der Kreuzgang des Klosters S. Francisco in Salvador und das Innere der Gloria-Kirche in Rio de Janeiro. Im 18. Jh. zeigte sich der barocke Überschwang bes. in den reich mit vergoldeter Ornamentik ausgestalteten

lateinamerikanische Kunst: Capilla del Rosario in Puebla, 1690

lateinamerikanische Kunst: Kreuztragung, lebensgroße Statuen aus Holz, 1796–99 von Aleijadinho; Detail des Passionsweges im Garten der Wallfahrtskirche Bom Jesus de Matosinhos, Congonhas

Kirchenschiffen (HW: S. Bento in Rio de Janeiro, S. Francisco in Salvador). Eine eigenständige Variante des Kolonialbarocks bildete sich im 18. Jh. in dem an Gold und Mineralien reichen Staat Minas Gerais heraus (BILD Ouro Preto; Mariana). Der ›Minas-Barock‹ besticht durch Leichtigkeit und Eleganz, die erzielt werden durch ellipsenförmige Grundrisse, geschwungene Fassaden, zylindr. Türme, Giebel und Portale mit plast. Ornamentwerk aus Speckstein.

In Minas Gerais erreichte auch die Skulptur der Kolonialzeit ihre besondere Ausprägung und Vollendung mit den lebensvoll gestalteten Figuren (Stein und Holz) von →Aleijadinho. Weitere Meisterleistungen der Bildschnitzerkunst sind farbig gefaßte Skulpturen, geschnitzte Kanzeln und Chorgestühl (bes. S. Bento in Rio de Janeiro und S. Francisco in Salvador).

Die Malerei in Brasilien, im 17. Jh. von europ. Ordensgeistlichen begr., fand ihren Höhepunkt im 18. Jh. in den Wand- und Deckenmalereien der Kirchen von Minas Gerais, Salvador und Rio de Janeiro.

Moderne. Im 19. Jh. ließen Unabhängigkeitskriege und polit. Wirren eigene künstler. Kräfte in Lateinamerika kaum aufkommen. Die europ. Akademietradition dominierte. Erst das 20. Jh. brachte eine eigenständige Entwicklung, bes. durch die Rückbesinnung auf altamerikan. Kulturerbe. Herausragendes Beispiel dafür ist der mexikan. →Muralismo. Bed. Wandmalereien schuf auch der Kolumbianer P. NEL GÓMEZ (*1899). In Brasilien prägten C. PORTINARI und E. DI CAVALCANTI (*1897, †1976) eine nationale Kunstauffassung. Internat. Strömungen der Gegenwart werden oft von Künstlern vertreten, die in Europa, bes. Paris, und in USA studierten, wie die Venezolaner J. R. SOTO und G. CRUZ-DÍEZ. Für Kolumbien sind E. NEGRET, E. RAMÍREZ-VILLAMIZAR (*1923) und F. BOTERO repräsentativ, für Chile

R. MATTA ECHAURREN. In Argentinien setzten sich moderne Tendenzen bes. mit E. PETTORUTI (*1892, †1971) durch, später beherrschten dort J. LE PARC und E. MAC ENTYRE (*1929) die Kunstszene. Der Uruguayer J. TORRES GARCIA hat mit seiner konstruktivist. Auffassung großen Einfluß ausgeübt. Die moderne Architektur Lateinamerikas erhielt z.T. Anregungen von europ. Emigranten, wie dem in Mexiko tätigen Spanier F. CANDELA, auch O. NIEMEYER, der neben L. COSTA und A.E. REIDY für Brasilien zu nennen ist. C.R. VILLANUEVA vertrat die Bestrebungen der modernen Architektur in Venezuela.

P. KELEMEN: Baroque and Rococo in Latin America (New York 1951); G. KUBLER u. M. S. SORIA: Art and architecture in Spain and Portugal and their American dominions, 1500 to 1800 (Harmondsworth 1959); F. CALI u. a.: Kunst der Konquistadoren (Paris 1960).

Latènezeit [lat'ɛ:n-], 2. Abschnitt der europ. Eisenzeit, der im 5. Jh. v. Chr. auf die Hallstatt-Kultur folgte. Die L. erhielt ihren Namen nach einer Fundstätte (La Tène), einer Untiefe im Neuenburger See (Schweiz). In Mittel- und W-Europa trägt die L. gebietsweise einheitl. Züge **(Latènekultur).** Ihre Träger waren die Kelten (→keltische Kunst).

Lateranpalast, ital. **Palazzo del Laterano,** päpstl. Palast an der Piazza S. Giovanni in Laterano in Rom, an der Stelle eines urspr. der röm. Familie Laterani gehörenden Palastes; dieser wurde nach KONSTANTINS Sieg an der Milvischen Brücke (312) aus dem Besitz seiner Gattin FAUSTA der Röm. Kirche geschenkt und war seitdem bis zum Brand von 1308 Residenz der Päpste. 1586 ließ SIXTUS V. durch D. FONTANA den bestehenden barocken Neubau mit großem rechteckigem Innenhof errichten; 1841-1967 Lateran-Mus. (die Bestände befinden sich heute in den Vatikan. Museen), seitdem Sitz der röm. Diözesanverwaltung.

Mit dem L. verbunden ist die **Lateranbasilika (San Giovanni in Laterano** [-dʒov 'anni-]), als Bischofskirche des Papstes die rangerste aller kath. Kirchen, von Konstantin als erster Monumentalbau der Christenheit begründet (mehrfach zerstört und wiederhergestellt, bes. nach 905 und 1288–92), im 16.–18. Jh. unter Beibehaltung des Grundrisses und großer Teile des Mauerwerks umgestaltet (Barockisierung des Langhauses von F. BORROMINI, um 1650; Fassade von A. GALILEI, 1733 bis 1736). Mit der Kirche verbunden sind der Kreuzgang (um 1240 voll., Marmordekoration mit farbigen Mosaikintarsien der COSMATEN) und das konstantin. Baptisterium (urspr. kreisrunder Grundriß, im 5. Jh. in ein Achteck umgewandelt) mit 4 Nebenkapellen.

Schräg gegenüber des L. befindet sich in einem von Fontana 1585–90 errichteten Gebäude die Hl. Treppe (**Scala Sancta,** bestehend aus 28 Marmorstufen, die der Legende nach aus dem Palast des Pilatus in Jerusalem stammen und auf denen Jesus zum Verhör hinaufgestiegen sei), die zur 1308 nicht zerstörten päpstl. Hauskapelle **Sancta Sanctorum** (mit frühchristl. Christusbild) führt. – In der Mitte der Piazza S. Giovanni in Laterano steht der ägypt. Obelisk aus dem Circus Maximus, den Fontana 1588 aufstellen ließ.

Laterne [lat.], Baukunst: knauf- oder türmchenarti-

Maurice Quentin de La Tour: Selbstporträt; Pastell (St. Quentin, Musée Antoine Lécuyer)

ger, architektonisch gegliederter Aufbau zur Belichtung einer →Kuppel oder eines →Klostergewölbes.

Lato, Ruinenstätte aus nachminoischer Zeit auf Kreta, südwestlich von Hagios Nikolaos (KARTE kretisch-mykenische Kunst); die an steilen Berghängen angelegte, befestigte Stadt wurde von dorisch-grch. Einwanderern im 8./7. Jh. v. Chr. gegr. Bis jetzt ausgegrabene Reste stammen aus dem 5./4. Jh. v. Chr.: Stadttor, Treppenweg, Häuser, Werkstätten, Agora oder hl. Bezirk zw. 2 Bergkuppen mit den Resten eines Heiligtums, nördlich davon eine an minoische Vorbilder erinnernde Schautreppe, ferner ein Prytaneion und ein Speisesaal.

La Tour [lat'u:r], **1)** Georges de, frz. Maler, *Vic-sur-Seille (Lothringen) 1593, †Lunéville 30. 1. 1652, war bald nach seinem Tod vergessen und wurde erst 1914 wiederentdeckt; lebte in Lothringen (Lunéville, Nancy), wurde unter LUDWIG XIV. mit dem Bild ›Beweinung des Hl. Sebastian‹ (1634–43; Berlin-West, Staatl. Museen) ›Maler des Königs‹. La T. steht künstlerisch im Bannkreis CARAVAGGIOS; er ist der bedeutendste frz. Caravaggist. Viele seiner Bilder, bes. seit 1635, sind Nachtstücke mit künstl. Beleuchtung, die in geometrisch harter Linienführung, eigenwilligem Kolorit und reliefartiger Komposition eine eigene Ausstrahlung haben (›Der Hl. Joseph als Zimmermann‹, um 1638/40, Louvre). Die Chronologie der ihm zugeschriebenen Bilder (etwa 20) ist umstritten.

G. de La T., Ausst.-Kat., Paris (1972); P. ROSENBERG u. F. MACÉ: G. de La T., Leben und Werk (a. d. Frz., 1974).

2) Maurice Quentin de, frz. Maler, *St. Quentin (Aisne) 5. 9. 1704, †ebd. 17. 2. 1788, beherrschte in genialer Weise das durch ROSALBA CARRIERA in Mode gekommene Pastell. Er durchbrach die Schranken des hö-

Georges de La Tour: Der Hl. Joseph als Zimmermann; um 1638/40 (Paris, Louvre)

fischen Porträts und malte wirkl. Charakterbildnisse, in denen er die Persönlichkeit des Dargestellten und auch den Reiz weibl. Anmut erfaßte (›Mme. de Pompadour‹, 1752–55; Louvre). Am unmittelbarsten wirken seine Pastellstudien, die aus seinem Nachlaß in das Mus. Antoine Lécuyer in St. Quentin gekommen sind.

Latrobe [lətr'əʊb], Benjamin Henry, amerikan. Baumeister, *Fulneck (Yorkshire, Großbritannien) 1. 5. 1764, †New Orleans (Louisiana) 3. 9. 1820, bildete sich als Architekt und Ingenieur bei S. P. COCKERELL (*um 1754, †1827, Vater von C. R. COCKERELL) in London, kam 1796 in die USA, entwarf 1798 in Philadelphia 2 Bankhäuser und konstruierte ein neues Wasserversorgungsnetz der Stadt. Seine Bauten vereinigen grch. (gelegentlich auch got.) Formvorbilder mit moderner zweckmäßiger Anlage. 1803 ernannte ihn T. JEFFERSON zum Direktor der öffentl. Bauten von Washington (Erweiterung des Kapitols, Veränderungen am Weißen Haus).

J. M. FITCH: Vier Jahrhunderte Bauen in USA (a. d. Engl., 1968).

Latsch, ital. **Laces** [l'a:tʃes], Ort im unteren Vintschgau, Südtirol; Spitalkirche mit Schnitzaltar von J. LEDERER (1516/18).

Lattimo, Latticino [-tʃ'i:no, ital., zu latte ›Milch‹], im 15. Jh. in Venedig hergestelltes opakweißes Glas (→Milchglas).

Laubach, Stadt am Vogelsberg im Lahn-Dill-Kr., Hessen, 9900 Ew.; seit 1418 Besitz der Grafen von Solms, ab 1548 Residenz der Linie Solms-L. Ausgedehnte Schloßanlage, im Kern 13. Jh., im 16. und 18. Jh. ausgebaut; reich ausgestatteter ›Nassauer Bau‹; Mus. (Porträts, Möbel, Keramik, Erzeugnisse der seit 1607 nachgewiesenen Laubacher Glashütten). Im anglisierten Schloßpark die Untermühle (1588). Die Kirche hat einen spätromanisch-frühgot. Ostbau (1. H. 13. Jh., darin Wandfresken des 14. Jh.) und ein barockes Langhaus (1700–02; darin prächtiger Orgelprospekt, 1747–51). Maler. Stadtbild mit Fachwerkhäusern (16./17. Jh.).

Lauban, poln. **Lubań** [l'ubajn], Stadt in der poln. Wwschaft Jelenia Góra (Hirschberg im Riesengebirge), 21 000 Ew., mit z. T. erh. Steinmauern der Stadtbefestigung (1. H. 14. Jh.); Renaissance-Rathaus (1539–43), nach Zerstörungen im 2. Weltkrieg rekonstruiert; barocke Häuser aus dem 18. Jh.

Laube, hölzerner oder gemauerter offener Vorbau an der Front eines Gebäudes. Seit dem MA. dienen hallenartige L. öffentl. Zwecken (Gerichts-L. an Rathäusern, Markt-L.). Reihen sich L. an Straßen und Plätzen, entsteht ein **L.-Gang** (Bozen, Bologna, Bern, Münster i. Westfalen). – Als L. werden auch kleine hölzerne Gartenhäuser bezeichnet, deren Aneinanderreihung vor den Städten seit der Mitte des 19. Jh. ›L.-Kolonien‹ entstehen ließ.

Laubenganghaus, Außenganghaus, größere Wohneinheit, deren einzelne Wohnungen nur über eine Treppe und über freiliegende Außengänge erreicht werden. Das L. kommt vereinzelt seit dem MA. vor und wurde als wirtschaftl. Bautyp im Siedlungsbau der 1920er Jahre (Frankfurt-Westhausen) angewandt.

Lauber, Diebolt, Schreiber, Handschriftenhändler. Seine Werkstatt ist 1425–67 in Hagenau (Elsaß) nachweisbar und wohl die größte ihrer Zeit in Dtl. L. beschäftigte mindestens 6 Maler und noch mehr Schreiber. Über 50 illustrierte dt. und lat. Hss. sind erhalten.

Laubwerk, Ornamentform, das →Blattwerk.

Lauchstädt, Bad L., Stadt im Kr. Merseburg, Dt. Dem. Rep., 5350 Ew.; ehem. Modebad mit histor. Kuranlagen (2. H. 18. Jh.; 1966–68 vollständig restauriert); Schloß (15.–17. Jh.), barocke Stadtkirche (1684–85); klassizist. Theater (1802) von H. GENTZ unter Mitwirkung GOETHES.

Lauenburg/Elbe, Stadt im Kr. Hzgt. Lauenburg, Schlesw.-Holst., 11000 Ew. Vom 1616 abgebrannten Schloß (bis dahin Residenz der Herzöge von Sachsen-Lauenburg) ist ein runder Backsteinturm (1474–77) erh. (Lapidarium). In der Maria-Magdalena-Kirche (1. H. 13. Jh., Portale von 1598) Fürstengruft mit 18 Metallsärgen und 2 bemerkenswerten Marienleuchtern (um 1500). Im Alten Rathaus (1740) Elbschiffahrts-Mus. und Fries. Samml. (u. a. Lauenburger Keramik).

Lauenstein, Städtchen im Erzgebirge südlich von Dresden, Dt. Dem. Rep.; maler. Burg (14.–15. Jh., z. T. Ruine); spätgot. Stadtkirche (Ende 15. Jh.) mit wertvoller Ausstattung; Altar, Kanzel, Taufstein (um 1600) zählen zu den bedeutendsten Werken ihrer Art in Dtl.; Grabkapelle, Epitaphien der Familie von Bünau.

Laufen, Stadt an der Salzach im Berchtesgadener Land, Oberbayern, 5500 Ew.; seit röm. Zeit wichtiger Salzhandelsplatz. Die Pfarrkirche (1332 beg.) gilt als älteste got. Hallenkirche in S-Dtl.; reizvoll der umlaufende gewölbte und freskierte Bogengang (15. Jh.). Dechanthof (1625–27), Rathaus (1564/65), Schloß (15./17. Jh.). Das Straßenbild mit Grabendächern und Laubengängen ist typisch für die Salzachstädte.

Laufender Hund, Ornamentband, aus fortlaufenden Spiralen gebildet, in der Verwendung dem →Mäander verwandt. Im Alten Orient im Keramikdekor schon im 4. Jahrtsd. v. Chr., bei Rollsiegeln seit dem Ausgang des 3. Jahrtsd. v. Chr. belegt.

Läufer, 1) Baukunst: →Binder.

2) Maltechnik: eben geschliffener Stein- oder Glasstempel zum Reiben der Farben auf dem Reibstein.

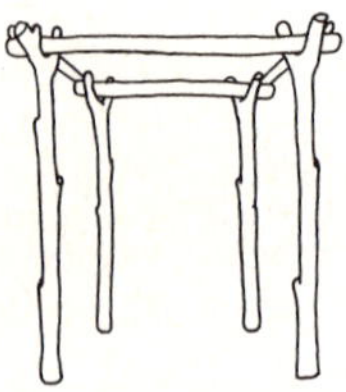

Marc-Antoine Laugier: ›Urhütte‹

Laugier [loʒj'e], Marc-Antoine, frz. Architekturtheoretiker des Klassizismus, *Manosque 1713, †Paris 1769. In seinem ›Essai sur l'architecture‹ (1753) führt er die Architektur auf die konstruktive Logik der ›Urhütte‹ zurück, einem Gerüst aus 4 Pfosten mit Astgabeln, in die horizontale Stämme gelegt sind. Aus dieser Vorstellung wird das System der klass. Architektur von Säule, Gebälk und Giebel abgeleitet. Ein anderer Entwicklungszweig führt zur Entstehung der got. Architektur.

Lauingen (Donau), Stadt bei Dillingen im bayer.

Schwaben, 9000 Ew.; altertüml. Ortsbild, beherrscht vom hohen Schimmelturm (1478). Martinskirche (1518 voll.), eine got. Hallenkirche in der Nachfolge von Nördlingen und Dinkelsbühl. Got. Schloß (um 1480), klassizist. Rathaus (1783–91 von L. QUAGLIO).

Laun, tschech. **Louny** [l'ɔuni], Stadt im Nordböhm. Kr., ČSSR, 15 200 Ew. Von der ma. Stadtbefestigung sind nur Reste erh., u.a. das Saazer Tor (1500, 1842 ganz umgebaut). Am Marktplatz spätgot. und Renaissance-Häuser. Der Neubau der Niklaskirche (1517 durch einen Brand zerstört) wurde von der Bauhütte B. RIEDS 1520 begonnen und erst nach seinem Tod voll.; es ist eine spätgot. dreischiffige Halle mit reich figuriertem Gewölbe.

Laune, Laulne [lo:n], Étienne de, auch **Delaune, Delaulne** [dəl'o:n], frz. Kupferstecher und Medailleur, *Paris 1518 oder 1519, †ebd. 1583(?), tätig in Paris, Augsburg, Straßburg; stach, beeinflußt von der Schule von Fontainebleau, meist in sehr kleinem Format mytholog. Szenen, die als Vorlagen für kunsthandwerkl. Arbeiten in Frankreich und S-Dtl. dienten.

Laurana, 1) Francesco, dalmatinisch-ital. Bildhauer, *Vrana bei Zadar um 1425/30, †Frankreich (Avignon?) vor dem 12. 3. 1502; erstmals 1453 nachweisbar, als er am Triumphbogen des Castel Nuovo in Neapel arbeitete. In den folgenden Jahrzehnten führte er ein Wanderleben zw. Frankreich und Sizilien. Seine HW sind Porträtbüsten von erlesener Reinheit der Umrisse, raffinierter Eleganz der Oberfläche und einer gewissen Kühle, die ihn für höf. Aufträge prädestinierte (v.a. weibl. Marmorbüsten, u.a. der Eleonore von Aragón, Palermo, Nat.-Mus.), und die Ausstattung der Mastrantonio-Kapelle an S. Francesco, Palermo (1467 ff.).

2) Luciano da, ital. Baumeister und Ingenieur, *Zadar um 1420/25, †Pesaro 1479, kam um 1466 nach Urbino an den Hof des FEDERIGO DA MONTEFELTRO. Hier baute er den 1444 begonnenen Herzogspalast (BILD Urbino) 1468–72 um und errichtete den im Stil der florentin. Renaissance gestalteten Arkadenhof, stark beeinflußt durch Ideen L. B. ALBERTIS. Nach 1472 war L. für das Haus Aragón in Neapel tätig. 1474–79 errichtete er die Burg in Pesaro.

Laurencin [lɔrɑ̃s'ɛ̃], Marie, frz. Malerin, *Paris 31. 10. 1885, †ebd. 8. 6. 1956. Beeinflußt von H. MATISSE, zeitweise dem Kubismus nahestehend, malte sie in einem sehr persönl. Stil in zarten Farben mit sicherem Gefühl für den Rhythmus der Linie meist lyr. Szenen mit jungen Mädchen; M. L. war verheiratet mit dem Maler O. v. WÄTJEN.

Laurens [lɔr'ɑ̃s], **1)** Henri, frz. Bildhauer, *Paris 18. 2. 1885, †ebd. 5. 5. 1954, lernte Steinmetz und Dekorateur, als Künstler Autodidakt. Er erarbeitete 1911 mit J. LIPCHITZ ein Programm für kubist. Plastik und gelangte in seinen Collagen, mehrfarbigen Skulpturen und Reliefs, angeregt bes. von G. BRAQUE, zu stark abstrahierender, der Malerei des Kubismus verwandter Gestaltung. Seit etwa 1921 schuf er aus dem Organischen frei entwickelte, kurvenreiche, stark deformierte Bronzeskulpturen (v.a. Frauenakte) mit freien Erinnerungen

Henri Laurens: Frau mit Gitarre; Bronze, 1921 (Paris, Centre Pompidou)

an antike Fruchtbarkeitsidole und an die afrikan. Plastik. L. gestaltete auch Buchillustrationen, Holzschnitte und Gouachen.

P. WALDBERG: H. L. (Paris 1980).

2) Jean-Paul, frz. Maler, Radierer, *Fourquevaux (Haute-Garonne) 30. 3. 1838, †Paris 23. 3. 1921, entnahm seine Themen v. a. der Geschichte der Päpste und der Inquisition, stellte bes. Schrecken und Grauen dar. Er steht in der Nachfolge von P. DELAROCHE, doch sind seine Bilder meist temperamentvoller (Inquisitionstribunal, Mus. du Luxembourg, Paris).

Laurentius, Märtyrer, †Rom 10. 8. 258, nach der Legende auf einem glühenden Rost zu Tode gefoltert, daher ist sein Hauptattribut der Rost (älteste Darstellung: Mosaik, 1. H. des 5. Jh., Ravenna, Mausoleum der Galla Placidia); Zyklen: u. a. Glasfenster der Kathedrale zu Bourges (13. Jh.); Einzelszene: Portal der L.-Kapelle, Straßburg, Münster (13. Jh.). Gemälde von TIZIAN (1548/57; Venedig, Jesuitenkirche).

Lauriya Nandangarh, Ort in Bihar, NO-Indien, mit Resten frühbuddhist. Stupas und der fast unbeschädigten 11 m hohen monolith. Ediktsäule des Kaisers Ashoka (2. H. 3. Jh. v. Chr.). Den hochpolierten Schaft aus Chunar-Sandstein krönt ein Lotoskapitell mit Abakus, darauf ein meisterlich modellierter kauernder Löwe.

Lausanne [loz'an], Hauptstadt des schweizer. Kt. Waadt, am Genfer See, 138 000 Ew. Bischofssitz seit dem frühen 7. Jh., erste Kathedrale Ende 8. Jh. Die heutige frühgot. Kathedrale (1173–1275) gilt als das vollkommenste got. Bauwerk der Schweiz mit reichem plast. Schmuck, v. a. an der Apostelpforte (›Portail peint‹, wegen der urspr. Bemalung, 1. H. 13. Jh.) und am spätgot. W-Portal; die Farbigkeit der Marienkapelle ist z. T. noch gut erh.; von der Ausstattung bes. bemerkenswert das Rosenfenster des südl. Querschiffs (um 1240) und Reste des frühgot. Gestühls (um 1260). St. François (Ende 13.–15. Jh.), die Kirche des ehem. Franziskanerklosters, lehnt sich architektonisch an die Kathedrale an. Im Schloß St. Maire (1425–31) heute Kantonsbehörden; Alte Akad. (Univ., 1579–87); Rathaus (15.–16. Jh., Neubau 1673–75). Mehrere Museen, u. a. Musée Cantonal des Beaux-Arts, Collection de l'art brut.

Lauschaer Glaswaren, Bez. für die in der 1597 in Lauscha im Thüringer Wald gegr. Glashütte hergestellte Ware. Es wurden Gläser mit Emailmalerei nach Art der →Fichtelberger Gläser angefertigt.

Lausick, Bad L., Stadt südöstlich von Leipzig, Dt. Dem. Rep., 6600 Ew.; roman. kreuzförmige Pfeilerbasilika (12. Jh.) mit reichem W-Portal; spätgot. Schnitzaltar (um 1500).

Laussel [los'ɛl], paläolith. Fundstätte (Abri) bei Marquai im frz. Dép. Dordogne. Bei Ausgrabungen sind in der Schicht des oberen Aurignacien (Gravettien) 5 Steinblöcke mit menschl. Skulpturen entdeckt worden, darunter 3 Frauenreliefs in Vorderansicht.

Laussel: Frau mit Bisonhorn; Relief, Kalkstein, Höhe der Figur 44 cm (Bordeaux, Museum)

Lautenbach, 1) Gem. im Renchtal, Bad.-Württ., 2150 Ew.; reich ausgestattete spätgot. Wallfahrtskirche

(1471–83 von der Straßburger Hütte erbaut); Gnadenkapelle mit feingliedrigem Steingehäuse, Lettner, wertvoller geschnitzter und bemalter Flügelaltar (um 1490).

2) Gem. im Oberelsaß, nordwestlich von Gebweiler. Die romanisch-got. Pfarrkirche (ehem. Stiftskirche), eine kreuzförmige dreischiffige Basilika (12. Jh.), hat eine Vorhalle (um 1150, mit 2 Jochen, verzierten Säulenkapitellen und Wanddiensten) und eine reiche Ausstattung (spätgot. Chorgestühl mit Skulpturen; Triumphbogenkreuz, 1491; Schnitzaltar, 1706; Rosenkranzaltar, 1718; Kanzel, 1717).

Lautensack, Hans Sebald, Radierer, Kupferstecher, *Bamberg(?) 1524, †Wien 1563 oder 1566, lebte in Nürnberg und (seit 1556) Wien. Er malte v. a. Porträts vom Wiener Hof (FERDINAND I.). Seine Städteansichten und Landschaften zeigen den Einfluß der →Donauschule. Im Spätwerk wird der Realismus der niederländ. Kunst spürbar.

Lauterbach, Stadt am Vogelsberg, Hessen, 14700 Ew. Die ma. Burg wurde 1679–84 umgebaut. Stadtpalais Hohaus (1769–73) mit vorzügl. Rokoko-Stuckdekken, heute Mus. (darin u. a. der spätgot. Lauterbacher Marienaltar, um 1480). Die Stadtkirche (1763–67) gehört zu den schönsten hess. Rokokokirchen.

Lauterburg, Martin, schweizer. Maler, *Neuenegg (Kt. Bern) 14. 5. 1891, †ebd. 9. 6. 1960, war bes. beeinflußt von E. MUNCH und dem dt. Expressionismus. L. malte Atelierszenen mit Masken und Figuren, visionäre Porträts, relig. Themen und Stilleben (v. a. Blumen).

Lavant, Gem. im Oberdrautal, Osttirol, Österreich, 230 Ew. Auf dem Lavanter Kirchbichl wurden Reste einer Fliehburg und einer frühchristl. Kirchenanlage (beide 5. Jh.) ergraben. Heute trägt der Kirchbichl die Kirchen St. Ulrich (Neubau um 1770 unter Einbeziehung von Turm, Chor und W-Portal eines got. Baus) und St. Petrus und Paulus (1485 gew.) mit zahlreichen röm. Spolien im Mauerwerk und 3 spätgot. Flügelaltären.

La Venta [laβ'enta], archäolog. Fundort im Bundesstaat Tabasco, Mexiko, mit den wichtigsten Funden aus der Kultur der →Olmeken **(La-Venta-Kultur).** Die meisten Gebäude wurden um 1000 v. Chr. errichtet; etwa um 400–300 v. Chr. wurde das Zentrum aufgegeben. Eindrucksvollstes Bauwerk ist die 33,5 m hohe Pyramide (Basis 70 × 130 m), deren Grundriß die Form eines zehnfach eingekerbten Ovals hat, Neben den für die Kultur der Olmeken charakterist. monumentalen Basaltköpfen (BILD Mesoamerikanische Hochkulturen) wurden reiche Depots von Figuren aus Jade und Serpentin gefunden. Ein Teil der Funde ist heute im **La-Venta-Park** in Villahermosa ausgestellt.

La Verna, Kloster und Wallfahrtsstätte in der ital. Prov. Arezzo, Toskana, auf einem Kalksteingipfel (1128 m hoch); vom Hl. FRANZ VON ASSISI gegr., der hier 1224 die Stigmatisation erlebte. In der Chiesa Maggiore (14. Jh.) und in S. Maria degli Angeli (1216) zahlreiche Terrakottaarbeiten, v. a. von A. DELLA ROBBIA.

Lavery [l'eıvərı], Sir (1918) John, irischer Maler, *Belfast 1856, †Kilkenny (Irland) 10. 1. 1941, Anhänger des frz. Impressionismus und J. WHISTLERS, malte Figurenbilder im Freien und im Innenraum sowie Porträts von feiner Farbstimmung und vornehmer Haltung.

Laves, Georg Ludwig Friedrich, klassizist. Baumeister, * Uslar (Ndsachs.) 17. 12. 1788, † Hannover 30. 4. 1864, Schüler von H. C. JUSSOW, wandte sich in seinen späten Bauten der Neurenaissance zu.

HW (alle Hannover): Umbau des Residenzschlosses (1817–42, ausgebrannt, nach 1945 als Landtag wieder aufgebaut); Bebauungsplan Ernst-August-Stadtteil (1834); Mausoleum Herrenhausen (1842–47); Schauspielhaus (1848–52).

G. HOELTJE: G. L. F. L. (1964).

Lavieren [frz. laver ›waschen‹], Maltechnik: die Farbe (Tusche) einer Feder- oder Pinselzeichnung mit Wasser verwaschen zur Erzielung maler. Effekte. Im 17. und 18. Jh. wurde z. T. auch mit der schon verdünnten Farbe laviert. Auch das Anlegen einer Zeichnung mit ›dünner‹ Farbe wird gelegentlich als L. bezeichnet.

Lavinium, heute **Pratica di Mare,** eine der Hauptstädte des antiken Latium, etwa 25 km südlich von Rom, spielt als legendäre Gründung des Äneas eine Rolle in der Gründungssage Roms. Ausgrabungen bestätigen das Alter dieser Sagen. Bisher wurden 3 Heiligtümer freigelegt: ein Tumulusgrab des 7. Jh. v. Chr. (im 4. Jh. v. Chr. zu einer Kultstätte für Äneas umgebaut), 13 Altäre des 6.–4. Jh. v. Chr. und ein Minerva-Heiligtum; hier wurde 1977 ein Depot mit Weihgaben gefunden: Kleinfunde, Keramik, v. a. aber viele oft lebensgroße, qualitätvolle Terrakottastatuen und eine überlebensgroße Minerva, die das Bild der Plastik Mittelitaliens vom 6. bis 3. Jh. v. Chr. entscheidend bereicherten; im Stil ist Klassisch-Griechisches mit Lokal-Italischem vermischt.

Lawra, Lavra, Laura [grch. urspr. ›Gasse‹], im ostkirchl. Mönchtum zunächst eine Einsiedlerkolonie. Besondere Bedeutung erlangte das Kloster ›Große L.‹ auf dem →Athos. In Rußland wurde einigen wichtigen Klöstern der Ehrentitel ›L.‹ verliehen, so dem Kiewer Höhlenkloster (Kiewo-Petscherskaja L., →Kiew), der Troize-Sergijewa L. (→Sagorsk) und dem Alexander-Newskij-Kloster (Aleksandro-Newskaja L., →Leningrad).

Lawrence [l'ɔrəns], Sir (1815) Thomas, engl. Maler, *Bristol 13. 4. 1769, †London 7. 1. 1830, trat die Nachfolge von J. REYNOLDS als Porträtist an (›Elizabeth Farren‹, vor 1791; New York, Metropolitan Mus.). 1792 wurde L. Hofmaler, 1820 Präs. der Royal Academy. Im Auftrag des Prinzregenten (später GEORG IV.) bereiste er Europa; ihm saßen K. v. METTERNICH und G. BLÜCHER, PAPST PIUS VII., König KARL X. von Frankreich Modell. Seine Porträts zeichnen sich durch elegante Pinselführung und frische, dekorative Farbigkeit aus.

K. GARLICK: Sir T. L. (London 1951).

Laxenburg, Marktgem. bei Mödling, NÖ, 1500 Ew.; mit ehem. habsburg. Sommersitz (›Altes Schloß‹, urspr. Wasserburg, bis 18. Jh. mehrfach umgebaut). Unter MARIA THERESIA (1740–80) entstanden der spätbarocke Blaue Hof als neuer Sommersitz, Passespielhaus (für Kegelspiele), Speisesaalflügel, Theater. Auf einer Insel im Parkteich die Franzensburg (1798–1801), die Nachahmung einer ma. Burg, ein HW der klassizist. Romantik. Kleine Pfarrkirche aus der Blütezeit des österr. Barock (1693–1726).

Lazarus, nach dem N. T. Bruder der Maria und Martha von Bethanien, von dem mit ihm befreundeten Jesus nach 3 Tagen Grabesruhe wieder zum Leben erweckt. Die Auferweckung des L. gehört als Symbol der Hoffnung auf die Auferstehung zu den frühesten Darstellungen der christl. Kunst (Calixtus-Katakombe, Mitte 3. Jh.). Das Gemälde von DUCCIO (Predella der Maestà, Siena, um 1308–11) zeigt den Einfluß der byzantin. Tradition. Spätere Darstellungen nehmen z. T. Elemente der Auferstehung Christi und der Auferstehung der Toten auf, auch wird die Auferweckung des L. in Zyklen der Passion Christi aufgenommen.

Lazurblau, Maltechnik: →Lapislazuli 2).

Lazurgrün, Maltechnik: →Malachit.

Leb, Wolfgang, Bildhauer, lebte um 1500 vermutlich in Wasserburg am Inn, schuf in Altbayern und Tirol v. a. Grabdenkmäler in spätgot. Stil, in Details mit Elementen der Renaissance. Wahrscheinlich ist L. identisch mit dem ebenso genannten Maler des Wandgemäldes des Lebensbaumes am Chor der Pfarrkirche in Wasserburg am Inn.

Lebende Bilder, frz. **Tableaux vivants** [tabl'o viv'ã], die Darstellung von Werken der Malerei und Plastik, auch von bibl. Szenen, Allegorien, Geschehnissen jegl. Art durch stumme und bewegungslos verharrende Personen bei Festlichkeiten.

Lebensbaum, ein Sinnbild des Lebens bei vielen Völkern, in der altoriental. Kunst ein Hauptmotiv: als Pflanze mit Rosetten, meist zw. gegenständig angeordneten Tieren, schon am Ende des 4. Jahrtsd. v. Chr. auf Rollsiegeln, stark stilisiert als Palmettbaum, Kugel-, Volutenbaum u. ä., dann in nahezu allen Stilperioden (häufig bes. auf neuassyr. Reliefs).

Im Christentum ist der L. meist Sinnbild des Paradieses, so v. a. in stilisierter Form (oft von symmetrisch angeordneten Tieren, Lämmern, Pfauen, Tauben, umgeben) auf frühchristl. Sarkophagen. Auf der bemalten Holzdecke der Michaeliskirche in Hildesheim (13. Jh.) umgeben L. als Wohnung der Seligen den Baum der Erkenntnis des Guten und Bösen mit Adam und Eva. Nahezu als Weltenbaum, der Christus trägt, zeigt ihn eine Miniatur eines Evangeliars HEINRICHS II. aus Bamberg. – Schon früh wird als eigtl. L. das Kreuz dargestellt.

Lébény [l'e:be:nj], Gem. im Bez. Győr-Sopron, Ungarn, 4000 Ew. Die Kirche der ehem., Anf. 13. Jh. gegr. Benediktinerabtei ist eine dreischiffige roman. Basilika mit 2 Fassadentürmen und ornamentierten Gewändeportalen an der W- und S-Seite. Die Kirche wurde zw. 1872 und 1878 von A. ESSENWEIN restauriert.

Lebes, in der grch. Antike ein Kessel zum Mischen von Wasser und Wein; **L. Gamikos** [grch. ›Hochzeitskessel‹], bauchiges Gefäß auf hohem Fuß mit senkrecht stehenden Henkeln, mit Hochzeitsbildern.

Le Blon [ləbl'ɔ̃], Jakob Christof, Maler, Kupferstecher, *Frankfurt a. M. 21. 5. 1667, †Paris 16. 5. 1741, erfand um 1710 in Anwendung einer Lehre I. NEWTONS den Vierfarbendruck: alle Farbtöne sollten sich aus den Grundfarben Blau, Gelb und Rot zusammensetzen. Durch Übereinanderdruck verschieden eingefärbter Platten (3 Farbplatten, eine Schwarzplatte) konnten nun Gemälde nachgebildet werden. Le B. hat 49 Farbstiche ausgeführt und sein Verfahren selbst beschrieben.

Schriften: Coloritto or the harmony of colouring... (engl. u. frz., um 1725); L'art d'imprimer les tableaux (1756).

Lebourg [ləb'u:r], Albert, frz. Maler, *Montfort-sur-Risle (Eure) 1. 2. 1849, †Rouen 6. 1. 1928, malte in einer dem Impressionismus verwandten Art stimmungsvolle Landschaften.

Lebrun [ləbr'œ̃], **1) Le Brun,** Charles, frz. Maler, *Paris 24. 2. 1619, †ebd. 12. 2. 1690, Schüler von F. PERRIER und S. VOUET, bereits 1638 als Hofmaler erwähnt, erhielt 1640 erste Aufträge von Kardinal RICHELIEU, studierte 1642–45 mit N. POUSSIN in Rom. 1648 war er an der Gründung der ›Académie Royale de Peinture et de Sculpture‹ in Paris beteiligt und gewann Einfluß auf alle staatl. Aufträge. 1633 wurde er Generalinspektor der königl. Sammlungen und Direktor der Gobelin- und Möbelmanufaktur, 1664 Erster Hofmaler, 1668 Rektor der Akad. Als Maler mangelte es ihm an Originalität. Seine Vorbilder waren RAFFAEL und Poussin; doch steht seine Kunst den CARRACCI näher. Alles an ihr ist überlegt und errechnet und wird zu theatral. Pracht. Seine eigtl. Begabung erwies er als Dekorateur (Gemälde in 8 Räumen von Schloß Vaux-le-Vicomte, 1658–61, für N. FOUQUET; in der Spiegelgalerie u. a. Räumen des Schlosses Versailles, 1678–86; in der Apollon-Galerie des Louvre, nach 1661). Als Organisator bei der Ausstattung der königl. Schlösser gelang es ihm, die besten Künstler seiner Zeit (wie A. LE NÔTRE, F. GIRARDON, A. COYSEVOX u. a.) zu integrieren. An der Ausbildung des regelstrengen →Classicisme in der Epoche des →Louis-quatorze war L. maßgeblich beteiligt.

C. Le Brun, Ausst.-Kat., Versailles (Paris 1963).
BIRGIT JANSEN: Der ›Grand Escalier de Versailles‹. Die Dekoration durch C. Le Brun... (1981).

2) Élisabeth-Louise, frz. Malerin, →Vigée-Lebrun.

3) Rico (eigtl. Frederico), amerikan. Maler ital. Herkunft, *Neapel 10. 12. 1900, †Malibu (Kalifornien) 10. 5. 1964, lebte seit 1924 in den USA. Bes. von der Barockmalerei (GUERCINO), seit den 1950er Jahren v. a. von F. DE GOYA angeregt, schuf L. monumentale Bildserien, die Mitgefühl mit menschl. Leiden zum Ausdruck bringen. Er verbindet in seinen Werken realist. und abstrakte Elemente.

Lecce [l'ettʃe], ital. Stadt und Bischofssitz im S Apuliens, 88 400 Ew. Im Stadtbild mit seinen vielen Kirchen dominiert ein üppiger Barockstil, in dem auch ältere Bauten geschmückt sind; Baustein ist ein leicht zu bearbeitender gelber Kalkstein aus der Umgebung von L. Typisch für diesen Stil ist die Kirche S. Croce (16./17. Jh.; reich verzierte Fassade mit Fensterrose, Säulen und Skulpturen). Der einheitlich gestaltete Domplatz ist von Barockbauten umgeben: Dom (1659 bis 1670 erneuert), Bischöfl. Palais (1420–28, im 17. Jh. erneuert) und Priesterseminar (1709; reich verzierter Brunnen im Innenhof). Am Camposanto die Kirche SS. Niccolò e Cataldo, ein normannisch-sarazen. Bau von 1180, im 18. Jh. barock verändert (Portal 12. Jh.). Im Palazzo della Prefettura (1659–95) Mus. mit archäolog. Samml.; Kastell, im 16. Jh. aus einer Normannenburg entstanden. Aus röm. Zeit Reste des Amphitheaters und des Theaters.

Lechenich, Stadtteil von Erftstadt im Erftkreis, NRW. Die ehem. kurköln. Landesburg (1. H. 14. Jh.) ist eine mächtige, kastellartige Wasserburg mit 4 kolossalen Backsteintürmen. Nördlich die Burg Konradsheim (heutige Form von 1548), eine gut proportionierte Wasserburg mit Treppengiebeln und runden Ecktürmen.

Lechner, Ödön, ungar. Baumeister, *Pest 27. 8. 1845, †Budapest 10. 6. 1914, entwickelte seinen zunächst eklekt., dann eigenständigen Baustil aus Anregungen des engl. Landhausbaus und der frz. Renaissance. Die Fassaden seiner Bauten in Budapest (Kunstgewerbe-Mus., 1896 voll.; Geolog. Institut, 1896–1900; v. a. Postsparkasse, 1900 ff.) sind mit orientalisierenden Dekorationen, zum großen Teil mit farbigen Majolika-Platten, verkleidet.

Lechter, Melchior, Maler, Buchkünstler, *Münster 2. 10. 1865, †Raron (Wallis) 8. 10. 1937, war ein naher Freund STEFAN GEORGES, dessen Bücher er seit 1897 gestaltete; M. L. trug zur Erneuerung des deutschen Kunsthandwerks (Glasmalerei, Kultgerät, Buchschmuck) bei.

W. RAUB: M. L. (1969).

Leck, Bart Anthony van der, niederländ. Maler, *Utrecht 26. 11. 1876, †Blaricum (Niederlande) 14. 11. 1958, kam 1908–12 auf einem eigenen Weg, über die Wandmalerei, zu radikal vereinfachten, wie Scherenschnitte in die Fläche gebundenen Umrißfiguren, die ihn 1917 in die Nähe der Stijl-Ästhetik führten und P. MONDRIAN beeindruckten. 1918 verließ er die Stijl-Gruppe und kehrte in den 1920er Jahren von der reinen Abstraktion wieder zu - äußerst reduzierten – Stilisierungen zurück. Seine Raumgestaltungen durch Farbe nahmen dennoch Einfluß auf den ›Stijl‹.

B. van der L., Ausst.-Kat., Paris (1980).

Leclerc [ləkl'ɛ:r], Jean, frz. Maler, Kupferstecher, *Nancy 1587 oder 1588, begraben ebd. 20. 10. 1633, war wohl schon vor 1617/22 in Italien, wo er mit C. SARACENI zusammenarbeitete; danach Hofmaler in Nancy. L. sind nur ein Gemälde in Venedig (›Der Doge Dandolo mahnt zum Kreuzzug‹, Palazzo Ducale) und ein 1619 nach Saracenis ›Tod der Maria‹ in Rom geschaffener Kupferstich sicher zuzuschreiben.

Le Corbusier: Wallfahrtskirche Notre-Dame-du-Haut, Ronchamp; 1950–54

Le Corbusier [ləkɔrbyzj'e], eigtl. Charles-Édouard **Jeanneret** [ʒanr'ɛ], frz.-schweizer. Architekt, *La Chaux-de-Fonds (Kt. Neuenburg) 6. 10. 1887, †Cap-Martin (Dép. Alpes-Maritimes) 27. 8. 1965, lernte bei A. PERRET in Paris. Dort ließ er sich 1917 nieder und arbeitete 1922–46 mit seinem Vetter PIERRE JEANNERET (*1896, †1967). Le C. fand eine neue Formensprache bei der Verwendung des Stahlbetons, dessen auf wenige Stützen beschränktes System tragende Wände entbehrlich macht und ihm somit die Möglichkeit zu völlig freien Grundrißlösungen, der Abhebung des ersten Geschosses vom Erdboden und durchlaufenden Fensterbänken bot (2 Häuser der Weißenhofsiedlung, Stuttgart, 1927; Villa Savoie, Poissy, 1929/31; u. a.). Der kubischen Klarheit der Architektur entsprach das flache, als Dachgarten ausgestaltete Dach. 1928 gehörte Le C. zu den Gründern der →CIAM. Von seinen Entwürfen für große Bauten in aller Welt (Palais des Nations, Genf, u. a.) wurde das Schweizer Studentenhaus in Paris ausgeführt (1930–32).

Nach dem 2. Weltkrieg zeigten seine Bauten zunehmend skulpturale Formen, Materialverwendung i. S. des →Brutalismus, monumentalen Maßstab; die Innenräume wurden komplexer, mit kunstvollen Lichtführungen. Schon früh beschäftigten ihn städtebaul. Pläne, die Gruppen vielstöckiger Wohneinheiten in weiten Parkflächen vorsehen. Gebaut wurde je eine Wohneinheit in Marseille (1947–52), Nantes (1956), Berlin-West (1957, vom Grundtyp abweichend). Die Wohnungen sind zweigeschossig mit einem Hauptraum, der durch beide Stockwerke geht. Den Abmessungen liegt der von Le C. entwickelte →Modulor zugrunde.

1950 begann Le C. Planung für die ind. Stadt Chandigarh. Zu seinen späten Werken gehören die Wallfahrtskirche Notre-Dame-du-Haut, Ronchamp (1950 bis 1954), ein nicht an geometr. Ordnungen gebundener, sondern nach plast. Vorstellungen gestalteter Bau, und das Kloster La Tourette (1957). Der 1961 für Stockholm projektierte Pavillon wurde 1967 in Zürich errichtet (Heidi-Weber-Haus).

Schriften: Vers une architecture (1923, dt.); Urbanisme (1925, dt.); Précisions... (1929, dt.); Le modulor (1949/50, dt.); Ronchamp (1957). – Œuvre complète, hg. v. W. BOESIGER u. a., 8 Bde. (1966 bis 1971); Le C., Sketchbooks, 4 Bde. (London 1981/82).

P. G. GEROSA: Le C. Urbanisme et mobilité (Basel 1978); W. BOESIGER u. H. GIRSBERGER: Le C. 1910–65 (²1979); The ideas of Le C. on architecture and urban planning, hg. v. J. GUITON (Paris 1981).

Lectorium [lat.] *das*, →Lettner.

Leda, grch. Mythos: Gemahlin des spartan. Königs Tyndareos, die ihm u. a. die Dioskuren und Klytämnestra gebar, dem Zeus Helena, nach anderer Sage dagegen stammten beide Dioskuren oder nur Polydeukes von Zeus. Da Zeus sich Leda als Schwan genähert hatte, gingen die Kinder aus Eiern hervor. Eine weitere Version läßt L. das aus der Verbindung von Zeus und Nemesis entstandene Ei, dem Helena entschlüpfte, finden; die Fundszene wurde oft auf att. Vasen dargestellt. L. und der Schwan erscheinen häufig auf röm. Gemmen, Lampen, Wandbildern und Mosaiken, auch freiplastisch wie auf einer Statue in den Kapitolin. Museen (wohl auf eine Plastik des TIMOTHEOS, 4. Jh. v. Chr., zurückzuführen). Zahlreich sind die Darstellungen dieser Szene auch in der Malerei der Neuzeit: LEONARDO DA VINCI und MICHELANGELO (nur in Kopien erh.), CORREGGIO, F. BOUCHER.

Leder|arbeiten, kunsthandwerkl. Arbeiten aus Leder wie Bucheinbände, Kästen, Futterale. Die Verzierungstechnik und auch der Verwendungszweck wurde im Abendland im Lauf der Jahrhunderte immer wieder vom Orient angeregt, wo seit alters L. eine bed. Rolle spielten (v. a. altägypt. und kopt. L.). Die Tradition des alten Orient wurde in der islam. Kultur weitergeführt und gelangte durch die Mauren nach Spanien, von wo aus sie sich bes. nach Frankreich, Italien und Dtl. verbreitete. Hier wurde im 14. Jh. der **Lederschnitt** üblich, wobei die Dekoration mit dem Messer in das Leder eingeschnitten und mit einem stumpfen oder erwärmten Instrument erweitert wurde. Neben einer farbigen Fassung wurde durch Treiben einzelner Stellen von hinten und Unterlegung ein Relief erzielt. Zur stärkeren Kontrastierung diente auch die **Punzung.** Die Punze wurde dicht nebeneinander in den Grund eingeschlagen, so daß der ganze Grund gekörnt war. Dargestellt wurden Ornamente, Drolerien, bibl. Szenen, Heilige, Jagd- und Minneszenen, zunächst nach freien Entwürfen, im 15. Jh. in immer stärkerer Anlehnung an die Graphik. Ende des 15. Jh. wurde bes. bei den Bucheinbänden der Lederschnitt durch die **Blindpressung** (Blinddruck) verdrängt, die schon im frühen MA. bekannt war, wobei das Leder durch Einpressen von Stempeln geschmückt wurde. Ende des 15. Jh. verdrängte die **Handvergoldung,** die vom Orient über Venedig nach Europa kam, den Lederschnitt. Bei der Handvergoldung wurde mit erwärmten Stempeln in das Leder eine Goldfolie eingedrückt. Bestimmend für die Dekoration waren die Buchbinder, die nebenbei auch die Futterale, Kästchen und sonstige Artikel herstellten.

Ledertapeten, auch Altarbehänge, Meßgewänder und Kissen, aus Kalb-, Ziegen- oder Schafleder waren bis ins 18. Jh. verbreitet.

In Afrika sind kunsthandwerklich gestaltete L. außer aus dem nördl. auch aus dem saharan. Raum bekannt (Taschen, Sandalen, Kissen, Sättel, Zeltdecken, Pack- und Kleidersäcke u.a.). Eine Reihe von Stämmen Ost- und Südafrikas verwendet Leder zu Bekleidungszwekken (Schurze, Wickeltracht), häufig mit bunten Glasperlen u.a. Zierrat geschmückt. Die →Ekoi u.a. Volksgruppen des Cross-Gebietes überziehen ihre Holzmasken und Tanzaufsätze mit Leder. – Bei den Japanern finden sich bedruckte Hirschleder (›Somekawa‹). – In Indonesien, bes. Java und Bali, aber auch in Süd-Indien und Thailand, werden aus Leder mittels Punzung und Kolorierung äußerst kunstvoll Schattenspielfiguren (→Wayang) hergestellt.

Die Indianer der Plains in Nordamerika verzierten Decken und Bekleidungsstücke mit Bemalung, Stickerei, Applikationen (→Quillwork).

Die größte Samml. von L. besitzt das Dt. Leder-Mus. in Offenbach am Main. Ledertapeten sind v.a. im Tapeten-Mus. in Kassel zu sehen.

G. GALL: Leder im europ. Kunsthandwerk (1965).

Jörg Lederer: Kaiser Maximilian; Lüsterfigur, 1519? (Wildpoldsried/Allgäu, Pfarrkirche)

Lederer, 1) Hugo, Bildhauer, *Znaim 16. 11. 1871, †Berlin 1. 8. 1940, war 1891 Gehilfe bei J. SCHILLING in Dresden, 1892 in Breslau, seit 1893 in Berlin (seit 1896 selbständig). Hier wurde L. 1912 Prof., 1920 Leiter des Meisterateliers für Plastik. Seine Werke (v.a. Denkmäler) sind anfangs noch in neubarockem Stil in der Nachfolge von R. BEGAS gearbeitet und zeigen später den Neoklassizismus L. TUAILLONS, den L. mit Elementen expressiver Monumentalität in der Art von F. METZNER verband. Aus Vereinfachung der Tektonik fand L. zu einer in sich geschlossenen Form.

HW: Bismarckdenkmal (1902–08; Hamburg); Reiterstandbild Kaiser Friedrich III. (1907–11; Aachen).

2) Jörg, Bildschnitzer, *Füssen um 1475, †ebd. Dez. 1550, seit 1507 in Kaufbeuren. L. lernte wahrscheinlich in Tirol; seine Werke sind der Art M. PACHERS verwandt.

HW: 12 Apostel (um 1515; Nürnberg, German. Nat.-Mus.); Bildschnitzereien des Hochaltars der Spitalkirche in Latsch (1516/18); St. Blasius-Altar in Kaufbeuren (1518); St. Barbara in Rettenbach/Allgäu (um 1518); Hindelanger Altar (1519; Ortsteil Bad Oberdorf); Hirschgeweih-Lüster (1519?; Wildpoldsried/Allgäu, Pfarrkirche).

Lederleim, Maltechnik: →Warmleim.

Lednice [l'ɛdnitsɛ], dt. **Eisgrub,** Ort im Südmähr. Kr., ČSSR; Schloß der Fürsten Liechtenstein, anstelle mehrerer Vorgängerbauten 1846–58 in englisch-neugot. Stil mit großem Park errichtet. Die angrenzenden Reitställe (1688–90) nach Entwurf von J. B. FISCHER VON ERLACH.

Ledoux [lәd'u], Claude-Nicolas, frz. Baumeister, *Dormans (Marne) 1736, †Paris 19. 11. 1806, baute zunächst im Stil seines Lehrers J.-F. BLONDEL und J.-A. GABRIELS Schlösser (u.a. Bénouville bei Caen, 1768 bis 1774) und Adelssitze; ab 1774 vollzog sich der Übergang zu einem schmucklos-nüchternen, auf strenge geometr. Formen zielenden Klassizismus. In seinen Plänen für die (nur z.T. ausgeführte) Salinenstadt Chaux in Arc-et-Senans (1774ff.) entwarf er für die →Revolutionsarchitektur, deren wichtigster Vertreter er neben E.-L. BOULLÉE war, typische Bauten, die in ihrer Phantastik nicht auszuführen waren (etwa in Kugelform oder als liegende Zylinder).

Leech [liːtʃ], John, engl. Karikaturist und Illustrator, *London 29. 8. 1817, †ebd. 14. 10. 1864, war 1841 bis 1864 Hauptmitarbeiter des Witzblattes ›Punch‹, in dem über 3000 Zeichnungen von ihm erschienen.

Lees Court [liːz kɔːt], Landsitz in der Cty. Kent, S-England, um 1640–52 für Sir GEORGE SONDES erbaut; die 13achsige, durch Kolossalpilaster gegliederte Fassade im Stil von I. JONES ist das früheste erh. Beispiel dieser Art in der engl. Architektur. Das Innere wurde 1913 durch Brand zerstört.

Leeuwarden [lˈeːwardə], Hauptstadt der niederländ. Prov. Friesland, 85 400 Ew., mit sternförmig von einer Gracht umgebener Altstadt. Die Grote Kerk (14./15. Jh.), die Kirche des um 1250 gegr. ehem. Dominikanerklosters, ist die Grabkirche der Statthalter von Friesland aus dem Haus Nassau-Diez. Wahrzeichen von L. ist der spätgot. Kirchturm Oldehove (1529 bis 1532, unvoll.), die geplante Kirche wurde nicht beg. Im Mittelpunkt der Stadt stehen das Rathaus (Stadhuis 1713) und die ehem. Residenz des Statthalters, der ›Hof‹ (Ende 16. Jh.). Bauten der Renaissance sind die Kanzlei (1566 beg.) und die Waage (1596–98). Im Princessehof (1640) Mus. für Kunstgewerbe (u.a. indones. und chines. Kunst). Das Fries. Mus. ist das bedeutendste niederländ. Provinzialmus. (u.a. der ›Popta-Schatz‹, eine Samml. fries. Silberschmiedekunst).

Lefuel [ləfɥˈɛl], Hector, frz. Baumeister, *Versailles 14. 11. 1810, †Paris 31. 12. 1880, baute in dem prunkvoll historisierenden Stil des Zweiten Kaiserreichs den von L. VISCONTI beg. Verbindungsbau zw. Louvre und Tuilerien (1853ff.); schuf den Industriepalast der Pariser Weltausstellung 1855.

Lega, Balẹga, Bantu-Volk in O-Zaire, →Rega.

Lega, Silvestro, ital. Maler, *Modigliana 8. 12. 1826, †Florenz 21. 9. 1895, gehörte dem Kreis der →Macchiaioli an, in deren Art er lyrisch zarte Landschaften und bürgerl. Familienszenen malte. Später wurde seine Malerei pastoser und flotter. Sehr reizvoll sind seine Porträts.

Legden, Gem. im Kr. Borken, NRW, im westl. Münsterland. Die Brigidakirche (um 1230), eine spätroman. Hallenkirche mit Stützenwechsel, besitzt in der charakterist. Dreifenstergruppe des geraden Chorschlusses die besterhaltene Glasmalerei dieser Zeit in Westfalen (Darstellung der Wurzel Jesse).

Legẹnda au̯rea [lat. ›Goldene Legende‹], um 1270 von JACOBUS A VORAGINE aus zahlreichen Quellen zusammengestelltes Legendenwerk von Heiligen. Es war von bestimmendem Einfluß auf die Ikonographie des →Heiligenbildes.

Legende [lat. ›das zu Lesende‹] *die,* Text der Inschrift auf Werken der Malerei, Graphik, Bildhauerkunst, auf Münzen und Siegeln.

Léger [leʒ'e], Fernand, frz. Maler, Graphiker, *Argentan (Normandie) 4. 2. 1881, †Gif-sur-Yvette (bei Paris) 17. 8. 1955, lernte in einem Architekturbüro, begann um 1900 in Paris zu malen und war 1903/04 Schüler der Akad. Nach impressionist. Anfängen unter dem Eindruck von P. CÉZANNE gelangte er mit dem Aufkommen des Kubismus um 1910 zu geometr. Abstraktionen (Kuben, Zylinder, Kugeln), deren Formgesetze denen der Mechanik gleichen sollten. Seine Bilder waren zunächst dynamisch bewegt, er suchte aber bald die Ruhe statischer Formen sowie eine neue plast. Intensität der farbigen und formalen Kontraste. Um 1920 (zeitweise Zusammenarbeit mit LE CORBUSIER) entwickelte L. v. a. unter dem Einfluß der modernen Technik einen ›mechanischen‹ Stil mit monumentaler Darstellung techn. Objekte (Zahnräder, Kurbelwellen, Schrauben) und des anonym-technisierten Menschen (Radfahrer, Taucher). Um 1925 entstanden auch die ersten Wandbilder. In den 30er und 40er Jahren sind L.s Werke auch vom Surrealismus geprägt. In seinem Spätwerk (meist Themen aus der Arbeitswelt) nähert er sich mit schematisierter Figuration fast der Plakatkunst. – L. hat auch Bühnenausstattungen, Bildwirkereien, Keramiken geschaffen und drehte 1924 den Film ›Ballet mécanique‹, der bahnbrechend wurde. – Mus. F. L. in Biot bei Cagnes seit 1959.

Schrift: Fonctions de la peinture (1965).

J. CASSOU u. J. LEYMARIE: F. L. Das graph. Werk (a. d. Frz., 1973); W. SCHMALENBACH: F. L. (1977); P. DE FRANCIA: F. L. 1881–1955 (London 1981); L. et l'esprit moderne 1918–1931, Ausst.-Kat., Paris (1982).

Legierung, Maltechnik: Verbindung versch. Metalle durch Zusammenschmelzen. L. mit Quecksilber heißen Amalgame.

Fernand Léger: Frau mit Blumen; 1922 (Düsseldorf, Kunstsamml. Nordrhein-Westfalen)

Legnica [lɛgn'itsa], poln. Name für →Liegnitz.

Legnickie Pole [lɛgn'itskjɛ p'ɔlɛ], →Wahlstatt.

Legros [ləgr'o], **1)** Alphonse, frz. Maler, Graphiker, Bildhauer, *Dijon 8. 5. 1837, †Watford (bei London) 8. 12. 1911, lebte seit 1863 in London, wo er als Lehrer für Radierung die engl. Künstler beeinflußte. Seine Gemälde sind in der maler. Form dem Realismus von G. COURBET verwandt. Bedeutender sind seine Radierungen und Lithographien (über 600 Blätter), die bes. in totentanzartigen Darstellungen voll dämon. Phantasie sind. Als Bildhauer schuf er den Monumentalbrunnen in Welbeck-Abbey, Porträtmedaillen und -plaketten.

2) Pierre d. J., frz. Bildhauer, *Paris 12. 4. 1666, †Rom 2. 5. 1719, Sohn von Pierre L. d. Ä. (*1629, †1714), der Skulpturen im Schloßpark von Versailles schuf. L. ging 1690 nach Rom, wo er in hochbarocker Formensprache für ital. Kirchen arbeitete.

HW (Marmorarbeiten): Die Kirche stürzt die Ketzerei (1695–99; Rom, Il Gesù, Ignatius-Altar); Hl. Stanislaus Kostka (1704; ebd., S. Andrea al Quirinale).

Le Havre [lə'a:vr], nordfrz. Hafenstadt im Dép. Seine-Maritime, 219 600 Ew.; nach den schweren Schäden im 2. Weltkrieg modern wiederaufgebaut. Mehrere bed. Museen, u.a. Nouveau Mus. des Beaux-Arts (niederländ., ital. und v.a. frz. Malerei bis zur Moderne), Mus. de l'Ancien Havre (u.a. mit Glassamml. des 16. bis 19. Jh.), in der Abbaye de Graville Skulpturensamml. (11.–18. Jh.). Am Hafen entsteht ein Kulturzentrum (›Maison de la Culture‹) nach Plänen von O. NIEMEYER.

Lehmarchitektur. Ungebrannter Lehm ist seit jeher in den verschiedensten Kulturen gebräuchl. Baustoff: Im antiken Mesopotamien, im Ägypten der Pharaonen, in den Mittelmeerländern und im Orient verwendeten ihn die Römer und später die Muslime, in S- und O-Asien die Indusvölker, die buddhist. Mönche, die chines. Kaiser, im S Nordamerikas die Indianer, in Mesoamerika die Tolteken und Azteken, im Andenraum die Mochica, in Afrika die Berber und die Völker der Sudanzone. Die L. umfaßt neben dem Wohnbau Prunk- und Monumentalbauten (Paläste, Tempel, Moscheen, Kirchen, Grabmäler), Nutzbauten (Speicher, Aquädukte) und den Festungsbau (vom Babylon des 7. Jh. v. Chr. über die Chines. Mauer des 3. Jh. v. Chr. bis zur Stadtmauer von Tiznit in Marokko, 1882). Die Qualitäten der Lehmerde wurden zu allen Zeiten bes. im Residenzbau geschätzt: z. B. Knossos (2000 v. Chr.), Mari (1900 v. Chr.), Molgata (1402 v. Chr.), Lhasa (seit 7. Jh.), Gouverneurspalast in Santa Fe (1610). Ganze Städte wurden in L. errichtet, so die heutigen Ruinenstädte Jericho (Jordanien), Çatal Hüyük (Türkei), Harappa und Mohenjo Daro (Pakistan), Amarna (Ägypten), Chan Chan (Peru), Babylon (Irak), Medina as-Sahra (Spanien), oder seit Jh. bewohnte Städte wie Kano (Nigeria), Timbuktu (Mali), Marrakesch (Marokko), San'a (Rep. Jemen), Shibam (VR Jemen), Jesd (Iran), Santa Fe (USA), Zentrum von Bogotá (Kolumbien) u.a. Einen Höhepunkt erreichte die L. im islam. Kulturkreis mit der Verwendung von luftgetrockneten oder leichtgebrannten Adoben auch in Kuppeln und

Bogenlaibungen sowie im Minarettbau, wobei unter gleichzeitigem Anbringen von Blendfassaden, Fayencefliesen und auskragenden Schnitzvordächern Schutz- und Dekorfunktion mit der Kreativität von Baumeistern wie Handwerkern eine vollkommene künstler. Synthese eingeht. Größte Stilisierung hat die L. der →Berber, wo bei den kub. Grundformen Kasba (BILD) und Ksar geometrisch-abstrakter Ziegeldekor verwendet wird. Rundformen bestimmen dagegen die L. bei den schwarzafrikan. Stämmen, wo Formgebung und Ornamentik (Ritzung, Reliefierung, Vielfarbigkeit) Mystik wie Sinnlichkeit ausdrücken. Im SW der USA (bes. New Mexico und Kalifornien) erlebt die L. gegenwärtig eine Renaissance v. a. im Villen- und Hotelbau unter Wiederbelebung traditioneller Bauweisen der Pueblo-Indianer und span. Kolonialarchitektur. In Entwicklungsländern werden heute (oft von der UNO geförderte) Bauprogramme, anknüpfend an die jeweilige Volkstradition, durchgeführt. In Dtl. wurde die L. um 1800 von D. GILLY unter frz. Einfluß (F. COINTERAUX) wiederentdeckt. Über Bauen mit gebrannten Lehmziegeln →Ziegelbau.

Architektur der Vergänglichkeit. Lehmbauten der Dritten Welt, Ausst.-Kat., München (1981); L., hg. v. J. DETHIER (1982); R. WIENANDS: Die L. der Pueblos (1983).

Lehmbrock, Josef, Architekt, *Düsseldorf 5. 6. 1918, tätig bes. im Kirchen-, Wohnungs- und Städtebau. L. ist seit 1970 Hg. der Ztschr. ›Bauen konkret‹; er setzt sich mit Ausstellungen für eine Humanisierung der modernen Architektur ein.

Profitopolis oder Der Mensch braucht eine andere Stadt, Ausst.-Kat., München (1972); Von Profitopolis zur Stadt des Menschen, Ausst.-Kat., ebd. (1979).

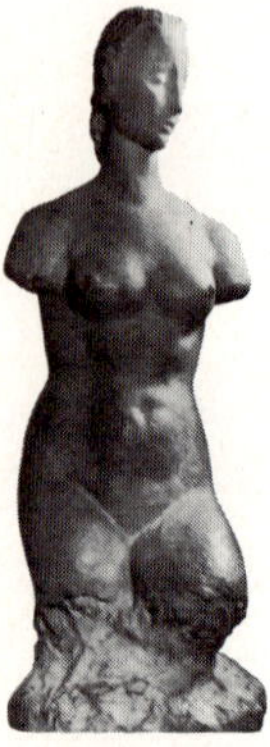

Wilhelm Lehmbruck: Weiblicher Torso; 1910/11

Lehmbruck, Wilhelm, Bildhauer, Maler, Graphiker, *Meiderich (heute zu Duisburg) 4. 1. 1881, †(Selbstmord) Berlin 25. 3. 1919, lernte 1910–14 in Paris, seit 1914 in Berlin, 1917/18 in Zürich, dann wieder Berlin. Der Eindruck der Kunst von A. MAILLOL führte L. zu eigener Stilbildung. Aus den Frauentorsen und -büsten der Pariser Zeit spricht ein stark plast. Gefühl und ein Streben nach klass. Formklarheit. Doch schon die ›Kniende‹ (1911) enthält in Haltung und Streckung der Glieder antiklass. Spannungen, die sich in den folgenden Jahren steigerten (›Emporsteigender Jüngling‹, 1913). Die Reduktion des plast. Volumens sowie die Überlängung der Gliedmaßen, oft als ›gotisch‹ bezeichnet, und deren rhythm. Gliederung im Raum geben L.s Plastiken eine fast feierl. Schwermut. In dem ›Gestürzten‹ (sterbender Krieger, 1915/16), in dem L. seine Formensprache noch weiter zurücknimmt, kommt die Verzweiflung an seiner Zeit zum Ausdruck. Seine Zeichnungen, seine oft mehrfigurigen Radierungen und Gemälde haben den Charakter skizzenhafter Bildhauerzeichnungen und ergänzen sein plast. Werk, das v. a. vom W.-L.-Mus. in Duisburg verwaltet und bearbeitet wird.

D. SCHUBERT: Die Kunst L.s (1981); W. L., neu hg. v. S. SALZMANN (1981).

Lehmden, Anton, österr. Maler, Graphiker tschech. Herkunft, *Neutra (ČSSR) 2. 1. 1929, lebt seit 1945 in Wien, studierte (bis 1950) ebd. an der Akad. bei A. P.

GÜTERSLOH und lehrt dort seit 1966. L. gehört zur →Wiener Schule des Phantastischen Realismus. Seine Bilder und Radierzyklen, zunächst Kriegsdarstellungen, dann Landschaftsphantasien, sind vom Surrealismus und alten Meistern (Donauschule) angeregt.

Lehnin, Gem. südwestlich von Potsdam, Dt. Dem. Rep., 3400 Ew., mit ehem. Zisterzienserkloster (1180 bis 1542; dann als Jagdschloß genutzt); die Kirche (1270 gew.), eine dreischiffige Pfeilerbasilika, in den Ostteilen rein romanisch, weist als erste Kirche der Mark Brandenburg frühgot. Formen auf. Erh. sind ferner Kapitelsaal und Kreuzgang, Abtshaus (›Königshaus‹, 15. Jh.), ›Falkonierhaus‹ (15. Jh.), Kornhaus (14. Jh.).

Leibl, Wilhelm, Maler, *Köln 23. 10. 1844, †Würzburg 4. 12. 1900, fand nach Studien in München (A. v. RAMBERG, K. v. PILOTY) in Auseinandersetzung mit Piloty und der Neuromantik A. BÖCKLINS den Weg zu einem rein maler. →Realismus. Meisterhaft waren bereits seine frühen Porträts, bes. das der Frau Gedon (1868/69; München, Neue Pinakothek), das G. COURBET 1869 in München sah und daraufhin die Bekanntschaft von L. suchte. In Paris (1869/70) festigte sich die Freundschaft, zugleich trat L. dort mit O. SCHOLDERER, L. EYSEN und K. BURNITZ in Verbindung und studierte die Bilder von É. MANET. Nach seiner Heimkehr schlossen sich ihm in München W. TRÜBNER, K. SCHUCH, R. HIRTH DU FRESNES, T. ALT, K. HAIDER und zeitweilig auch H. THOMA an **(Leiblkreis).** Nicht die Landschaft,

Wilhelm Leibl: Küche in Kutterling; 1896 (Köln, Wallraf-Richartz-Museum)

sondern ihre Menschen schilderte L. in Bildern von einzigartiger Detailtreue und Naturwahrheit und zumeist monumentaler Form. Die Bilder von bäuerl. Menschen aus seinem letzten Jahrzehnt nähern sich dem Impressionismus, wahren jedoch in den Gestalten die geschlossene Körperlichkeit.

WW: Selbstporträt (1862; Hannover, Städt. Gal.); Die Kokotte (1869; Köln, Wallraf-Richartz-Mus.); Alte Pariserin (1869; ebd.); Der alte Herr Pallenberg (1871; ebd.); Tischgesellschaft (1872/73; ebd.); Porträt des Malers K. Schuch (1876; München, Neue Pinakothek); Ungleiches Paar (1876/77; Frankfurt a.M., Städelsches Kunstinstitut); Die Dorfpolitiker (1877; Winterthur, Stiftung O. Reinhart); Die drei Frauen in der Kirche (1878/81; Hamburg, Kunsthalle); Die Wildschützen (1882/86; Bruchstücke in Berlin-West, Köln, Hamburg, Frankfurt a.M.); Geheimrat Seeger (1896; München, Neue Pinakothek); Küche in Kutterling (1896; Köln, Wallraf-Richartz-Mus.); Porträts des rotblonden Bauernmädchens (1899; ebd.).

R. Neuhaus: Bildnismalerei des L.-Kreises (1953); K. Römpler: W. L. (1955); A. Langer: W. L. (1961); W. L. und sein Kreis, Ausst.-Kat., München (1974).

Leibniz, Stadt in der Steiermark, Österreich, 6700 Ew. Oberhalb der Stadt Schloß Seggau (12./13. Jh., spätere Um- und Neubauten), urspr. spätgot., um 1680 barockisierte Schloßkapelle, reich ausgestattete ›Fürstenzimmer‹; Samml. von Steindenkmälern aus dem röm. **Flavia Solva.** Wallfahrtskirche Frauenberg, erster Bau 1170 erwähnt, heutige spätbarocke Gestalt von 1766, reiche einheitl. Ausstattung.

Leicester [l'estə], Stadt in der Cty. Leicestershire, Mittelengland, 289 400 Ew. Burg mit der normann. Kirche St. Mary de Castro, Sitz der Grafen von L. und späteren Herzöge von Lancaster; die ehem. Stadtpfarrkirche St. Martin's, seit 1926 Kathedrale, sowie St. Margaret wurden im 15. Jh. im Perpendicular Style umgebaut. An städt. Bauten des 14. Jh. sind die Guildhall und das Trinity Hospital (gegr. 1331), aus dem 16. Jh. das Wyggestone's Hospital (gegr. 1513) erh.; 1844/45 entstand die Baptist Chapel als klassizist. Rundbau, 1918–21 das University College (seit 1957 Univ.).

Leichtspat, Lenzin, Maltechnik: ungebrannter Gips.

Leiden [l'ɛidə], Stadt in der niederländ. Prov. Südholland, 101 500 Ew. Die von Kanälen durchzogene und von einer sternförmigen Gracht umgebene Stadt ist eine der ältesten Städte der Niederlande und seit 1575 Sitz einer Univ. Im ältesten Teil liegt die Burg, eine Ringmauer auf künstl. Hügel (12. Jh.) mit Wehrgang, Reste eines Torhauses. Die Pieterskerk ist eine fünfschiffige spätgot. Basilika (beg. 1294) mit Umgangschor (1412 gew.); im Innern Chorgitter (2. H. 15. Jh.), reich geschnitzte Kanzel (um 1525), ein Grabmal von R. Verhulst (1663), mehrere Epitaphe (16.–18. Jh.). Spätgotisch ist auch die St. Pancraskerk (Hooglandsekerk), eine dreischiffige Basilika (14. Jh.) mit Querschiff und Umgangschor (2. H. 15. Jh.); Taufgitter, Kanzel, Orgel und Gestühl 1. H. 17. Jh. Die Marekerk ist ein oktogonaler Zentralbau der Renaissance (1639 bis 1649). Die spätgot. Lodewijkskerk (1538) erhielt 1808 eine klassizist. Ausstattung. Zahlreiche, das Stadtbild prägende Profanbauten entstanden in der Renaissance. Das Rathaus, nach Entwurf (1593/94) von L. DE KEY errichtet, war eines der prächtigsten Renaissancegebäude der Niederlande (1929 durch Brand zerstört, z. T. rekonstruiert). Von P. POST stammen die Waage (1657–59) und das Gemeenlandshuis (1657–71). In der ehem. Tuchhalle (Lakenhal, 1639/40) befindet sich das Stedelijk Mus. (holländ. Malerei 15.–19. Jh., u.a. ›Jüngstes Gericht‹ von LUCAS VAN LEYDEN, 1526/27). Unter den zahlreichen weiteren Museen ragt das Archäolog. Mus. (Rijksmus. van Oudheden) heraus (reichhaltige Samml. ägypt., grch., etrusk. und röm. Funde).

Leighton [leɪtn], Frederick, Lord **L. of Stretton** [-stretn] (1896), engl. Maler, *Scarborough (Yorkshire) 3. 12. 1830, †London 25. 1. 1896, studierte in Florenz, Frankfurt am Main, Rom. Er war ein gefeierter Akademiemaler, übernahm von den Nazarenern und Präraffaeliten die oft esoter. Themen, die scharfe Zeichnung und die starken, häufig grellen Farben; 1878 Präs. der Royal Academy.

Leim, wässeriges Bindemittel zur Verleimung von Holz, Papier, Leder u. a., auch zum Binden von Farben **(Leimfarben).** Von der Antike bis heute sind Warmleime, Fischleim, Kasein und Stärkeleime in Gebrauch.

Hans Leinberger: Christus in der Rast; um 1525 (Berlin-West, Staatl. Museen)

Leinberger, Hans, Bildhauer, *Landshut (?) um 1480/85, †ebd. 1531/35, seit etwa 1511 ebd. tätig. Kennzeichnend für L. ist die maler. Auflockerung der Oberfläche bei starker Bewegtheit der Körper; sehr persönlich ist die Wiedergabe des Gesichtsausdrucks. Innerhalb der →Donauschule zeigen seine Werke Parallelen zu A. ALTDORFER, mit dem L. an der Ausstattung der Kapelle ›Zur schönen Maria‹ in Regensburg arbeitete (1520–22). – L. war der bedeutendste bayer. Bildhauer im frühen 16. Jh. Stilgeschichtlich ist sein Werk ein Bindeglied zw. dem Ausgang der Spätgotik und der Kunst des dt. Frühbarock.

HW: Hochaltar (1513–15; Moosburg, Stiftskirche); Bronzestandfigur des Grafen Albrecht von Habsburg (1514–18; Innsbruck, Hofkirche, Grabmal Maximilians I.; auf Entwürfe von A. DÜRER, 1513/14, zurückgehend, gegossen von S. GODL); 3 kleine Holzreliefs der Passion Christi (1516; Berlin-West, Staatl. Museen, und München, Bayer. Nat.-Mus.); Maria mit Kind (um 1515–20; Landshut, St. Martin, früher als Rosenkranz-Madonna frei schwebend aufgehängt); Sitzender Hl. Jakobus d. Ä. (um 1523–25; München, Bayer. Nat.-Mus.); Christus in der Rast (um 1525; Berlin-West, Staatl. Museen); Sitzende Muttergottes (1526/27; Polling, ehemal. Stiftskirche, jetzt: Weilheim, Mus.); Hl. Georg (nach 1526; München, Frauenkirche, Preysingkapelle).

V. LIEDKE: H. L. (1976).

Lein|öl, Maltechnik: durch Auspressen von Leinsamen gewonnenes, trocknendes Öl, das durch vielfältige Weiterverarbeitungsmöglichkeiten, z. B. Standöl, Leinölfirnis und Lack, weiteste Verbreitung in der Mal- und Anstrichtechnik findet. L. wird als Bindemittel zuerst in Quellenschriften des 12. Jh. erwähnt; es war vermutlich aber schon viel früher in Gebrauch.

Lein|ölfirnis, Maltechnik: durch Zugabe von Sikkativen schnell trocknendes Leinöl.

Leins, Christian Friedrich von, Baumeister, *Stuttgart 22. 11. 1814, †ebd. 25. 8. 1892, entwarf seine Bauten ebd. v.a. in einem eklekt. Historismus: die Villa

Berg (1844–53) und die Liederhalle (1874/75) im Stil der Neurenaissance, den Königsbau (1857–59) im Stil des Klassizismus, die Johanneskirche (1876) im Stil der Neugotik. – Als akadem. Lehrer (seit 1858 Prof. an der TH in Stuttgart) übte L. großen Einfluß aus.

Leinwand, Gewebe aus der Faser des Flachs (auch aus Hanf, Jute, Baumwolle). L.-Gewebe sind schon in Antike und MA. (›Tüchlein‹) für Malereien verwendet worden, als Bildträger kam die L. jedoch erst seit Ende des 15. Jh. in Gebrauch. Unterschiedl. Fadenstärke und Gewebestrukturen werden in die Bildwirkung mit einbezogen, das relativ geringe Gewicht erlaubt sehr große Formate.

Leipzig, Bezirkshauptstadt und zweitgrößte Stadt der Dt. Dem. Rep., 564300 Ew.; nach starken Zerstörungen (1943–45) weitgehend modern wiederaufgebaut. Im Mittelpunkt der Innenstadt liegt der Markt mit dem Renaissancebau des Alten Rathauses (1556 beg.; Mus. für Geschichte der Stadt Leipzig mit Gemälden und Graphiksamml.), der Alten Waage (1555), dem Handelshaus Barthels Hof (1523, 1748 barock verändert), hinter dem Rathaus die frühbarocke Alte Börse (1678–87) mit prächtiger Fassade. Südwestlich vom Markt die Thomaskirche (langgestreckter got. Chor 14. Jh., spätgot. Langhaus 1482–96), eine dreischiffige Hallenkirche, Turm mit achteckigem Obergeschoß (1537), W-Fassade im 19. Jh. umgestaltet; zahlreiche Grabdenkmäler (15.–17. Jh.). Südlich davon wurde 1899–1907 das Neue Rathaus an der Stelle der Pleißenburg (Neubau 1550–67) unter Einbeziehung eines Turms der Burg errichtet. Östlich vom Markt liegt die Nikolaikirche (got. Chor 14. Jh., spätgot. Langhaus 1513 beg.), eine dreischiffige Hallenkirche, im Innern 1784–97 von J. C. F. DAUTHE und A. F. OESER originell und phantasievoll neugestaltet (stuckverkleidete Gewölbe, zu Palmwedeln emporwachsende Säulen); spätgot. Schmerzensmann (1. H. 15. Jh.), steinerne Kanzel (1521). Südlich davon im Universitätsviertel stand die Universitäts- oder Paulinerkirche, eine got. Hallenkirche (13.–16. Jh.); obwohl nicht kriegszerstört, wurde sie 1964 gesprengt, um für den Universitätsneubau (140 m hohes Hauptgebäude) an der W-Seite des Karl-Marx-Platzes Raum zu schaffen. An dessen N-Seite steht das neue Opernhaus (1961), gegenüber das neue Gewandhaus (1981). Nur wenige Wohnbauten erh., u. a. das barocke Romanushaus (1701–04) und 3 Barockhäuser in der Katharinenstraße, Gaststätte Zum Kaffeebaum (um 1725). Im N liegt das Gohliser Schlößchen (1755/56; heute Bach-Archiv), im Festsaal Deckengemälde von Oeser (1779). Im SO das Völkerschlachtdenkmal (1898–1913) von B. SCHMITZ. – Zahlreiche Museen, u. a. Mus. der bildenden Künste (bed. Samml. von altdt. Meistern bis zur zeitgenöss. Kunst der Dt. Dem. Rep.); die Museen für Kunsthandwerk und Völkerkunde sind im Grassi-Museum.

Leiria [leirˈia], Bischofsstadt in Mittel-Portugal, rd. 10 km nördlich von Batalha, 9000 Ew., im Schutz einer Burganlage (12.–14. Jh.; heute Ruine) gelegen; dreischiffige Renaissance-Kathedrale (1571) mit Netzgewölben.

Leisnig, Stadt südöstlich von Leipzig, an der Freiberger Mulde, Dt. Dem. Rep., 10200 Ew., mit Schloß Mildenstein, im Kern romanisch, Umbauten und Erweiterungen 14.–17. Jh., roman. Martinskapelle (1. H. 12. Jh.).

Leistikow [-ko], **1)** Hans, Maler, Graphiker, Neffe von 2), *Bromberg 4. 5. 1892, †Frankfurt a. M. 22. 3. 1962, war 1948–59 Prof. an der Staatl. Werkakad. Kassel; arbeitete auf dem Gebiet der Plakatkunst, Ausstellungsgestaltung sowie Buch- und Bauausstattung.

2) Walter, Maler, Onkel von 1), *Bromberg 25. 10. 1865, †Schlachtensee (heute zu Berlin) 24. 7. 1908, war Mitbegründer der Berliner Sezession. L. malte impressionistisch gehaltene Stimmungsbilder der märkischen Wald- und Seenlandschaft. Auch erhielt er Anregungen durch P. PUVIS DE CHAVANNES und vom japan. Holzschnitt und stand zeitweise dem Jugendstil nahe.

O. LEISTIKOW: Der Maler W. L. ([2]1966).

Leitform, archäolog. Terminus für formal oder technisch möglichst unverwechselbare Gegenstände (Geräte, Waffen, Schmuck, Gefäße), die in best. Ausgrabungsschichten vorherrschen und für eine Kultur typisch sind.

Leitheim, ehem. Sommerresidenz der Äbte von →Kaisheim; ein gedeckter Gang verbindet das Barockschloß (1685 erbaut, Innendekoration 1751 von A. LANDES aus Wessobrunn und G. B. GÖTZ) mit der vorzüglich ausgestatteten Schloßkirche (1696 voll.).

Leitmeritz, tschech. **Litoměřice** [l'itɔmjɛrʒitsɛ], Stadt im Nordböhm. Kr., ČSSR, 23100 Ew. Das urspr. got. Rathaus wurde im Renaissancestil zw. 1537 und 1539 umgebaut (heute Stadtmus.). Got. Ursprungs ist auch die Allerheiligenkirche (1235 gegr.; im 17./18. Jh. barockisiert). Bei der Kirche ein got. Glockenturm (Teil der Stadtbefestigung aus dem 13. Jh.); am Markt Häuser im Renaissancestil (z. T. mit Sgraffiti). Im barocken Dom Bilder u. a. von L. CRANACH und got. Pietà; Bischofspalast (1689–1701).

Leitomischl, tschech. **Litomyšl** [l'itɔmiʃl], Kleinstadt im Ostböhm. Kr., ČSSR, südöstlich von Pardubitz. L. entwickelte sich neben einer Burg, die schon um 981 bestand. Auf Grundsteinen der Burg entstand 1568–81 das Renaissance-Schloß mit Arkaden, Loggien und Sgraffitoausschmückung (Innenausstattung z. T. aus dem 18. Jh.). Sakralbauten: u. a. Kirche aus dem 14. Jh. (Anf. 17. Jh. renoviert) mit wertvoller Innenausstattung; barocke Piaristenkirche und die ehem. Piaristenschule (17. Jh.). Am Markt ma. Häuser und Rathaus (15. Jh., im 16. Jh. umgebaut, im 18. Jh. renoviert).

Leitzkau, Gem. im Kr. Zerbst, Dt. Dem. Rep.; Kirche des ehem. Prämonstratenserstifts, eine roman. Basilika (1155 gew.) mit schönen Kapitellen; von dem daran anschließenden Renaissance-Schloßkomplex (1564–1600) ist Schloß ›Neuhaus‹ erh., vom 1945 zerstörten Schloß ›Althaus‹ nur Treppenturm mit Galerie.

Leiva [l'eɪβa], Ort in Kolumbien, →Villa de Leiva.

Lekythos
des Phiale-Malers;
5. Jh. v. Chr. (München,
Staatl. Antikensamml.)

Lekanis, altgrch., flache Schüssel mit Deckel und waagerechten Henkeln (Speise- und Vorratsschüssel).

Le Kef, arab. **Al-Kaf,** Stadt in NW-Tunesien, 27 900 Ew. Von der röm. Stadt **Sicca Veneria** sind u. a. 11 Zisternen und ein großes sechseckiges Nymphäum erh. In der Neustadt byzantin. Basilika (3 Schiffe, 2 doppelte Säulenreihen, Apsis mit rundstabverzierter Halbkuppel). In der Medina die ehem. Moschee Sidi Mizouni (Zentralkuppel auf 4 Säulen, 4 Nebenkuppeln; heute Bibl.) sowie die Moschee Sidi Ben Makhlouf (achteckiges Minarett mit Plattendekor, 2 monumentale Rundstabdekorkuppeln und Zentralkuppel mit polychromem Filigranstuck); ferner die Moschee El-Kebir mit quadrat. Minarett und kreuzförmigem Gebetssaal über antiken Fundamenten. Oberhalb der Stadt türk. Kasba (1679; heute Kaserne).

Lektionar [lat.] *das,* lat. Liturgie: das Buch mit den Texten der gottesdienstl. Lesungen.

Lekythos [grch.] *die,* schlankes, einhenkliges, schon früh im Totenkult verwendetes grch. Ölgefäß mit engem Hals und abgesetzter Schulter oder, seltener, schlauchförmiger Gestalt **(Eichel-L.)**. Die ›weißgrundigen‹ L. des 5. Jh. v. Chr., bei denen die Bilder mit bunter Farbe auf weißem Tonüberzug gemalt sind, gehören zu den schönsten grch. Gefäßen. Große Marmor-L. dienten seit dem späten 5. Jh. v. Chr. als Grabdenkmäler.

Le Lorrain [ləlɔr'ɛ̃], Robert, frz. Bildhauer, *Paris 15. 11. 1666, †ebd. 1. 6. 1743, war bes. für die Familie Rohan in Straßburg, Zabern und Paris tätig. In seinen Werken vollzieht sich der Übergang von dem formstrengen Classicisme zum malerisch bewegten Rokoko.

HW: Tränke der Sonnenrosse am Marstall des ehemaligen Hôtel de Rohan in Paris (Hochrelief; um 1740).

Lely [l'i:lı], Sir (1680) Peter, eigtl. Pieter **van der Faes** [-fa:s], engl. Maler, *Soest (Westf.) 14. 10. 1618, †London 7. 12. 1680, 1637 Schüler von P. DE GREBBER in Haarlem, seit 1641 in England, einer der Nachfolger A. VAN DYCKS als Hofmaler, bekannt v. a. durch seine Gruppenporträts (›Karl I. mit dem Herzog von York‹, 1647; London, Syon House, Samml. Duke of Northumberland). Unter dem Einfluß des Barock wurde seine Malweise zunehmend gelöster.

Le Mans [ləm'ã], Hauptstadt des Dép. Sarthe, an der Sarthe, NW-Frankreich, 155 200 Ew.; kath. Bischofssitz. Reste der gallo-röm. Stadtmauer mit Türmen sind erh. Die Kathedrale (Langhaus 11./12. Jh., Querhaus 1310–1430) besitzt einen der schönsten Chöre der frz. Gotik (1217–54), hervorragende Glasmalerei-Zyklen des 12., 13. und 15. Jh., roman. Portalskulpturen, Gewölbemalereien des 14. Jh. und Grabdenkmäler des 13.–15. Jh. Weitere Kirchen sind die ehem. Abteikirche Notre-Dame-de-la-Couture (im wesentlichen 11./12. Jh.) mit Marienstatue von G. PILON (16. Jh.) und die Abteikirche Notre-Dame-du-Pré (11./12. Jh.). Im ehem. Bischofspalast befindet sich das Mus. des Beaux-Arts mit Gemäldegal. In der Altstadt sind zahlreiche schöne Häuser des 15. und 16. Jh. erh. (Maison de la Reine Bérengère, 1490–1515, mit Volkskunde-Mus.).

Lembeck, Stadtteil von Dorsten, Kr. Recklinghausen, NRW, im Naturpark Hohe Mark, besitzt eines der schönsten westfäl. Wasserschlösser, seit 1692 im Barockstil aus einem älteren Kern (15. Jh.) heraus vergrößert; innerer Ausbau 1726 durch J. C. SCHLAUN.

Lemberg, russ. **Lwow,** Gebietshauptstadt im W der Ukrain. SSR, zw. Bug und Dnjestr, 676000 Ew. Um 1250 als Festung (Mauerteile aus dem 13. Jh., Arsenal und Pulverturm, 1554–56, erh.) gegen die Mongolen gegr., war L. schon im 14. Jh. bed. Handels- und Handwerkerzentrum. An histor. Bauten sind nach den Zerstörungen des 1. und 2. Weltkriegs erhalten: spätgot. röm.-kath. Kathedrale (1360–1493, barock umgestaltet), Armen. Kathedrale (1363–70, urspr. im Stil der armen. Architektur des 12./13. Jh., im 18. Jh. barock überarbeitet, Fassade 1908), Uspenskij-Kathedrale (1591–1631) mit Glockenturm ›Kornjakt‹ (1572–78), Dominikanerkirche (1744–64) mit barocker Innenausstattung und Georgskirche (1743–58) sowie als Profanbau das ›Schwarze Haus‹ (1577) mit Kalksteinreliefs. Nach dem Anschluß an Österreich (1772) war L. bis 1918 Hauptstadt von Galizien. Aus dieser Zeit stammen u. a. das Rathaus (1828–37) und das Landtagsgebäude (1877–81; heute Univ.).

Lemercier, Le Mercier [ləmɛrsj'e], Jacques, frz. Baumeister, *Pontoise um 1585, †Paris 4. 6. 1654, studierte in Rom, wirkte am Bau des →Louvre mit und schuf, gefördert durch Kardinal RICHELIEU, für diesen Schloß und Stadt →Richelieu, in der sich bereits die neue, raumbeherrschende Baugesinnung von Versailles ankündigt, sowie in Paris das Palais Richelieu (→Palais-Royal) und ab 1635 die von der ital. Baukunst angeregte Kirche der Sorbonne. L. wurde 1639 ›Erster Architekt des Königs‹ und gilt neben F. MANSART als der zu seiner Zeit führende französische Baumeister des Classicisme.

Lemgo, Stadt im Kr. Lippe, NRW, 39900 Ew.; ehem. Hansestadt, von deren Reichtum viele prachtvolle Steinbauten und üppig verzierte Fachwerkhäuser aus Gotik und Renaissance zeugen (Haus Wippermann, 1576; Planetenhaus, 1590). Das aus 8 Baukörpern des 15.–17. Jh. bestehende Rathaus ist eines der schönsten in Dtl. (v. a. Ratslaube von 1565/89 mit typ. Renaissance-Beschlagwerkornament und Apothekenerker von 1612). Hexenbürgermeisterhaus (1568–71) mit großartiger Renaissancefassade (Heimat-Mus.). Spätromanisch-got. Altstädter Nikolaikirche (13.–15. Jh.) mit 2 ungleichen Türmen und schönen Säulenportalen. Die got. Neustädter Marienkirche (um 1275–um 1325) wurde nach dem Vorbild des Mindener Doms erbaut und hat eine Renaissance-Schwalbennestorgel (1587–90). Südöstlich der Stadt **Schloß Brake** (16./17. Jh.), ein repräsentatives Beispiel der Weserrenaissance.

Lẹmnos, grch. Insel der nordöstl. Ägäis, in deren Nähe 1979 eine Bronzestatue des Kaisers AUGUSTUS im Meer gefunden wurde; urspr. eine Reiterstatue, von der das Pferd aber nicht erh. ist. Das Bildnis des Kaisers ist dem Augustus-Typus der Panzerstatue von →Primaporta zuzurechnen.

Lemoyne [ləmw'an], **1) Lemoine, Le Moine,** François, frz. Maler, *Paris 1688, †(Selbstmord) ebd. 4. 6. 1737, wurde 1730 Prof. der Pariser Akad., 1736 ›Erster Maler des Königs‹. L. verdankte P. P. Rubens, später den Venezianern entscheidende Anregungen; sein eigener Beitrag zur frz. Malerei des 18. Jh. sind die rosigen und silbrigen Farbtöne und die elegante Bewegung seiner Kompositionen, darin A. Watteau vergleichbar.

HW: Kuppelgemälde der Marienkapelle von St. Sulpice in Paris (1731); Deckengemälde im Herkulessaal des Schlosses zu Versailles (1733–36).

2) Jean-Baptiste, frz. Bildhauer des Rokoko, *Paris 15. 2. 1704, †ebd. 25. 5. 1778, seit 1768 Rektor der Akad. Seine besten Leistungen sind malerisch gelockerte Terrakottabüsten. J.-S. Houdon, E.-M. Falconet, J.-B. Pigalle u. a. waren seine Schüler.

Lempertz, Kunsthaus L., Kunstversteigerungshaus, Köln, gegr. 1845; im 19. Jh. wurden v. a. Bücher versteigert, heute Werke alter und moderner Kunst sowie Ostasiatica (jährl. Frühjahrs- und Herbstauktion). Außerdem Kunsthandel; so vertritt die ›Galerie L. Contempora‹ u. a. das Werk von G. Marcks.

Lempicka [lɛmp'itska], Tamara de, poln. Malerin, *Warschau 16. 5. 1898, †Cuernavaca bei Mexiko City 18. 3. 1980, malte im Paris der 20er Jahre Porträts mit Sexappeal im Stil der Neuen Sachlichkeit.

T. de L., mit Vorwort v. M. Eberle (1982).

Le Nain, Lenain [lən'ɛ̃], drei frz. Maler, Brüder, die, wenn überhaupt, nur mit dem Familiennamen signierten: Antoine (*Laon um 1588, †Paris 25. 5. 1648), Louis (*Laon um 1593, †Paris 23. 5. 1648) und Mat-

Le Nain: Bauern beim Mahl; 1642, Louis Le Nain zugeschrieben (Paris, Louvre)

thieu (*Laon 1607, †Paris 20. 4. 1677). Ihre Ausbildung sollen sie in Laon bei einem ›fremden‹ (wohl fläm.) Maler erhalten haben. Sie ließen sich in Paris nieder, arbeiteten in Werkstattgemeinschaft (jeder Versuch, ihre Werke nach Einzelanteilen zu trennen, scheiterte bisher), wurden 1648 Mitgl. der Akad. und erhielten schon seit 1629 bed. Aufträge für Einzelporträts (u.a. von Mitgl. des Hofes) und Gruppenbilder (Frau mit 5 Kindern, 1642; London, Nat. Gal.; Die musikal. Versammlung, 1642; Louvre). Die v.a. Antoine zugeschriebenen kleinformatigen, auf Holz und Kupfer gemalten Gruppenbilder folgen deutlich fläm. Tradition, während die bes. Louis zugeschriebenen, kraftvoll in grauen und braunen Tönen gemalten Bauernbilder von den Niederländern (A. BROUWER) angeregt erscheinen (Familie der Milchfrau, Leningrad, Eremitage; Die Trictrac-Spieler, Louvre; Bauern beim Mahl, 1642; ebd.). In den großformatigen mytholog. und kirchl. Historienbildern mit effektvoller Lichtführung offenbart sich der Einfluß CARAVAGGIOS. Die Produktion der Familienwerkstatt, der auch der Vater und ein 4. Bruder angehörten, wird auf über 2000 Werke (viele davon verschollen) geschätzt.

J. THUILLIER: Les frères Le N., Ausst.-Kat., Paris (1978).

Franz von Lenbach: Bismarck; Ausschnitt (München, Städt. Galerie im Lenbachhaus)

Lenbach, Franz von (1882), Maler, *Schrobenhausen (Oberbayern) 13. 12. 1836, †München 6. 5. 1904, lehrte 1860/61 nach Ausbildung bei K. v. PILOTY an der Weimarer Kunstschule und war 1863–66 in Italien und Spanien, um im Auftrag des Grafen Schack Kopien nach alten Meistern (bes. nach P. P. RUBENS und TIZIAN) zu malen. Hierbei erwarb er die techn. Voraussetzungen für seine glanzvolle Laufbahn als Porträtmaler in München. L. begann mit bed. naturalist. Bildern (›Titusbogen‹, 1858; München, Städt. Gal.; ›Hirtenknabe‹, 1859; ebd., Schack-Gal.). In seinen Porträts werden die Kopfpartien durch Lichteffekte hervorgehoben und verschwimmen in tonig-braunem Hintergrund; sie beruhen auf genauer Beobachtung und der Nachahmung altmeisterl. Züge. Als ›Malerfürst‹ mit Aufträgen überhäuft, wurde der effektvoll maler. Stil der Bilder L.s immer flacher. Häufig und insgeheim malte L. nach photograph. Vorlagen. – L. hat die bedeutendsten Persönlichkeiten seiner Zeit porträtiert (Ludwig I., 1868; F. Liszt, 1884; Leo XIII., 1885; E. Duse, 1885; P. Heyse, 1896; Wilhelm I., Moltke), v.a. aber Bismarck in etwa 80 Porträts. (→Lenbachhaus)

S. WICHMANN: F. v. L. und seine Zeit (1973); SONJA MEHL: F. v. L., 1: Œuvre-Kat. der Portraits in der Städt. Galerie München (1980; 3 Bde. vorgesehen).

Lenbachhaus, München, Städt. Samml. Münchener Malerei des 19.Jh. und der klass. Moderne, seit 1929 in der von G. v. SEIDL 1881–91 für den Maler F. v. LENBACH erbauten Villa. Die heutige Samml. des ›Blauen Reiters‹ mit Werken von P. KLEE, W. KANDINSKY, F. MARC, A. MACKE u.a. wurde 1957 durch die Schenkung von GABRIELE MÜNTER begründet.

Der Blaue Reiter im L. München, Kat. der Sammlung, bearb. von ROSEL GOLLEK ([2]1982).

L'Enfant [frz. lã'fã], Pierre Charles, amerikan.

Baumeister und Stadtplaner frz. Herkunft, *Paris 2. 8. 1754, †Prince Georges County (Maryland) 14. 6. 1825, kam als Teilnehmer des Unabhängigkeitskrieges 1777 nach Amerika; schuf neben Bauten in New York (City Hall) und Philadelphia (Federal House) 1790/91 den Plan für die neue Bundeshauptstadt Washington, D. C.

Leningrad, bis 1914 **St. Petersburg,** russ. **Sankt Peterburg,** 1914–24 **Petrograd,** zweitgrößte Stadt der UdSSR, 4,64 Mio. Ew., war 1712–28 und 1732–1918 Hauptstadt des Russ. Reiches; seit 1927 Gebietshauptstadt in der Russ. SFSR. Die geschlossene Bauweise, breite, gerade Straßen (›Prospekte‹), weite Plätze, Paläste, Kirchen und öffentl. Gebäude, großzügige Parks und Kais sowie die freie Aussicht zum Meer prägen das vorwiegend barock-klassizist. Stadtbild, das als das schönste Rußlands gilt. Die Grundkonzeption wurde von ihrem Gründer PETER D. GR. geschaffen. Die 15 Stadtbezirke werden traditionell zu ›Seiten‹ zusammengefaßt: links der Newa die Moskauer Seite, rechts die Wyborger, im Newa-Delta die Petrograder Seite und die Wassilij-Insel. Als Kernpunkte der Stadt ließ Peter d. Gr. Festung und Werft errichten: Die auf einer Insel vor der Petrograder Seite liegende Peter-und-Pauls-Festung (1703 beg.) umschließt Staatsgefängnis, Münze, Arsenal und die Peter-und-Pauls-Kathedrale (1712 bis 1733, D. TREZZINI; dreischiffige Hallenkirche mit 122 m hohem Westturm; unter KATHARINA II. frühklassizistisch umgestaltet; Grabkirche der russ. Zaren); links der Newa, auf der Moskauer Seite, heute im prunkvollen Mittelpunkt der Stadt, die Admiralität (1704 als Werft begründet, 1806–23 von A. D. SACHAROW neu gestaltet), ihr Turm, der eine goldene Kogge an der Spitze trägt, ist ein Wahrzeichen von L. Von hier aus wurde in südöstl. Richtung die Hauptachse der Stadt (zunächst eine Waldschneise) zum 5 km entfernten Alexander-Newskij-Kloster (Aleksandro-Newskaja

Leningrad: Isaak-Kathedrale; 1818–58, im Vordergrund die Newa

Lawra, 1713 nach Plänen von Trezzini beg.) angelegt. Sie ist heute die von bed. Gebäuden gesäumte Prachtstraße ›Newskij Prospekt‹. Auf der Ostspitze der Wassilij-Insel (›Strelka‹), dem geistigen Mittelpunkt der Stadt, entstand 1718–34 als erstes Mus. die Kunstkammer (urspr. Samml. Peters d. Gr., heute Mus. für Anthropologie und Ethnographie). Die Mitte des 18. Jh. wurde bestimmt durch die spätbarocken Bauten B. F. →Rastrellis, v. a. Winterpalais (→Eremitage), Smolnyj-Kloster und Palais Stroganow. Die seit den 1760er Jahren entstandenen Bauten stehen im Zeichen des einsetzenden Klassizismus (Akad. der Künste, 1764–88, J.-B. VALLIN DE LA MOTHE; Kleine Eremitage, 1764–67, Vallin de la Mothe; Marmorpalais, 1768–85, A. RINALDI), der nach 1780 zur vollen Entfaltung kam: Eremitage-Theater (1783–87, G. QUARENGHI), Akad. der Wiss. (1783–89, Quarenghi), Alexander-Newskij-Kathedrale (1778–90, I. J. STAROW), Taurisches Palais (1783–89, Starow). Anfang des 19. Jh. wurden die Kasaner Kathedrale (1802–12, A. N. WORONICHIN), auf der Strelka die Börse (1805–16, T. DE THOMON; heute Marine-Mus.) sowie der gewaltige Neubau der Admiralität (1806–23, Sacharow) geschaffen. Unter K. →Rossi entstanden seit 1816 große Architekturkomplexe: Palais des Großfürsten Michael (heute Russ. Mus.), Puschkin-Theater mit Rossi-Straße, Generalstabsgebäude und Triumphbogen am Schloßplatz (heute Dworzowaja-Platz), Gebäude für Senat und Synode. 1818–58 schuf R. DE MONTFERRAND die Isaak-Kathedrale am ehem. Petersplatz (heute Dekabristenplatz) mit Reiterdenkmal Peters d. Gr. von E. FALCONET (1768–78, enthüllt 1782). Seit der 2. H. des 19. Jh. entstanden zahlreiche Bauten im historisierenden Stil. – Schlösser in der Umgebung L.s →Pawlowsk, →Petrodworez, →Puschkin.

A. L. KAGANOWITSCH: Die Kunstschätze L.s (a. d. Russ., 1969); INGRID PARIGI: L. und die Schlösser der Umgebung (1973).

Lenk, Kaspar-Thomas, Plastiker, Graphiker, *Berlin 15. 6. 1933, gestaltet seit 1964 ›Schichtungen‹ von Scheiben, die, hintereinander versetzt, scheinperspektiv. Räumlichkeit bewirken, die ohne illusionist. Mittel ganz aus dem plast. Prinzip stammt. Seit 1967 entstanden ›Inn-Skulpturen‹, die den Raum als eine sich nach innen entwickelnde Skulptur zeigen. L. schuf auch große bauplast. Arbeiten und Siebdrucke.

Le Nôtre [lən'o:tr], **Lenôtre,** André, frz. Gartenarchitekt, *Paris 12. 3. 1613, †ebd. 15. 9. 1700, wurde nach Studium der Malerei und Architektur 1637 Nachfolger seines Vaters als ›Erster Gartenbaumeister des Königs‹ in den Tuilerien in Paris. Mit der Anlage des Parks von Schloß Vaux-le-Vicomte für N. DE FOUQUET ab 1653 wurde Le N. zum Schöpfer des frz. Gartenstils im Louis-quatorze, den er dann für LUDWIG XIV. ab 1661 in Versailles zum Höhepunkt führte (Dreiteilung in Broderieparterre, Bosketts und natürlich belassenen Wald). Le N. gestaltete auch die Schloßgärten von Clagny, Fontainebleau, St. Cloud und Chantilly, vermutlich auch in Marly sowie in Sceaux und Meudon. (→Gartenkunst)

E. GANAY: A. Le N. (Paris 1962).

Lenz, Peter, als Benediktiner (seit 1872) **Pater Desiderius,** Maler, Baumeister, Bildhauer, *Haigerloch 12. 3. 1832, †Beuron 28. 1. 1928, gründete mit J. WÜGER und F. STEINER die →Beuroner Kunstschule.

Lenzburg, Stadt im schweizer. Kt. Aargau, 7500 Ew., mit einer der großartigsten Höhenburgen der Schweiz (um 1000 gegr., zahlreiche Umbauten; heute u.a. kantonale Histor. Samml.); frühbarocke Stadtkirche (1667/68); Rathaus (1677 und 1692).

Leoben, Stadt in der Steiermark, Österreich, 35 000 Ew., an der Mur; maler. Hauptplatz im Zentrum der noch gut erkennbaren ma. Anlage mit dem Rathaus (v.a. 16. und 17. Jh.), Gasthof Adler (1. H. 16. Jh.; got. Laubenhof), Hachlhaus (um 1680, reiche Stuckfassade) u.a. Die ma. Burg im 17. Jh. größtenteils neu gebaut als Jesuitenkolleg (Mus.); die zugehörige Kirche (1660–65), in reichstem Knorpelstil ausgestattet, ist heute Stadtpfarrkirche. In der Maria-Waasen-Kirche (14. Jh., Netzrippengewölbe mit Rautenmalerei 1482/83) kostbare Glasmalerei in den Chorfenstern (1. H. 15. Jh.). Vom ehem. Benediktinerinnenkloster (um 1020–1782, im Stadtteil Göß) ist die spätgot. ehem. Stiftskirche mit frühroman. Krypta (11. Jh.) und Michaelskapelle mit bed. Fresken (vor 1283) erhalten.

Leobschütz, poln. **Głubczyce** [głuptʃ'itsɛ], Stadt in der poln. Wwschaft Opole (Oppeln), in Niederschlesien, 12 500 Ew., mit z. T. erh. Stadtmauern (14./15. Jh.). Die Pfarrkirche ist eine frühgot. Halle (13./14. Jh.) mit neugot. Chor und Querschiff (1903–07); Franziskanerkloster (1448 gegr.), heute ein Barockbau (1753–70), und Kirche von 1756 bis 1758.

Leochares, attischer Bildhauer des 4. Jh. v. Chr., arbeitete um 350 am Skulpturenschmuck des →Mausoleums in Halikarnassos, schuf Goldelfenbeinbilder der Familie Philipps von Makedonien für dessen Rundbau in Olympia (336). Bes. gepriesen wurde seine Gruppe des vom Adler geraubten Ganymed (in Kopien nachweisbar, u.a. im Vatikan). Auf L. werden der ›Apoll von Belvedere‹ (Vatikan) und die ›Artemis von Versailles‹ (Louvre) zurückgeführt. Chrakteristisch für L. sind gespannte Figuren von federnder Kraft mit in den Raum ausgreifenden Gebärden.

León, 1) span. Stadt und Bischofssitz im NW Altkastiliens, 123 100 Ew. L. entstand um 70 n. Chr. aus einem röm. Legionslager (Reste der Stadtmauer erh.); vom 10.–12. Jh., als zeitweilige Hauptstadt des Kgr. L. und bed. Handels- und Verkehrszentrum an der Pilgerstraße nach Santiago de Compostela, erlebte L. eine große Blüte. Die dreischiffige roman. Kirche S. Isidoro (1149 voll.) besitzt qualitätvolle Portalplastiken (v.a. an den beiden S-Portalen mit Tierkreis-Skulpturen); an ihrer W-Seite die Königsgruft (Panteón de los Reyes, Mitte 11. Jh.), ein zweistöckiger, zweischiffiger Bau mit hervorragenden Gewölbemalereien (2. H. 12. Jh.) und Kapitellen mit figürl. und pflanzl. Schmuck; reicher Kirchenschatz. Die dreischiffige frühgot. Kathedrale ist stark von frz. Bauten (Amiens, Reims) beeinflußt, reicher Skulpturenschmuck an den Portalen, Glasfenster

León 1): Königsgruft in San Isidoro; Mitte 11. Jh.

des 13.–17. Jh., spätgot. Kreuzgang (14. Jh., mit Treppe im Platereskenstil), reiches Kirchen-Mus. Das ehem. Kloster S. Marcos (Mitte 16. Jh., Teil der Hauptfassade und Portal im 18. Jh. voll.) ist eine prunkvolle monumentale Anlage von großer Geschlossenheit.

2) Stadt in Nicaragua, 95 000 Ew. Die fünfschiffige Kathedrale (18. Jh.) mit neoklassizist. Fassade und Kuppel gehört zu den größten Sakralbauten Mittelamerikas.

Leonardo (auch **Lionardo**) **da Vinci** [-vˈintʃi], ital. Maler, Bildhauer, Architekt, Naturforscher, Techniker, *Vinci (bei Empoli) 15. 4. 1452, †Schloß Cloux bei Amboise 2. 5. 1519. Seine Ausbildung als Maler und Bildhauer sowie die Unterweisung in den techn. Künsten erhielt er bei A. DEL VERROCCHIO in Florenz. 1472 wurde er in die Florentiner Malergilde aufgenommen, blieb aber noch etwa 4 Jahre in der Werkstatt Verrocchios. In dieser Zeit der Gemeinschaftsarbeit entstanden die frühesten von ihm erh. Werke: ein Engel und die Landschaft auf Verrocchios Gemälde der Taufe Christi (Florenz, Uffizien) sowie die Madonna mit der Vase (München, Alte Pinakothek). Um 1478 machte er sich selbständig; aus dieser Epoche stammen das Porträt der Ginevra Benci (Washington, Nat. Gal. of Arts) und des Hl. Hieronymus (unvoll.; Vatikan). Die große Tafel der Anbetung der Könige (Florenz, Uffizien; weiteres BILD Zeichnung) ließ er halbfertig zurück, als er 1482 in den Dienst des Herzogs LUDOVICO SFORZA nach Mailand ging. Hier malte er die Madonna in der Felsengrotte (1. Fassung: Louvre; 2. Fassung: eine Werkstattwiederholung, 1503–06; London, Nat. Gal.) und das Wandbild des Abendmahls im Refektorium von S. Maria delle des Abendmahls im Refektorium von Santa Maria delle Grazie (1495–97), beschäftigte sich mit architektonischen Entwürfen (Zentralkirchen, Festungsbauten u. a.) und begann seine wissenschaftlichen Studien (Anatomie, Optik, Mechanik u. a.) sowie sein Lb. der Malerei. Für ein Bronze-Reiterdenkmal des 1. Sforza-Herzogs FRANCESCO schuf er ein originalgroßes Tonmodell (zerstört); zum Guß kam es nicht, da Ludovico Sforza 1499 gestürzt wurde (eine der beiden 1965 wiedergefundenen L.-da-V.-Hss. der Madrider Nat.-Bibl., der ›Codex Madrid II‹, enthält eine Abhandlung über den Guß des ›Großen Pferdes‹). Über Mantua, wo er ein Porträt der Markgräfin ISABELLA D'ESTE zeichnete (Louvre), und Venedig kehrte er im April 1500 nach Florenz zurück, wo er das Gemälde der Hl. Anna Selbdritt begann (Louvre). Nach Reisen als Festungsbauinspizient CESARE BORGIAS (aus dieser Tätigkeit entstand ein Großteil seiner Landkarten und Stadtpläne, die zu den frühesten Zeugnissen der modernen Kartographie gehören) übernahm er 1503/04 den Auftrag, im Saal des Rathauses in Florenz ein Wandgemälde der Schlacht von Anghiari zu malen, das aber wie das von MICHELANGELO für die gegenüberliegende Wand entworfene Schlachtenbild nicht ausgeführt wurde; Teile des verlorenen Kartons sind durch Nachzeichnungen v. a. von P. P. RUBENS bekannt. Um dieselbe Zeit entstanden das Porträt der →Mona Lisa (Louvre) und die stehende Leda (nur in Kopien erh.). Dann wandte sich

Leonardo da Vinci: Anna selbdritt; 1501–07 (Paris, Louvre)

L. da V. immer mehr wissenschaftl. Aufgaben zu. Er sezierte Leichen und begann einen großen Traktat über den Bau des menschl. Körpers mit anatom. Zeichnungen. Flugexperimente führten ihn zu Untersuchungen über den Vogelflug. Wie die Strömungsgesetze der Luft suchte er auch die des Wassers zu erforschen. 1506 kehrte er nach Mailand zurück. Dort wirkte er bis 1513 vornehmlich als Berater des frz. Statthalters, für den er eine Villenresidenz mit weitläufiger Gartenanlage entwarf. Aus dieser Zeit stammen auch die Zeichnungen für das Grabmal des Feldherrn Giangiacomo Trivulzio, das wie das Sforza-Monument als Reiterstandbild geplant, aber nicht ausgeführt wurde. Seine anatom., botan. und geolog. Studien (u.a. über die Entstehung der Fossilien) griff er ebenfalls wieder auf und bildete auch bei diesen, wie auf allen Gebieten seiner Naturforschung, nach genau bestimmten Prinzipien der graph. Darstellung die exakte Demonstrationszeichnung aus; er wurde damit zum Begründer der wissenschaftl. Illustration. Seit 1513 lebte er in Rom, ohne, wie etwa RAFFAEL, BRAMANTE, MICHELANGELO, größere Aufträge zu erhalten (vielleicht entstand hier aber sein letztes Bild, der Täufer Johannes; Louvre). 1517 folgte L. da V. einer Einladung König FRANZ' I. nach Frankreich, wo er, v.a. mit der Ordnung seiner wissenschaftl. Aufzeichnungen beschäftigt, in dem Landschlößchen Cloux bei Amboise lebte. Von den wenigen Kunstschöpfungen dieser letzten Jahre ist zunächst das Projekt einer großen Schloß- und Parkanlage für die Residenz der Königinmutter in Romorantin bezeugt. Der Bau konnte nicht ausgeführt werden, seine Plan-Ideen wirken jedoch in dem großartigen Schloßbau nach, den Franz I. noch zu Lebzeiten L. da V.s beginnen ließ: im Bau von Chambord. Das ergreifendste Dokument seines letzten Schaffens sind seine Zeichnungen vom Untergang der Welt (Windsor Castle, Königl. Samml.); sie sind die Versinnbildlichung der die Welt durchwirkenden Urkräfte, die sie einst gestalteten und endlich auch zerstören, jedoch auch in ihrer Selbstauflösung noch den Gesetzen der Harmonie unterstehen.

Als Maler war L. da V. der Vollender des klass. Stils. Seine wenigen Werke galten allen nachfolgenden Zeiten als Beispiel höchster Vollkommenheit. Die ihm eigene Helldunkelmalerei, deren weiche Licht- und Schattenübergänge seine Bilder geheimnisvoll und ihre Formen zugleich plastisch erscheinen lassen, wirkte weit über den Kreis seiner Schüler hinaus. Als Naturforscher suchte er ein enzyklopäd. Wissen mit den Mitteln der Erfahrung und des Experiments zu gewinnen. Seine allumfassenden, seiner Zeit weit vorauseilenden Beobachtungen, die er auch zeichnerisch darzustellen vermochte, leiteten die systematisch beschreibende Methode in den Naturwissenschaften ein (er benutzte als Linkshänder fast durchgehend die Spiegelschrift). Ebenso kann er auf dem Gebiet der angewandten Mechanik als Vorläufer einer elementaren Maschinenkunde gelten (1965 wiedergefunden: ›Musterbuch der Maschinenelemente‹, im ›Codex Madrid II‹ der Madrider Nat.-Bibl.) Weiteres BILD Zeichnung

E. VERGA: Bibliografia Vinciana 1493–1930, 2 Bde. (Bologna

1931); Raccolta Vinciana, 14–20 (Mailand 1930–64); Codices Madrid, Faksimileausg., hg. v. L. RETI u. a., 5 Bde. (1974).

C. PEDRETTI: A chronology of L. da V.'s architectural studies after 1500 (Genf 1962); ders. u. K. CLARK: The drawings of L. da V. ... at Windsor Castle, 3 Bde. (London 1968/69); ders.: The Codex Atlanticus of L. da V., 1 ff. (New York 1978 ff.); F. BÉRENCE: L. da V. (a.d. Frz., 1978); K. D. KEELE: L. da V., Atlas der anatomischen Studien..., 3 Bde. (a.d. Engl., 1978–81); L. da V., anatomische Zeichnungen, Ausst.-Kat., Hamburg (1979); B. NARDINI: L. da V., Leben u. Werk (a.d. Ital., 1980); P. DE VECCHI: L. da V., Werkverz. (a.d. Ital., 1981).

Leonhard, Einsiedler, lebte wohl im 6. Jh. bei Limoges (heute St. Léonard-de-Noblat); Attribute: als Patron der Gefangenen mit Gefangenenfessel, als Viehpatron mit einer Kuh oder mit Pferden; urspr. dargestellt als Abt mit Mitra, auch in ritterl. Tracht (Mosaik des 12. Jh.; Palermo, Capella Palatina). Zyklen: L.-Fenster im rechten Seitenschiff des Regensburger Domes (1365) und in der Stadtkirche Eßlingen (um 1410–20).

Leoni, 1) Leone, ital. Goldschmied, Medailleur, Erzgießer und Bildhauer, *Arezzo 1509, †Mailand 1590, in päpstl. mailänd. und span. Diensten, bedeutendster ital. Medailleur des 16. Jh. (Porträtmedaillen P. ARETINOS, TIZIANS u. a.). Sein Sohn Pompeo (*um 1533, †Madrid 13. 10. 1608) vollendete als Schüler seines Vaters dessen Werke in Spanien und schuf die Grabmäler Karls V. und Philipps I. im Escorial (1593 bis 1598).

Bronzebildwerke: Karl V. als Sieger über die Raserei (1549 ff., Madrid, Prado); Grabmal des Markgrafen von Marignano (1560–64, Mailand, Dom); Statuen Karls V. und seiner Familie für den Hochaltar von S. Lorenzo (Escorial).

2) Ottavio, ital. Maler, Kupferstecher, *Rom um 1578, †ebd. 4. 9. 1630, schuf v. a. Porträtzeichnungen und -stiche.

Leopardi, Alessandro, ital. Goldschmied, Bildhauer, Erzgießer, Baumeister, *Venedig um 1460, †ebd. 1522/23.

HW: Guß, Ziselierung und Sockel für das Reiterdenkmal des Colleoni; Fahnenhalter auf dem Markusplatz (1501–05); Modell für die Kuppelkirche S. Giustina, Padua.

Lepakshi [-ʃi], Ort im südwestl. Andhra Pradesh, Indien, mit einer hinduist. Tempelgruppe der Vijayanagar-Zeit. Umgeben von hohen Gopuras schließen sich 3 Sanktuarien an eine gemeinsame Haupthalle. Bed. Wandmalereien mit fortlaufenden Bilderserien (um 1540) sind in der Tanzhalle und der Vorhalle erhalten.

Le Parc, Julio, argentin. Künstler, *Mendoza (Argentinien) 23. 9. 1928, lebt seit 1958 in Paris; gestaltet v. a. Plastiken und Environments mit lichtkinet. Effekten, die auf eine Verunsicherung und Aktivierung des Körpergefühls durch visuelle Erfahrungen zielen. Le P. gehörte 1960 zu den Gründern der ›Groupe de Recherche d'Art Visuel‹ in Paris.

Lepautre [ləp'otr], **Le Pautre, 1)** Antoine, frz. Baumeister, Bruder von 2), getauft Paris 15. 1. 1621, †ebd. 1691, seit 1671 Mitgl. der Akad.; gab, da er zunächst keine Auftraggeber fand, seine Pläne für Paläste, Schlösser und Landhäuser als Stichsamml. selbst heraus (›Les œuvres d'architecture‹, 1652; Faksimile-

Nachdruck 1967). Sein Hôtel de Beauvais in Paris (1655–60) mit komplizierter Grundrißlösung um einen dreiseitig umschlossenen Hof ist ein Musterbeispiel frz. Baukunst des Classicisme.

2) Jean, frz. Radierer, Ornamentstecher, Bruder von 1), *Paris 28. 6. 1618, †ebd. 2. 2. 1682, war einer der erfindungsreichsten Künstler seines Faches. Von seinem auf etwa 15 000 Blätter geschätzten Werk (Vorlagen für die Ausstattung von Kirchen, Schlössern, Innenräumen, Gärten u. a., auch Landschaften, geschichtl. und bibl. Szenen) befinden sich über 2000 in der Nat.-Bibl., Paris. L. prägte neben C. LEBRUN den Dekorationsstil des Classicisme.

Lepenski Vir, vorgeschichtl. Siedlungs- und Kultstätte am Eisernen Tor (Jugoslawien). Mächtige Kulturschichten enthielten bisher unbekannte Wohn- und Kultbauten sowie Bestattungen des Meso- und Neolithikums. Bed. sind v. a. aus Flußgeröllen gefertigte Skulpturen mit fischmenschl. Zügen, die wohl Flußgottheiten darstellen.

L'Épine [lep'in], Dorf östlich von Châlons-sur-Marne, frz. Dép. Marne, mit Wallfahrtskirche Notre-Dame de l'É. (15./Anf. 16. Jh.) in reicher Mischung aus frz. Hochgotik und üppigstem Flamboyant-Stil.

Le Prince [ləpr'ɛ̃s], **Leprince,** Jean-Baptiste, frz. Maler, Kupferstecher, *Metz 17. 9. 1734, †St. Denis-du-Port 30. 9. 1781, Schüler von F. BOUCHER, ging 1754 nach Italien und 1757 nach Rußland, wo er viele Darstellungen aus dem russ. Volksleben schuf. In seinem graph. Werk vervollkommnete er die Technik der Aquatinta.

Lepsius, Reinhold, Maler, *Berlin 14. 6. 1857, †ebd. 16. 3. 1922, malte spätimpressionist. Porträts. Seine Frau Sabine (*Berlin 15. 1. 1864, †Bayreuth 22. 11. 1942) wurde durch Kinderporträts bekannt.

Leptis Magna, Lepcis Magna, antike Stadt in Tripolitanien (heute NW-Libyen), um 700 v. Chr. von Phönikern gegr.; im 7. Jh. v. Chr. kam L. M. unter karthag. Einfluß, seit 25 v. Chr. gehörte es zum Röm. Reich und erlebte, zur röm. Kolonie erhoben, 193–217 Blütezeiten unter dem in L. M. gebürtigen SEPTIMIUS SEVERUS und unter CARACALLA. 455 von den Wandalen, 533 von JUSTINIAN I. erobert. Versandung sowie Einbruch der Araber (643/44) ließen die Stadt veröden.

Durch Ausgrabungen wurden große Teile der kaiserzeitl. Stadt freigelegt, auch grch. Tonscherben des 7. Jh. v. Chr. sowie pun. Gräber und Grabbeigaben des 4. und 3. Jh. v. Chr. zutage gebracht. Das alte Stadtbild wird heute, da die Wohnbezirke, von einigen Villen am Meer abgesehen, noch nicht erschlossen sind, von öffentl. Bauten des 1. und 2. Jh. n. Chr. bestimmt: Anlage des ›Alten Marktes‹ am Hafen mit Curia, Basilika und den Tempeln des Liber Pater, der Ceres Augusta und der Dei Augusti sowie der Magna-Mater-Tempel. Im Zentrum der Stadt lag ein weiterer Markt mit 2 Tholoi, westlich davon ein Theater, das Chalcidicum (Gebäude für Handelszwecke) und ein Augustustempel. Reste von Ehrenbögen für die Kaiser TIBERIUS, TITUS, VESPASIAN

Leptis Magna: in der Mitte Theater, links Portikus mit Augustustempel, im Hintergrund links Chalcidicum

und TRAJAN sind erh. Unter HADRIAN wurden die ›Großen Thermen‹ und die Palästra angelegt, Tempel für Jupiter Dolichenos und Serapis erbaut, eine Exedra dem ANTONINUS PIUS und ein Ehrenbogen dem MARC AUREL gestiftet. Die großartigsten Bauten wurden unter Septimius Severus und seinem Nachfolger Caracalla geschaffen, darunter die monumentale Säulenstraße, das ›Neue Forum‹ mit Tempel und Basilika, der mit Reliefs reich verzierte Quadrifrons (viertoriger Ehrenbogen) für Septimius Severus und seine Familie (im Wiederaufbau). Im O der Stadt wurden ein Amphitheater und ein Circus freigelegt. Außer den Bauten sind zahlreiche Inschriften, Götterstatuen, Bildnisse der Kaiser und ihrer Angehörigen, Porträts angesehener Bürger (heute in den Museen von Tripolis und L. M.) erh. Unter JUSTINIAN I. wurde die nun auf das Hafengebiet beschränkte Stadt noch einmal befestigt, die severische Basilika in eine christl. Kirche umgewandelt und 5 kleine Kirchen erbaut. (BILD römische Kunst)

M. F. SQUARCIAPINO: L. M. (a. d. Ital., 1966).

Le Puy [ləpɥ'i], Hauptstadt des frz. Dép. Haute-Loire, Auvergne, an der Borne, überragt von steilen Basaltfelsen, 29 000 Ew.; kath. Bischofssitz. Le P., seit dem MA. Wallfahrtsort, hat eine schöne Altstadt mit vielen Kirchen. Die roman. Kathedrale Notre-Dame (11./12. Jh., Langhaus mit Kuppeln gewölbt) besitzt Glockenturm (56 m hoch), Baptisterium und Kreuzgang mit Kapitelsaal, Türflügel des 12. Jh., Reste von Wandmalereien sowie reiche Kapitell- und Bauplastik, die über Spanien vermittelte maur. Einflüsse verrät. Auf steilem Felskegel liegt die Kirche St. Michel d'Aiguilhe (Ende 11./12. Jh.) mit Kapitellskulpturen und Wandmalereien. Im Mus. Crozatier Gemälde, Kunsthandwerk, Samml. römischer und mittelalterlicher Baureste.

Lérida [l'eriða], katalan. **Lleida** [ʎ'eıða], span. Stadt, Bischofssitz (seit 1149) im östl. Ebro-Becken, 106000 Ew. L. war 713–1117 unter maur. Herrschaft, im 12. und 13. Jh. zeitweise Residenz der Könige von Aragón. Auf dem Burghügel, innerhalb des maur. Festungsbezirks, die Alte Kathedrale (urspr. 13. Jh., später stark verändert, in jüngster Zeit restauriert) mit reicher Ornamentik an den Portalen; im got. Kreuzgang figürl. Kapitelle und Maßwerk im Mudéjar-Stil. Kirche S. Lorenzo (13. Jh.); Neue Kathedrale (18. Jh., klassizistisch). Diözesanmus. (u. a. roman. Skulpturen); im Hospital de S. María (15./16. Jh.) Mus. (Gemäldegal. u. a.).

Lerma, span. Städtchen rd. 40 km südlich von Burgos, mit einheitl. Stadtbild von F. de →Mora.

Lerna, Ort in der grch. Landschaft Argolis, südlich von Argos, in der grch. Mythologie Schauplatz des Kampfes zw. Herakles und der Lernäischen Schlange. Ausgrabungen brachten auf einem flachen Hügel eine Burg der frühen Bronzezeit zutage mit einem mehrräumigen Herrenhaus (›House of Tiles‹, nach den Flachziegeln und Schieferplatten des Daches benannt).

Les Baux [leb'o], Ruinenstadt im südfranzös. Dép. Bouches-du-Rhône, auf einem Vorsprung der Alpilles, in der Provence; war im MA. eine bed. Stadt mit 3000 oder mehr Ew. (heutige Gem. rd. 300 Ew.), Sitz der Herren von Baux und Zentrum der Troubadours (›Liebeshof‹). Die Stadt (eine Bastion der Hugenotten) verfiel, nachdem Ludwig XIII. 1632 Burg und Wälle geschleift und die Bev. am Fuß des Berges angesiedelt hatte. Erh. sind die Kirche St. Vincent (12., 16./17. Jh.) und Renaissance-Häuser des 16./17. Jh.

Lesche [l'ɛsçe:] *die,* im antiken Griechenland Gebäude, in dem Gespräche geführt, Verhandlungen und Versammlungen abgehalten wurden. In der von den Knidiern errichteten L. in Delphi, einem Rechteckbau mit 8 Säulen, waren bed. Gemälde des POLYGNOT (5. Jh. v. Chr.).

Les Combarelles [lekɔ̃bar'ɛl], Höhle im Beunetal bei Les Eyzies-de-Tayac, im frz. Dép. Dordogne, gehört mit mehr als 300 Wandbildern (Gravierungen und Reliefs eiszeitl. Tiere) zu den wichtigsten Fundstätten der frankokantabr. Kunst.

Lescot [lɛsk'o], Pierre, frz. Baumeister, *Paris (?) um 1510, †ebd. 10. 9. 1578, schuf die bedeutendsten Bauten der frz. Renaissance, die sich durch edle Proportionen, elegante Gliederung sowie reichen, sicher der Architektur eingefügten plast. Schmuck von J. →Goujon auszeichnen und den Classicisme ankündigen.

HW (in Paris): Hôtel des Ligneries (heute Mus. Carnavalet, beg.

1544); Louvre, SW-Flügel des großen Hofes (1546 ff.); Fontaine des Innocents (1547–49).

Leslie [l'ezlı], Charles Robert, engl. Maler amerikan. Herkunft, *London 19. 10. 1794, †ebd. 5. 5. 1859, Schüler der Royal Academy, ebd., malte humorist. Genrebilder in der Art von D. WILKIE und W. MULREADY, deren Stoffe er den Werken von W. SHAKESPEARE, M. DE CERVANTES, J. B. MOLIÈRE, J. SWIFT, L. STERNE u. a. entnahm (›Onkel Tobie u. die heiratslustige Witwe Wadman‹, 1831, nach L. Sterne; London, Tate Gal.).

Lespugue [lɛsp'y:g], Ort bei St.-Gaudens (Dép. Haute Garonne), Frankreich. In der ›Grotte des Rideaux‹ wurde 1922 in einer Schicht des Gravettien eine weibl. Statuette aus Elfenbein entdeckt (Beleg für den konkretisierten Typ der paläolith. Venusstatuetten).

Les Saintes-Maries-de-la-Mer [le sɛ̃tmar'i dəlam'ɛ:r], Fischereihafen und Seebad im frz. Dép. Bouches-du-Rhône, in der Camargue, 2100 Ew. Der Ort ist Wallfahrtsstätte, v. a. Pilgerziel der Zigeuner, die sich hier alljährlich treffen; in der einschiffigen Kirche (12. Jh., im 14. Jh. zur Festungskirche ausgebaut; mit qualitätvollen Apsiskapitellen) befinden sich Reliquien der Heiligen Maria Jakobäa, Maria Salome und Sara.

Lessing, 1) Karl Friedrich, Maler, Großneffe des Dichters G. E. LESSING und Vater von 2), *Breslau 15. 2. 1808, †Karlsruhe 5. 6. 1880, kam 1826 mit W. SCHADOW nach Düsseldorf, war ebd. Mitgl. der Akad., 1858–80 in Karlsruhe Direktor der Gemäldegal. – L. malte in romant., später in realist. Auffassung große Historienbilder und stimmungsvolle Landschaften. Er war der berühmteste Maler der älteren →Düsseldorfer Schule.

2) Otto, Bildhauer, Sohn von 1), *Düsseldorf 24. 2. 1846, †Berlin 22. 11. 1912, studierte anfangs Malerei, dann Bildhauerei in Karlsruhe und Berlin (A. WOLFF); schuf in neubarockem Stil Großplastik und Bauplastik.

HW: Lessing-Denkmal (1890; Berlin-West, Tiergarten); Ausstattung des Weißen Saals (1894; Berlin-Ost, ehem. Stadtschloß).
Lit.: →Berliner Bildhauerschule.

Lesueur [ləsɥ'œ:r], **Le Sueur,** Eustache, frz. Maler, getauft Paris 16. 11. 1616, †ebd. 30. 4. 1655, Schüler von S. VOUET, beeinflußt von N. POUSSIN und in seinem Spätwerk (mytholog. Szenen im Hôtel Lambert in Paris, um 1645; Folge von 22 Bildern aus dem Leben des Hl. Bruno für das Kartäuserkloster in Paris, alle heute im Louvre) v. a. von RAFFAEL beeindruckt, obwohl er nie in Italien war. Seine Werke sind zart empfunden und von ausgeglichener Harmonie; französisch ist ihre räuml. Klarheit und die maßvolle Schönheit der Gebärden.

Leszno [l'ɛʃnɔ], dt. **Lissa,** Hauptstadt der Wwschaft L., Polen, 46000 Ew., gehörte der großpoln. Adelsfamilie Leszczyński, nach 1620 wichtiges Zentrum der Böhm. Brüder mit spätgot. Kirche (1654). Barocke Pfarrkirche (1685–96; 1707–09) mit reicher Stuckdekoration; Rathaus (1637–60; 1709 umgebaut); ehem. evang. Kirche (1707) von P. FERRARI. Am Marktplatz barocke und klassizist. Patrizierhäuser (17.–19. Jh.).

Leto, lat. **Latọna,** grch. Mythos: Gemahlin oder Ge-

Lettner: Westlettner im Naumburger Dom; um 1250–60

liebte des Zeus, Mutter des Apoll und der Artemis. Sie wurde meist mit ihren Kindern, beieinander stehend (Würzburger Amphora, 5. Jh. v. Chr.) oder sie auf den Armen haltend (Metope aus Selinunt, 6. Jh. v. Chr., Palermo, Mus.), sowie freiplastisch dargestellt.

Lettner [von mlat. lectorium ›Lesepult‹] *der*, die halbhohe Wand, die in abendländ. Stifts-, Kathedral- und Klosterkirchen des MA. ähnlich wie die Ikonostase den für den Gottesdienst des Klerus bestimmten Altarraum von der übrigen Kirche absondert. Zu den Vorläufern des gegen Ende des 12. Jh. aufgekommenen L. gehören die schon in frühchristl. Zeit übl. Chorschranken (Cancelli) aus Holz, Marmor oder Metall und die Ambonen an der Evangelien- und an der Epistelseite. Von den Cancelli unterscheidet sich der L. durch seine den Einblick in den Chor verwehrende Höhe; die Lesepulte wurden mit dem L. verbunden und ausgebaut, indem zw. ihnen auf der Rückseite der L.-Wand eine als Bühne benutzbare Brücke errichtet wurde (Naumburg, Ost-L.: ältester erh. L. Dtl.s, um 1225). Der L. diente zu Lesungen, der Aussetzung der konsekrierten Hostie und der Reliquien, den Mysterienspielen und der Verkündung kirchl. und weltl. Verordnungen. In der Gotik wurde er ornamental reich gestaltet und häufig mit Reliefs geschmückt (Gelnhausen, um 1250; Naumburg, West-L., um 1248; Breisach, 1496; Halberstadt, Dom, 1510; ehem. L. in den Kathedralen von Chartres, Bourges, Paris und Straßburg). Schon die Spätgotik empfand die Scheidewand als störend; sie machte den L. so durchsichtig wie möglich (St. Etienne-du-Mont, Paris). Der Barock hat, bes. in Frankreich, die meisten L. beseitigt, an ihre Stelle trat die Kommunionbank.

Annegret Peschlow-Kondermann: Rekonstruktion des Westlettners und der Ostchoranlage des 13. Jh. im Mainzer Dom (1972); H. Appuhn: Die Ausstattung dt. Kirchen im MA. (1981).

Leu, Hans d. J., Maler, Zeichner und Entwerfer von Glasfenstern, *Zürich um 1490, †(gefallen) am Gubel 24. 10. 1531. Durch seinen Vater Hans L. d. Ä. (†1507) mit der schweizer. Gotik verbunden, erfuhr L. vermutlich bei A. DÜRER in Nürnberg und H. BALDUNG in Freiburg i. Br. einen seine Kunst bestimmenden Einfluß. Die Landschaftsmotive seiner bed. Zeichnungen zeigen die Wirkung der →Donauschule.

HW: Cephalus und Prokris (um 1515; Basel, Kunstmus.); Hieronymus (1515; ebd.); Orpheus (1519; ebd.). – Zeichnungen (Basel, Nürnberg, Wien).

Meister um Dürer, Ausst.-Kat., Nürnberg (1961).

Leubus, poln. **Lubiąż** [l'ubjɔ̃ʃ], Dorf in der poln. Wwschaft Wrocław (Breslau) mit ehem. Zisterzienserabtei (1163 gegr.). Das barocke Klostergebäude (1690 bis 1720, Fesken 1731–48) wird (nach Zerstörungen im 2. Weltkrieg) wiederhergestellt. Die Kirche aus der 1. H. 14. Jh. (Fürstenkapelle 1312) hat barockes Interieur und spätbarocke Fassade mit 2 Türmen (1681 bis 1700); Pfarrkirche, ein barocker Zentralbau (1700); Palast der Äbte (1690–1700).

Leuchte, Gerät zur Aufnahme von Lichtquellen. Jahrtausendelang diente das offene Herdfeuer zugleich als Wärme- und Lichtquelle. Aus der Urzeit kennt man einfachste Verbrennungslampen, wie sie dann, reicher ausgestattet, seit der Antike vielfach überliefert sind. Diese bestanden aus einer oben meist geschlossenen oder ovalen Schale mit Handgriff am einen und einem schnabelartig vorspringenden Dochthalter am anderen Ende; sie wurden auch zu mehreren an baum- oder säulenartig ausgebildeten dreifüßigen Kandelabern aus Bronze, Alabaster oder Marmor aufgehängt. Als Brennstoffe dienten v. a. Tran, später Öl (→Öllampe).

Kerzen wurden auf **Leuchter** gesteckt oder auf hohe Ständer **(Kandelạber).** Die früheste Verwendung des mehrarmigen Leuchters als Kerzenhalter ist noch ungeklärt; das bekannteste Beispiel ist der siebenarmige Leuchter des Tempels zu Jerusalem (5. Jh. v. Chr.).

Das Christentum verwendete die Kerze schon früh im Kultus. Erh. sind Leuchter erst aus dem MA.; ihre Formen knüpften teils an die Antike an, teils entwickelten sie sich selbständig. Fast alle sind mehr oder minder reich ornamental, viele auch phantasievoll mit symbol. Figuren geschmückt. Außer Altarleuchtern gab es auch freistehende (rein figürlich der Wolfram-Leuchter im Erfurter Dom, um 1170; ein Meisterwerk ornamentaler und figürl. Kunst der siebenarmige Trivulzio-Kandelaber im Mailänder Dom); häufig dienten sie als Osterleuchter, die in Italien auch aus Marmor hergestellt wurden (Rom, Gaeta, Palermo). Die Gotik gestaltete den Leuchter meist zierlicher (Drachenleuchter, 14./15. Jh., Nürnberg, German. Nat.-Mus., Höhe 11,8 cm), die Renaissance nahm Motive antiker Kandelaber auf (Prunkstücke von A. RICCIO in Padua, A. FONTANA in Pavia). Engel als Leuchterträger schufen L. DELLA ROBBIA, N. DELL'ARCA, MICHELANGELO.

Der Kerzenkronleuchter kam als kirchl. Ausstattungsstück wohl erst in otton. Zeit auf. Er bestand aus einem großen Reifen (bis zu 7 m Durchmesser, Radleuchter), der die Kerzen auf seinem oberen Rand trug, ornamental, auch figürlich geschmückt und mit kleinen Türmen besetzt war. Der Radleuchter symbolisiert das himml. Jerusalem, die hl. Stadt der 12 Tore (12 Stämme Israels). Aufgehängt war er meist in der Vierung. Erh. haben sich solche Leuchter in Hildesheim, Aachen und Komburg. Die Gotik wandelte ihre Form völlig: Von einem oft architektonisch ausgestalteten Mittelstück gehen strahlenförmig, vielfach übereinander, die kerzentragenden Arme aus. Die Mitte bildet oft eine stehende Figur mit oder ohne Gehäuse. (→Totenleuchte)

Im profanen Gebrauch des MA. ist der Kerzenleuchter im 6. Jh. nachweisbar: In den alemann. Gräbern von Oberflacht (Bad.-Württ.) fand man gedrechselte hölzerne Leuchter. Für die Folgezeit ist die Geschichte auf Darstellungen in Miniaturen u. ä. angewiesen, auf denen sowohl Stand- wie sehr einfache Hängeleuchter für Kerzen vorkommen. Allg. blieb Talg in Brennäpfen vorherrschend, bis um etwa 1400 auch Lein- und Rüböl als Brennstoffe aufkamen.

Auch der Kronleuchter kam im späteren MA. im profanen Bereich vor. Eine süddt. und schweizer. Besonderheit sind die von der Decke an Ketten herabhängenden **Leuchterweibchen,** aus holzgeschnitzten weibl. Halbfiguren und Hirschgeweihen zusammengesetzte Kerzenträger. Vom 16.–19. Jh. entwickelte sich der Kronleuchter bis zu Prunkgebilden. Als Leittyp ist der **Flämische Leuchter** aus Messing anzusehen, bei dem von einem an Ketten aufgehängten profilierten Mittelstück S-förmige Arme ausgehen, die in Kerzenhaltern enden. Er war der formale Ausgangspunkt für die zuerst in Murano bei Venedig hergestellten **Glaslüster.** – Der Wandarm für Kerzen wurde im 16.–18. Jh. durch getriebene blanke Metallschilder (Blaker) auch lichttechnisch wirksam bereichert. **Handleuchter** wurden meist aus Schmiedeeisen gearbeitet, seit dem 18. Jh. auch aus Porzellan.

1855 wurde in Amerika die 1. Petroleumlampe konstruiert. – Mit der Erfindung der Glühlampe zu Beginn der 1920er Jahre begannen die Mitgl. des Bauhauses (P. BEHRENS, W. WAGENFELD u. a.) entscheidenden Einfluß auf die künstler. Gestaltung der L. zu nehmen.

Leuchtertisch, →Guéridon.

Leuchterweibchen, →Leuchte.

Leuk, frz. **Loèche-la-Ville** [lo'ɛʃ lav'il], Stadt im schweizer. Kt. Wallis, 3000 Ew.; ehem. bischöfl. Schloß (um 1450); ma. ehem. Turm der Viztume, 1541–43 zum Rathaus umgebaut; spätgot. Pfarrkirche (1497 beg.) mit roman. Turm. Unterhalb der Stadt die prächtige, überreich stuckierte barocke Ringackerkapelle (1694).

Leuppi, Leo, schweizer. Maler, Plastiker, Graphiker, *Zürich 28. 6. 1893, †ebd. 24. 8. 1972, war 1937 Mitbegründer der Künstlergruppe Allianz, entwickelte sich aus kubist. Anfängen zum bed. Vertreter der Konkreten Kunst in der Schweiz.

Leutschau, tschech. **Levoča** [l'ɛvɔtʃa], Stadt im Ostslowak. Kr., ČSSR, rd. 10000 Ew.; ehem. Bergbaustadt und Handelszentrum. Die histor. Innenstadt steht unter Denkmalschutz. Erh. blieben Teile der Stadtbefestigung (14. Jh.). Am rechteckigen Marktplatz die got. dreischiffige Jakobskirche mit Kreuzrippengewölbe (1332–42; später erweitert) und wertvoller Innenausstattung, v. a. Hauptaltar des Hl. Jakob (1507–18) u. a. Altäre, Skulpturen, Wandmalereien. Das Rathaus (ehem. Markthalle) wurde 1555–1615 im Renaissancestil umgebaut und erhielt Laubengänge und Arkaden; im 18. Jh. wurde es mit dem Glockenturm (1656–61) verbunden; im Ratssaal geschnitzte Balkendecke, im 2. Geschoß Gewölbe mit sternförmigen Stuckrippen. Das ehem. Minoritenkloster (1309 gegr.) hat got. Kreuzgang mit Wandgemälden. Am Marktplatz stehen einige Patrizierhäuser im got. und Renaissancestil. Im klassizist. Bau der evang. Kirche gibt es eine reiche Kunsthandwerk-Samml.

Leutze, Emanuel, dt.-amerikan. Maler, *Schwäbisch Gmünd 24. 5. 1816, †Washington, D. C. 18. 7. 1868, studierte in Düsseldorf (K. F. LESSING) und München, war 1842–45 in Italien und folgte 1859 einem Ruf nach Washington zur Ausmalung der Sitzungsräume im Kapitol (unvoll.).

HW: Übergang Washingtons über den Delaware (1850; ehem. Bremen, Kunsthalle, 1942 verbrannt; Replik von 1851; New York, Metropolitan Mus.).

Leuven [l'ø: və], fläm. Name von →Löwen.

Levantekunst, ostspan. Kunst, eine vorgeschichtl. Kunstprovinz im O der Iber. Halbinsel. Die in Abris vorkommenden →Felsbilder sind über das die span. Mittelmeerküste begleitende Bergland von Tarragona bis Murcia verbreitet. Jagd-, Kampf- und Tanzszenen bilden die Hauptthemen der L. Die Bilder sind silhouettenartig in roten Farbtönen auf den felsigen Untergrund gemalt. Die oft miniaturhaften Figuren wurden durch Anordnung in der Diagonale Teile von dynamisch wirkenden Kompositionen. Neben den naturgetreu wiedergegebenen Tieren (Hirsch, Rind, Steinbock) erscheinen die ihnen nachstellenden Jäger meist in extremer Stilisierung. Die einst als paläolithisch angesehenen Bilder werden heute vom späten Mesolithikum bis in die Zeit um 500 v. Chr. datiert.

A. BELTRAN: Rock art of the Spanish Levant (London 1982).

Levasseur [ləvas'œ: r], Étienne, frz. Kunsttischler, *1721, †Paris 8. 12. 1798, wurde von einem Sohn des A. C. BOULLE ausgebildet, seit 1767 Maître ébéniste, schuf kostbare, signierte Ebenholz- und Mahagonimöbel, z. T. mit Metalleinlagen.

Levau [ləv'o], **Le Vau,** Louis, frz. Baumeister, *Paris 1612, †ebd. 11. 10. 1670, überwand die Renaissance, z. T. angeregt vom ital. Barock, den er in Genua und Rom kennenlernte, und leitete den Höhepunkt des Classicisme (BILD) ein. Maßgebend für den Grundriß und die Ausstattung seiner Bauten waren Komfort, Eleganz und intime Raumwirkung. Nach J. LEMERCIERS Tod (1654) hatte er die Bauleitung am Louvre und seit 1661 am Schloß von Versailles. In Paris errichtete er das Hôtel Lambert (1650) und das Hôtel Lauzun (1656/57), das Hospital de la Salpêtrière (1656/57) und 1661 ff. das Collège des Quatre Nations (heute Institut de France); sein HW ist das Schloß →Vaux-le-Vicomte.

Levitenstuhl, →Dreisitz.

Levoča [l'ɛvɔtʃa], Stadt in der ČSSR, →Leutschau.

Levy, Rudolf, Maler, *Stettin 15. 7. 1875, †Auschwitz (?) 1944/45 (1943 von der SS verschleppt), war Mitbegründer des ›Café du Dôme‹ in Paris. Nach 1933 in Dtl. verfemt, lebte er dann meist in Italien. Bes. beeinflußt von P. CÉZANNE und H. MATISSE, malte L. in einem vereinfachenden, dekorativen Stil Stilleben, südl. Landschaften und Porträts von expressiver Leuchtkraft der Farben.

SUSANNE THESING: Der Maler R. L. ... Monographie u. Werkverz. (1979).

Lewis [l(j)'u:ıs], Percy Wyndham, engl. Maler, Schriftsteller, *auf einer Yacht bei Neuschottland 18. 11. 1882, †London 7. 3. 1957, nach Studium an der Slade School ebd. Reisen in Europa. 1911 schloß er sich der Camden Town Group an und gab 1914 die Ztschr. ›Blast‹ heraus, das Organ des von ihm gegründeten →Vortizismus; als Maler ist L. bekannt durch Porträts (›Edith Sitwell‹, 1921, London, Tate Gal.; ›T. S. Eliot‹, 1939, ebd.).

Lewitan, Issaak Iljitsch, russ. Maler, *Kibarty bei Kaunas (Litauen) 30. 8. 1860, †Moskau 4. 8. 1900, ausgebildet in Moskau, Mitgl. der ›Peredwischniki‹; malte russ. Landschaften in impressionist. Manier und setzte die Tradition der lyrisch-poet., betont gleichnishaften Landschaften A. K. SAWRASSOWS fort.

Le Witt, Sol, amerikan. Künstler, *Hartford (Connecticut) 9. 9. 1928, Hauptvertreter einer konzeptionell orientierten Minimal Art. Seine Arbeiten (seit 1965 gitter- und käfigähnl. Strukturen, offene und geschlossene Würfel aus weißgrau lackiertem Stahl, seit 1968 v.a. ›offene‹ Wandzeichnungen) demonstrieren ein vorgegebenes System, das Vorrang hat vor dem sichtbaren Resultat. Durch seine theoret. Schriften wurde Le W. auch ein Anreger der Concept Art.

Werkverz. S. Le W., Druckgraphik und Bücher (1976).

Lewizkij, Levickij, Dimitrij Grigorjewitsch, russ. Maler, *Kiew (?) um 1735, †St. Petersburg 16. 4. 1822, 1771–88 Leiter der Porträt-Abteilung an der Akad. in St. Petersburg. L., der als bedeutendster russ. Porträtmaler seiner Epoche gilt, schuf meisterhafte ganzfigurige Porträts der russ. Aristokratie, in denen er psycholog. Durchdringung und Malkultur zu verbinden verstand. Als Höhepunkt gilt der Zyklus von 7 Porträts adeliger Schülerinnen des St. Petersburger Smolnyj-Instituts (1773–76; Leningrad, Russ. Mus.).

Leyden, Leiden [l'ɛidə], holländ. Maler und Graphiker, →Lucas van Leyden.

Leyre [l'ɛire], span. Kloster auf der Pilgerstraße nach Santiago de Compostela, zw. Jaca und Pamplona, mit roman. Kirche (11.–13. Jh.); v. a. am W-Portal (12. Jh.) hervorragende figürl. Kapitellplastik (phantast. Tierskulpturen); in der Krypta (9. Jh.) Grabstätte der Könige von Navarra.

Leys [lɛis], Hendrik, Baron, belg. Maler, *Antwerpen 18. 2. 1815, †ebd. 26. 8. 1869, suchte die romant. Historienmalerei von G. WAPPERS zu überwinden, indem er an die Niederländer des 16. und 17. Jh. anknüpfte (Fläm. Hochzeit im 17. Jh., 1839; Antwerpen, Mus.); schuf auch Radierungen.

Leyster [l'ɛistər], Judith, niederländ. Malerin, getauft Haarlem 28. 7. 1609, begraben Heemstede 10. 2. 1660, seit 1636 mit J. M. MOLENAER verheiratet, erfolgreichste Schülerin von FRANS HALS, in dessen Art sie Halbfigurenbilder malte; schuf auch, von Haarlemer Genremalern (DIRK HALS, P. CODDE) beeinflußt, kleinfigurige Sittenbilder sowie gelegentlich Porträts und Stilleben.

Lhasa [tibet. ›Götterstätte‹], amtlich chines. **Lasa,** Hauptstadt der autonom. Region Tibet der VR China mit rd. 80000 Ew., war bis 1959 Sitz des geistl. und weltl. Oberhaupts, des Dalai Lama, der im ›Potala‹ residierte, einem festungsähnlichen Palast, der wohl seit mindestens dem 7. Jh. besteht und im 15. Jh. erweitert wurde; im 17. Jh. entstand der dreizehnstöckige ›Rote Palast‹ als Mitteltrakt, der dem Bau seine heutige Gestalt verleiht. Innen war der Palast mit Wandmalereien, Thangkas, Bronzeplastiken und großen Schätzen ausgestattet (auch Bronzen der ind. Pala-Zeit). Der Haupttempel L., der Jo-Khang (7. Jh., danach mehrfach restauriert und erweitert), enthielt eine der ältesten und heiligsten Skulpturen Tibets (7. Jh.). Als Sommerpalast diente den Dalai Lamas der Norbulingka aus dem 18. Jh.

Liang K'ai: Idealporträt des Dichters Li T'ai-po; Tusche auf Papier, um 1208 (Tokio, Nationalmuseum)

Lhote [lɔt], André, frz. Maler, Kunstschriftst., Kunstpädagoge, *Bordeaux 5. 7. 1885, †Paris 24. 1. 1962, stand seit 1910 unter dem Einfluß von P. CÉZANNE und nahm kubist. Stilmittel auf. Seit 1917 wurde er zum einflußreichen Akademiker eines dekorativ verstandenen synthet. Kubismus, der sich – v. a. in Figurenbildern und Wanddekorationen – mit klass. Bildtraditionen verband.

Liang K'ai, chines. Maler, *Tungp'ing (Prov. Shantung), tätig 1. H. 13. Jh. an der Akad. in Hangchou, bis er Anf. 13. Jh. in das Kloster Lin-t'ung-ssu bei Hangchou übersiedelte, dessen Abt Mu-hsi war. L. K. fand unter dem Einfluß des Ch'an-Buddhismus zu einer intuitiven, expressiven Malweise, in welcher die Technik der ›gespritzten Tusche‹ (p'o mo) zu virtuoser Anwendung gelangte. In China wegen ihrer Unkonventionalität wenig geschätzt, übten seine Werke seit dem 14. Jh. auf die japan. Malerei einen um so stärkeren Einfluß aus.

HW: Shakyamunis Rückkehr aus den Bergen (Tokio, Privatsamml.); Hui Neng, der 6. Patriarch, im Moment der Erleuchtung Bambus hackend (Tokio, Nat.-Mus.); Idealporträt des Dichters Li T'ai-po (ebd., um 1208).

Liao [chines.], die nach chines. Vorbild gegründete Dynastie des aus den Steppengebieten der Mandschurei und der Mongolei stammenden Reitervolks der Kitan (907–1125). →chinesische Kunst.

Libation, Darbringung eines Trankopfers (Wasser,

Bier, Wein o.ä.), für die im Alten Orient schon im 4. Jahrtsd. v. Chr. besondere Gefäße mit spitzem Boden und Ausgußtülle Verwendung fanden. Darstellungen der L., die meist durch den König vor best. Göttern, aber auch im Totenkult (Versorgung der Abgeschiedenen mit ›Lebenswasser‹) vollzogen wurde, finden sich häufig auf Rollsiegeln und Reliefs. Das Trankopfer wurde vor der Gottheit in ein oft sanduhrförmiges Gefäß gespendet, aus dem in manchen Darstellungen ein Lebensbaum wuchs.

Liberale da Verona, ital. Maler, *Verona um 1445, †ebd. vor Mai 1529, Miniatur-, Tafel- und Fassadenmaler im Übergang von Spätgotik zur Renaissance (37 Miniaturen in Meßbüchern, Siena, Dom-Bibl; Anbetung der Hl. 3 Könige, Verona, Dom); in seiner Spätzeit stark durch A. MANTEGNA beeinflußt.

Liberec [-ts], Stadt in der ČSSR, →Reichenberg.

Libon, grch. Baumeister aus Elis, Erbauer des 457 v.Chr. voll. Zeus-Tempels in Olympia, eines Musterbeispiels des strengen dorischen Stils.

Liborius, Bischof von Le Mans (seit 348?), †ebd. 9. 6. 397(?), Patron des Doms und des Bistums Paderborn; dargestellt als Bischof (Tragaltar 1100, Paderborn, Dom), mit Buch (Statue von J. SYRLIN D. J., 1511).

Libreville [librəv'il], Hauptstadt von Gabun, Westafrika, 186 200 Ew. Im Nat.-Mus. reiche Samml. gabones. Kunst.

Licchavi-Dynastie, altes Fürstengeschlecht in Nepal, das im 5.–8. Jh. die Kunst Nepals unter Einfluß der ind. Gupta-Kunst zur ersten Entfaltung führte. Die Steinskulpturen hinduist. Inhalts tragen z.T. Inschriften und Datierungen wie in Changu Narayana.

Lich, Stadt im Lahn-Dill-Kr., Hessen, 11 200 Ew.; seit 1419 den Grafen zu Solms gehörig, Residenz der Linie Solms-L. Spätgot. Marienstiftskirche (1510–25), eine Emporenhalle, mit einem der ältesten Renaissance-Orgelprospekte Hessens (1621–25) und hervorragender Rokoko-Kanzel (1767–74), beide aus Kloster →Arnsburg; zahlreiche Grabmäler (14.–18. Jh.). Das Schloß, urspr. eine Vierflügelanlage mit Ecktürmen (um 1300), wurde 1673–82 und 1764–68 umgebaut; Anbauten 1833–38 und 1911/12. Spätklassizist. Rathaus (1848/49) im ital. Palazzostil. Viele Fachwerkhäuser, u.a. das reich mit Schnitzereien geschmückte Textorhaus (1632).

Li Ch'eng [-tʃ-], chines. Maler, †967, einer der ersten großen Meister der Landschaftsmalerei zur Zeit der Nördl. Sung-Dynastie. Von ihm ging eine ausgeprägte Richtung der Landschaftsmalerei aus (FAN K'UAN, HSÜ TAO-NING). Das ihm zugeschriebene Werk ›Buddhist. Tempel in den Bergen‹ (Kansas, Nelson Atkins Gal. of Art), wahrscheinlich erst Mitte 11. Jh. entstanden, entspricht der für die Nördl. Sung-Zeit typischen Vertikalkomposition: mit einem relativ distanzierten Vordergrund, einem durch sich überschneidende Felskulissen gebildeten Mittelgrund und einem steilen Bergmassiv im Hintergrund, das durch eine Nebelzone von den vorderen Raumschichten getrennt ist und vor dem sich die Baumsilhouetten des Mittelgrundes deutlich abheben.

Lichfield [l'ɪtʃfiːld], Stadt in der Cty. Staffordshire, nördlich von Birmingham, W-England, 22 700 Ew.; seit dem 7. Jh. Bischofssitz des frühma. Königreichs **Mercia.** Die heutige Kathedrale im 2. Viertel des 13. Jh. mit Chor und Querhaus in frühgot. Formen beg., das Langhaus mit dreigeschossigem hochgot. Aufrißsystem nach der Jh.-Mitte in formaler Anlehnung an Westminster Abbey ausgeführt; anschließend mit engteiligen Flechtrippen eingewölbt. Im letzten Viertel des 13. Jh. wurde die zweitürmige, vollständig mit flächigen Blendarkaturen und eingestellten Statuen überzogene W-Fassade mit 2 hohen Steinhelmen errichtet und um 1300 die östl. Erweiterung des Chores mit einem zweigeschossigen Aufrißsystem und einer lebhaften Maßwerkzeichnung im Decorated Style beg.; er wird nach O durch die 1336 voll. Lady Chapel fortgesetzt, einem stark durchfensterten und im Sockelbereich aufwendig dekoriertem Saalbau. Nördlich des Chores ist das hochgot. Chapter House (Mitte 13. Jh.) über länglich oktogonalem Grundriß mit Dreistrahlgewölbe und Mittelstütze erh.

Licht, Malerei: Neben seiner Funktion des Sichtbarmachens der Gegenstandswelt besitzt L. zugleich eine künstler. Aussage. Daraus ergibt sich ein Wechselverhältnis von L. und Bildwelt: Das L. zeigt einerseits die Bildwelt, andererseits tritt es erst durch seine spezif. Ausprägung innerhalb der Bildwelt in Erscheinung. Im MA. beherrschte das Leucht-L. der Farbe und der Eigenglanz des Goldes die Malerei als Eigen-L. (Höhepunkt in der otton. Buchmalerei um 1000). Zu großer Ausstrahlung gelangte das ma. Eigen-L. in der Glaskunst der frz.got. Kathedralen.

Erst die neuzeitl. Malerei des 15.–18. Jh. verwendete die unsichtbare Lichtquelle außerhalb des Bildes, die als Beleuchtungs-L. Reflexe und Schatten auf den Gegenständen der Bildwelt erzeugt. I. Ggs. zur ma. Malerei sind nun Eigen-L. und Lichtquelle nicht mehr identisch. Zu den ersten dt. Bildern mit einheitl. Lichtführung gehören L. MOSERS Tiefenbronner Altar (1431) und K. WITZ' Heilsspiegel-Altar (um 1434).

Das neuzeitl. Bild-L. ist von 3 Möglichkeiten der Gestaltung bestimmt: 1. Die L.-Quelle liegt außerhalb des Bildraumes und schickt einen scharf gebündelten Strahl ins Bild (dargestellt durch entsprechendes Körper-L., Körperschatten, Schlagschatten; z. B. CARAVAGGIO, ›Die Berufung des Matthäus‹, um 1600, Rom, S. Luigi dei Francesi). 2. Die L.-Quelle liegt außerhalb des Bildraumes und schickt ein breites, ungebündeltes Licht ins Bild (dargestellt durch versch. Zwischenstufen von Hell und Dunkel, wobei der Akzent der Gestaltung insgesamt sowohl auf Helligkeit als auch auf Finsternis oder gleichmäßig verteilt auf beiden liegen kann, z. B. als ausgeglichenes Helldunkel-Bildlicht wie bei REMBRANDTS Emmausbild, 1648, Louvre). 3. Die L.-Quelle befindet sich im Bild selbst und gibt einen gebündelten Strahl ab oder verteilt ein breites, ungebündeltes L. (z. B. Rembrandt). Zu unterscheiden sind außerdem versch. Arten des L.: natürl. L. (Sonne, Mond, Tageslicht), künstl. L. (Kerze, Fackel, Feuer), sakrales L. (Heiligenschein). In der Malerei des 19. Jh. herrscht das natürl. L. der Tages- und Jahreszeiten nicht nur in Landschaftsbildern, sondern auch bei Innenraumbildern (F. G. KERSTING, M. v. SCHWIND, A. v. MENZEL) vor, das als nicht an die begrenzenden Rahmen des Bildfeldes gebundenes Freilicht den Motivausschnitt durchstreift. Der Impressionismus hebt das Prinzip der Beleuchtung auf, sammelt das freie L. im Mittel des Leucht-L. der einheitlich organisierten Farbfläche unterhalb der Rahmengrenzen, Schatten versinken, die Bildwelt wird zur L.-Erscheinung des Naturlichts.

Die Malerei des 20. Jh. (H. MATISSE, G. BRAQUE, P. PICASSO, E. L. KIRCHNER, P. KLEE) kennt kein Beleuchtungs-L. mehr; L. und Schatten sind zur Farbe geworden. Hierin liegt ein entscheidender Bedeutungswandel: Die Farbe ist nicht mehr, wie in der gesamten abendländ. Malerei vom MA. bis zum Impressionismus, eine Funktion des L., sondern das L. ist zu einer Funktion der Farbe geworden.

W. SCHÖNE: Über das L. in der Malerei ([4]1977).

Lichtdruck, Flachdruckverfahren zur Wiedergabe von Halbtönen. Auf eine mattierte Glas- oder Metallplatte wird eine Gelatineschicht aufgebracht, mit Ammonbichromatlösung lichtempfindlich gemacht und bei 50° C getrocknet, worauf die Oberfläche ein feines ›Runzelkorn‹ zeigt. Nach Belichten unter einem photograph. Negativ wird die Gelatineschicht entsprechend den Tonwerten des Negativs verschieden stark gehärtet, die einzelnen Teile der Schicht quellen in Wasser verschieden stark und stoßen in gleichem Maß die fette Druckfarbe verschieden stark ab. Durch vorsichtiges Einwalzen entsteht so eine Druckform, die alle Schattierungen und Einzelheiten wiedergibt. Der L. eignet sich bes. zur originalgetreuen Reproduktion von Gemälden in kleinen Auflagen.

Lichtdruck: Runzelkorn der Druckschicht aus Gelatine

licht|echt, Maltechnik: Bez. für Pigmente und Farbstoffe, die im Licht nicht ausbleichen.

Lichtenberg, Teil der Gem. Fischbachtal, Hessen, besitzt das älteste südhess. Renaissanceschloß (1570 bis 1581), das Vorbild für die damalige Architektur in Hessen-Darmstadt wurde.

Lichtenstein, Schloß südlich von Reutlingen, Bad.-Württ., 1840/41 von E. HEIDELOFF in gotisierenden Formen erbaut – der Inbegriff einer auf hohem Fels gelegenen romant. Burg. Kunstsamml.; bekannt durch W. HAUFFS Roman ›L.‹.

Lichtenstein [l'ıktənstaın], Roy, amerikan. Maler, Graphiker, Bildhauer, *New York 27. 10. 1923, einer der konsequentesten Künstler der Pop Art. Er übernahm in seine Gemälde, Siebdrucke, Collagen, seit 1965 auch keram. Skulpturen, Bildformeln der Massenmedien (Comics, Trickfilme, Reklame) oder bekannter Kunstwerke und -stile (C. MONET, P. PICASSO, Kubismus, Art Déco, Action Painting). Die Vorlagen wurden durch Rastertechnik, klare Kontraste, die Beschränkung auf Grundfarben der Optik von Billigdrucken angeglichen, aber auch durch eine Stilisierung im Sinne

Roy Lichtenstein: Whaam!; 1963 (London, Tate Gallery)

klass. Kompositionsgesetze zu wirkungsvollen Bildzeichen monumentalisiert. Grundthema ist die Allgegenwart des Prinzips Abbildung in einer medienbestimmten Umwelt.

DIANE WALDMAN: R. L. (Tübingen 1971, engl., teilw. dt.); R. L., hg. v. J. COPLANS (London 1974); R. L., Ausst.-Kat., Düsseldorf (1981); R. L. 1970–80, Ausst.-Kat., Köln/New York (1982).

Lichter, Drucker, die hellsten Stellen eines Gemäldes und einer Graphik (Glanz-L. im Auge und auf der menschl. Haut, auf Gegenständen). **L. aufsetzen,** die hellsten Teile durch entsprechende Farbe hervorheben. Weiß untermalte L. werden **Lichthöhungen** gen.

Lichtgaden, Baukunst: →Obergaden.

Lichtkunst, Richtung der Kunst des 20. Jh., die als Ausdrucksmittel farbiges oder monochromes, bewegtes oder statisches Licht einsetzt. Die Anfänge liegen bei den Lichtapparaturen, die am Bauhaus konstruiert wurden (L. MOHOLY-NAGY, ›Licht-Raum-Modulator‹, 1922–30). Einen neuen Aufschwung nahm die L. in den 1960er Jahren mit der Gruppe →Zero und der →Groupe de Recherche d'Art Visuel, auch mit N. SCHÖFFER, CHRYSSA, H. GOEPFERT, A. LUTHER u. a., die versch. Formen einer technologisch aufgeschlossenen Lichtkinetik ausbildeten. Dagegen entwickelte sich bes. in Kalifornien der Typus des in sich ruhenden, weißes Kunst- oder Tageslicht in einer meditativen Stimmung konzentrierenden Lichtraumes (R. IRWIN, J. TURRELL, M. ASHER, M. NORDMAN). Andere Künstler verbanden gegen die Architektur gesetzte Lichtstrukturen, etwa von Röhren mit Neon- oder fluoreszierendem Licht, mit der Formenreduktion der Minimal Art (S. ANTONAKOS, D. FLAVIN).

Licht-Kunst-Licht, Ausst.-Kat., Eindhoven (1966); F. POPPER: Die Kinetische Kunst (1975).

Licinio [litʃ'inio], Bernardino, ital. Maler, *um 1489, †Venedig vor 1565, Schüler des PORDENONE, künstlerisch geprägt von PALMA VECCHIO, malte relig. Bilder und Porträts nach dem Vorbild TIZIANS.

HW: Familienbildnis (1524; Hampton Court); Madonna mit Heiligen (1524; Venedig, Frari-Kirche).

Liding|ö, Insel und Gem. unmittelbar nordöstlich von Stockholm, Schweden, 37 000 Ew.; im Millesgården, dem Park mit ehem. Wohnhaus und Atelier des Bildhauers C. MILLES, bed. Skulpturensamml., neben röm. und grch. Skulpturen eigene Werke des Künstlers und Repliken seiner Brunnen und Denkmäler, deren Originale sich v. a. in schwed. und nordamerikan. Städten befinden.

Lidzbark Warmiński [l'idzbark varm'iĩski], poln. Name der Stadt →Heilsberg.

Liebenthal, poln. **Lubomierz** [lub'ɔmjɛʃ], Stadt in der poln. Wwschaft Jelenia Góra (Hirschberg i. Rsgb.), 1600 Ew.; ehem. Benediktinerinnenabtei (1278 gegr.); spätbarocke Kirche (1726–30) mit spätgot. Elementen (15./16. Jh., Turm von 1554 mit Überbau des 18. Jh.) und Fresken von 1728–30. Das Kloster (15./16. Jh.) wurde nach 1726 umgebaut und im 19. Jh. klassizistisch ausgebaut; Rathaus (17.–19. Jh.).

Liebermann, Max, Maler, Graphiker, Berlin 20. 7. 1847, †ebd. 8. 2. 1935, aus wohlhabender jüd. Kaufmannsfamilie, bildete sich in Berlin (C. STEFFECK) und Weimar (F. PAUWELS) sowie in der Begegnung mit M. v. MUNKÁCSY in Düsseldorf (seit 1871), dem L. auch in Paris (1873–78; 1874 in Barbizon) nahestand; dort entscheidender Eindruck von G. COURBET und J.-F. MILLET. 1878–84 lebte L. in München, seitdem in Berlin. 1898 gründete er hier die Sezession (Vorsitz bis 1911) und war 1920–33 Präs. der Preuß. Akad. der Künste.

Am Beginn seines Werkes stehen naturalist. Darstellungen arbeitender Menschen. Von dunklen Tönen fand L. bald zu einer lichten Farbigkeit, bes. in Bildern aus den Niederlanden (Aufenthalt in den Sommermonaten, Einfluß von J. ISRAELS u.a.). Nach einer Zwischenperiode zeichner. Genauigkeit (Begegnung mit W. LEIBL in München) wandte er sich in Berlin einer auf wenige Grautöne beschränkten pastosen Malweise zu und schließlich Anfang der neunziger Jahre einem entschiedenen, nun wieder farbigeren Impressionismus. In den Allee- und Strandbildern aus den Niederlanden fand er zu einer eigenen Formsprache, die in zahlreichen Porträts, Landschaften mit und ohne Menschen, in Ansichten von Amsterdam und anderen Städten, bes. auch in Zeichnungen und Radierungen zu einer souveränen Freiheit des Stils gesteigert wird. In den Bildern aus seinem Garten in Wannsee erreichte L. nach 1914 eine letzte Vollendung. – Sein Werk wurde vom Nationalsozialismus als ›Entartete Kunst‹ verfemt.

HW: Gänserupferinnen (1872; Berlin-Ost, Staatl. Museen); Nähschule im Waisenhaus (1876; Elberfeld, Von-der-Heydt-Mus.); Jesus unter den Schriftgelehrten (1879; Hamburg, Kunsthalle); Altmännerhaus in Amsterdam (1880; Stuttgart, Staatsgal.); Netzflickerinnen (1889; Hamburg, Kunsthalle); Polospieler im Jenischpark (1902; ebd.); Papageienmann (1902; Essen, Mus. Folkwang); Restaurant Jakob in Nienstedten an der Elbe (1902/03; Hamburg, Kunsthalle, BILD Impressionismus); Judengasse in Amsterdam (1905; Köln, Wallraf-Richartz-Mus.); Dünen von Noordwijk (1906; Berlin-Ost, Staatl. Museen); R. Strauss (1918; Berlin-West, Staatl. Museen). – Selbstporträts (1901; Florenz, Uffizien; 1909; Hamburg, Kunsthalle; 1925; Berlin-Ost, Staatl. Museen).

Schrift: Die Phantasie in der Malerei. Reden u. Schriften, hg. v. G. BUSCH (1978).

F. STUTTMANN: M. L. (1961); M. L., Ausst.-Kat., Berlin-West (1965); SIGRID ACHENBACH: Die Druckgraphik M. L.s (1974); M. L. in seiner Zeit, Ausst.-Kat., Berlin-West (1979).

Max Liebermann: Selbstporträt; aus einer Lithographie, 1912

Liebieghaus, Mus. alter Plastik, Frankfurt a. M., 1907 gegr. städt. Skulpturensamml. in der historist. Villa des Barons H. v. Liebieg am Mainufer, mit umfangreichen Beständen asiat. und ägypt. Kleinkunst, grch. und röm. Plastik und Bildwerken des MA., der Renaissance, des Barock und Rokoko.

Lieblingsnamen, Namen stadtbekannter Knaben und Jünglinge, die seit 550 v. Chr. auf attischen Vasen erscheinen (›Leagros ist schön‹ oder nur ›der Knabe ist schön‹). Die häufig angenommene Verbindung mit historisch überlieferten Personen ist nicht erwiesen.

Liège [ljɛːʒ], frz. Name von →Lüttich.

Liegnitz, poln. **Legnica** [lɛgnˈitsa], Hauptstadt der poln. Wwschaft Legnica, Niederschlesien, 87 000 Ew., ehem. Hauptstadt (1248–1675) des Piasten-Fstt. L. Teile der Stadtbefestigung mit dem Glogauer Tor (14. Jh.) blieben erh. Die Burg wurde im 13. Jh. an der Stelle eines älteren Baus errichtet, im 16./17. Jh. ausgebaut und nach Bränden wiederhergestellt, u. a. 1835 durch K. F. Schinkel und nach 1845. In der got. Pfarrkirche (1333 bis 1390, außen 1892–94 umgebaut, Seitenkapellen 15./16. Jh.) befinden sich ein frühgot. Bronze-Taufbekken (um 1300), eine steinerne Kanzel (1585–88) und ein Flügelaltar (1498). L. hat bed. Barockbauten, u. a. Rathaus (1737–41) mit Freitreppe, Johanneskirche (1714 bis 1730) mit Mausoleum der letzten Piastenherzöge (Skulpturen und Fresken u. a. von M. Rauchmüller), Palais der Äbte (1734–45), Jesuitenkollegium (1700–07).

Li|enz, Stadt an der oberen Drau, Osttirol, Österreich, 12 700 Ew. Pfarrkirche, urspr. romanisch, zur dreischiffigen got. Basilika umgebaut (1457 gew.), bemerkenswert 3 Marmorgrabsteine (Anf. 16. Jh.); daneben monumentale Kriegergedächtniskapelle von C. Holzmeister mit Fresken von A. Egger-Lienz (1925). In der Franziskanerkirche, ehem. Kirche des 1349 gegr. Karmeliterklosters, bed. Fresken (1. H. 15. Jh. und später). Den Hauptplatz beherrscht die Liebburg (16. Jh.) mit 2 mächtigen Rundtürmen. Außerhalb der Stadt Schloß Bruck (Mitte 13. Jh., Mus.); in der doppelgeschossigen Kapelle roman. und got. Fresken.

Lier, frz. **Lierre** [ljɛːr], Stadt in der belg. Prov. Antwerpen, 31 500 Ew. Die St. Gummaruskerk (1425 bis 1557), ein HW der Brabanter Gotik, hat einen dreibogigen Lettner (1536) im Flamboyant-Stil und Glasgemälde (15./16. Jh.) mit Darstellungen Maximilians von Habsburg und Marias von Burgund. Ältester Bau der Stadt ist die roman. St. Pieterskapel. Die Gebäude des im 13. Jh. gegr. Beginenhofs stammen v. a. aus dem 17. Jh. (Renaissance-Torhaus). Am Markt stehen alte Gildehäuser und das Rathaus (1714). Mus. Wuyts-Van-Campen-Caroly (Gemäldesamml.).

Lier, Adolf Heinrich, Maler, *Herrnhut 21. 5. 1826, †Vahrn bei Brixen 30. 9. 1882, bildete sich in München (Begegnung mit E. Schleich d. Ä.), Paris (Anschluß an J. Dupré und die Schule von Barbizon) und Schottland (Bilder von J. Constable). – L. malte kleinformatige, zarte Landschaften, ein bed. Zeugnis der realist. Stimmungsmalerei in Dtl.

HW: Sommerlandschaft am Starnberger See (um 1857/58; München, Neue Pinakothek); Abend an der Oise (1864; München, Städt. Gal.); Die Theresienwiese mit der Bavaria in Abendstimmung (1882; München, Neue Pinakothek).

Lies|tal, Hauptstadt des schweizer. Kt. Basel-Landschaft, 11750 Ew., mit gut erh. ma. Straßenbild; got. Pfarrkirche (13. und 16. Jh.) auf röm. Grundmauern, vermutlich eines Tempels, und mit teilweise roman. Mauerwerk; Rathaus mit spätgot. Fassade.

Lietzen, Gem. nordwestlich von Frankfurt a.d. Oder, Dt. Dem. Rep., im 13. Jh. im Besitz des Templerordens, seit Anf. 14. Jh. des Johanniterordens; Komtureikirche (13. Jh., spätgotisch umgebaut, Fachwerkturm 1727); Renaissance-Herrenhaus (16./17. Jh.).

Lievens, Jan, holländ. Maler, Graphiker, *Leiden 24. 10. 1607, †Amsterdam 4. 6. 1674, lernte um 1619/21 bei P. LASTMAN in Amsterdam, arbeitete mit dem jungen REMBRANDT in Leiden, dem er in seinem Frühwerk gleichkam; lebte 1631–35 in England, dann in Antwerpen, seit 1644 in Amsterdam; wurde u.a. von A. VAN DYCK, P. P. RUBENS und A. BROUWER beeinflußt. L. malte biblische und historische Themen; am besten gelangen ihm Porträts (bes. auch in seinen Holzschnitten) und Landschaften.

J. L., Ausst.-Kat., Braunschweig (1979).

Ligabue, Antonio, eigtl. Laccabue, schweizer.-ital. Maler, *Zürich 18. 12. 1899, †Gualtieri (Prov. Reggio nell'Emilia) 27. 5. 1965. L. schuf eindringl. [Selbst]porträts und dämon. Tierbilder und gilt als einer der bedeutendsten naiven Maler.

Ligorio, Pirro, ital. Baumeister, Altertumsforscher, *Neapel um 1510, †Ferrara 30. 10. 1583, 1549–72 in den Diensten des Kardinals IPPOLITO II. D'ESTE. Zunächst Antiquar (›Libro delle antichità di Roma‹ mit antiken Denkmälern und Plänen des antiken und zeitgenöss. Rom, 1553–58 in Teilen veröffentlicht), entwikkelte sich L. zum Architekten und Gartengestalter; 1564/65 päpstl. Architekt, seit 1572 für Herzog Alfonso II. d'Este in Ferrara tätig.

HW: Villa d'Este, Tivoli (seit 1550, mit Park und Wasserkünsten); Casino Pius' IV. in den Vatikan. Gärten, Rom (1559–65).

Ligozzi, Jacopo, ital. Maler, *Verona um 1547, †Florenz 26. 3. 1626, seit etwa 1575 in Florenz als großherzogl. Hofmaler; als Zeichner tat er sich durch naturwissenschaftlich exakte Pflanzen- und Tierstudien (Kupferstichkabinett der Uffizien) hervor.

HW (in Florenz): Wunder des Hl. Raimund (S. Maria Novella); 15 Lünetten mit Szenen aus dem Leben des Hl. Franz im Kreuzgang von Ognissanti.

Li Kung-lin, chines. Beamter, Figuren- und Pferdemaler, Dichter, Gelehrter und Sammler, →Li Lungmien.

Lili|enfeld, Stadt im Traisental, NÖ, 3200 Ew., mit ehem. Zisterzienserstift. Die Stiftskirche (1263 voll.) ist eine spätromanisch-frühgot. Pfeilerbasilika mit Hallenchor, dem ersten kirchl. Hallenbau Österreichs, und zweischiffiger Umgangshalle mit reichen Kapitellen;

der großartigen Raumwirkung fügt sich die barocke Ausstattung gut ein. Aus frühgot. Zeit sind Kreuzgang und Kapitelsaal erh.; in den Barocktrakten prächtige Bibl., Stiftsgal. und Samml.

Liljefors, Bruno, schwed. Maler, *Uppsala 14. 5. 1860, †bei Uppsala 18. 12. 1939, studierte in Stockholm, Düsseldorf und Paris. L. war der führende Tiermaler Skandinaviens, der scharfe Naturbeobachtung mit impressionist. Technik verband.

Lille [lil], Hauptstadt des frz. Dép. Nord, unweit der belg. Grenze, 177 200 Ew.; kath. Bischofssitz. Aus dem MA. stammen die Kirchen St. Maurice (14./15. Jh.) und Ste. Cathérine (16.–18. Jh.). S. VAUBAN legte im 17. Jh. die Zitadelle jenseits der Deule an; ferner Alte Börse (1652), Pariser Tor (1682), die Palais Leaueux (18. Jh.) und Rameau (1878) u. a. histor. Bauten. Im Palais des Beaux-Arts das Mus. mit einer der größten Gemäldegal. Frankreichs (außerhalb von Paris), Samml. ital. und frz. Zeichnungen, archäolog., keram. und Skulpturen-Sammlungen; im ehem. Hospital (gegr. 1237) Mus. de l'Hospice Comtesse mit fläm. Kunsthandwerk des 17. und 18. Jh.; in der Kathedrale (1854 beg.) Diözesanmus.

Lillehammer, Stadt in S-Norwegen, 21 700 Ew.; durch ihre schöne Lage am Mjøsa-See und am Eingang zum Gudbrandsdal beliebter Aufenthalt von Malern, deren Werke in der Städt. Gemäldesamml. einen repräsentativen Überblick über die norweg. Malerei geben; im 1887 gegr. Freilicht-Mus. (Sandvigske Samlinger) über 100 Gebäude aus dem Gudbrandsdal, darunter die Stabkirche von Garmo (12. Jh.).

Li Lung-mi|en, Künstlername des chines. Malers **Li Kung-lin,** *Sucheng (Anhwei) 1049, †Lungmien Shan (?) 1106, kopierte alte Werke aus der Sammlung seines Vaters und zählte als Beamter in K'aifeng zum Kreis der großen Literatenmaler. Bes. geschätzt waren seine nur in feinen Umrißlinien (wie Eisendraht; ›pai-miao‹) gemalten Figuren aus der buddhist. Legende und chines. Dichtung; auch Landschaften. Eines der wenigen authent. Werke ist: ›5 Tributpferde und 5 Knechte‹ (Tokio, Privat-Sammlung).

Lima, Hauptstadt von Peru, 2,9 Mio. Ew. L., 1535 gegr., seit Ende des 16. Jh. Hauptstadt des Vizekönigreichs Peru (bis 1821), war im 17. und Anfang des 18. Jh. eine der reichsten und schönsten Städte des span. Kolonialreichs. Die erste Kathedrale, 1535 gegr., 1551 fertiggestellt, wurde später erweitert; der heutige Bau im Kolonialstil (dreischiffige Hallenkirche mit Seitenkapellen, Türmen und klassizist. Fassade) stammt großenteils aus neuerer Zeit. Das kostbare alte Chorgestühl ist ein Hauptwerk der Kolonialkunst. Das Kloster Santo Domingo (gegr. im 16. Jh., wesentl. Veränderungen im 18. Jh.) hat geschnitzte Holzdecken (16. Jh.); Azulejos aus Sevilla (frühes 17. Jh.) am Mauersockel des Kreuzgangs; die Klosterkirche (1549; dreischiffig, mit tiefen Seitenkapellen) hat got. Gewölbe, Turm von 1760. Im Kloster San Francisco (beg. 2. H. 16. Jh.) zweigeschossiger Kreuzgang mit Bogenwerk im Mudéjar-Stil; die Kirche (1657–74) hat reich gestaltetes Portal

Lima: Torre-Tagle-Palast, Patio; um 1735

und kunstvoll geschnitzte Holztäfelung sowie Ornamentik an Wänden und Gewölbe in der Sakristei; zw. Sakristei und Kirche eine der schönsten Barocktüren des 17. Jh. Die Jesuitenkirche San Pedro (voll. 1638) hat kostbare Gemälde in den Seitenkapellen; geschnitztes Mobiliar, bes. in der Sakristei. Die Kirchen La Merced (1697–1714) und San Agustín sind HW churrigueresker Baukunst.

Einer der ältesten Profanbauten in L. ist die Casa Pilatos (16. Jh.) mit einem Portal im Stil der span. Renaissance. Der Torre-Tagle-Palast (um 1735; heute Außenministerium) ist das am besten erh. Beispiel profaner Kolonialarchitektur mit Barocksäulen, geschnitzten Balkongittern und ornamentiertem Bogenwerk. Der Quinta-Presa-Palast (18. Jh.) ist im Rokoko-Stil, die Casa Courret (1906) im Jugendstil errichtet. Hervorragende Samml. vorspan. Kunst enthalten das Mus. Nacional de Antropologia e Arqueologia (aus den Kulturen von Paracas, Chimú, Nazca, Moche u. a.), Mus. Rafael Larco Herrera (Moche, Nazca, Chimú, Inka; Keramik, Textilien) und Mus. de Oro del Peru (Goldarbeiten). Das Mus. del Virreinato zeigt Kolonialkunst, das Mus. de Arte Beispiele der Kunst aus 2000 Jahren.

Limbach-Oberfrohna, Stadt im Bez. Karl-Marx-Stadt, Dt. Dem. Rep., 23 400 Ew. Die 1762 von G. Greiner gegr. **Limbacher Porzellanmanufaktur** stellte vorwiegend Haushaltsgeschirr her. Auf künstlerisch höherer Stufe stand die oft lebensgroße Figurenplastik.

Limburg, 1) Limburg an der Lahn, Kreisstadt in Hessen, 28 300 Ew., kath. Bischofssitz; 14./15. Jh. – 1803 zu Kurtrier gehörig; große Blütezeit im 13. Jh. unter den Herren von Ysenburg-L. Beherrschendes Bauwerk ist der siebentürmige Dom (1211 beg., 1235 gew.) in einzigartiger Felslage hoch über der Lahn, der Einflüsse rhein. Spätromanik (Andernach, Koblenz, Köln) und frz. Frühgotik (Laon, Noyon, Soissons) verbindet; viergeschossige Emporenbasilika mit Chorumgang und auffallend hoher Raumwirkung; reich gegliederte, eindrucksvolle Doppelturmfassade; vollständig wiederhergestellte originale Farbgebung 1969 ff. Neben dem

Dom die ehem. Gaugrafen-, dann erzbischöfl. Burg (13./16. Jh.; Diözesanmus.) und Domvikarie (18. Jh.). Im ehem. Franziskanerkloster (1223 gegr.) die Domschatzkammer (Staurothek und Petri-Stab-Reliquiar, beides 10. Jh.); Klosterkirche, jetzt Stadtkirche, Anf. 14. Jh., 1742 zurückhaltend barockisiert, mit guter Ausstattung. Lahnbrücke (1341); spätgot. Fachwerkrathaus (15./18. Jh.); mehrere Adelshöfe (v. a. Walderdorffer Hof, 1665, Renaissanceanlage um Innenhof mit offenen Arkaden). Große Fülle maler. Straßen mit Fachwerkhäusern (Korn- und Fischmarkt, Fahrgasse, Salzgasse, An der Plötze).

2) eindrucksvolle Ruine einer ehem. Benediktinerabtei (1025 von Kaiser Konrad II. gegr.) bei Bad Dürkheim, Rheinl.-Pf.; hervorragender salischer Kirchenbau (1030–42) großen Ausmaßes (73 m lang, 38 m breit), urspr. flachgedeckte Säulenbasilika mit Querhaus, quadrat. Chor und Krypta; Reste einer Doppelturmfassade.

Limburg, Brüder L., Paul (Pol), Hermann (Hermant) und Jan (Jehannequin), aus Nimwegen stammende niederländ. Buchmaler, †(an der Pest?) Bourges 1416, um 1400–16 tätig, wohl unter Pauls Führung am Hof des Herzogs J. von →Berry in Bourges als Nachfolger von J. DE HESDIN beschäftigt. Ihre HW sind die ›Très riches heures du Duc de Berry‹, 1413 beg., beim Tod des Herzogs 1416 noch unvoll. (Chantilly, Mus. Condé) und ›Les belles heures du Duc de Berry‹ (zw. 1410 und 1413; New York, Metropolitan Mus. of Art, Cloisters). Niederländ. Schulung, ital., bes. sienes. Einwirkungen und unmittelbare Anschauung vereinigen sich in den Monatsbildern mit der Darstellung frz. Königsschlösser zu den ersten wirklichkeitsnahen Landschaftsschilderungen der europ. Malerei. (BILD Buchmalerei)

M. MEISS: The Limbourgs..., 2 Bde. (New York 1975).

Limerick, irisch **Luimneach** [l'imnəx], Stadt in der Cty. L., am Shannon, W-Irland, 57 200 Ew., im frühen MA. Sitz eines irischen Königreichs. Nach der engl. Eroberung 1194 wurde gegenüber der Irish Town, auf King John's Island im Shannon, die English Town angelegt und durch ein Kastell gesichert. Die Kathedrale St. Mary wurde 1142–80 in frühgot. Formen errichtet. Neben den ma. Kirchen St. Munchin, St. John in Whitamore's, dem Kastell und dem Dominikanerkloster entstand im 19. Jh. die neugot. Kathedrale St. John.

Limes [lat. ›Grenze‹], in der röm. Kaiserzeit die durch Wehrbauten gesicherte Reichsgrenze. Solche Anlagen finden sich z. B. in Germanien, in Britannien (Hadrianswall, Antoniuswall), an der Donau, in Dakien, in der Dobrudscha, in Afrika, Arabien und Syrien.

Der 548 km lange **Obergermanisch-rätische L.,** unter DOMITIAN (81–96) beg., umschloß die von den Römern besetzten dt. Gebiete östlich des Rheins und nördlich der Donau. Der L. war mit Beobachtungstürmen in Sichtweite, Kastellen aus Stein und Palisaden gesichert. Von den bisher festgestellten über 80 Kastellen sind nur geringe Spuren erhalten; rekonstruiert wurde die →Saalburg.

Limisa, antike Ruinenstätte in Tunesien, →Ksar Lemsa.

Limit [engl.], *das,* der bei einer Auktion zw. Auftraggeber und Versteigerer vereinbarte Mindestpreis. Die Höhe des zu erzielenden Preises und sein Verhältnis zum →Schätzwert sind Sache des Versteigerers, der sich damit verpflichtet, den Gegenstand nicht unter dem L. zuzuschlagen.

Limoges [lim'o:ʒ], Hauptstadt des frz. Dép. Haute-Vienne, im Limousin, 147 400 Ew.; kath. Bischofssitz. Zu den ma. Bauwerken gehören die Kathedrale St. Étienne (13., 16. und 19. Jh.), die Kirchen St. Pierre-du-Queyroix (13./14. Jh., Fassade 1534; mit prachtvollem Renaissance-Lettner, Bischofsgrabmälern des 14. und 16. Jh.), St. Michel-des-Lions (14.–16. Jh.) und die über die Vienne führenden alten Brücken Pont St. Martial (12. Jh.) und Pont St. Étienne (13. Jh.). Nat.-Mus. für Fayence und Porzellan (nach Sèvres die wichtigste frz. Samml.); im ehem. Bischofspalast (18. Jh.) das Städt. Mus. (Samml. von Emailarbeiten, ägypt. und gallo-röm. Altertümer). – Seit 1731 wurde in L. Fayence hergestellt; 1771–76 bestand eine Porzellanmanufaktur; bed. Porzellanindustrie bis heute.

Limosin [limoz'ɛ̃], **Limousin** [limuz'ɛ̃], Léonard, frz. Emailmaler, *Limoges um 1505, †ebd.(?) zw. 1575 und 1577, tätig in Paris und Limoges, dort der bedeutendste und vielseitigste der Emailmaler des 16. Jh. Seit 1548 Hofemailleur der frz. Könige, schuf hervorragende Porträtminiaturen der Hofgesellschaft, weitere Arbeiten nach Vorlagen von A. DÜRER, RAFFAEL, F. PRIMATICCIO und N. DELL'ABBATE.

Limousiner Email [limuz'i:nər em'aj], **Limosiner Email,** Gruppe von Arbeiten (liturg. Gerät, Kreuze, Buchdeckel u. a.) der Emailkunst, die früher fälschlich einer Familie Limosin zugeschrieben wurden. Die schon im 12. und 13. Jh. durch ihre Grubenschmelzarbeiten bekannten Werkstätten der Stadt Limoges wandten sich gegen Ende des 15. Jh. dem **Maler|email** (→Emailkunst) zu und gelangten nochmals zu hoher Blüte.

Limyra, antike Stadt an der Südküste Kleinasiens, südwestlich von Antalya, Fundplatz lykischer Felsgräber, u. a. des Heroons von PERIKLES (Lokalkönig, 1. H. 4. Jh. v. Chr.), dem →Nereidenmonument in Xanthos ähnlich (Skulpturen und Reliefs im Mus. von Antalya), und eines Grabmonuments vermutlich des GAIUS CAESAR, Adoptivsohn des Kaisers AUGUSTUS, der 4 n. Chr. hier starb.

Linard [lin'a:r], Jacques, frz. Maler, *Paris (?) um 1600, begraben ebd. 12. 9. 1645, seit 1627 in Paris nachweisbar; erst im 20. Jh. wiederentdeckt als bed. frz. Stillebenmaler des 17. Jh. Seine Bilder stehen anfänglich in der fläm. Tradition, später haben sie oft symbolhaften Charakter (Die 5 Sinne mit Landschaft, 1638; Straßburg, Mus. des Beaux-Arts).

Linck, Walter (eigtl. Waldemar), Bildhauer, Graphiker, *Bern 3. 2. 1903, †ebd. 3. 1. 1975, schuf kinet. Metallplastiken von schwereloser Linienführung und federnder Spannung; auch Brunnen.

Lincoln [l'ɪŋkən], Stadt in der Cty. Lincolnshire, Mittelengland, 73 700 Ew. Von der röm. Festung sind Teile erh., 1068 wurde hier eine normann. Burg angelegt. Von der 1. Kathedrale des späten 11. Jh. haben sich Teile der W-Front erhalten, um 1140 wurden die roman. Stufenportale und Figurenreliefs zugefügt, die Kirche wurde gewölbt; 1192 vollständiger Neubau mit urspr. Umgangschor, O-Querhaus mit sechsteiligem Kreuzrippengewölbe, Triforium und Obergadenlaufgang. Der Vierungsturm wurde nach dem Einsturz 1237/39 in got. Form erneuert. Um die Mitte des 13. Jh. wurde die ältere W-Front verbreitert, die beiden zur Mitte verschobenen W-Türme um 1400 spätgotisch ausgeführt. 1255 wurde nach Abbruch des östlich gelegenen Teilstücks der röm. Stadtmauer der frühgot. Chorschluß bis 1280 durch den ›Engelchor‹ mit reichen hochgot. Formen (Engelskulpturen in den Zwickeln des Triforiums) erneuert. Nördlich der Kathedrale entstanden im 2. Viertel des 13. Jh. Kreuzgang und Chapter House, ein zehnseitiger Zentralbau mit Flechtrippengewölbe über Mittelpfeiler. In der Stadt sind die beiden Pfarrkirchen St. Benedict (spätes 13. Jh.) und St. Mary-le-Wigford, beide mit angelsächs. Turm, sowie die spätgot. Guildhall des 15. Jh. beachtenswert.

Lindau, Stadt in Bayern, 26 600 Ew., ehem. Reichsstadt auf einer Insel im Bodensee, mit ungestörtem, von Spätgotik und Barock bestimmtem Stadtbild; charakterist. Hafenanlage mit Leuchtturm und Löwendenkmal von 1811. Ehem. Damen-Reichsstift (im 9. Jh. gegr.) mit ansehnl. Barockkirche (1748–51 von J. C. BAGNATO erbaut, Fresken von J. I. APPIANI, ebenso wie der Stuck weitgehend nach einem Brand 1922 erneuert); ehem. Peterskirche, jetzt Kriegergedächtnisstätte (um 1000, Wandmalereien von H. HOLBEIN D. Ä.); Stefanskirche (um 1180, 1782 mit grün gefaßtem Spätrokokostuck verziert). Rathaus in gotisierender Renaissance (15./16. Jh.) mit reich bemalten Fassaden. Prächtigstes Patrizierhaus ist der ›Cavazzen‹ (1729), darin Städt. Mus.

Lindenholz. Das mittelschwere, weiche Holz der in gemäßigten Zonen wachsenden Linde ist seit je beliebtes Material für die Bildschnitzerei und für Drechslerarbeiten.

L.-Kohle wird als Zeichenkohle verwendet.

Linden-Museum [n. K. Graf v. Linden, *1838, †1910], staatl. Mus. für Völkerkunde, Stuttgart, gegr. 1884. Veröffentlichungen: ›Tribus‹ (jährlich, seit 1951).

Lindenschmit, 1) Wilhelm d. Ä., Maler, Vater von 2), *Mainz 9. 3. 1806, †ebd. 12. 3. 1848, half 1825–28 P. v. CORNELIUS bei der Ausführung von dessen Fresken in München; malte in realist. Stil histor. Fresken und Bilder zu Schillers Dichtungen.

Jugendl. Selbstporträt (1823/24; München, Neue Pinakothek).

2) Wilhelm von (seit 1894), d. J., Maler, Sohn von 1), *München 20. 6. 1829, †ebd. 8. 6. 1895, lebte 1850–53 in Paris (Einfluß der Schule von Barbizon), 1853–63 in Frankfurt a. M., seitdem in München (seit 1875 Prof. an der Akad.). L. malte Bilder aus der Geschichte, Mythologie und Dichtung sowie Wandgemälde in den Rathäusern von München und Heidelberg.

WW: Der Empfang der blauen Dame (1855; München, Neue Pinakothek); Die Musizierenden (1856; ebd.).

Linderhof, Ortsteil der Gem. Ettal, Oberbayern; das prachtvolle Schloß König LUDWIGS II. von Bayern (1864–86), 1869–78 von G. v. DOLLMANN erbaut, verkörpert den Stil des Neurokoko in höchster Vollendung. In den Parkanlagen K. v. EFFNERS u.a. Venusgrotte und Maurischer Kiosk (1867).

Lindisfarne-Evangeliar [l'ɪndɪsfɑːn-], **Book of Lindisfarne** [bʊk ɔv-], ein HW der →insularen Buchmalerei.

Lindner, Richard, amerikan. Maler, Graphiker dt. Herkunft, *Hamburg 11. 11. 1901, †New York 16. 4. 1978, lebte bis 1933 in Dtl., emigrierte dann nach Paris, 1941 in die USA. Seine in grellen Farben gemalten Bilder zeigen v.a. zum Idol verwandelte, maschinenartige Frauengestalten der Großstadt, die u.a. das moderne Zurschaustellen von Sex karikieren; sie gelten als Vorform der Pop Art.

W. SPIES: R. L. (1979).

Lindos, kleine Stadt an der O-Küste von Rhodos, rd. 1000 Ew., in der Antike neben Kameiros und Ialysos die bedeutendste der 3 dorischen Städte auf der Insel. L. erlebte im 6. Jh. v. Chr. (unter der Regierung von KLEOBULOS) und im Hellenismus Blütezeiten. Der nach Brand 342 v. Chr. erneuerte Tempel im Heiligtum der Athena Lindia auf der Akropolis hatte Vorgängerbauten im 8./7. und 6. Jh. v. Chr. Um 300 v. Chr. wurde die Tempelterrasse durch ein Propylon mit Altarplatz, gegen Ende des 3. Jh. v. Chr. durch eine davor liegende 68 m lange Halle, mit einer großen Freitreppe, ausgebaut. Im MA. wurde die antike Anlage in eine Johanniterfestung einbezogen. In der Unterstadt Reste des antiken Theaters und Häuser mit geschmückten Fassaden (16./17. Jh.).

linear [lat.], linienförmig, Stilkriterium als Bez. für die Betonung zeichner. Gestaltungselemente durch strenge Umrißlinien, fest eingegrenzte und übergangslos aneinandergesetzte Form- und Farbflächen i. Ggs. zu maler. Bildgestaltung, die in weichen, differenzierten Übergängen Formen und Farben in ihrer atmosphär. Erscheinungsweise wiedergibt. **Lineament** umfaßt die Gesamtheit der von starken Umrissen bestimmten Gegenstandszeichnung oder Bildkomposition.

Linga [Skt. ›Zeichen, Symbol‹], ind. Phallussymbol des Gottes Shiva, zugleich Schöpfungspotenz und asket. Kontemplation repräsentierend. Neben den anikonischen, säulenartigen L. wurden seit dem 1. Jh. v. Chr./1. Jh. n. Chr. solche mit 1 oder 4 seitl. Köpfen oder mit gesamter Shivafigur dargestellt (→Ekamukhalinga, →Chaturmukhalinga). In Shivatempeln dienen L. häufig als zentrale Kultbilder.

Linga

Lingelbach, Johannes, niederländ. Maler dt. Herkunft, getauft Frankfurt a. M. 10. 10. 1622, begraben Amsterdam 3. 11. 1674, seit 1637 ebd., 1642–50 in Paris und Italien tätig, malte ital. Volksszenen, Markt-, Jagd- und Hafendarstellungen, staffierte die Bilder niederländ. Landschafter (z. B. von M. HOBBEMA) mit kleinen Figuren.

Lingọdbhavamurti [Skt.], Bildmotiv ind. Tempelreliefs des Gottes Shiva, →Jyotirlinga.

Linköping [l'intçøpiŋ], Stadt in Östergötland, Schweden, 110800 Ew., seit dem 12. Jh. Bischofssitz. Der Dom, eine dreischiffige Hallenkirche, an der Stelle einer roman. Kirche (1. H. 12. Jh., N-Portal erh.) um 1230 beg., zeigt Einflüsse der engl. Hochgotik (Teile des Langhauses, 1. H. 14. Jh.) und der dt. Spätgotik (Chor, Ende 15. Jh.); Altargemälde von M. VAN HEEMSKERCK (1574). Das Schloß (13. und 15. Jh.) wurde im 16. Jh. im Renaissancestil ausgebaut; Bischofshof (1733). Östergötland-Mus. (u. a. Gemäldesamml.); Freilicht-Mus. Gamla L.

Linlithgow [lɪnl'ɪθgəʊ], Stadt in der Lothian Region, Schottland, im W von Edinburgh, 5700 Ew.; der ehem. Palast der schott. Könige wurde 1425 unter König JAKOB I. beg. Schlichte Außenmauern und Ecktürme geben der um einen quadrat. Innenhof angeordneten Vierflügelanlage einen festungsartigen Charakter; der N-Flügel, 1619/20 mit reicher Hoffassade im Stil der niederländ. Spätrenaissance erbaut, wird W. WALLACE zugeschrieben. 1746 brannte das Schloß aus.

Linnell [l'ɪnel], John, engl. Maler, Graphiker, *London 16. 6. 1792, †Redhill (Surrey) 20. 1. 1882, Schüler von B. WEST; er begann als Porträtist und wandte sich später fast ausschließlich der Landschaftsmalerei zu (›Sandgrube von Kensington‹, 1812, London, Tate Gal.; ›Aufziehendes Gewitter‹, 1873, Glasgow, Art Gal. and Mus.).

Linọlschnitt, vom →Holzschnitt abgeleitetes Hochdruckverfahren, bei dem nicht in Holz, sondern in eine Linolplatte geschnitten wird; auch der von dieser gewonnene Abdruck. Da Linoleum sehr viel leichter als Holz zu bearbeiten ist, stellt der L. nicht so hohe techn. Anforderungen.

Lịntel [zu lat. limen ›Schwelle‹], →Türsturz.

Lint'ung, amtlich chines. **Lintong,** Bezirkshauptstadt in der chines. Prov. Shensi, nördlich des Wei-Flusses. Östlich von L. befindet sich die gewaltige, als kosm. Universum konzipierte und durch eine unterird. Armee lebensgroßer Terrakottafiguren von Kriegern und Streitwagen geschützte Grabanlage des ›Ersten Kaisers‹ von China, CH'IN SHIH-HUANG-TI (†210 v. Chr.; →chinesische Kunst); Mus. am Ausgrabungsort. (BILD S. 93)

Linz, 1) Linz am Rhein, Stadt im Kr. Neuwied, Rheinl.-Pf., 6200 Ew.; 1250–1803 zum Erzbistum Köln gehörig. Die Martinskirche (1206 bis um 1240) ist eine spätroman., reich gegliederte Emporenbasilika mit

Lint'ung: Freilegen der unterirdischen Terrakottafiguren

Westturm und gleichzeitigen Wandmalereien; spätgot. Veränderungen (Außenbau und Sterngewölbe um 1512). Erzbischöfl. Burg (14. Jh.); Rhein- und Neutor (14./15. Jh.); ungewöhnlich große Zahl von Fachwerkbauten (15.–19. Jh.).

2) Hauptstadt von OÖ, 207 000 Ew.; an der Donau; Bischofssitz. L. entstand an der Stelle des keltisch-röm. **Lentia.** Mittelpunkt der v. a. von Barockbauten geprägten Altstadt ist der ungewöhnlich große Hauptplatz in der N-S-Achse, die sich in der Landstraße fortsetzt. An ihm liegen das Rathaus (1658/59), die prachtvolle Dreifaltigkeitssäule (1723) und viele stattl. Häuser mit Renaissance-, Barock- und Empirefassaden. Östlich davon der alte Dom (1669–78), als Jesuitenkirche vermutlich von P. F. Carlone erbaut, dessen prächtige Raumwirkung durch die stilistisch einheitl. Einrichtung gesteigert wird, und die Stadtpfarrkirche (13. Jh., 1648–56 umgebaut) mit Deckenfresken im Chor von B. Altomonte (um 1772), von ihm auch einige Altargemälde. Westlich vom Hauptplatz das Landhaus (1564 bis 1571) mit Laubenhof und Planetenbrunnen (1582), nach Brand 1800 mit klassizist. Schauseiten wiederaufgebaut, daneben die ehem. Minoritenkirche (Landhauskirche, 1751–58) mit Rokoko-Ausstattung; das gewaltige Schloß (1599 beg.), durch Brand 1800 z. T. vernichtet, ist seit der Restaurierung 1963 Mus. Die kleine Martinskirche westlich vom Schloß stammt aus dem frühen 8. Jh. (799 bezeugt, got. Umbau). Außerhalb des engsten Altstadtbereichs liegen: der neugot. Neue Dom (1863–1924) mit 135 m hohem Turm, ein HW der Gründerzeit in Österreich; Barmherzige-Brüder-Kirche (1713–16 von J. M. Prunner, 1743 gew.) mit Hochaltarbild von M. J. Schmidt (1773); Karmeliterkirche (1674–1726) mit Altarbildern von M. Altomonte, C. Carlone u. a.; ehem. Deutschordenskirche (Seminar-

Jean-Étienne Liotard: Das Schokoladenmädchen, 1744 (Dresden, Gemäldegalerie)

Jacques Lipchitz: Harfenspieler; Bronze, 1930

kirche, 1718–25 unter Prunner nach Entwurf von J. L. v. HILDEBRANDT), Altarbild von M. Altomonte; Elisabethinenkirche (1762–68) im Übergang vom Barock zum Klassizismus, Deckenfresko von B. Altomonte; Bischofshof (1721–26), barocke Vierflügelanlage von J. PRANDTAUER. Kunstsamml. des Landesmus. (bes. ma. Plastik und Tafelmalerei); Neue Gal.

Lionardo da Vinci [-v'intʃi], →Leonardo da Vinci.

Liotard [ljɔt'a:r], Jean-Étienne, frz.-schweizer. Maler, *Genf 22. 12. 1702, †ebd. 12. 6. 1789, führte nach Studien in Genf und Paris ein Wanderleben (1738–43 in Konstantinopel) und lebte seit 1758 meist in Genf. Außer oriental. Landschaftsskizzen malte L. v.a. Pastellporträts mit genrehaften Zügen.

HW: Schokoladenmädchen (1744; Dresden, Gemäldegal.). – Porträts: Kaiserin Maria Theresia (1744; Weimar, Staatl. Kunstsammlungen); Maria Gunning, Countess of Coventry (1754; Amsterdam, Rijksmus.).

Lipchitz [l'ipʃits], Jacques, eigtl. Chaim Jacob L., frz.-amerikan. Bildhauer litauischer Herkunft, *Druskieniki (Litauen) 22. 8. 1891, †auf Capri 26. 5. 1973, lebte seit 1909 in Paris, seit 1941 in den USA. Er fand zunächst Anschluß an den Kubismus, dessen Prinzipien er seit 1913 in die Plastik einführte (Köpfe, Stilleben). Um 1925 lockerte sich der statische Rhythmus seiner kubist. Skulpturen zu größerer Transparenz und Linienbewegtheit. Seit den 1930er Jahren ging L. von der Formuntersuchung über idolhafte Zeichen in der Nähe des Surrealismus zu rundformigen, heftig bewegten Gestalten und Gruppen über, die ein leidenschaftl., zunehmend barockes Pathos erfüllt. Auch Bauplastik (Fassade des Unterrichtsministeriums in Rio de Janeiro, 1942–44).

A. M. HAMMACHER: J. L. (1961); Œuvres de J. L., hg. v. N. JACQUES-BARBIER (Paris 1978).

Lippi, 1) Filippino, ital. Maler, Sohn von 2), *Prato um 1457, †Florenz 18. 4. 1504, lernte bei seinem Vater, seit 1472 bei S. BOTTICELLI, dessen Stil er zu einer ornamentalen, sensiblen Ausdruckssprache weiterbildete. (BILD S. 95)

Fresken: Ergänzung der Freskenfolge des MASACCIO in der Brancacci-Kapelle von S. Maria del Carmine in Florenz (um 1481–83); Fresken der Carafa-Kapelle in S. Maria sopra Minerva in Rom (1489–93); Fresken der Strozzi-Kapelle in S. Maria Novella in Florenz (1502 voll.). – **Tafelbilder:** Vision des Hl. Bernhard (Florenz, Badia); Anbetung der Könige (1496; ebd., Uffizien); Madonna mit Heiligen (ebd., S. Spirito).

2) Fra Filippo, ital. Maler, Vater von 1), *Florenz um 1406, †Spoleto 9. 10. 1469, von 1421 bis 1456 Karmelitermönch, stark von MASACCIO beeinflußt. Dann schuf er in bewußter Abwendung von Masaccio einen neuen, mehr linearen, ausdrucksbetonten Stil, mit dem er die Grundlage für die weitere Entwicklung der Florentiner Malerei des Quattrocento legte. Seine reifen Werke sind erfüllt von innerer religiöser Empfindung und poetisch verklärter Wirklichkeitsbeobachtung. (BILD S. 95)

HW: Madonna Trivulzio (Mailand, Castello Sforzesco); Marienkrönung (Florenz, Uffizien); Madonna mit Kind (Rundbild; Florenz, Palazzo Pitti); Fresken aus dem Leben des Hl. Stephanus und

Filippino Lippi:
Selbstporträt
(Florenz,
Uffizien)

Johannes des Täufers (1452–66; Prato, Dom); Anbetung des Kindes (um 1459; Berlin-West, Staatl. Museen); Maria mit Kind und 2 Engeln (um 1465; Florenz, Uffizien); Fresken des Marienlebens im Dom zu Spoleto (1466–69; voll. von FRA DIAMANTE).

IRENE BELOW: Leonardo da Vinci und F. L., Studien ... (1971).

3) Lorenzo, ital. Maler, *Florenz 3. 5. 1606, †ebd. 15. 4. 1665. Der auch als Schriftst. tätige Künstler lernte bei M. ROSSELLI; daneben auch von SANTI DI TITO beeinflußt. Seine zahlreichen Altarbilder, Porträts sowie bibl. und allegor. Szenen sind gekennzeichnet durch eine malerisch weiche Behandlung der gleichwohl zeichne-

Fra Filippo Lippi:
Maria mit Kind und 2 Engeln; um 1465
(Florenz,
Uffizien)

risch präzis umschriebenen Oberflächen, bei gleichzeitigem Verzicht auf dekorative Details.

Lippold [l'ıpəld], Richard, amerikan. Bildhauer, *Milwaukee 3. 5. 1915, gestaltete seit 1947 abstrakte, meist symmetr. Hängekonstruktionen aus Draht und Metall, die wie gebündelte Strahlen in den Raum greifen. Auch Bauplastiken; die Arbeit für das Lincoln Center in New York war 1962 die bis dahin größte Plastik des 20. Jh.

Lippoldsberg, Teil der Gem. Wahlsburg, Kr. Kassel, Hessen, mit ehem. Benediktinerinnenkloster. Die Kirche (um 1142–51), eine dreischiffige Pfeilerbasilika, ist eine der besterhaltenen und bedeutendsten roman. Gewölbebauten in Dtl.; im W tiefe Empore über der ›Nonnenkrypta‹ mit ornamentierten Würfelkapitellen.

Lippstadt, Stadt im Kr. Soest, NRW, 65 500 Ew.; um 1185 als erste planmäßige Stadtanlage in Westfalen gegr., ehem. Hansestadt. Die Marktkirche St. Marien (›Große Marienkirche‹) ist eine münsterländ. Hallenkirche mit Stützenwechsel und wuchtigem Westturm (1. H. 13. Jh.) sowie 2 Osttürmen am 1478–1506 spätgotisch erweiterten Hallenchor. Die Damenstiftskirche St. Marien (13./14. Jh., seit 1819 Ruine) ist die reichste frühgot. Kirche Westfalens. Kreis-Mus. in einem der schönsten Rokoko-Bürgerhäuser des Landes (um 1765/70) mit Stuckdecken (ähnlich denen im ehem. Palais Redberg, um 1720, jetzt Hotel Köppelmann).

Lips, Johann Heinrich, Maler, Kupferstecher, *Kloten (bei Zürich) 29. 4. 1758, †Zürich 5. 5. 1817, lehrte an den Akad. in Mannheim (seit 1780) und Düsseldorf (seit 1782) und war 1782 und 1786–89 in Rom; danach Prof. an der Zeichenakad. in Weimar (1789 bis 1794). – L. illustrierte u. a. J. K. LAVATERS ›Physiognom. Fragmente‹ (1773) und malte Porträts von J. W. v. GOETHE (1791) und C. M. WIELAND. Er stach fast 1500 Blätter.

Lipsanothẹk [grch.], allg. Bez. für Reliquiar, v. a. die L. in Brescia (Mus. des christl. MA.), ein reich reliefierter frühchristl. Reliquienkasten aus Elfenbein (4. Jh.).

Lipton [l'ıptən], Seymour, amerikan. Bildhauer, *New York 6. 11. 1903, schuf in den 1930er Jahren expressionist. Holzfiguren, fand seinen persönl. Stil nach dem 2. Weltkrieg mit pflanzen- oder tierhaft wirkenden Formgebilden zw. aggressiver Zuspitzung und organ. Rundung (Moloch-Serie), die er in direkter Bearbeitung des Metalls aus Eisenblech und Bronze herstellt.

Lisbọa, Antônio Francisco, brasilian. Bildhauer und Architekt, →Aleijadinho.

Lischt, Ort in Mittelägypten, 56 km südlich von Kairo auf dem westl. Nilufer. In der 12. Dynastie (1991 bis 1785 v. Chr.) lag hier die Königsresidenz mit ihrem Friedhof. Erh. sind die Ziegelpyramiden von AMENEMHET I., dem Begründer der 12. Dynastie, und seinem Nachfolger SESOSTRIS I., dazu die Gräber hoher Beamter. Der Reliefschmuck der königl. Kultbauten orientiert sich an Motiven des Alten Reiches.

Lisẹne [aus frz. lisière ›Grenze‹, ›Rand‹] *die,* ein wenig vortretender, glatter, senkrechter Streifen zur Gliederung der Wand (auch an Möbeln), im Unterschied zum →Pilaster ohne Basis und Kapitell.

Lisieux [lizj'ø], Stadt im frz. Dép. Calvados, an der Touques, 26700 Ew.; L. (1944 schwer zerstört) besitzt an alten Bauten noch die Kathedrale St. Pierre (12./13. Jh., im 15. und 16. Jh. erweitert), die Kirche St. Jacques (1496–1501) und den ehem. bischöfl. Palast (17. Jh., heute z. T. Gemäldegal.) und ist nach Lourdes Frankreichs bedeutendster Wallfahrtsort; hier war die Wirkungsstätte der Hl. Theresia vom Kinde Jesu; die ihr gew. Basilika wurde 1952 voll.

Liška [l'iʃka], Johann Christoph, Ritter **von Rottenwald,** böhm. Maler, *Breslau vor 1650, †Kloster Leubus 23. 8. 1712, hielt sich zw. 1674 und 1680 in Italien auf, zw. 1689 und 1708 in Prag; ging in seiner Kunst vom Stil M. WILLMANNS aus, dessen Dramatik er jedoch zu einem empfindsamen Ausdruck wandte. Die Behandlung des Lichts läßt bereits den Anfang des Rokoko ahnen. Um 1700 malte L. Altarbilder für Prager Kirchen. Aus seinem Stil entwickelte sich in der folgenden Zeit die Kunst von P. BRANDL, W. L. REINER, u. a.

Liss, Johann, früher auch Jan **Lys** genannt, Maler, *Oldenburg in Holstein um 1597, †Venedig 1629/30, vermutlich Schüler seines Vaters. Im Kreis der Haarlemer Maler (H. GOLTZIUS, W. BUYTEWECH, D. HALS) bildete sich L. 1616–20 weiter und fand in Flandern durch den Einfluß von J. JORDAENS zum Hochbarock; seit etwa 1621 war er in Venedig tätig. Hier wirkten auf ihn CARAVAGGIO und dessen Nachfolger, TIZIAN, P. VERONESE und v. a. D. FETI. – L. malte bes. Bilder mit kleinen Figuren, Bauernszenen und galante Feste in freier Gruppierung, virtuoser Lichtführung und leuchtendem Kolorit, in seiner venezian. Zeit auch in die Landschaft gestellte mytholog. Darstellungen in der Art von Cara-

Johann Liss: Die Toilette der Venus; um 1624/25 (Florenz, Uffizien)

vaggio und einige Altargemälde (›Die Eingebung des Hl. Hieronymus, um 1625/28; Venedig, S. Niccolò da Tolentino). Die Wirkung seines Stils ist noch bei G. B. TIEPOLO spürbar.

WW: Bauern streiten beim Kartenspiel (um 1616/17; Nürnberg, German. Nat.-Mus.); Judith mit dem Haupt des Holofernes (um 1621/22; Wien, Kunsthistor. Mus.); Das galante Paar (um 1624; Pommersfelden, Schloß Weißenstein); Die Toilette der Venus (um 1624/25; Florenz, Uffizien; Replik: Pommersfelden, Schloß Weißenstein; 1625/26); Die Entscheidung des Herakles (um 1624/25; Dresden, Gemäldegal.); Verzückung Pauli (um 1628/29; Berlin-West, Staatl. Museen).

J. L., Ausst.-Kat., Augsburg (1975).

Lissa a. d. Elbe, tschech. **Lysá nad Labem** [l'isa: n'adlabɛm], Stadt östlich von Prag, ČSSR. Der 1560–98 erbaute Renaissancepalast wurde 1738/39 vom Grafen SPORCK barock umgebaut; im Park Skulpturen von M. BRAUN und seinen Schülern. Ehem. Augustinerkloster, 1719–22 erbaut.

Lissabon, portug. **Lisboa** [liʒβ'oa], Hauptstadt Portugals, an der seenartig erweiterten Bucht des unteren Tejo gelegen, 829900 Ew., Erzbischofssitz. Im SO L.s liegen, vom Erdbeben 1755 wenig betroffen, der älteste Teil der Stadt mit dem Kastell São Jorge (urspr. 11. Jh.) und die unterhalb vom Burghügel sich zum Tejo erstreckende Altstadt (Alfama) mit der Kathedrale (Sé, urspr. 12. Jh., im 14. Jh. und nach 1755 erneuert; im Inneren romanisch, Chor mit Umgang und Kapellenkranz gotisch; Kreuzgang 14. Jh.), der Igreja da Conceiçao Velha (Neubau nach 1755 mit Portal des Vorgängerbaus in üppigem Emanuelstil) und der Casa dos Bicos (1522 erbaut; Fassade mit Diamantquadern; obere Stockwerke 1755 zerstört). Im N der Altstadt die Graça-Kirche (Neubau nach 1755; zweistöckiger Kreuzgang, Ende 16. Jh.). Östlich vom Kastell die Kirche São Vicente de Fora (beg. 1582 von F. TERZI nach dem Grundriß der Kirche Il Gesù in Rom, nach 1755 restauriert; in den beiden Kreuzgängen Azulejos-Wandschmuck mit Illustrationen zu Fabeln von LA FONTAINES, Ende 17. Jh.) und das Pantheon (urspr. um 1680 als Kreuzkuppelkirche beg., Kuppel erst 1967 voll.; mit Kenotaphen und Grabmälern). Im Zentrum der Stadt die einschiffige Kirche São Roque (1566–96) mit prachtvoller Innenausstattung (v. a. die Kapelle Johannes' des Täufers, die von den ital. Künstlern L. VANVITELLI und N. SALVI in Rom geschaffen wurde und 1748 in L. aufgestellt wurde). Nach der Erdbebenkatastrophe von 1755, die über ein Drittel von L. zerstörte, ließ Min. POMBAL die Unterstadt (Cidade Baixa) im Rechteckschema aufbauen; im S wird sie durch die Praça do Comercio – einen auf 3 Seiten mit arkadengeschmückten Bauten umrahmten Platz, der sich zum Tejo öffnet –, im N durch die Praça Dom Pedro IV. (meist Rossio genannt) mit Theater in klassizist. Stil (1842–46) abgeschlossen; außerhalb dieses Bezirks wurden seit 1822 Prachtstraßen (Avenida da Liberdade, 1,5 km lang, 90 m breit), Park- und Platzanlagen (Praça do Marquês Pombal, Praça dos Restauradores u. a.) angelegt. Ein Wahrzeichen L.s ist der von G. EIFFEL erbaute, mit neugot. Maßwerk geschmückte turmartige Aufzug (Elevador), der die Unterstadt mit dem höher gelegenen Zentrum verbindet. Im W der Stadt die Kirche Estrêla (1779–90, nach dem Vorbild der Klosterkirche in Mafra), die Wallfahrtskapelle Santo Amaro (1549, einziges Frührenaissancebauwerk in L.), das Parlamentsgebäude (urspr. Kloster S. Bento, 1598 von B. ÁLVARES erbaut) und über dem westl. Stadtviertel →Belém 1) der Ajuda-Palast (1802 begonnen); im O von L. liegt die Muttergotteskirche (Madre de Deus; urspr. Bau 1509, nach 1755 wiederaufgebaut; kleiner Kreuzgang im Emanuelstil). – 14 km nordwestlich von L. das ehem. königl. Sommerschloß →Queluz.

Museen. Das bedeutendste ist das Mus. Nacional de Arte Antiga mit Skulpturen-, Glas-, Keramik-, Möbel-, Goldschmiedekunst-Samml. und v.a. Gemäldegal. (alle Epochen europ. Malerei, bes. Werke des portug. Meisters N. GONÇALVES). Einen Überblick über alle Epochen der Kunstgeschichte bietet das Mus. der Stiftung Calouste Sarkis →Gulbenkian. Moderne und zeitgenöss. portug. Kunst (19. und 20. Jh.) im Mus. Nacional de Arte Contemporanea; Archäolog. Mus. in der ehem. Carmo-Kirche (1755 teilweise zerstört); Mus. de Arte Sacra (sakrale Kunst aus dem Kirchenschatz von São Roque und der 1755 zerstörten Misericórdia-Kirche); Nat.-Bibl. mit Hss.-Samml. (u.a. illuminierte Mainzer Bibel des 13. Jh.); stadtgeschichtl. Museen.

Lissitzky, Lissizkij, El (Eliezer), eigtl. Lasar Markowitsch L., russ. Maler, Architekt, *Potschinok (Gebiet Smolensk) 23. 11. 1890, †Moskau 30. 12. 1941, studierte an der TH in Darmstadt, arbeitete danach in Rußland als Architekt, Maler und Graphiker und kam mit der konstruktivist. Bewegung (W. TATLIN, K. MALEWITSCH) in Berührung. Seit 1921 war L. Prof. an der staatl. Kunstschule in Moskau; 1922/23 lebte er in Dtl., wo er mit T. VAN DOESBURG und dem Bauhaus in Verbindung stand. L. schuf gegenstandslose, mit Lineal und Zirkel konstruierte Kompositionen, in denen die Bildfläche durch Linien, geometr. Elemente und stereometr. Formen gegliedert wird. Er war der bed. Theoretiker des →Konstruktivismus und hat die Überwindung des →Expressionismus in den bildenden Künsten beschleunigt. Seine architekton. Entwürfe (u.a. ›Wolkenbügel‹, 1924) waren auf eine Dynamisierung des Städtebaus gerichtet.

Schriften: Die Kunst-ismen (1925, zus. mit H. ARP); Neues Bauen in der Welt, 1: Rußland (1930, Neuaufl. 1965).

H. RICHTER: El L., Maler, Architekt, Typograf, Fotograf. Erinnerungen, Briefe, Schriften, hg. v. SOPHIE L.-KÜPPERS (Dresden 1967); El L., Proun und Wolkenbügel, Schriften, Briefe, Dokumente (1977).

Li Ssu-hsün, chines. Maler, *651, †716, lebte als Mitgl. des T'ang Kaiserhauses in der Hauptstadt Ch'angan. Er entwickelte den bis in die moderne Zeit von Hofmalern praktizierten ›Blau-grün-Stil‹ der Landschaftsmalerei, welcher durch die dekorative Anwendung kräftiger Mineralfarben und die Konturierung von Felsen durch feine Goldlinien gekennzeichnet war. L. gilt als einer der Begründer des minuziösen, polychromen Stils der ›Nordschule‹ der Landschaftsmalerei. Von L. sind keine Werke erhalten; als eine der ältesten Kopien gilt das Fächerblatt ›Der Chiu Ch'eng Sommerpalast‹ (etwa 11. Jh., Peking, Palast-Mus.).

Li T'ang, chines. Landschaftsmaler, *Hoyang (Prov. Honan) um 1050, †1130, war an der Akad. des Kaisers HUI-TSUNG tätig und danach Direktor der Akad. der Südl. Sung-Dynastie in Hangchou, wo sein Stil favorisiert wurde und die Ma-Hsia-Schule (→Ma Yüan) beeinflußte.

HW: Wind in den Kiefern von tausend Tälern (signiert und datiert 1124, Palast-Mus. Taipeh).

Literatenmalerei, die nichtakadem. Richtung in der ostasiat. Malerei. Als Kunstform der chines. klassisch gebildeten Elite verkörperte die L. (chines. Wen-jen hua) seit dem 10. Jh. das Amateurideal des konfuzianisch gebildeten Gelehrten-Beamtentums, der Mönche sowie weltabgewandter Außenseiter. Sie betrieben die Kunst nicht wie Akademie- oder Berufsmaler als Broterwerb, sondern erstrebten als Dilettanten die Beherrschung der vier großen Künste Poesie, Kalligraphie, Malerei (Tuschespiel) und Musik zur ›Kultivierung ihrer Persönlichkeit‹. Gemälde und Kalligraphien galten als ›Siegelabdrücke des Herzens‹ und wurden unter Freunden und Gleichgesinnten ausgetauscht. Unter dem Einfluß neo-konfuzianischen, ch'an-buddhist. und taoist. Gedankenguts bildete sich in der Sung-Periode mit MI-FU und SU TUNG-P'O und im Anschluß daran in der Yüan-Zeit mit WU CHEN und NI TSAN eine Ästhetik der L. heraus, die nicht die realist. Abbildung der Naturgegenstände, sondern Umsetzung in eine persönl., expressive Handschrift zum Ziel hatte. Wichtige Wertkategorien waren: Intuition, Spontaneität, Natürlichkeit, Studium der Meister des Altertums. Gegen Ende der Ming-Zeit wurde die L. maßgeblich durch TUNG CH'I-CH'ANG und seine Theorien beeinflußt. Er bezeichnete die L. analog zur ch'anbuddhist. Südschule als ›Südschule‹ und grenzte sie gegen die akademisch orientierte ›Nordschule‹ ab.

Nach Japan gelangte die L. im 18. Jh. (japan. Bunjinga). Sie entsprach der vage angedeuteten Skizzenhaftigkeit der Haiku (17silbige Kurzgedichte) und wurde häufig zu deren Illustration angewendet. Hauptvertreter waren: IKE NO TAIGA, BUSON, URAGAMI GYOKUDO (*1745, †1820), AOKI MOKUBEI (*1767, †1833), BUNCHO, WATANABE KANZAN und TANOMURA CHIKUDEN-(*1777, †1835), der auch theoret. Schriften über L. verfaßte.

LIN YU-T'ANG: Chines. Malerei – eine Schule der Lebenskunst (1967); SUSAN BUSH: The Chinese literati on painting (New York [2]1978).

Lithographie [grch.], **Steindruck,** das älteste Flachdruckverfahren (→Druckverfahren), bei dem als Druckform eine Platte aus Kalkstein **(lithograph. Stein,** gern verwendet Solnhofener Kalkschiefer) dient. Dieses Verfahren nutzt die Erfahrung, daß sich Fett und Wasser abstoßen. Die Kalksteinplatte ist sehr feinporig und kann Wasser und Fett leicht aufnehmen; die Zeichnung wird mit Fettkreide oder -tusche darauf übertragen. Dann wird der Stein mit einer Scheidewasserlösung geätzt und anschließend mit einer mineralsauren Gummiarabicum-Lösung behandelt. Hierdurch werden die von der Zeichnung freien Stellen fähig, Wasser aufzusaugen. Beim Einfärben mit fetter Druckfarbe

Lithographie: Paul Gavarni, ›Dame am Briefkasten‹; kolorierte L.

nimmt nur die Zeichnung Farbe an, die befeuchtete, bildfreie Fläche nicht. Von der fertigen Steinplatte lassen sich Abzüge in fast beliebiger Auflagenhöhe herstellen. Zum Druck in **Steindruckmaschinen** wird die Druckform mit Wischwalzen befeuchtet und mit Lederwalzen eingefärbt. An Stelle der unhandl. L.-Steine wurden später gekörnte Zink- (→Zinkdruck) oder Aluminiumplatten (→Aluminiumdruck) verwendet. Heute ist die L. auf photograph. Grundlage und Metallplatten umgestellt.

Anders als die Materialien Holz und Kupfer für Hoch- und Tiefdruckverfahren, die der arbeitenden Hand beim Schneiden und Gravieren erhebl. Widerstand entgegensetzen, bietet der lithograph. Stein eine glatte Fläche, auf die der Künstler direkt mit Kreide, Feder oder Pinsel zeichnet wie auf Papier; somit sind die lithograph. Erzeugnisse der spontanen Handzeichnung verwandt.

Geschichte. Nach Versuchen mit hoch- und tiefgeätzten Platten seit 1796, bei denen bald an die Stelle des Kupfers der Solnhofener Schiefer trat, gelang A. SENEFELDER endgültig 1798 die Erfindung, die er chem. Druckerei oder Steindruckerei nannte und die in Frankreich seit etwa 1803 L. heißt. Zunächst nur für nichtkünstler. Zwecke (Text- und Notendruck, sowie bis ins späte 19. Jh. hinein für Reproduktionen) gedacht, veranlaßte der Musikverleger A. ANDRÉ aus Offenbach am Main die Verwendung der L. für die Vervielfältigung von bildner. Darstellungen und leitete damit die Entwicklung der Künstler-L. ein, die mit der Herausgabe der ›Specimens of Polyauthography‹ 1803 in London begann, denen 1804 in Berlin W. REUTER mit den ›Polyautographischen Zeichnungen‹ folgte. Die Technik verbreitete sich rasch in Dtl., England und Frankreich. Auf die L. bis 1821 ist der Begriff Inkunabeln übertragen worden. In Dtl. lithographierten G. SCHADOW, K. BLECHEN, F. SCHINKEL, D. QUAGLIO, F. OLIVIER, später F. Krüger und A. Menzel; in England J. H. Füssli, B. West, J. Barry; in Frankreich stehen am Beginn A.-J. Gros, P.-N. Guérin, C. Vernet, erste Höhepunkte erreichten T. Géricault und E. Delacroix. Für die techn. Weiterentwicklung, v. a. der **Kreide-L.,** leisteten wichtige Beiträge C. Hullmandel und G. Engelmann, der 1837 ein Patent für **Chromo-L. (Farb-L.,** grundsätzlich schon von Senefelder benutzt) erhielt. Seit 1830 entstand das zahlenmäßig wie künstlerisch gleich bed. Werk von Grandville, P. Gavarni und H. Daumier (Bild Karikatur).

Die Nutzung des lithograph. Verfahrens für billige Bildreproduktionen in hoher Auflagenzahl brachte die L. aber unter dem Anspruch des künstler. Erzeugnisses zeitweise in Mißkredit. Um die Mitte des 19. Jh. setzte in Frankreich eine Bewegung ein, die in Reaktion darauf und auch auf die Konkurrenz der Photographie die Erneuerung der Radierung als der eigtl. Künstlergraphik forderte. Gleichzeitig begann mit É. Manet, H. Fantin-Latour, C. Corot, E. Degas, J. Whistler, A. Renoir die Rückkehr zur Künstler-L., die von R. Bresdin, O. Redon und E. Carrière weitergeführt wurde, ebenso wie von Künstlern der Gruppe der Nabis (P. Bonnard, E. Vuillard). Die Farb-L. erlangte überragende Bedeutung, als H. de Toulouse-Lautrec sie in den 1890er Jahren für sich entdeckte und zum eigtl. Me-

Lithographie: Rodolphe Bresdin, ›Comédie de la Mort‹; 1854

Lithographie: Henri de Toulouse-Lautrec, Sitzender weiblicher Clown; 1896

dium seiner Kunst machte (→Plakat). In seiner Nachfolge fand sie durch die Künstler des Jugendstils ein fruchtbares Anwendungsgebiet. In Dtl. nahmen H. THOMA, A. KUBIN (BILD) und KÄTHE KOLLWITZ die L. auf, zahlreiche Einzelblätter wie Buchillustrationen schufen M. LIEBERMANN (BILD), L. CORINTH, M. SLEVOGT. Der Norweger E. MUNCH leitete zum dt. Expressionismus über, wo die L. bei der →Brücke eine Rolle spielte; in Frankreich erfuhr die L. eine neue Blütezeit durch H. MATISSE, P. PICASSO, G. BRAQUE, M. CHAGALL.

F. H. MAN: 150 years of artist's lithographs, 1803 to 1953 (London 1953); W. WEBER: Saxa loquunter, Gesch. der L., 2 Bde. (1961–64); M. TWYMAN: Lithography 1800–1850 (London 1970); T. DOHRN: Der Flachdruck, 2 Bde. (1973); R. A. WINKLER: Die Frühzeit der dt. L., Kat. der Bilddrucke von 1796–1821 (1975); W. WEBER: Aloys Senefelder, Erfinder der L. (1981).

Litholscharlach, Maltechnik: roter Azofarbstoff (→Teerfarben).

Lithophanie [grch.], Porzellanbild, bei dem in eine dünne, unglasierte Biskuitporzellanplatte ein Relief so eingepreßt ist, daß bei durchscheinendem Licht die dünnen Stellen in Abstufungen als Lichter und die dikken als Schatten erscheinen. Diese Porzellanbilder kamen in Berlin in der 1. H. des 19. Jh. auf und waren als Schmuck von Lichtschirmen, Fenstern u. ä. beliebt. – Bei der **Lithoponie** sind die Reliefmulden mit Glasur aufgefüllt, so daß sich bei darauffallendem Licht die Modellierung im Gegensinn zur L. ergibt.

Lithopone [grch.] *die,* Maltechnik: Anstrichfarbe (**Deckweiß, Zinksulfid** und **Bariumsulfat),** seit Mitte des 19. Jh. künstlich hergestelltes Pigment.

Lithostroton [grch.] *das,* in der Antike ein Fußbodenbelag aus bunten Marmorsteinchen, regellos verteilt und daher vom Mosaik zu unterscheiden.

Lithyalinglas [grch.], in der Masse gefärbtes Glas, das durch seine verschiedenfarbige Marmorierung

Li Ti: Büffel und Hirt auf dem Heimweg im Schnee; Albumblatt, Tusche, leichte Farben auf Seide, 2. Hälfte 12. Jh. (Nara, Yamato Bunka-kan)

Edelsteine imitieren sollte. Es wurde um 1830 in Böhmen von F. EGERMANN (*1777, †1864) erfunden und war im Biedermeier für Vasen, Dosen und Becher beliebt.

Li Ti, chines. Maler, *Hoyang (Prov. Honan) um 1100, †Hangchou um 1197, war anfänglich an der Akad. des Kaisers HUI-TSUNG tätig, später Vizedirektor der Akad. in Hangchou. Seine Blumen- und Tierbilder zeigen bei sparsamer Kompositionsweise lyr. Stimmungsgehalt (›Büffel und Hirt auf dem Heimweg im Schnee‹, signiert, Nara, Yamato Bunka-kan).

Litoměřice [litɔmjɛrʒitsɛ], Stadt in der ČSSR, →Leitmeritz.

Litomyšl [lˈitɔmiʃl], Stadt in der ČSSR, →Leitomischl.

Little Moreton Hall [lɪtl mɔːtn hɔːl], Herrensitz des 15. und 16. Jh. in der Cty. Cheshire nördlich von Stoke-on-Trent, Mittelengland, bed. Beispiel engl. Fachwerkarchitektur. 1559 wurde die Hall durch den Anbau zweier Erker mit Giebelkranz erweitert, anschließend der S-Flügel als dreigeschossiger Rähmbau errichtet.

Little Rock [lɪtl rok], Hauptstadt des Staates Arkansas, USA, 159 000 Ew. Das 1928 eröffnete Arkansas Arts Center enthält eine Samml. neuerer Kunst, u. a. Werke von O. REDON und D. RIVERA.

liturgische Geräte, liturgische Gefäße, in der Kath. Kirche die Gefäße zur Feier der Eucharistie und für andere kult. Handlungen. In ihrer kostbaren Arbeit und ihrem oft reichen Schmuck sind sie auch Gegenstände der bildenden Kunst. – Der **Kelch** (seit dem 5. Jh. aus Edelmetall) besteht aus dem Fuß (lat. pes), dem Schaft mit Knauf (lat. nodus) und der Schale (lat. cuppa). Seine Form ist wohl urspr. aus dem spätröm. Doppelbecher hervorgegangen, dessen Fuß umgekehrt wieder als Gefäß dienen konnte. Im MA. wurden Fuß und Schale flacher; beide verband nun ein Schaft, der den Knauf aufnahm. Ein bed. Beispiel aus dem Ende des 8. Jh. ist der →Tassilo-Kelch. Die ma. Goldschmiedekunst schmückte den Kelch mit Gravierung, Treibarbeit, Email, Niello, bes. den Knauf an den 6 ›Rotuli‹ (Ansätzen) mit Edelsteinen, Korallen u. a. Die got. Zeit bildete die Cuppa wieder höher, den Fuß häufig in Form des Sechspaß. Nicht selten überlud sie aber den Kelch mit fein gearbeitetem Maß- und Laubwerk. Die Renaissance fand wieder zu einer in sich geschlossenen Form des Kelches. Statt der Halbkugelform nahm er in seinem oberen Teil nun eine geschweifte Form an. Die Gestalt des Barock-Kelches wird von überreichem plast. Schmuck bestimmt. – Im **Cibọrium,** einem Kelch aus Edelmetall mit größerer Cuppa und früher turmartigem Deckel, werden Hostien aufbewahrt. – Die **Patene**, ein runder Teller aus Edelmetall (Vertiefung rund oder in Form eines Vielpasses), wurde im MA. mit Edelsteinen, Perlen, Filigran, Email, Niello und Gravierungen geschmückt, oft mit figürl. Motiven, die sich auf die Eucharistie beziehen. – Die **Monstranz**, nach Einführung des Fronleichnamsfestes (im 13. Jh.) aus den älteren Reliquienschaugefäßen (Ostensorien) entstanden, besteht aus Fuß, Schaft und Aufsatz, einem früher runden oder zylindr. Behälter (aus Glas oder Kristall) für den mondförmigen Träger (daher lat. lunula) der gezeigten Hostie. Sie hatte zunächst die Form einer Pyxis oder Laterne, eines Turms oder eines Altaraufsatzes. Seit der Renaissance kam die reich mit Perlen und Steinen geschmückte ›Scheiben-Monstranz‹ auf, die der Barock gern als ›Sonnen-Monstranz‹ ausbildete. Ein bed. Beispiel Augsburger Goldschmiedekunst ist die ›Türkenmonstranz‹ von J. ZECKEL (1708; Ingolstadt, St. Maria Victoria) mit der Darstellung der Seeschlacht von Lepanto.

Die gottesdienstl. Geräte der prot. Kirchen sind in ihrer Form den l. G. ähnlich. Das **Abendmahlsgerät** besteht aus Kelch, Abendmahlskanne, Kelchlöffel, Oblatendose und Hostienteller. Bed. Beispiele der Abendmahlskanne (ein Krug mit Deckel, aus vergoldetem Silber oder Zinn) finden sich in Lübeck (1555; Marienkirche) und Leipzig (1587/88; Thomaskirche).

liturgische Gewänder, die in der Liturgie vom Geistlichen getragenen Gewänder. Sie gehören zu den Paramenten und bilden oft bed. Beispiele der Textilkunst. – Das **Meßgewand** (wegen seiner Ähnlichkeit mit der Form eines Häuschens auch **Kasel**, von lat. casula, genannt) entstand aus dem spätantiken Reisegewand, einem kreisrunden Stoffüberwurf mit Kopfausschnitt. Seit dem 6. Jh. Amtstracht der Priester und Bischöfe, seit etwa 1000 nur noch während der Liturgie getragen, wurde es aus kostbarem Stoff (Seide) gefertigt und mit reichem Schmuck verziert, im MA. auch mit Bildstickereien (bes. in Kreuzform). Aus der seitlich verkürzten Form dieser Zeit entstand die barocke Baßgeigenkasel (an Brust und Rücken herabhängende Zierträger). – Die **Dalmatica** (ein aus Griechenland über Dalmatien übernommenes Gewand) ist seit dem 12. Jh. Amtstracht der Diakone. Sie gehörte früher auch zum Krönungsornat der dt. Kaiser (ein Beispiel des 12. Jh. in Wien als Teil der Reichsinsignien, mit Perlen und goldgestickten Palmetten). – Kostbar gearbeitet war früher auch das **Pluviale** (Rauch- oder Chormantel), aus Seide oder Brokat, im Rückenteil mit einem aus der Kapuze entstandenen Zierstück in Form eines Schildes und mit reich gearbeiteten Pluvialschließen.

Liudger, Ludger, Heiliger, *Friesland um 744, †Billerbeck 26. 3. 809; dargestellt als Bischof (Miniatur des 12. Jh.), mit dem Modell des von ihm gegr. Klosters Werden an der Ruhr (Statue Anf. 15. Jh., Werden. Statue, um 1600, Münster, Dom).

Liuthar-Gruppe, eine der 4 Malergruppen der →Reichenauer Malerschule.

Liverpool [lˈɪvəpu:l], Stadt in der Metrop. Cty. Merseyside, W-England, am Mersey-Ästuar, 539 700 Ew., seit 1207 mit städt. Rechten ausgestattet, aber erst 1699 zur selbständigen Pfarrei erhoben. Beim Stadtausbau im 18. Jh. entstand 1765 die St. Paul's Kirche (1932 abgebrochen), 1754 die Town Hall (von J. WOOD im palladian. Stil erbaut, die Kuppel nach Brand 1795 aufgesetzt). Das klassizist. Custom House wurde 1941 zerstört, die im gleichen Stil erbaute St. George's Hall von H. L. ELMES (*1814, †1847) 1854 von C. R. COCKERELL voll. Infolge des starken Bevölkerungsanstiegs im 19. Jh. wurde 1850 in L. ein kath., 1880 ein anglikan. Bistum gegr. Letzteres erhielt ab 1904 eine neugot. Kathedrale auf dem St. James' Mount über der Stadt, von der nach den Plänen von G. G. SCOTT bis 1924 nur Chor, Querhaus mit Vierungsturm und Chapter House ausgeführt wurden. Der Bau der kath. Kathedrale wurde 1933 von E. LUTYENS auf dem Mount Pleasant als überkuppelter Zentralbau nach dem Vorbild von St. Peter in Rom in klaren Backsteinkuben mit klass. Motiven beg.; davon nur die Krypta verwirklicht; stattdessen entstand 1960–67 die heutige Kirche von F. GIBBERD (*1908) als zeltförmiger Zentralbau in Skelettbauweise mit tambourartigem Aufsatz.

Livingstone [lˈɪvɪŋstən], auch **Maramba,** Stadt in Sambia, nördlich der Victoriafälle, 80 000 Ew.; Nat.-Mus. mit Samml. zur traditionellen afrikan. Kunst.

Livre d'heures [livrəd'œ:r, frz.], →Stundenbuch.

Liwan [pers.-arab.], oriental. Bauform, →Iwan.

Lixus, Ruinenstadt an der NW-Küste Marokkos, 4 km östlich von El-Araisch. Um 1100 v. Chr. von Phönikern gegr., Blütezeiten unter den Puniern, den berberisch-mauretan. Königen und den Römern. In der Akropolisstadt, von mächtiger vorröm. Mauer aus sorgfältig verbundenen Hausteinen umgeben, mehrere bed. Ruinenkomplexe. Fast alle vorröm. Bauten wurden in der Römerzeit umgebaut. Östlich der Akropolis Theater (sternförmig unterteilte Cavea) mit Amphitheater und anschließendem Thermenbau (3. Jh. n. Chr.); nahebei Poseidon-Bodenmosaik.

Ljubljana, dt. **Laibach,** Hauptstadt der Teilrep. Slowenien, Jugoslawien, 304 500 Ew. Unter dem Namen Emona erhielt L. schon 34 v. Chr. Stadtrechte von Rom, in der Zeit der Völkerwanderung wurde es stark zerstört, kam 1276 an die Habsburger und war Hauptstadt von Krain. Der älteste erhaltene Bau ist das got. Bergschloß (12. Jh.) über der Stadt, als Sitz des Herzogs von Krain im 15./16. Jh. restauriert (Bergfried 19. Jh.). L. hat v. a. barocke Bauten: Franziskanerkirche (1646 bis 1660), ein einschiffiger Bau mit Seitenkapellen; der Dom, an der Stelle eines romanisch-got. Baus 1700–07 errichtet, mit Fresken an den Gewölben und in den Seitenkapellen (nach 1703; barocke Ausstattung); Dreifaltigkeitskirche (1716–27), ein Beispiel slowen. Barockkunst. Ferner Palais und Häuser des 15.–18. Jh.

Llanos [ʎ'anɔs], Fernando de **Los L.,** span. Maler, nachweisbar 1504–20, arbeitete in Werkstattgemeinschaft mit F. →Yáñez.

Llanthony [l'ænθənɪ], Augustinerabtei in der westengl. Cty. South Glamorgan, östlich von Cardiff. Die Abteikirche (heute Ruine) des späten 12. Jh., eine Querhausbasilika mit siebenjochigem Langhaus, Vierungsturm und westl. Zweiturmfassade, wurde unter dem Einfluß der Zisterzienserarchitektur in einfachen frühgot. Formen erbaut.

Loarre, span. Ort in Aragonien, rd. 30 km im NW von Huesca, mit der bedeutendsten roman. Festung Spaniens (1063–94 als Vorposten gegen die Araber errichtet); Burgkirche (um 1100) mit feingliedrigem Chor und reicher Kapitellplastik, v. a. in der Krypta (Pflanzen- und Tierdarstellungen, Engel, Dämonen u. a.).

Löbau, Stadt im N des Lausitzer Berglands, westlich von Görlitz, Dt. Dem. Rep., 17 500 Ew.; romanisch-got. Nikolaikirche (13.–14. Jh., 1884/85 stark verändert), spätgot. Johanniskirche (15. Jh.), beide mit Krypta, Barockrathaus (1711) mit Laubengang.

Lobenfeld, Ortsteil von Lobbach, südöstlich von Heidelberg, Bad.-Württ., mit ehem. Augustinerchorherrenstift (1152 gegr.); von der roman. Kirche (2. H. 12. Jh.) wurden nur die wuchtigen Ostteile ausgeführt, das abgeteilte Langhaus erst 2. H. 15. Jh. ergänzt; Reste von Wandmalereien.

Lobi, Volksgruppe in SW-Obervolta, NO-Elfenbeinküste und NW-Ghana. Die L. stellen Figuren aus hartem Holz (›Eisenholz‹) her, welche Geister darstellen (›thila‹) mit Vermittler-, Fürbitt- und Schutzfunktionen, je nach der Art ihrer Zweckbestimmung mit erhobenen, ausgebreiteten oder ruhenden Armen, doppelköpfig

Lobi: Kopf aus braunem Holz mit Frisur in drei kammartig geordneten Zöpfen, 37 cm (Privatsammlung)

oder janusförmig, auf Pfählen, als Zwillings- oder auch kopulierendes Paar. Neben den Figuren gibt es ebenso ausdrucksvoll geschnitzte Köpfe, oft mit langen Hälsen als Pfähle, sowie Hocker, die mit Köpfen beschnitzt sind. Auch die Bronze- und Messingarbeiten der L., ebenfalls von hoher künstler. Qualität, sind fast ausschließlich kultisch bedingt und stellen menschl. Figuren und Tiere (Chamäleon, Schlange) dar, die meist als Anhänger, Ring oder Armreif gefertigt werden.

Piet Mayer: Kunst und Religion der L. (1981).

Loburg, Stadt im Kr. Zerbst, Dt. Dem. Rep.; Stadtkirche im Kern frühgotisch, mit mächtigem W-Turm (um 1200), Schiff und Chor 1580–84 erneuert, Renaissancegiebel an Schiff, Chor und Sakristei; Sakramentsschranktür mit gemaltem Schmerzensmann (um 1400).

Locarno, Stadt im schweizer. Kt. Tessin, am N-Ende des Lago Maggiore, 15300 Ew. Das ma. Schloß, Mitte 15. Jh. großzügig in Formen der Gotik und ital. Frührenaissance ausgebaut, enthält das Mus. Civico (archäolog. Samml.) und das Mus. d'arte moderna (v.a. H. Arp, Dadaisten). Ehem. Klosterkirche S. Francesco (1229 gegr., Neubau 1538 beg.), eine dreischiffige Basilika mit Renaissancefassade; von der ehem. Kirche S. Maria in Selva (um 1400) nur Chor und Turm erh., im Chor hervorragende Fresken im ›internat. Stil‹ (um 1400); S. Vittore in Muralto (wohl zw. 1090 und 1110), roman. Pfeilerbasilika, Renaissance-Turm (1524–27), unter dem Hauptchor eine dreischiffige Hallenkrypta, die als die schönste der Schweiz gilt. Nordwestlich über L. die Wallfahrtskirche Madonna del Sasso (1616 gew.), deren Loggia das Wahrzeichen der Stadt ist; wertvollstes Ausstattungsstück das Altarbild ›Flucht nach Ägypten‹ von Bramantino (1522).

Loccum, Ortsteil von Rehburg-L., Kr. Nienburg, Ndsachs., mit 1163 gegr., fast vollständig erh. ma. Zisterzienserabtei (heute evang. Predigerseminar); aus dem 13. Jh. stammen die got. kreuzrippengewölbte Pfeilerbasilika (1240–80), der Kreuzgang (um 1300), Kapitelsaal und das prachtvolle Mönchsrefektorium (1593–96 umgebaut, heute Bibl.). Neben dem Torhaus die Frauenkapelle (1277 gew.).

Loches [lɔʃ], Stadt im frz. Dép. Indre-et-Loire, 6800 Ew., eine von Mauern umzogene Burgstadt. Die Kirche St-Ours (12. Jh.) besitzt eigentüml. spitze Steinhelme auf den 2 Türmen und 2 Hohlpyramiden über dem Mittelschiff. Erh. sind die Porte Royale (mit Mus.), die Porte des Cordeliers (15. Jh.), das Rathaus (1535–43) mit der Porte Picoys (15. Jh.) sowie Renaissance-Bürgerhäuser. Nördlich auf einer Anhöhe liegt das königl. Schloß (Logis Royaux, Residenz der Valois, Wohnsitz v. a. Karls VII.), eine riesige Anlage des 15. Jh. mit Tour Ronde und Tour de Martelet (beide 15. Jh.).

Lochner, Stefan, Maler, *Meersburg (?) um 1400, †Köln 1451 (als Mitgl. des Rates), ebd. seit etwa 1430 tätig, Hauptmeister der →Kölner Malerschule. In einem stark persönlich geprägten Stil (Elemente der Elsässer und Ulmer Kunst?) führte L. die Kölner Tradition weiter. Er verband die Idealität und weltabgewandte Anmut der hochmittelalterl. Kunst mit dem Realismus

Stefan Lochner: Madonna in der Rosenlaube; um 1448 (Köln, Wallraf-Richartz-Museum)

der Niederländer: Überzeugend räumlich-körperhafte Gestaltung steht in transzendentem Goldgrund. Seine sorgfältige Malkunst ist von juwelenhafter Kostbarkeit und Leuchtkraft. L. beherrschte alle Formate: von der Miniatur (Darmstädter Gebetbuch) bis zum Riesenformat des – urspr. für die Ratskapelle bestimmten – Kölner Dombildes (seit 1810 im Dom). Viele seiner Bilder, bes. die ›Madonna in der Rosenlaube‹ (um 1448; Köln, Wallraf-Richartz-Mus.), gehören zu den Meisterwerken der altdt. Malerei.

WW: Weltgerichts-Altar (um 1435; urspr. Köln, St. Laurentius; heute ebd., Wallraf-Richartz-Mus.); Veilchenmadonna (um 1439; ebd., Diözesan-Mus.); Anbetung der Könige (Kölner Dombild, um 1440; ebd., Dom); Anbetung des Kindes (um 1445; München, Alte Pinakothek); Darbringung im Tempel (1447; urspr. Köln, Deutschordenskirche; heute Darmstadt, Hess. Landesmus.); Kreuzigung (Nürnberg, German. Nat.-Mus.).

O. H. FOERSTER: S. L., ein Maler zu Köln ([2]1941); H. KAUFFMANN: S. L. (1952).

Weitere Lit.: →Kölner Malerschule.

Lochstädt, Lochstedt, Burganlage des Dt. Ordens am N-Ende der Frischen Nehrung in Ostpreußen, heute zum sowjet. Gebiet Kaliningrad gehörig; etwa 1270 bis 1300 erbaut, Wandmalereien aus dem 14. Jh., S-Flügel mit Sakristei und W-Flügel erhalten. Die Kapelle ist der besterhaltene Zierbau der älteren Ordensarchitektur.

Locri, Stadt an der SO-Küste von Kalabrien (Italien), 12400 Ew. Südwestlich der Stadt lag das antike **Lokri,** grch. **Lokroi,** um 700 v. Chr. von Kolonisten aus dem grch. Lokris gegr., Blütezeit im 6. und 5. Jh. v. Chr.; Reste der Stadtmauer und mehrerer Tempel. Die **Lokrischen Reliefs** sind nach ihrem Fundort benannte kleinformatige, bemalte Tonreliefs (Weihgeschenke); der Stil der Darstellungen läßt auf die 1. H. des 5. Jh. v. Chr. schließen.

Locronan [lɔkron'ã], Gem. im frz. Dép. Finistère, Bretagne; Wallfahrtsort (alle 6 Jahre große Prozession ›Grande Troménie‹). Am Hauptplatz (›Place‹) Renaissance-Häuser, Kirche im Flamboyant-Stil (Mitte 15. Jh.) und Chapelle du Pénity (1510–14; mit Grabmal des Hl. Ronan, 16. Jh.; Kirchenschatz).

Lodi, Stadt und Bischofssitz in der ital. Prov. Mailand, Lombardei, 45 000 Ew. Im Zentrum an der von Arkadenhäusern des 14.–18. Jh. gesäumten Piazza della Vittoria der Dom (urspr. romanisch, mehrfach verändert; Reliefs von Adam und Eva am Hauptportal, um 1180–90), Broletto (frühgot. Stadtpalast, 1284 beg., Fassade 18. Jh.) und Bischofspalast (1730 erneuert). Zahlreiche Kirchen, u. a. S. Francesco (etwa 1280 bis 1307; im Inneren Fresken des 14. und 15. Jh.), S. Maria Incoronata (1488 beg., ein Oktogon mit Kuppel im Stil der Frührenaissance). Im Palazzo S. Filippo (18. Jh.) Mus. (Antikensamml., Gemälde) und Bibl. – Etwa 7 km südwestlich in **Lodi Vecchio** [-v'ɛkkjo] (das antike Laus Pompeia, 1151 zerstört) die Kirche S. Bassiano (um 380 gegr., im 12. und 14. Jh. verändert).

Łódź [łutsj], Hauptstadt der gleichnamigen Stadt-Wwschaft, Polen, 825 000 Ew. Von der Regierung Kongreßpolens als Standort der Textilindustrie bestimmt, entwickelte sich Ł. seit 1820 zur bed. Industriestadt. Mehrere Industriegebäude aus dem 19. Jh. sind noch erh. Im klassizist. Webereigebäude (1835–37) der Fam. Geyer ist heute das Zentrale Mus. der Textilindustrie untergebracht. Ł. hat zahlreiche Jugendstilhäuser, Rathaus (1827), Franziskanerkloster (2. H. 18. Jh.) und barocke Kirche (1702–23); Kunst-Mus. mit zeitgenöss. Sammlung.

Loèche-la-Ville [lo'ɛʃ lav'il], frz. Name von →Leuk.

Loetz, Glasfabrik in Klostermühle (W-Böhmen); 1836 als Hohlglashütte gegr., 1840 von J. LOETZ übernommen; der Betrieb wurde im 2. Weltkrieg aufgelöst. Unabhängig von L. C. TIFFANY gelang die Entwicklung eines Lüsterdekors. Arbeiten nach Entwürfen von K. MOSER, J. HOFFMANN, D. PECHE u. a.

Loewensberg, Verena, schweizer. Malerin, *Zürich 28. 5. 1912, †ebd. 27. 4. 1986. Bes. von G. VANTONGERLOO beeinflußt, gestaltete sie v. a. geometrisch-abstrakte Kompositionen in einem der Konkreten Malerei nahestehenden, eigenständigen Stil.

SUSANNE KAPPELER: V. L. (1980).

Löfftz, Ludwig von, Maler, *Darmstadt 21. 6. 1845, †München 3. 12. 1910, war ebd. 1891–99 Direktor der Akad. und als Lehrer von großem Einfluß; zu seinen Schülern gehörte u. a. L. CORINTH. – Seine Bilder zeigen eine Tonmalerei in feinen Abstufungen.

Loge [l'oʒə, frz., aus ahd. louba ›Halle‹], Theater: vor die Rück- und Seitenwände des Zuschauerraums gebauter, nur zur Bühne hin offener Raum für einige Besucher. Die L. entstand im barocken Hoftheater, das standesgemäße Trennung des Publikums forderte. – Im

Kirchenbau bezeichnet man mit L. den abgetrennten Raum im Kirchenschiff oder auf der Empore für die Familie des Standesherrn **(Patronats-L.)**.

Loggia [l'ɔddʒa, ital., aus ahd. louba ›Halle‹], offene, von Säulen oder Pfeilern getragene, meist gewölbte Bogenhalle. Sie kann allein stehen oder im Erd- und Obergeschoß größerer Bauten eingeordnet sein (Laube, Galerie). Sie kann auch über mehrere Geschosse hinweggehen. Die L. findet sich häufig in der got. Baukunst (venezian. Paläste) und in der Renaissance; sie diente als repräsentativer Raum für Behörden (Florenz, L. della Signoria, 1376–82, seit Herzog Cosimo I. de Medici wegen ihrer Verwendung als Wache L. dei Lanzi genannt, 1841 in München als ›Feldherrenhalle‹ nachgeahmt; Verona, L. del Consiglio, 15. Jh.) oder für vornehme Familien (Mailand, L. degli Osii, 1316; Florenz, L. dei Rucellai, 1446–51), ferner zur Niederlegung von Findelkindern (Florenz, L. del Bigallo, 1352 bis 1358) oder als Markthalle (Florenz, L. di Mercato Nuovo, 1547–51). Im Obergeschoß des Damasushofes im Vatikan. Palast befinden sich die ›Loggie di Raffaello‹, so genannt nach den Dekorationsmalereien Raffaels (1517 voll.). Die offenen Bogenhallen an Kapellen, Häusern und in Kreuzgängen heißen sonst in Italien ›portici‹. – Bei Wohnhäusern ist die L. ein offener überdeckter Aufenthaltsraum, der nicht wie der Balkon vor der Mauer liegt, sondern hinter die Mauerflucht zurückspringt.

Logroño [loɣr'oɲo], span. Stadt und Bischofssitz am oberen Ebro, 97 900 Ew.; Kirche S. María la Redonda (15. und 18. Jh.) mit zweitürmiger Barockfassade und reich geschmücktem Portal (1742); S. Bartolomé (12. bis 14. Jh.) mit qualitätvollem Skulpturenportal (Anf. 14. Jh.); S. María del Palacio (urspr. 11./12. Jh., Turmspitze 13. Jh., im 16. und 18. Jh. verändert) mit hochverehrter sitzender Madonnenfigur (13. Jh.) im Inneren und Kreuzgang (18. Jh.; Fresken mit Passionszyklus von José de Vexes, 1771).

Løgumkloster [l'øɣom-], Gem. in S-Jütland, Dänemark, mit 1175 gegr. Zisterzienserkloster. Die Kirche (beg. Ende 12. Jh.), eine dreischiffige Backstein-Pfeilerbasilika mit Querschiff, zeigt durch die mehr als 100jährige Bauzeit einen von O nach W und von unten nach oben fortschreitenden Stilwandel von roman. zu got. Formen (rein got. W-Fassade mit Treppengiebel). Von den Klostergebäuden ist nur ein Teil des O-Flügels erh.

Lohan, chines. Bez. für die in Gruppen von 16, 18 oder 500 dargestellten Buddha-Jünger (Skt. **Arhat**), welche das Mönchsideal der Selbsterlösung durch Askese und Meditation verkörpern; seit dem 10. Jh. bes. in der chines. Ch'an-Kunst. Die L.-Darstellung wurde vom Künstler für individuelle Gestaltung genützt: L.-Bilder des Kuan Hsiu, realist. Tonplastiken im Drei-Farben-Dekor von Ichou (12. Jh.). In Fortsetzung dieser Tradition wurden in der Ming-Zeit fast lebensgroße L.-Serien aus buntglasiertem Steinzeug gebrannt.

Lohja [l'ɔxja], schwed. **Lojo** [l'u:ju], Stadt in S-Finnland, 18 800 Ew. Die Feldsteinkirche (14. Jh.) ist über-

Lohja: Kirche, 14. Jh.

aus reich mit Wand- und Gewölbemalereien (1510–22) geschmückt: pflanzl. und figürl. Motive in leuchtenden Farben.

Lohr a. Main, Stadt in Unterfranken, Bayern, 16600 Ew.; 1559–1803 zum Erzstift Mainz gehörig. In der got. Pfarrkirche (13./15. Jh.) die Grablege der Grafen von Rieneck mit bed. Grabdenkmälern. Mehrtürmiges Schloß (zw. 1561 und 1611); Rathaus (1599–1601). Im Heimat- und Spessart-Mus. v. a. Erzeugnisse der Lohrer Spiegelmanufaktur des 18. Jh.

Lohse, Richard Paul, schweizer. Maler, Graphiker, *Zürich 13. 9. 1902, entwickelte aus spätkubistisch-expressionist. Anfängen seine ungegenständl., an P. MONDRIAN und G. VANTONGERLOO anschließende Gestaltungsweise (bes. Horizontal-Vertikal-Gliederung von Farbflächen); war Mitbegründer der Künstlergruppe ›Allianz‹. Seine Werke wurden richtungweisend für die Konkrete Malerei in der Schweiz. L. verfaßte ›Modulare und serielle Ordnungen‹ (1973); ge-

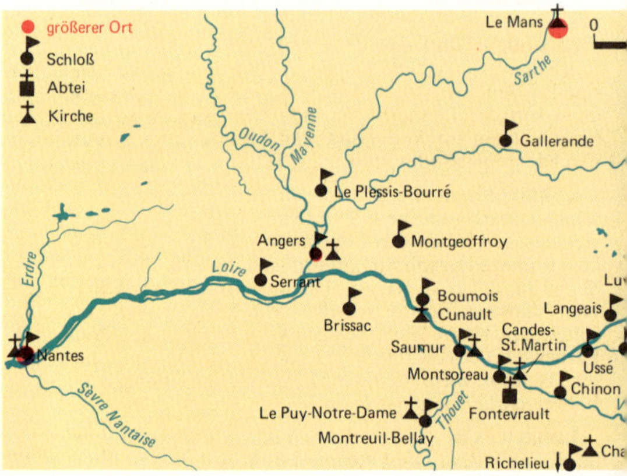

hört zu den grundlegenden farbtheoret. Arbeiten des 20. Jh.

E. GOMRINGER u. a.: R. P. L. (1973).

Loire-Schlösser [lwa: r-], die im mittleren Abschnitt der Loire, zw. Gien und Angers, und ihren Seitentälern seit dem MA., bes. im 16. Jh. entstandenen Burgen und Schlösser; bevorzugter Aufenthalt frz. Könige, v. a. der Valois und zahlreicher Feudalherren. Die architekton. Entwicklung geht von der wehrhaften Burg bis zum Lustschloß des 18. Jh. Aus den auf Hügeln liegenden befestigten Burganlagen des 12.–14. Jh. (Sully, Loches, Chinon, Langeais, Angers) entwickelten sich prunkvolle Renaissanceschlösser (Chambord; Blois, BILD Renaissance; Amboise; Chenonceaux; Azay-le-Rideau), bei denen die einst zur Verteidigung dienende architekton. Ausstattung nur noch dekorativ verwendet wurde. Die im 17. und 18. Jh. gebauten Lustschlösser waren meist von großen Parkanlagen umgeben (Cheverny). WEITERE BILDER S. 114

J. MÜLLER-MAREIN u. H. DOMKE: Schlösser der Loire (1967); W. HANSMANN: Das Tal der Loire (Neuaufl. 1979).

Lokalfarbe, Lokalton, Malerei: die Eigenfarbe des im Bild dargestellten Gegenstandes. Die Veränderung der Farbe durch Licht oder Schatten bricht die L. oder hebt sie auf.

Lokapala [Skt. ›Welthüter‹], an indischen Tempeln den Himmelsrichtungen zugeordnete Schutzgottheiten (→Dikpala).

Lokeshvara [Skt. ›Weltherrscher‹], tantrische Bez. des Bodhisattva Avalokiteshvara Padmapani sowie einer Reihe hinduistisch-synkretist. Gottheiten (Shiva-L., Vishnu-L., Surya-L.) mit einer kleinen Figur des Amitabha in der Haarkrone.

Lokri, antike Stadt in S-Italien, →Locri.

Lolahasta [Skt.], Armhaltung ind. Götterfiguren: die Hand am herabhängenden linken Arm ist abgewinkelt und deutet Schreiten an, v. a. bei weibl. Bronzefiguren S-Indiens.

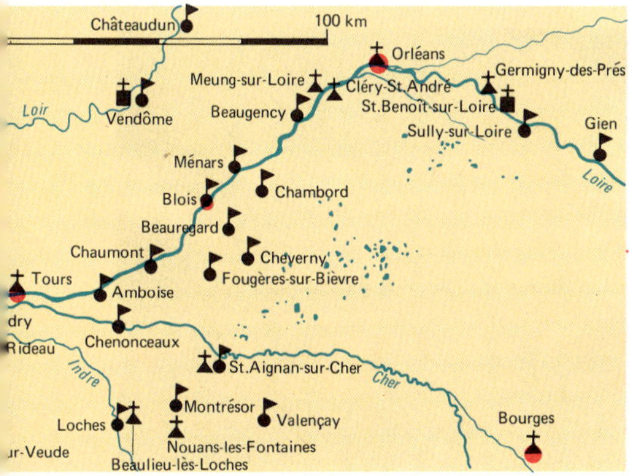

Loire-Schlösser

Loire-Schlösser: Chenonceaux

Lo-lang, eine der wichtigsten chines. Kolonien der Han-Dynastie (108 v. Chr.–313 n. Chr.) im Gebiet des heutigen N-Korea bei Pyŏngyang (KARTE koreanische Kunst). Archäologisch gesichert wurden Überreste einer Stadtanlage nach chines. Vorbild und rd. 1400 Gräber, deren Beigaben die Höhe des chines. Kunsthandwerks der Zeit dokumentieren (Lackkorb, goldene Gürtelschnalle).

Lom, Gem. im Gudbrandsdal, S-Norwegen. Die basilikale Stabkirche mit Chor, Apsis und 8 Säulenpaaren (Ende 12. Jh.) wurde 1663 kreuzförmig erweitert; Dekkengemälde im Chor (1608), Chorschranken (1793).

Loma, Volksgruppe in Westafrika, →Toma.

Lomas-Rishi-Höhle [-r'iʃi-], →Barabar-Höhlen.

Loire-Schlösser: Chambord

Lomazzo, Giovanni Paolo, ital. Maler, Kunstschriftst. und Dichter, *Mailand 26. 4. 1538, †ebd. 13. 12. 1600. Wesentlich bedeutender als sein nur fragmentarisch erhaltenes, gemaltes Werk sind die kunsttheoret. Schriften des seit 1571 erblindeten L.

Scritti sulle arti, 1 (Florenz 1973).

Lombard, Lambert, niederländ. Maler, Baumeister, *Lüttich 1505, †ebd. 1566, studierte 1537/38 in Rom Werke der Antike und der Hochrenaissance, begr. am bischöfl. Hof in Lüttich die klassizist. Richtung der romanist. Malerei. Er war der Lehrer von F. FLORIS und W. KEY, die seine Werke in Stichen verbreiteten.

Lombardo, Lombardi, venezian. Architekten-, Bildhauer- und Erzgießerfamilie des 15./16. Jh.

1) Antonio, Sohn von 2), *Venedig um 1458, †Ferrara um 1516, arbeitete meist mit dem Vater und seinem Bruder Tullio zus.; seit 1506 für ALFONSO I. D'ESTE.

2) Pietro, Vater von 1) und 3), *Carona (am Luganer See) um 1435, †Venedig Juni 1515, 1464–67 in Padua tätig, seit etwa 1470 Mitarbeit bei Bauten in Venedig. L. übertrug wie sein Rivale M. CODUCCI den florentin. Grabmalstyp nach Venetien und toskan. Renaissanceformen in die Architektur.

HW: Grabmal des A. Roselli (1464–67; Padua, S. Antonio); Grabmal des Dogen Pietro Mocenigo (1476–81, erstmalig mit Triumphbogenmotiv; Venedig, SS. Giovanni e Paolo); Kirche S. Maria dei Miracoli (1481–89, ebd.; mit polychromer Marmordekoration).
H. G. BRAND: Die Grabmonumente P. L.s (1977).

3) Tullio, Sohn von 2), *um 1455, †Venedig 17. 11. 1532. Sein Werk zeichnen ein stark von der Antike geformter kühler Stil und virtuose Technik aus.

HW: Wandgrabmal des Dogen Andrea Vendramin in SS. Giovanni e Paolo, Venedig (1494 voll.).

Lomonossow, bis 1948 **Oranienbaum,** Hafenstadt westlich von Leningrad, Russ. SFSR, 40 000 Ew.; entstand um das Schloß Oranienbaum (1710–25, G. SCHÄDEL und G. M. FONTANA) des Fürsten A. D. Menschikow. Hinzu kamen u. a. ein kleiner Palast Peters III. (1758–62, A. RINALDI) und das ›Chines. Palais‹ (1762 bis 1768, Rinaldi; mit kunstvollen Chinoiserien und Gemälden ital. Maler; heute Mus.).

Lomonossow-Porzellanfabrik [n. der russ. Hafenstadt Lomonossow], seit 1925 Name der 1744 als Kaiserl. Manufaktur in St. Petersburg gegr. Porzellanmanufaktur. Neben Tabatièren, Kaffee- und Teegeschirr wurde ein Tafelservice für die russ. Kaiserin ELISABETH (*1709, †1762) hergestellt. 1784 entstand das ›Arabesken-Service‹ (937 Teile) mit reichen figürl. Tafelaufsätzen in klassizist. Stil.

London [engl. l'ʌndən], Hauptstadt des Vereinigten Kgr. von Großbritannien und Nordirland. Die heutige Großstadt, 6,97 Mio. Ew., gelegen in einem Becken beiderseits der Themse, die von vielen Brücken überspannt wird (die bekanntesten sind Westminster, London und Tower Bridge), entwickelte sich aus den beiden Städten L. und Westminster. Eine röm. Festung **Londinium** wurde nach der Invasion von 43 n. Chr. von Kaiser CLAU-

DIUS gegr. und um 200 zu einer bed. Stadtanlage ausgebaut, von der einige Repräsentationsbauten ergraben sind. Nach der sächs. Eroberung gründete König ETHELBERT von Kent 604 St. Paul's Cathedral; während des frühen MA. wurde der Stadtausbau durch mehrere dän. Zerstörungen unterbrochen. Wohl erst Mitte des 10. Jh. entstand auf dem westl. Ufer des Themseknicks Westminster Abbey, deren Kirche, unter König EDUARD DEM BEKENNER (1042–66) um 1050 in enger Anlehnung an die normann. Architektur als Querhausbasilika mit Umgangschor erbaut, durch Grabungen bekannt ist. 1066 trat der normann. Herzog WILHELM DER EROBERER (1066–87) nach der Schlacht von Hastings die Herrschaftsnachfolge an und baute L. zum Mittelpunkt seines Reichs aus. Es entstanden 1077–97 der Tower mit White Tower, zentralem Keep und der Kapelle St. John (tonnengewölbte Emporenhalle mit Chorumgang) sowie 1097–99 Westminster Hall, von der die arkadengeschmückten Seitenwände erh. sind. Nördlich, außerhalb der ma. Stadt L., die 1191 die Anerkennung ihrer Privilegien erreichte, entstand 1123 das Augustinerkloster St. Bartholomew-the-Great, von dessen roman. Kirche nur die beiden Querhäuser und der Umgangschor mit Empore erh. sind. Südlich der Themse in Southwark (seit 1176 durch eine steinerne Brücke mit L. verbunden) war bereits 1106 ein Augustinerkloster entstanden, dessen Kirche in der 1. H. des 13. Jh. als frühgot. Querhausbasilika errichtet wurde. Der gleichfalls frühgot. Rundbau der Temple Church wurde 1185, ihr kreuzrippengewölbter Hallenchor mit schlanken Bündelpfeilern aus Purbeck-Marmor (von der südengl. Halbinsel Purbeck) 1240 gew. Beherrscht wurde die Stadt von der 1666 zerstörten St. Paul's Cathedral, deren roman. Langhaus 1221 bis 1241 durch einen frühgot. Chor und seit 1256 durch ein Presbyterium erweitert wurde.

Ein vollständiger Neubau von Westminster Abbey nach dem Vorbild frz. Kathedralen begann 1245 unter König HEINRICH III. (1216–72) durch HENRY OF REYNS (Rheims) als hochgot. Querhausbasilika mit Umgangschor und Kapellenkranz, deren Bau 1269 bis zum Lettner in der Mitte des Langhauses abgeschlossen war, während der W-Teil erst 1376–1422 und 1468–1502 unter weitgehender Angleichung an das älteste, dreigeschossige Aufrißsystem erbaut wurde. Für dieses ist der starke Farbkontrast zw. den in Purbeck-Marmor ausgeführten Bündelpfeilern und Diensten und dem urspr. bemalten Reliefmuster aller freien Wandteile charakteristisch. Die Kreuzrippengewölbe der O-Teile besitzen als Besonderheit engl. Gotik eine durchlaufende Scheitelrippe, das Langhaus zusätzl. Flechtrippen. Gleichzeitig entstanden Teile des südlich gelegenen Kreuzgangs mit dem oktogonalen Chapter House, dessen Wände vollständig in vierbahnige Maßwerkfenster aufgelöst sind. Im Innern der Kirche Prunkgrabmäler des 13.–15. Jh. Der ma. Ausbau des Bez. Westminster zum Repräsentationsort der engl. Monarchie wurde 1394 bis 1401 mit dem Neubau der Westminster Hall fortgesetzt; der offene Dachstuhl aus Eichenholz hat spitzbogiges Sprengwerk und in Engelskulpturen endende

Stichbalken. Nördlich der Abtei entstand 1480–1523 die Pfarrkirche St. Margaret als flachgedeckte spätgot. Basilika in Formen des späten Perpendicular Style, während die Abteikirche 1503–12 nach O durch die aufwendige Chantry Chapel von König HEINRICH VII. (1485–1509) erweitert wurde.

Gleichzeitig entwickelte sich die Stadt L. zum vorrangigen Wirtschafts- und Verwaltungszentrum. Neben wenigen erh. der urspr. etwa 200 Pfarrkirchen wurde 1411–40 die spätgot. Guildhall (Rathaus) über einem gewölbten Untergeschoß als mit reichem Maßwerk dekorierter Saal mit steinernen, heute rekonstruierten Schwibbögen erbaut, 1788 durch G. DANCE mit einer neugot. Fassade versehen. Nach der Reformation erhielten die in den Gebäuden der ehem. Niederlassung der Tempelritter und im Lincoln's Inn angesiedelten Gerichtshöfe neue, ihrer Bedeutung angemessene Bauten. Im Middle Temple ist die Hall (1562–70) mit offenem Dachstuhl in Renaissanceformen, in Lincoln's Inn die Old Hall (1490) und die Kapelle (1619–23) erh. Daneben entstand im Bereich von Westminster an der Stelle eines 1532 aufgelösten Hospitals unter König HEINRICH VIII. (1509–47) der St. James' Palace als Ziegelbau in klaren Frührenaissanceformen, dessen Torturm von oktogonalen Ecktürmen flankiert ist. Von dem gleichzeitig beg. Whitehall Palace westlich des Themseknies zw. Westminster und L., der 1638 durch eine ausgedehnte Schloßanlage nach Entwürfen von I. JONES ersetzt werden sollte (nur teilweise ausgeführt), blieb nur das 1619–22 von diesem errichtete Banqueting House nach dem Vorbild ital. Renaissancepaläste erh. Die allegor. Deckengemälde des Bankettsaals wurden 1634 von P. P. RUBENS ausgeführt.

Mit der Ausweitung des Stadtgebiets nach W wurden entlang dem ›Strand‹ die ersten Squares (Plätze, häufig mit Bäumen) angelegt, so 1631 Covent Garden mit der Kirche St. Paul von I. Jones und Lincoln's Inn Fields mit dem Lindsey House von 1640.

Der große Stadtbrand von 1666, bei dem 13 000 Häuser zerstört wurden, führte bis 1700 zu einer weitgehenden baul. Erneuerung der Altstadt in Ziegel sowie zum Bau von 51 Pfarrkirchen durch C. WREN, meist in Form von klass. Hallenkirchen und abwechslungsreich gestalteten, z. T. got. Formenmotive aufgreifenden Turmbauten mit Steilhelmen. Seine wichtigste Arbeit war der barocke Neubau der beschädigten St. Paul's Cathedral, der 1675–1709 als Kombination aus Querhausbasilika und zentralem Kuppelbau mit einer westl. Zweiturmgruppe ausgeführt wurde, wobei das basilikale Aufrißschema durch zweigeschossig umlaufende Scheinfassaden mit zweigeschossiger Pilastergliederung kaschiert ist. Während das doppelgeschossige Mittelstück der W-Fassade mit gekoppelten korinth. Säulen eine Kenntnis der gleichzeitigen frz. Architektur belegt, lehnt sich das von Pariser Kirchen beeinflußte Kuppelmotiv in der Ausführung durch die gleichmäßige Säulenfolge, bei stark trennendem Gebälk, als Frühform des engl. Klassizismus stärker an ital. Bauten von BRAMANTE an. Das bedeutendste profane Bauwerk dieser Zeit ist Chelsea Hospital, 1681 nach dem Vorbild des Hôtel des Invalides in Paris (1670) als Veteranenanstalt gegr. und bis 1689 von C. Wren als dreiflüglige Anlage in Backstein mit seitl. Wohntrakten und rückwärtigem, durch Säulenportikus und Dachreiter ausgezeichnetem Flügel mit Kapelle und Hall erbaut; es erhielt im folgenden Jahrzehnt mit Greenwich Hospital (→Greenwich) ein Gegenstück für die Marine.

Einen weiteren Anstoß zur Entwicklung der kirchl. Architektur brachte das 1711 erlassene Gesetz zur Finanzierung von 50 neuen Stadtkirchen, v. a. in den neuerschlossenen Gebieten nördlich und westlich der Altstadt, von denen nur 12 ausgeführt wurden. Von N. Hawksmoor wurden St. Anne, Limehouse, St. George, Bloomsbury und Christ Church sowie Spitalfields als von Säulen unterteilte Saalräume mit hohen Turmaufbauten unter Verwendung klass. Formen erbaut, während sich J. Gibbs mit St. Mary-le-Strand (1714–17) in der Rhythmisierung des im Straßenraum freistehenden, zweigeschossigen Baukörpers durch die Ausbildung übergiebelter Säulenarkaden stärker an ital. Barockbauten (Rom) des 17. Jh. orientiert. An St. Martin-in-the-Fields (1721–26), einer Hallenkirche mit stukkierter Mittelschiffstonne über korinth. Säulen, kombinierte Gibbs einen pilastergeschmückten Rechteckkörper mit einer röm. Tempelvorhalle, die im 18. und frühen 19. Jh. als charakterist. Element anglikan. Pfarrkirchen übernommen wurde.

Nachdem bereits im späten 17. Jh. Soho mit seinem rechtwinkligen Straßennetz und dem Soho Square ein bevorzugtes Wohngebiet der gehobenen Schichten geworden war, wurden im 18. Jh. auch die angrenzenden Landkomplexe adliger Grundbesitzer das Ziel einer geregelten Stadtplanung; 1720 wurden New Bond Street und Hanover Square angelegt, dessen Kirche St. George bis 1724 von J. James (*1672, †1746) mit palladian. Säulenportikus errichtet wurde; 1725 folgte Grosvenor Square und 1733 das Gebiet um Berkley Square. Ein

London: St. Paul's Cathedral; 1675–1709

weiterer städt. Schwerpunkt verlagerte sich nach Westminster, das ab 1738 durch eine Brücke mit dem rechten Themseufer verbunden wurde. Als wichtigste öffentl. Bauten entstanden seit 1751 die Kaserne der Horse Guard von W. KENT und 1776 Somerset House von W. CHAMBERS anstelle eines älteren Gebäudes von I. Jones, in Anlehnung an den ital. Barock. Ab 1773 entstanden in der nordwestl. Stadterweiterung der Portland Square von R. und J. ADAM in einem zurückhaltenden Dekorationsstil, während die Stadtplanung durch J. NASH (seit 1812) mit Park Crescent und Cumberland Terrace am Regent Park sowie Carlton House Terrace am St. James' Park eine Verflechtung klass. Stadtbaukunst mit den im engl. Landschaftsstil gestalteten öffentl. Parks erreichte. Im Stil des Greek Revival wurden die Kirche St. Pancras (1818–20, von H. W. INWOOD, *1794, †1843; mit deutl. Formenzitaten vom Athener Erechtheion), das Brit. Mus. (1823–47, von R. SMIRKE; mit dreiflügeliger Säulenfassade und übergiebeltem Mittelrisalit) und am Trafalgar Square (1828) mit der Nelson-Säule (1840) die Nat. Gal.(1832–38, von W. WILKENS, *1778, †1839) ausgeführt. Die von A. W. PUGIN vertretene Richtung des frühen Gothic Revival erhielt ihre erste Manifestation im Neubau des Parlamentsgebäudes von C. BARRY. Um die Jahrhundertmitte folgten die Kirchen All Saints, Margaret Street (1850–59, von W. BUTTERFIELD, *1814, †1900) und St. James-the-Less in Westminster (1858–61, von G. E. STREET, *1824, †1881) sowie von G. G. SCOTT der Bahnhof St. Pancras Station mit dem dazugehörigen neugot. Hotelbau (1868–74) und die Law Courts (1874–82) von G. E. Street, während das Foreign Office (1862–73) in Whitehall von G. G. Scott in repräsentativen Renaissanceformen gehalten ist. 1851 baute J. PAXTON für die 1. Weltausstellung in L. den Kristallpalast, eines der ersten großen Werke der Eisen- und Glasarchitektur. In South Kensington entstand südlich des 1863 von G. G. Scott errichteten Albert Memorial und der Albert Hall von 1867 ein größerer Museumskomplex mit dem Natural History Mus. (1873–81, von A. WATERHOUSE, *1830, †1905), dem Imperial Institute (1887–93, von T. E. COLLCUTT, *1840, †1924) und dem Victoria and Albert Mus. (1899–1909, von A. WEBB, *1849, †1930).

Die Expansion der Großstadt im späten 19. Jh. führte zur Eingliederung umliegender Gebietsteile in die London County, für die 1911–13 ein neoklassizist. Verwaltungsgebäude gegenüber von Westminster auf dem südl. Themseufer mit halbkreisförmigem Säulenhof errichtet wurde. Die starke Neubautätigkeit in der City of L. führte u.a. 1899 zur segmentbogigen Straßenplanung des ›Aldwich‹ um die Kirche St. Mary-le-Strand durch R. N. SHAW, mit durch monumentale Säulenreihen geprägter neubarocker Randbebauung, die er nach 1905 auch am Piccadilly Hotel in der von J. Nash angelegten Regent Street wiederholte. Buckingham Palace, seit dem Umbau von 1824 Sitz des brit. Königshauses, erhielt 1913 durch A. Webb eine neubarocke O-Fassade; auf dem Vorplatz steht seit 1911 das Victoria Memorial. An die Buckingham Palace Gardens schließen sich westlich der Hyde Park und Kensington Gardens mit Kensington Palace (Umbauten von C. Wren und W. Kent) an. 1895–1903 entstand die kath. Westminster Cathedral nach Plänen von J. F. BENTLEY (*1839, †1902) als monumentale byzantin. Kuppelkirche mit italienisch beeinflußtem Campanile.

Nach Kriegszerstörungen 1940–45, die bes. die City of L. trafen, erhielt diese in der Nachkriegszeit durch den Bau von Hochhäusern (Shell Centre mit 107 m hohem Turm) ein ihrer wirtschaftl. Bedeutung entsprechendes neues Gepräge. Für das auf dem südl. Themseufer gelegene South Bank Arts Centre (Royal Festival Hall, 1948–51; Queen Elizabeth Hall,1967; National Theatre, 1976; Hayward Art Gal. u.a.) liegen seit 1978 Pläne zur weiteren Gestaltung des Areals v.a. von R. ROGERS vor. 1982 wurde das Kulturzentrum →Barbican Arts Centre eröffnet.

In L. befinden sich einige der bedeutendsten Museen der Welt: →Britisches Museum, →Tate Gallery, →Nationalgalerie, →Victoria and Albert Museum, → Courtauld Institute Galleries, →Wallace Collection, →Princes Gate Collection.

Long, Richard, engl. Bildhauer, *Bristol 2. 6. 1945, steht der Land Art nahe. Seine Werke umfassen Orts- und Wegmarkierungen in der Natur, versch. Steinkreise, Gehspuren sowie die photograph. und diagrammat. Dokumentation von L.s Wanderungen. In seinen Galerie-Ausst. überträgt L. Kreise, Kreuze, Spiralen aus natürl. Materialien (Steine, Tannennadeln, Zweige) in den Innenraum.

R. L., Ausst.-Kat., Eindhoven (1979).

Longhena [loŋg'ɛ:na], Baldassare, ital. Baumeister, *Venedig 1598, †ebd. 18. 2. 1682, Hauptvertreter des venezian. Hochbarock; steigerte bei seinen Palastbauten die klass. Formen, die er von V. SCAMOZZI und J. SANSOVINO übernahm.

HW (alle in Venedig): S. Maria della Salute (beg. 1631, gew. 1687; achteckige Kuppelkirche mit Säulenportal, BILD Francesco Guardi); Chiesa degli Scalzi (1670 beg.). Paläste: Ca' Rezzonico (um 1660ff., oberstes Geschoß seit 1752 durch G. MASSARI); Ca' Pesaro (beg. 1676).

Longhi [l'ɔŋgi], Pietro, eigtl. P. **Falca,** ital. Maler, *Venedig 1702, †ebd. 8. 5. 1785, seit 1756 Mitgl. der Akademie ebd. L. malte das häusl. und gesellschaftl. Leben im Venedig seiner Zeit mit iron., moralisierendem oder liebenswürdig menschl. Unterton, wobei das jeweils aufgebotene Figurenensemble vielfach an die Komödien C. GOLDONIS erinnert. Zahlreich erhaltene Vorzeichnungen deuten darauf hin, daß er seine Kompositionen durch Naturstudien vorbereitete. Sein Sohn Alessandro (*12. 5. 1733, †Nov. 1813) war der führende Porträtmaler Venedigs im 18. Jh. und seit 1759 Mitgl. der venezianischen Akademie. (BILD S. 121)

Longleat House [l'ɔŋli:t haus], Landschloß in der südengl. Cty. Wiltshire, beg. 1554; 1568 bis etwa 1580 von Sir JOHN THYNNEY als Vierflügelanlage in klaren Frührenaissanceformen erbaut.

Longmen, Höhlentempel in China, →Lungmen.

Longuelune [lɔ̃gl'yn], Zacharias, frz. Baumeister,

Pietro Longhi: Der Zahnzieher (Mailand, Brera)

*Paris (?) 1669, †Dresden 30. 11. 1748, wurde in Dresden (ebd. seit 1713) um 1725/28 sächs. Oberlandbaumeister. Seine Mitarbeit ebd. am Bau des Japan. Palais (1726–30), seine Pläne für Schloß (unausgeführt) und Park Großsedlitz sowie seine Lehrtätigkeit (Schüler u.a.: F. A. KRUBSACIUS) bestimmten die Wendung des Dresdner Barock zum Frühklassizismus um 1730.

Lonigo, Stadt in der ital. Prov. Vicenza, Venetien, 12000 Ew. Auf einem Hügel außerhalb der Stadt liegt die **Villa Pisani** (auch ›La Rocca Pisana‹ gen.), eines der bedeutendsten Bauwerke von V. SCAMOZZI (errichtet 1576–78); Wallfahrtskirche Santuario della Madonna dei Miracoli (um 1500 voll.).

Loo, van Loo, später **Vanloo** [vanl'o:], niederländisch-frz. Malerfamilie, →Vanloo.

Loos, Adolf, österr. Architekt, *Brünn 10. 12. 1870, †Kalksburg bei Wien 23. 8. 1933. Nach einem Aufenthalt in den USA (1893–96) war L. in Wien, 1922–27 in Frankreich tätig. L. ist der bedeutendste europ. Architekt zw. Jugendstil, den er von Anbeginn bekämpfte, und →Internationalem Stil 2), auf dessen frz., österr. und bes. tschech. Vertreter er wirkte. Seine Schriften propagieren eine urbane sachl. Alltagskultur. Seine Bauten sind ornamentfrei, geometrisch vereinfacht und in natürlich belassenen Materialien ausgeführt.

HW: Café Museum, Wien (1899); Villa Karma, Clarens/Schweiz (1904–06); Kärntner-Bar, Wien (1907); Haus Steiner, Wien (1910); Haus am Michaeler Platz, Wien (1910); Haus Tristan Tzara, Paris (1925); Haus Khuner, Payerbach/NÖ (1930); Haus Müller, Prag (1930).

Schriften: Ornament und Verbrechen (1908); Ins Leere gesprochen. Aufsätze 1897–1900 (1921, Neudr. 1981); Trotzdem. Aufsätze 1900–30 (1931, Neudr. 1983); Gründer der Ztschr. Das Andere (1903).

L. MÜNZ u. G. KÜNSTLER: Der Architekt A. L. (1964); D. WORBS: Der Raumplan (1982); B. RUKSCHICO u. R. SCHACHEL: A. L., Leben und Werk (1982).

Lopburi, eine der ältesten Städte Thailands, im Menamdelta, 33300 Ew. L. scheint etwa zw. dem 7. und 9. Jh. eines der Zentren der Mon-Kunst von Dvaravati

(→Mon) gewesen zu sein. Zw. dem 11. und 13. Jh. wurde L. von den Khmer beherrscht, so daß die in dieser Zeit entstandenen Tempel und Skulpturen in Bronze und Stein vom Khmer-Stil stark geprägt sind; dieser Mischstil wird als **L.-Stil** bezeichnet; Hauptbauwerke: Pra Prang Sam Yot, Ende 12. Jh., ein Lateritbau mit Stuckdekor; Prasat Ta Moeun Thom (unvollendet), der Tempel des 12. Jh. mit dem reichsten Fassadenschmuck. Das Wat Pra Ratana Si Mahathat, 13./14. Jh., ebenfalls aus Ziegeln und Laterit mit Stuckdekor, in der Tradition von Angkor Vat, wurde zum Prototyp der späteren charakterist. Thai-Architektur, des Prang der Ayutthaya- und der Bangkok-Periode.

López y Portaña [l'opεθ i pɔrt'aɲa], Vicente, span. Maler, *Valencia 19. 9. 1772, †Madrid 22. 6. 1850, wurde 1802 Kammermaler KARLS IV., 1815 als Nachfolger von F. DE GOYA Hofmaler FERDINANDS VII., 1817 Akad.-Direktor, 1823 Leiter des Prado. Er verband den akadem. Klassizismus des 18. Jh. mit dem bürgerlich-biedermeierl. Geist der Zeit; neben allegor. Fresken und Altarbildern schuf er v. a. Porträts (HW im Prado, u. a. ›F. de Goya‹, 1826).

Lo P'ing, chines. Maler, *Shehsien (Prov. Anhwei) 1733, †1799, malte Orchideen, Bambus, taoist. und buddhist. Figuren sowie grotesk übersteigerte Porträts. Er gehörte zum Kreis der ›Acht Sonderlinge von Yangchou‹ und kultivierte einen individualist. Stil mit archaisierenden Elementen.

Lorca, Stadt in der span. Prov. Murcia, am Guadalentín, 60300 Ew.; Stiftskirche S. Patricio (1550–1776) mit barockem Hauptportal und vierstöckigem Turm; zahlreiche Adelspaläste des 17. und 18. Jh., v. a. Casa de los Guevara mit prunkvollem Barockportal (1693).

Lorch, 1) Stadt im Ostalbkreis, Bad.-Württ., 9150 Ew.; das ehem. Benediktinerkloster, 1102 gegr., wurde Grablege der Staufer. Die Kirche ist eine roman. flachgedeckte Pfeilerbasilika (12. Jh., Ostteile 1469 überarbeitet); spätgot. Stiftertumba (1475). Spätgot. Klosteranlage (Kreuzgang 1469), im Kapitelsaal Mus.

2) Stadt im Rheingau-Taunus-Kr., Hessen, 4700 Ew. Got. Martinskirche (13.–15. Jh.) mit monumentalem geschnitztem Hochaltar (1483) und originellem Chorgestühl (Ende 13. Jh.), zahlreiche Holzplastiken des 13.–15. Jh. Hilchenhaus mit prächtiger Renaissancefassade (1546–48). Über L. die Ruine der Burg **Nollich** (Anf. 14. Jh.).

Lörcher, Alfred, Bildhauer, *Stuttgart 30. 7. 1875, †ebd. 26. 3. 1962, schuf Porträtbüsten und bes. Aktfiguren in einem der Art A. MAILLOLS ähnl. Stil, später auch vielfigurige Plastiken und Reliefs in kleinen Formaten, die in oft nur skizzenhafter Ausführung bewegte Menschengruppen in verschiedensten Verhaltensweisen charakterisieren.

MARLIS GRÜTERICH: A. L. (1976).

Lorenzetti, zwei ital. Maler (Brüder), neben SIMONE MARTINI die führenden Meister der Schule von Siena.

1) Ambrogio d. J., †vermutlich Siena 1348, nach-

Ambrogio Lorenzetti: Ansicht einer Stadt; 1335–40 (Siena, Pinakothek)

weisbar 1319–47, war v.a. in Siena und wiederholt in Florenz tätig. In seinen Bildern verbindet sich warme menschl. Empfindung mit kühner Naturbeobachtung und erlesenem Farbensinn. Bes. fortschrittlich sind seine perspektiv. Raumdarstellungen, die i. Ggs. zu den got. Tendenzen der Zeit stehen.

HW: Fresken im Palazzo Pubblico in Siena mit der allegor. Darstellung des guten und schlechten Regiments (um 1338/39); Darstellung im Tempel (1342; Florenz, Uffizien); Verkündigung (1344; Siena, Pinakothek).

2) Pietro, *um 1280, †1348(?), ging von DUCCIO und GIOTTO aus und strebte nach räuml. Wirklichkeit, dramat. Gestaltung und seel. Vertiefung. Die gemessene Gebärdensprache seiner fest gefügten Figuren entspricht dem szen. Geschehen.

HW: Altarwerk (1320; Arezzo, Pieve di S. Maria); Freskenfolge der Passion Christi in der Unterkirche von S. Francesco, Assisi (1326 bis 1330); Altarwerk aus der Karmeliterkirche in Siena (1329; ebd., Pinakothek); Altar der Hl. Humilitas (1341; Florenz, Uffizien); Geburt Mariä (1342; Siena, Domopera).

Lorenzino da Bologna [-bol'oɲa], ital. Maler, Lorenzo →Sabatini 3).

Lorenzo di Credi, ital. Maler, →Credi.

Lorenzo Monaco, eigtl. **Piero di Giovanni** [-dʒov'anni], ital. Maler, *vielleicht Siena um 1370, †(laut VASARI) Florenz 24. 5. 1423 (oder 1424), wo er seit 1391 Kamaldulensermönch war, ausgebildet von A. GADDI. Seine Bilder kennzeichnen Anmut der Linien, Zartheit der Farben, Innigkeit der Empfindung und dekorative Wirkung (Anbetung der Könige, 1420–22; Florenz, Uffizien). BILD S. 124

WW: Fresken (Marienleben in S. Trinità, Florenz); Miniaturen in der Biblioteca Medicea-Laurenziana, Florenz.

Lorenzo Monaco: Anbetung der Könige; 1420–22 (Florenz, Uffizien)

Loreto, Wallfahrtsort und Bischofssitz in der ital. Prov. Ancona, unweit der adriat. Küste, 11 000 Ew. L. verdankt seinen Ursprung der hier verehrten Santa Casa (›Hl. Haus‹ der Hl. Familie), die nach der Legende (nachweisbar seit dem 15. Jh.) von Engeln von Nazareth nach Dalmatien und schließlich 1294 nach L. gebracht worden sein soll. 1468 wurde an der heutigen Piazza della Madonna mit dem Bau der Basilika Santuario della Santa Casa unter Mitwirkung von GIULIANO DA MAIANO, G. DA SANGALLO, BRAMANTE u. a. begonnen (helle Barockfassade, 1571–87, mit dekorativen Bronzeportalen; Glockenturm des 18. Jh.). Im Zentrum des Kuppelbaus (achteckige Kuppel, 1498–1500, von Sangallo) steht die Santa Casa (nach einem Entwurf Bramantes unter Mitarbeit von A. SANSOVINO u. a. gefertigter kassettenartiger Aufbau mit prachtvoller Marmorverkleidung mit Statuen und Reliefs); in den Sakristeien Fresken von MELOZZO DA FORLÌ und L. SIGNORELLI. Der Palazzo Apostolico (von Bramante, A. DA SANGALLO D. J. und L. VANVITELLI) schließt sich an die Basilika an.

Loriot [lɔrj'o], eigtl. Vicco **von Bülow,** Cartoonist, *Brandenburg/Havel 12. 11. 1923, lebt am Starnberger See. L. verwendet die simple, drastisch typisierte Karikatur eines Durchschnittsbürgers mit Knollennase; sarkastisch dargestellte Alltagskatastrophen kommentiert er mit iron. Texten; satir. Fernsehsendungen.

HW: Der gute Ton (1957); Der Weg zum Erfolg (1958); Für den Fall... (1960); L.s großer Ratgeber (1968); L.s heile Welt (1973); Wum und Wendelin (1978).

Lorme, de l'Orme [-lɔrm], Philibert, frz. Architekt, →Delorme.

Lorrain [lɔr'ɛ̃], **1)** Claude, frz. Maler, →Claude Lorrain.

2) Robert, frz. Bildhauer, →Le Lorrain.

Lorsch, Stadt im Kr. Bergstraße, Hessen, 10500 Ew.; 1232–1461 und 1623–1803 zu Mainz gehörig. Die ehem. Benediktinerreichsabtei (764 gegr.) galt im frühen MA. als reichstes und bedeutendstes Kloster des Abendlandes. Nach Zerstörung 1621 blieben nur ein Teil der Vorkirche (um 1150) und die karoling. Torhalle (wohl 774 voll.) erh.; Kurfürstl. Haus (spätes 17. Jh.); reizvolles Fachwerkrathaus, 1715 nach dem Vorbild des Heppenheimer Rathauses errichtet. (BILD karolingische Kunst)

Lorscher Evangeliar, eines der spätesten erh. HW der →Hofschule Karls des Großen, um 810 (Bukarest, Nat. Bibl. und Rom, Bibl. Vaticana).

Los Angeles [lɔs 'ændʒılız], Stadt in Kalifornien, USA, 2,967 Mio. Ew. Das Stadtbild von L. A. hat einen einzigartigen Charakter durch seine Anpassung an die topograph. Gegebenheiten und seine enorme Ausdehnung (rd. 1200 km^2), in der das Straßennetz (Anlage der ersten ›Freeways‹ 1940) eine wichtige Rolle spielt, sowie durch eine große Zahl architekton. Meisterwerke (u. a. mehrere Häuser von F. L. WRIGHT, R. M. SCHINDLER und R. NEUTRA), die v. a. in den 1920er Jahren entstanden. Vorherrschender Stil im Anschluß daran wurde Art Déco. Wolkenkratzer entstanden erst in den 1960er Jahren.

Wichtigstes Mus. der Stadt ist das L. A. County Mus. mit einer bed. Samml. von Meisterwerken aus der Antike, europ. Kunst (aus Renaissance, Barock und dem 19. und 20. Jh.) sowie der japan. und ind. Kunst. Die Brunnenskulptur im Vorhof des Mus. schuf der dt. Bildhauer N. KRICKE. Das L. A. Institute of Contemporary Art ist auf zeitgenöss. Kunst einschließlich ›Videokunst‹ und ›Performance Art‹ spezialisiert. Für eine der wichtigsten Samml. Amerikas im Bereich der neueren Kunst, das neugegr. Mus. for Contemporary Art, ist ein Bau von A. ISOZAKI in der Planung. In Malibu nördlich von L. A. ist das →Getty Museum.

Lösche, Maltechnik: farblose oder leicht eingefärbte dünne Schicht, meist Leim als Haftvermittler zw. Grundierung und Farbe oder Bolus, hauptsächlich aber zur Regulierung der Saugfähigkeit der Malgründe.

Losholz, Baukunst: der →Kämpfer 2) des Fensters.

Lot, nach dem A. T. der Neffe Abrahams; der Katastrophe von Sodom (am S-Ende des Toten Meeres?) entronnen. Gegen das göttl. Verbot blickte seine Frau zurück und wurde in eine Salzsäule verwandelt. Szenen aus der Legende des L. finden sich schon in der Katakombenmalerei (Katakombe an der Via Latina, Rom, 320–50) und der Sepulkralkunst (L.-Sarkophag, um 340; Rom, S. Sebastiano fuori le mura), dann in der Wiener Genesis (6. Jh.). Sie werden seit dem 13. Jh. in alttestamentl. Zyklen aufgenommen (1310; Lyon, Kathedrale, W-Portal, u. a.). L.s Flucht mit seinen Töchtern schildern RAFFAEL (Loggien des Vatikan, voll. 1519), P. P. RUBENS (Gemälde 1625) und REMBRANDT (Zeichnungen um 1655 und 1660). Bei ihnen wie bes. bei LUCAS VAN LEYDEN (Radierung, 1560) begegnet das Motiv der Schande L.s mit seinen Töchtern (Betonung des erot. Gehalts). Oft wird es mit der Szene ›Susanna im Bade‹ (→Susanna) zusammen dargestellt.

Loth, 1) Johann Carl, genannt **Carlotto,** Maler, getauft München 8. 8. 1632, †Venedig 6. 10. 1698, Schüler seines Vaters Johann Ulrich (*um 1600, †1662), bildete sich in Rom (W. DROST) und Venedig (P. LIBERI, Hell-Dunkelmalerei der TENEBROSI in der Nachfolge CARAVAGGIOS) und wurde 1692 Hofmaler LEOPOLDS I. – L. malte großfigurige Darstellungen bibl., mytholog. und histor. Themen in monumentalem Aufbau und effektvoller Beleuchtung, in warmem, später kühlerem Kolorit. Er hatte viele Schüler (J. M. ROTTMAYR u. a.).

HW: Jupiter und Merkur bei Philemon und Baucis (vor 1659; Wien, Kunsthistor. Mus.); Der Tod des Hl. Andreas Avellinus (1677; München, Theatinerkirche St. Kajetan); Martyrium des Hl. Gerhard (1678; Padua, St. Giustina).

2) Wilhelm, Plastiker, *Darmstadt 24. 9. 1920, lehrt seit 1958 an der Akad. Karlsruhe, gestaltet seit 1956 Montierungen aus blockhaften Rundformen mit gestängeartigen Gliedmaßen. Bevorzugtes Thema ist die bewegte menschl. Gestalt, bes. der Torso. Seit 1967 stellt L. die vereinheitlichte Gegensatzwirkung von harter Blockform und organoid belebten Teilen (Lippen, Brüste, Bauchwölbung, Oberschenkel) in Bronze dar; seit den 70er Jahren auch farbige Kunststoffreliefs; außerdem zeichner. und druckgraph. Werke.

H.-J. IMIELA: W. L. Bildhauerzeichnungen 1947–72 (1973); J. A. SCHMOLL gen. EISENWERTH: W. L. Bildwerke in Metall 1947–72 (1976); H. KELLER W. L. Handzeichnungen (1976).

Lothal, frühgeschichtl. Grabungsstätte in Gujarat, westl. Indien, mit Siedlungsresten der Harappa-Kultur. Ein Hafenbecken, Werftanlagen und Kanäle bezeugen die damalige weiträumige Küsten- und Flußschiffahrt zum Indus und nach Mesopotamien.

Lotos [grch., wohl aus ägypt.] *der,* **Lotosblume,** ein Seerosengewächs. Der L. spielte in Religion, Kultur und Kunst Ägyptens, Indiens und Ostasiens eine bed. Rolle. Nach ägypt. Mythos dem Urwasser entsprossen, war der L. Sinnbild unvergängl. Lebens, daher Attribut von Osiris, Isis, Horus und Hathor. In der Bildkunst und als architekton. Schmuckform (L.-Bündelsäule, L.-Kapitell, →Säule) kommt der L. häufig vor; in der Ornamentik gehen die wichtigsten Motive auf Papyrus und L. zurück. L. spielt eine große Rolle in der hinduist. und buddhist. Kunst. Als Symbol der entstehenden Erde ist der →Padma aus dem Nabel Vishnus entstanden. Brahma wird auf einem L.-Blatt, Buddha auf einer L.-Blüte dargestellt.

S. MORENZ: Der Gott auf der Blume; eine ägyptische Kosmologie u. ihre weltweite Bildwirkung (Nachdr. London 1980).

Lotter, Hieronymus, Baumeister, *Nürnberg 1497/98, †Geyer (Erzgebirge) 22. 7. 1580; war baukundig – wenn auch Autodidakt – und an der Bautätigkeit in Sachsen (Rathaus Pegau, 1559; Schloß Augustusburg bei Chemnitz, 1568–73) beteiligt. Von L. stammen auch Entwürfe für das alte Rathaus in Leipzig (1556).

Lotto, Lorenzo, ital. Maler, *Venedig um 1480, †Loreto vor dem 1. 7. 1557, tätig in Venedig, Bergamo, Treviso, Rom (1509) und in den Marken; einer der ei-

Lorenzo Lotto: Porträt eines jungen Mannes; um 1525 (Berlin-West, Staatl. Museen)

genartigsten und phantasievollsten Künstler der ital. Renaissance, hervorragend bes. als Porträtmaler. Er ging aus von den VIVARINI und G. BELLINI, wurde in Rom von RAFFAEL beeinflußt und fand im Anschluß an CORREGGIO einen Stil lebendiger Bewegtheit und einer reichen Helldunkel-Malerei. Später gelangte er zu ausdrucksvoller Dramatik und freier maler. Gestaltung.

HW: Hieronymus in der Landschaft (1506; Paris, Louvre); Marien-Polyptychon (1508; Recanati, Pinakothek); Verlobung der Hl. Katharina (München, Alte Pinakothek); Madonna mit Heiligen (1516; Bergamo, S. Bartolomeo; 1521; ebd. S. Bernardino und S. Spirito); Christi Abschied von seiner Mutter (1521; Berlin-West, Staatl. Museen); Altarwerk mit dem Martyrium der Hl. Lucia (Iesi, Pinakothek); Almosenspende des Hl. Antonius (1542; Venedig, SS. Giovanni e Paolo). – Porträts: Bischof de' Rossi (1505, Neapel, Gal. Nazionale di Capodimonte); Junger Mann (1525; Berlin-West, Staatl. Museen); Andrea Odoni (1527; Hampton Court); Der Mann mit der Pranke (Wien, Kunsthistor. Mus.); Junger Mann am Schreibtisch (Venedig, Akademie).

Lotto-Teppiche, Orientteppiche des 16. und 17. Jh.; nach dem ital. Maler L. LOTTO benannt, der sie als Dekorationen auf seinen Bildern darstellte.

Louis [l'u:ıs], Morris, eigtl. M. L. **Bernstein** [b'ə:nstaın], amerikan. Maler, *Baltimore (Maryland) 28. 11. 1912, †Washington, D.C. 7. 9. 1962, Mitbegr. der Farbfeldmalerei; ließ Schichten plast. Farbmaterie über ungrundierte, großformatige Leinwände (ineinander) fließen; die zufälligen Farbformen sind von schleierhaftzarter wie monumentaler Wirkung. Abweichend vom freien Umgang mit der Farbe gestaltete er seit Ende der 1950er Jahre streng ausgerichtete Farbstreifen.

M. L., Ausst.-Kat., Düsseldorf (1974).

Louisbourg, Louisburg [l'u:ısbə:g], Stadt auf der Insel Cap Breton, Nova Scotia, Kanada, 1700 Ew. Die von Franzosen gegr. Siedlung wurde ein bed. Schiffbau- und Fischereizentrum und ab 1713 in zwanzigjähriger Bauzeit zur stärksten Festung Frankreichs in Nordamerika ausgebaut, 1760 von den Briten zerstört. Ein Gebiet von rd. 60 km² wurde 1940 zum National

Historic Park erklärt; seit 1961 wird die großartige, gemauerte Zitadelle in einer großen Aktion originalgetreu rekonstruiert.

Louisiana [lu-], Mus. in Humlebæk, südlich von Helsingør, Dänemark, 1958 eröffnet; Malerei und Plastik des 20. Jh., v. a. dän. Künstler. Die weitläufigen Ausstellungsgebäude stellen mit ihren Glaswänden die Verbindung zum Park her, in dem ebenfalls Skulpturen aufgestellt sind.

Louis-quatorze [lwikat'ɔrz, frz. ›Ludwig XIV.‹] *das*, Stilrichtung der frz. Kunst unter LUDWIG XIV. (1643–1715), die den Höhepunkt des →Classicisme bezeichnet und für einen großen Teil Europas vorbildlich wurde. Hauptleistungen des L.-q. sind prachtvolle Schloß- und Wohnbauten, repräsentative Innenraumgestaltungen und großartige Parkanlagen, wobei der König selbst und über seine Minister N. DE FOUQUET und J.-B. COLBERT unmittelbaren Einfluß auf das Kunstgeschehen nahm (Gründung der Akad. für Malerei und Skulptur, 1648, für Architektur, 1671, der frz. Akad. in Rom, 1666). Ziel war die Ausbildung eines alle bildenden Künste erfassenden, das Königtum repräsentierenden offiziellen Stils. Am vollkommensten zeigt sich das L.-q. in der Zusammenarbeit von J. HARDOUIN-MANSART, C. LEBRUN und A. LE NÔTRE im Schloß und Park von →Versailles sowie in →Vaux-le-Vicomte.

Louis-quinze [lwik'ɛ̃z, frz. ›Ludwig XV.‹] *das*, die →Régence ablösende Stilrichtung der frz. Kunst unter LUDWIG XV. (1723–74), wobei sich der Wandel von der offiziellen und repräsentativen ›Staatskunst‹ unter LUDWIG XIV. (→Louis-quatorze) zur eleganten und (v. a. in Malerei und Innendekoration) intimeren ›Kunst des Adels‹ vollzog. Hauptvertreter in der Baukunst sind G. BOFFRAND, R. DE COTTE, in der Skulptur E. BOUCHARDON, J.-B. LEMOYNE, in der Malerei F. BOUCHER, J. H. FRAGONARD, J.-B. CHARDIN, J.-B. PATER, N. LANCRET. Das L.-q. entspricht in vielem dem dt. Rokoko und beeinflußte dieses über Künstler wie J.-A. MEISSONIER und F. CUVILLIÉS D. Ä. nachhaltig.

Louis-seize [lwis'ɛ:z, frz. ›Ludwig XVI.‹] *das*, nach LUDWIG XVI. (1774–92) benannte Stilrichtung der frz. Kunst seit etwa 1760 bis zur Frz. Revolution, die in Abwendung vom Rokoko stärker klassizist. Tendenzen betonte und zum Klassizismus (frz. Néoclassicisme) überleitete. In der Baukunst traten neben Schloß, Hôtel und Kirche neue Bauaufgaben, wie Rathaus, Gerichtsgebäude, Theater, Hospital u. a. Hauptvertreter sind in der Baukunst J.-A. GABRIEL, J.-G. SOUFFLOT, J.-F. CHALGRIN, in der Skulptur J.-B. PIGALLE, A. PAJOU, in der Malerei J.-B. GREUZE, H. ROBERT. Das L.-s. prägte im Kunsthandwerk bes. Möbelkunst (J.-H. RIESENER) und Innendekoration.

Louny [l'ɔuni], Stadt in der ČSSR, →Laun.

Lourdes [lurd], Stadt im frz. Dép. Hautes-Pyrénées, am Austritt des Gave de Pau aus den Pyrenäen, 18 100 Ew.; Schloß (13./14. Jh.); Pyrenäenmus. L. ist einer der bedeutendsten kath. Wallfahrtsorte (Marienerscheinungen der Bernadette am 11. 2. 1858 in einer Grotte am Flußufer); über der Grotte neugotische Basilika (1876), neben ihr die Kirche Notre Dame du Rosaire im byzantin. Stil (1889); zu ihnen führt von der Brücke über den Gave die ›Esplanade des Processions‹; davor, unter den Anlagen, seit 1958 eine dritte (unterirdische) Pilgerkirche. – Die am Kalvarienberg gelegene Grotte des Espélugues enthielt altsteinzeitl. Kulturschichten mit Gravierungen und Elfenbeinskulpturen.

Lourenço Marques [lor'ẽsu m'arkɪʃ], bis 1975 Name der Hauptstadt von Moçambique, →Maputo.

Loutherbourg [l'aυðəbə:g], Philip-James de, auch Philipp Jacob d. J., engl. Maler dt. Herkunft, *Fulda 31. 10. 1740, †Chiswick (London) 11. 3. 1812, Schüler seines Vaters Philipp Jacob d. Ä., (*um 1698, †1768) und J. H. TISCHBEINS D. Ä., ging 1755 nach Paris, wo er bei C. VANLOO und F. CASANOVA lernte; seit 1771 in London. L. malte Theaterdekorationen, Landschaften, Tierbilder, Schlachten- und Genreszenen sowie seit 1792 Darstellungen von Naturkatastrophen i. S. des Sturm und Drang (›Lawine in den Alpen‹, 1803; London, Tate Gal.). 1781 wurde er Mitgl. der Royal Academy. Aufsehen erregte sein ›Eidophysikon‹ zur Vorführung bewegl. Bilder unter Musikbegleitung.

Louvain [luv'ɛ̃], frz. Name von →Löwen.

Louvre [lu:vr] *der,* urspr. das Schloß der frz. Könige in Paris, jetzt Mus. Der älteste Bau war die um 1200 errichtete Königsburg. Von der unter FRANZ I. begonnenen neuen Residenz (Alter L.) baute P. LESCOT seit 1546 den südl. Teil der westl. Hofseite (mit Skulpturen von J. GOUJON), J. LEMERCIER seit 1624 unter LUDWIG XIII. den nördl. Teil mit dem Pavillon de l'Horloge. Erst unter LUDWIG XIV. wurde der quadrat. Hof von L. LEVAU geschlossen und 1667–74 die östl. Außenfassade nach Plänen von C. PERRAULT erbaut. Mit dem im W gelegenen Palais der →Tuilerien wurde der L. durch eine Galerie verbunden, in deren östl. Teil sich die unter Leitung von C. LEBRUN seit 1661 geschaffene Galerie d'Apollon befindet. Die Verlegung der Residenz nach Versailles (1682) unterbrach die Bautätigkeit am L. Durch die von NAPOLEON I. begonnenen und unter NAPOLEON III. entstandenen Erweiterungsbauten im W (Neuer L.) wurde der Seineflügel z. T. verbreitert und der Alte L. auch im N mit den Tuilerien verbunden, die beim Aufstand der Kommune 1871 niedergebrannt wurden.

Museum. Das 1793 eröffnete Mus. des L., das den zum Nationalbesitz erklärten königl. Kunstbesitz zugänglich machte, wurde durch den Kunstraub während der Napoleon. Kriege, durch Schenkungen, Ankäufe und Ausgrabungen ständig vermehrt und entwickelte sich zu einer der großartigsten Kunstsammlungen der Welt. Die wichtigsten Abteilungen umfassen ägypt., vorderasiat., grch. und röm. Skulptur und Kleinkunst, Bildwerke vom MA. bis zum Barock, das Zeichenkabinett, die Gemäldegal. mit HW bes. von LEONARDO DA VINCI, RAFFAEL, TIZIAN, P. P. RUBENS und REMBRANDT sowie kunstgewerbl. Sammlungen im Mus. des Arts

Décotarifs (im N-Flügel des L.). Von der frz. Malerei gibt nur der L. einen umfassenden Überblick. Werke von Impressionisten, die bis Ende 1986 in dem am Eingang zu den Tuilerien liegenden Musée du Jeu de Paume untergebracht waren, sind seitdem im Musée d'Orsay (→Orsay) mit Werken aus dem Louvre und anderen französ. Museen ausgestellt. Im Musée de l'Orangerie des Tuileries verblieben dem Impressionismus zugehörige Werke von Cézanne, Renoir, Matisse, Monet.

M. GAUTHIER: L., 2 Bde. (a.d. Frz., 1962); Der L., 1: J.-P. CUZIN: Die frz. Malerei (a.d. Frz., 1982); 2: M. LAELOTTE: Europ. Malerei außerhalb Frankreichs (a.d. Frz., 1982; beide mit Lit.).

Louvre|stil [l'u:vr-], der Renaissancestil am Bau des Louvre zur Zeit FRANZ' I. (*1494, †1547) und der KATHARINA VON MEDICI (*1519, †1589); hauptsächlich vertreten durch P. LESCOT (südl. Teil der westl. Hofseite, 1546 ff.) und T. MÉTEZEAU (Grande Galerie, 1556–76).

Low [ləʊ], Sir (1962) David Alexander Cecil, engl. Karikaturist, *Dunedin (Neuseeland) 7. 4. 1891, †London 19. 9. 1963, schuf für den ›Evening Standard‹ die sprichwörtlich gewordene Figur des ›Colonel Blimp‹ und Karikaturen von HITLER.

Lowboy [l'əʊbɔɪ], engl. Bez. für ein im 17.–18. Jh. beliebtes Kastenmöbel mit Schubladen auf hohen Beinen, das auch als Tisch Verwendung fand. Häufig mit passendem →Highboy zu einem Schrank kombiniert.

Löwe. Darstellungen des L., v.a. als Symbol der Macht, finden sich in der Monumentalkunst in Plastik und Malerei und im Kunsthandwerk seit dem Altertum. In Ägypten gab der Sphinx (Mischwesen aus L.-Körper und Menschenkopf) den vergöttlichten König wieder (ältestes Beispiel aus der 4. Dynastie: Sphinx des CHEPHREN, Giseh). In Mesopotamien wurden L. schon um 2800 v. Chr. auf einer Jagdstele von Uruk, auf der Streitkeule des Königs MESILIM von Lagasch um 2600 v. Chr. und auf vielen Rollsiegeln abgebildet. Aus dem neuassyr. Reich stammen die Alabasterreliefs ASSURNASIRPALS II. aus seinem Palast in Nimrud und die ASSURBANIPALS aus Ninive mit L.-Jagdszenen. Der Göttin Ischtar war der L. gew. Die Prozessionsstraße zum Ischtartor im neuerstandenen Babylon NEBUKADNEZARS II. trug einen L.-Fries aus farbig glasierten Ziegeln.

In der ind. Bauplastik wurde der L. (→Simha), oft verwendet als Statue, als Träger von Säulen oder zur Verzierung von Gebäuden als Einzeltier oder als Fries (Säulenkapitell des Königs ASHOKA, Sarnath).

In der myken. Kunst machten sich noch starke oriental. Einflüsse bemerkbar, so am L.-Tor an der Burg von Mykene (14. Jh. v. Chr.). Der Hafen von Athen war von einem L. geschützt (heute in Venedig). Auf Delos erinnert eine Prozessionsstraße vom Ende des 7. Jh. v. Chr. mit 9 sitzenden L. an ägypt. Vorbilder. In der etrusk. Kunst diente der L. zur plast. Verzierung von Gefäßen, Kandelabern und Schmuck; in der röm. Kunst sind auf vielen Mosaiken und Reliefs Zirkuskämpfe zw. Menschen und L. dargestellt.

Im frühen Christentum entstanden die Evangelistensymbole (→Evangelisten), wobei der L. das Attribut des Evangelisten Markus wurde. Er symbolisiert ferner die Auferstehung Christi, zu Füßen eines Hl. auch den überwundenen Satan. Der 1166 von HEINRICH DEM LÖWEN in Braunschweig errichtete Bronzelöwe wirkt wie ein ins Monumentale gesteigertes Aquamanile.

Löwen, fläm. **Leuven** [l'ø:və], frz. **Louvain** [luv'ɛ̃], Stadt in der belg. Prov. Brabant, 87 100 Ew., im MA. ein Mittelpunkt der Tuchindustrie, seit 1425 Univ.-Stadt. In der Mitte der kreisförmig angelegten Stadt liegt am Grote Markt das spätgot. Rathaus (1448–63), mit seinen 3 skulpturengeschmückten Fassaden noch reicher als die Rathäuser von Brügge, Brüssel, Gent und Oudenaarde; im Innern Skulpturensamml. (C. MEUNIER, J. LAMBEAUX). Gegenüber dem Rathaus steht die spätgot. St. Pieterskerk, eine kreuzförmige Basilika, Chor (1425–50) mit Umgang und Kapellenkranz, W-Türme unvoll.; wertvolle Ausstattung: Tabernakel (1450), Lettner (1488) im Flamboyant-Stil, Barockkanzel (1742), Abendmahlsaltar (1464–67) und ›Martyrium des Hl. Erasmus‹ (um 1468), beides HW von D. BOUTS. Spätgotisch sind auch St. Kwinten (um 1450), St. Jacobs (15./16. Jh.) mit roman. W-Turm und St. Gertrudis (15. Jh.). St. Michael (1650–71) ist eine der schönsten Barockkirchen Belgiens. Die Tuchhalle (14. Jh.), bereits 1432 Sitz der Univ., brannte 1914 nieder und wurde z. T. rekonstruiert; Neubau der Univ.-Bibl. 1928 im Neurenaissancestil; auch der im 13. Jh. gegr. Beginenhof (Kirche 14. Jh.) wird von der Univ. genutzt. – Kunstsamml. im Städt. Mus. Vanderkelen-Mertens (bes. fläm. Malerei; brabant. Skulpturen, 15./16. Jh.).

Löwenberg i. Schles., poln. **Lwówek Śląski** [lv'uvɛk sjl'ɔ̃ski], Stadt in der poln. Wwschaft Jelenia Góra (Hirschberg im Riesengebirge), am Bober, 7500 Ew., mit z. T. erh. Wehrmauern aus Stein (14. Jh.) und Basteien (1474; Türme 13.–14. Jh.). Das Rathaus auf dem Marktplatz (z. T. aus Stein; 14. Jh.) verbindet got. und Renaissance-Elemente; neben dem Rathaus 2 Bürgerhäuser (16.–18. Jh.). Die Pfarrkirche mit spätroman. Fassade, 2 Türmen und Portal von 1374 wurde als Steinhalle mit Presbyterium 1493–1520 von K. PFLUGER neu errichtet, 1863–66 umgebaut. Die ehem. Franziskanerkirche aus dem 13. Jh. wurde im 15./16. Jh. umgebaut.

Löwenfinck, Adam Friedrich von, Porzellan- und Fayencemaler, *Hagenau 1714, †ebd. 13. 11. 1754, trat 1727 als Lehrling in die Meißener Manufaktur ein, wo er als Blumenmaler begann und später Chinoiserien malte. Nach seiner Flucht aus Meißen arbeitete er 1736 in Bayreuth, später in Ansbach und Fulda (1741–45), 1746–49 in Höchst, seit 1750 in Hagenau als Fayencemaler. Seine Bemalungen im ostasiat. Stil gehören zu den besten in der Fayencekunst des 18. Jh.

Löwentor, Haupteingang der Burg von Mykene, benannt nach dem Steinrelief über dem gewaltigen Torsturz. Die Darstellung zeigt im Wappenschema 2 Löwen, um eine Säule angeordnet, die mit ihren Vorderbeinen auf einem Altar stehen (13. Jh. v. Chr.). Das künstlerisch äußerst qualitätsvolle L. ist das älteste monumentale Steinrelief der europ. Kunst. (BILD kretisch-mykenische Kunst)

Lowicz [ł'ɔvitʃ], Stadt in der Wwschaft Skierniewice,

Polen, 24 000 Ew.; einstige Bischofs- und Fürstenresidenz; besitzt ehem. got. Kollegiatskirche, 1652–68 barock verändert, mit reicher Innenausstattung; Renaissance- und barocke Grabsteine der ehem. Bischöfe, Skulpturen und Fresken aus dem 18. Jh.; Piaristenkirche (1672–80) mit Fresken um 1725; klassizist. Rathaus und Postgebäude (um 1829); Häuser aus dem 16. bis 19. Jh. Im barocken Bau des Missionarseminars befindet sich ein Mus., u. a. mit Volkskunstsamml. der Umgebung; daneben eine Kapelle mit Fresken (um 1695) von M. A. PALLONI.

Loyang, amtlich chines. **Luoyang** [luɔjaŋ], Stadt im NW der chines. Prov. Honan, nördlich des Lo-Flusses, 500 000 Ew.; Keramikfunde der Yangshao- und Lungshan-Kulturen (6000–2000 v. Chr.). L. war Hauptstadt der Östl. Chou-Dynastie (770–256 v. Chr.) und der Östl. Han-Dynastie (25–220 n. Chr.), während der Zeit chines. Teilstaatlichkeit der Wei- (220–266), Tsin- (266 bis 313) und Nördl. Wei-Dynastie (494–535). Im Wang-ch'eng-Park 2 Gräber der Westl. Han-Zeit (206 v. Chr. bis 9 n. Chr.) und der Östl. Han-Zeit; in den Grabkammern Wandmalereien, steinerne Türpfosten und Türen mit Darstellungen in Flachrelief. Im NO der ›Tempel des Weißen Pferdes‹ (Pai-ma-ssu), einer der ersten buddhist. Tempel in China (75 n. Chr. gegr.; heutige Gebäude aus der Ming-Zeit). Zwei steinerne Pferde flankieren den Haupteingang, der zu mehreren, auf der zentralen N-S-Achse gestaffelten Hallen führt. Der ehem. Tempel des Kriegsgottes Kuan-ti (16. Jh.) im S ist Mus.: neolith. Keramik, Bronzen der Shang-Dynastie, Grabfunde der Han-Zeit, Steinstelen mit eingemeißelten konfuzian. Texten der Wei-Zeit.

Loyọla, Monasteiro de San Ignacio de L. [monast'ɛiro- ign'aθio-], 2 km südwestlich von Azpeitia (span. Prov. Guipúzcoa) gelegenes Jesuitenkolleg, entstanden um das Geburtshaus (›Casa Santa‹) des Hl. Ignatius von Loyola; nach Plänen von C. FONTANA 1689 beg. (Mitte des 18. Jh. voll.) als rechteckige Anlage. Die Klosterkirche ist ein prachtvoller, mit Marmor überreich geschmückter Rundbau mit 55 m hoher Kuppel.

Luạnda, Hauptstadt von Angola, 600 000 Ew.; portugies. Festung. Stadtbild nach brasilian. Vorbildern, bes. die 1664 erbaute Kirche Nossa Senhora da Nazaré mit Bilderwand aus Azulejos; ebenfalls aus dem 17. Jh. die Kathedrale und die Straße ›Rua dos Mercadores‹. In der Oberstadt Karmeliterkirche (1663) mit bemalter Holzdecke, Jesuitenkirche (1607) und Angola-Mus. (afrikan. Kunst).

Luạng Prabang, Stadt in N-Laos, links am Mekong, etwa 30 000 Ew.; ehem. Königsresidenz und laot. Mittelpunkt des Buddhismus mit vielen Tempeln und Stupas (That), die hier glockenförmig, halbkugelförmig u. a. gebaut sind. Die ältesten sind That Mak Mo (Anf. 16. Jh.; 1932 restauriert) und That von Wat Sop (15. Jh.). BILD S. 133

Luba: Häuptlingssitz der L. vom Meister der langgesichtigen Figuren von Buli (London, Brit. Museum)

Luba, Baluba, Bantu-Volk in S-Zaire, zw. Lualaba und oberem Lomani, etwa 2,5 Mio. Menschen. Das im 15. Jh. gegr. L.-Reich (Blütezeit vor ein oder zwei Jh.), eine mächtige militär. Konföderation vieler kleinerer

Luang Prabang: Rote Kapelle des Wat Xieng Thong, 16. Jh., restauriert

Stämme, hat eine bed. Schnitztradition mit einer Vielfalt an Stilformen entstehen lassen (neben den eigtl. L. bes. Hemba, ferner Kanyoka, Songe, Tetela, Bembe, Buye, Holoholo, Tabwa, Bemba). Gemeinsam ist allen Figuren der L. die Weichheit der Linien und die sorgfältige Gestaltung des Kopfes und der Frisur, die bes. bei den Hemba oft schwergewichtig nach hinten orientiert ist. Meist handelt es sich um Ahnen-, seltener um Zauberfiguren, geschnitzt in idealisierendem Naturalismus, mit halb oder ganz geschlossenen Augen. Die Hocker der L. sind mit karyatidenartigen Figuren versehen, mit ausdrucksstarken länglichen Gesichtern. Unter den Masken sind am bekanntesten die des Kifwebe-Bundes bei den Songe. Eine Besonderheit der L.-Kunst sind, neben den schalentragenden ›Bettlerinnen‹- (›Kabila‹-) Figuren, die ›Bogenhalter‹: gabelförmige Gegenstände, deren Schaft meist figürlich beschnitzt ist; sie dienten zum Aufhängen des Bogens und waren zugleich Würdezeichen des Königs.

Lubań [l'ubajn], poln. Name für die Stadt →Lauban.

Lubartów [lub'artuf], Stadt in der Wwschaft Lublin, Polen, 15 000 Ew. Der Palast, im 16. Jh. von der Fam. Firlej gebaut, später aus- und umgebaut, ist heute Verwaltungsgebäude; Pfarrkirche (1733–38, von P. FONTANA; Glockenturm 18. Jh.); Kapuzinerkloster und Kirche (1741, nach Plänen von P. Fontana).

Lübbenau/Spreewald, Stadt in der Niederlausitz, Dt. Dem. Rep., 21 700 Ew.; klassizist. Schloß (1817–20, 1839 umgebaut) mit Orangerie (kunstgeschichtl. Samml.) und großem Landschaftspark; barocke Pfarrkirche (1744).

Lübben/Spreewald, Stadt in der Niederlausitz, Dt. Dem. Rep., 14 100 Ew. Die maler. Stadt wurde 1945 stark zerstört. Erh. sind die Nikolaikirche (1. H. 16. Jh.), eine spätgot. Backstein-Hallenkirche, das Schloß (1682) im Spätrenaissancestil mit reichem Ostgiebel und das barocke ehem. Ständehaus (1717).

Lübeck: Holstentor; 1466–78

Lübeck, Hansestadt L., Stadt in Schlesw.-Holst., 227 200 Ew.; Hauptstätte der dt. Backsteingotik. Trotz schwerer Zerstörung 1942 bietet L. immer noch das Bild der ma. Handelsgroßstadt (neben Köln die größte Stadt des dt. MA.) mit ihren 7 beherrschenden Kirchtürmen. Der 125 m lange Dom, 1173 unter HEINRICH DEM LÖWEN als roman. Doppelturmbasilika beg., 1247 gew., 1266–1341 zur got. Backsteinhalle mit polygonalem Umgangschor umgebaut, besitzt ein großartiges Triumphkreuz, HW von B. NOTKE (1477); Lettner (14. Jh.) mit astronom. Uhr (1627/28); wertvolle Grabmäler und -platten. Ein städtebaul. Glanzpunkt ist der Markt: die Marienkirche (um 1250–1351), eine doppeltürmige Pfeilerbasilika mit Umgangschor und Kapellenkranz, stellt eines der wichtigsten Denkmäler norddt. Backsteinarchitektur dar (Mittelschiffshöhe 38 m); das got. Rathaus (13.–15. Jh.) aus schwarzglasierten Ziegeln mit Giebeln, Türmchen und hohen Schildwänden (Vorbilder in Rostock, Stralsund und Thorn) ist eines der größten des MA. Unzerstört blieben St. Ägidien, eine Stufenhalle des 13.–15. Jh. mit prachtvollem Spätrenaissance-Lettner (1586/87) und Orgelprospekt (1624–26), und St. Jakobi (13./14. Jh.) mit 2 got. Orgeln, Renaissancegestühl (1576) und zahlreichen Epitaphien. Die ehem. Franziskanerklosterkirche St. Katharinen, eine mächtige turmlose Pfeilerbasilika des 14. Jh., ist ein HW unter den hochgot. Bettelordenskirchen; in den Nischen der reich gegliederten Westfassade Figuren von E. BARLACH und G. MARCKS. Das ehem. Dominikaner-Burgkloster (1227 gegr.) wurde 1893–96 neugotisch ummantelt (Rekonstruktion geplant). Das Heiliggeisthospital (2. H. 13. Jh.) ist eines der ältesten und besterhaltenen Hospitäler (jetzt Altenheim); bemerkenswert bes. die dreigiebelige turmreiche got. Fassade, die ausgemalte Kirchenhalle und die einzigartige, 88 m lange Spitalhalle mit offenem Dachstuhl. Als bedeutendstes dt. Stadttor gilt das monumentale Holstentor (1466–78; darin das Stadtgeschichtl. Mus.); daneben die Salzspeicher (16.–18. Jh.); nahebei die Petrikirche, eine asymmetr. fünfschiffige Halle (14.–16. Jh.). Burgtor (1444 voll.). Im spätgot. St. Annen-Kloster (1502–15) Mus. (ma. Sakralkunst, u.a. der Memling-Altar aus dem Dom, 1491, lübische Wohnkultur, Gemälde/Graphik 17.–20. Jh.); Städt. Gal. im Mus. Behnhaus (1779–83 erbaut, klassizist. Stilräume 1802 ff., Malerei und Plastik des 20. Jh. und Frühwerke des 1789 in L. geborenen J. F. OVERBECK). Charakteristisch für L. sind die Stiftungshöfe in der Glockengießerstraße (z. B. der Füchtingshof) und die vielen, aus Raumnot entstandenen ›Wohngänge‹ mit beiderseitigen ›Budenreihen‹. Die schönsten Bürgerhäuser stehen in der Königstraße, Großen Petersgrube und Mengstraße (u.a. Schabbelhaus, 1558, und Buddenbrook-Haus, 1758). Haus der Schiffergesellschaft (1535) mit hoher vertäfelter Dielenhalle; im Haus der Kaufmannschaft (1838) das ›Fredenhagensche Zimmer‹ (kunstvolle Renaissancetäfelung, 1572–83). Das Stadttheater ist ein aufwendiger Jugendstilbau (1907/08). Zahlreiche weitere histor. Wohnbauten, auch in den Vorstädten St. Gertruden, St. Jürgen und St. Lorenz; stattl. Backsteinkirchen in den Ortsteilen **Genin** (13./18. Jh.), **Schlutup** (15./16. Jh.) und **Travemünde** (16./17. Jh.).

Die Bau- und Kunstdenkmäler der Hansestadt L. (1974 ff., bisher 1 Bd.); L., die Altstadt als Denkmal, hg. v. M. BRIX (1975).

Lubiąż [l'ubjɔ̃ʃ], poln. Name für den Ort →Leubus.

Lublin, Hauptstadt der gleichnamigen Wwschaft, Polen, 291 000 Ew.; im MA. wichtige Wehrsiedlung. Im 15./16. Jh. erlebte L. seine Blütezeit (u. a. Sitz des Königl. Gerichtshofes); L. wurde in den Schwedenkriegen und im 2. Weltkrieg stark zerstört. Von den Stadtmauern sind nur Reste erh., u. a. das Krakauer Tor im got. und Renaissancestil (16. Jh.). Am Marktplatz das Alte Rathaus (14. Jh.; 1781 von D. MERLINI im klassizist. Stil umgebaut) und Renaissance-Bürgerhäuser mit Attiken und reich verzierten Fassaden. Unweit der barocke Dom (1586–1603; 1819 umgebaut) und das Dominikanerkloster mit Kirche; urspr. spätgotisch, 1574 als Halle mit Seitenkapellen umgebaut (Renaissance- und barocke Innenausstattung). Die Burg ließ KASIMIR DER GR. im 14. Jh. bauen; sie wurde im 18./19. Jh. zerstört und im 19. Jh. im romant. Stil als Schloßanlage errichtet (heute Mus. und Kulturhaus). Die ältesten erh. Teile sind ein runder Turm (13. Jh.) und die got. Burgkapelle (um 1385) mit byzantinisch-ruthen. Malerei. L. hat ferner mehrere Klosterbauten und Kirchen, u. a. Zisterzienserkloster und Kirche (spätgot. Halle, 1557–69; im 17. Jh. umgebaut; Fassade klassizistisch, 1827); Karmeliterinnen-Kloster mit barocker Kirche (1635 bis 1644); Missionskloster und Kirche, ein Zentralbau (1719–30) mit barocker und Rokokoausstattung. In L. gibt es mehrere Paläste ehem. poln. Adelsfamilien.

Lubok, russ. volkstüml. Bilderbogen, auch Flugblatt, meist stark kolorierter Holzschnitt, v.a. aus dem 18. und 19. Jh. M. CHAGALL, W. KANDINSKY, NATALJA GONTSCHAROWA, W. TATLIN, K. MALEWITSCH u. a. ließen sich von den L. inspirieren.

Lubomierz [lub'ɔmjɛʃ], →Liebenthal.

Lubumbashi [-b'aʃi:], bis 1966 **Elisabethville** [-v'il], Hauptstadt der Prov. Shaba, Zaire, 1230 m ü. M., 451 300 Ew.; Mus. (traditionelle afrikan. Kunst).

Lucae, Richard, Baumeister, *Berlin 12. 4. 1829, †ebd. 26. 11. 1877, seit 1869 Prof. (seit 1872 Direktor) der Akad. ebd. Im Stil des Historismus baute L. das Opernhaus in Frankfurt a. M. (1873–80) in Formen der ital. Renaissance (Wiederaufbau als ›Alte Oper‹ nach Zerstörung im 2. Weltkrieg, 1981 voll.), ferner die TH in Berlin-Charlottenburg (voll. 1878–84).

Lucas, August, Maler, Graphiker, *Darmstadt 7. 5. 1803, †ebd. 28. 9. 1863, arbeitete 1825/26 bei P. CORNELIUS in München, schloß sich in Italien (1829–34) J. A. KOCH an. Dessen Einfluß – wie der von J. W. SCHIRMER – wird in seinen späteren, nach ital. Skizzen gemalten Bildern deutlich (›Wäscherinnen bei Civitella‹, 1834, u. a.). In Darmstadt schuf L. dekorative Wandgemälde.

A. L., in: Kunst in Hessen und am Mittelrhein, 12 (1972).

Lucas van Leyden (Leiden) [l'y:kas van l'ɛidə], holländ. Maler und Graphiker, *Leiden 1489 oder 1494, †ebd. 1533, Schüler seines Vaters H. JACOBSZ, dann des C. ENGELBRECHTSEN. Er wurde als Wunderkind angesehen; schon die frühesten, bereits um 1508 entstandenen Stiche zeichnen sich aus durch reiche Erfindung und Beobachtung, hohe Eigenart der Charakteristik und Erzählungsweise sowie eingehende Feinheit der techn. Durchführung. Vom holländ. Kupferstich und von A. DÜRER ausgehend (den er 1521 in Antwerpen traf), entfaltete sich sein Stil weniger auf regelmäßige Anordnung und plast. Bildung der Körper als

Lucas van Leyden: David vor Saul; Kupferstich, 1509

auf menschl. und stoffl. Besonderheit, landschaftl. und atmosphär. Einheit hin. Um 1527 näherte er sich der ital. Kunst, bes. dem Raffael-Stecher M. RAIMONDI. L. v. L. hinterließ ein 195 Stiche, Radierungen und Holzschnitte umfassendes graph. Werk. In den Kupferstichen bevorzugte er silbriggraue, zarte Tonabstufungen und bibl., mytholog. und histor. Themen; daneben schuf er richtungweisende Genredarstellungen. Seine in hellfarbigen Changeanttönen locker gemalten Ölbilder zeigen oft eine originelle Auffassung der Landschaft.

HW: Mariendiptychon (1522; München, Alte Pinakothek); Jüngstes Gericht (1526/27; Leiden, Stedelijk Mus.); Heilung des Blinden von Jericho (1531; Leningrad, Eremitage); Tanz ums Goldene Kalb (Amsterdam, Rijksmus.).

M. J. FRIEDLÄNDER: L. v. L. (1963); J. LAVALLEYE: L. v. L. Das ges. graph. Werk... (1966).

Lucas y Padilla [-i pað'iʎa], Eugenio, span. Maler, *Alcalá de Henares 1824, †Madrid 11. 9. 1870, als Bewunderer und Nachahmer von F. GOYA hinterließ er ein umfangreiches Œuvre (v. a. span. Volksszenen), das oft schwer von dem seines Vorbildes zu unterscheiden ist (Werke in zahlreichen Madrider Museen).

Lucca, ital. Stadt und Erzbischofssitz in der nördl. Toskana, 91400 Ew. Die von Wällen und Bastionen (16./17. Jh.) umgebene Altstadt hat zahlreiche Bauten des MA. und der Renaissance: Der im 6. Jh. gegr. Dom wurde seit 1060 neu gebaut, die Fassade, 1204 vollendet, erhebt sich mit 3 übereinanderliegenden Arkadenreihen über großen Bogenöffnungen der Vorhalle, in der die 3 reich geschmückten Portale liegen (mit Skulpturen von roman. Meistern und Reliefs von N. PISANO); im Inneren u. a. das Grabmal der Donna Ilaria del Carretto von J. DELLA QUERCIA; roman. Statue des Hl. Martin zu Pferd mit dem Bettler; das →Volto Santo, ein hochverehrtes Kruzifix. Kirchen S. Michele in Foro (Mitte 12. Jh., reich ausgebildete Fassade bis Anfang 13. Jh. mit 4 Säulenloggien und Marmorinkrustation), S. Frediano (1112–47, Fassade mit Mosaikschmuck um 1260), S. Francesco (13. Jh.), S. Giovanni (12. Jh., Fassade 16. Jh.) u. a. Villa (heute Mus.) und Häuser der Familie GUINIGI, die 1392–1432 die Herrschaft über L. ausübte; im Palazzo del Governo (beg. 1578 von B. AMMANATI) heute Pinakothek.

Lucebert [l'y:səbɛrt], eigtl. Lubertus Jacobus **Swaanswijk** [-wɛjk], niederländ. Schriftst. und Maler, *Amsterdam 15. 9. 1924, gehörte mit seiner linearbetonten, auf virtuose Weise an Kinderzeichnungen erinnernden Bilder (›poèmes peintures‹) zur Gruppe Cobra.

Lucera [lutʃ'e:ra], Stadt und Bischofssitz in der ital. Prov. Foggia, Apulien, 30000 Ew. In beherrschender Lage über der Stadt und dem ›Tavoliere‹ (Ebene von Foggia) liegen die unter KARL I. von Anjou angelegten Befestigungswerke (1268–75 erbaut) und die Ruinen des Kaiserpalastes FRIEDRICHS II. (13. Jh., Ende des 18. Jh. zerstört). Aus got. Zeit stammen der Dom (beg. 1300) und die Kirche S. Francesco, aus dem 18. Jh. der Bischofspalast; Mus. mit lokalen Altertümern.

Luchian [lukj'an], Ştefan, rumän. Maler, *Ştefăneşti (Botoşani) 1. 2. 1868, †Bukarest 28. 6. 1916, entwikkelte seinen Stil aus Anregungen des frz. Impressionismus (É. MANET, E. DEGAS) und des Symbolismus; Bilder nach Motiven des Volkslebens, Porträts einfacher Menschen in Pastellton und Blumenstilleben in ausdrucksvollem Kolorit.

Lucia, Luzia, Märtyrerin aus Syrakus, wahrscheinlich als Christin unter DIOKLETIAN Anfang des 4. Jh. hingerichtet; dargestellt mit den Attributen Lampe, Fackel und Kerze (redende Attribute als Hinweis auf ihren Namen L. zu lat. lux ›Licht‹), Schwert oder Dolch im Hals, mit Doppelkreuz (Fresko in Rom, S. Sebastiano al Palatino, 8./11. Jh.), seit dem 14. Jh. mit ihren (nach der Legende um Christi willen geopferten) Augen in einer Schale (P. LORENZETTI, Tafelbild in Florenz, S. Lucia dalle Rovinate), Buch (B. BRUYN D. Ä., 2. Viertel des 16. Jh.) und Palme (CIMA DA CONEGLIANO, 1608; Syrakus, S. Lucia). Zyklen finden sich u. a. auf Fresken in Melfi (Ende des 12. Jh.; Grotte der Hl. L.). Szenen ihrer Legende schilderten DOMENICO VENEZIANO (15. Jh.) und CARAVAGGIO (16. Jh.).

Luckau, Stadt in der Niederlausitz, Dt. Dem. Rep., 6400 Ew., mit z. T. bewahrtem ma. Stadtbild, beherrscht von der mächtigen Nikolaikirche (im wesentlichen 14. Jh.), einer spätgot. Hallenkirche mit zweitürmigem Westbau und reicher Ausstattung, bes. bemerkenswert die Kanzel (1666); frühgotisch sind die im 17. Jh. profanierte Georgskirche und die ehem. Dominikanerkirche (im 19. Jh. umgebaut). Rathaus, im Kern gotisch (1851/52 umgebaut); einige frühbarocke Bürgerhäuser. Stadtbefestigung (um 1290) fast vollständig erhalten.

Lücke, Johann Christian Ludwig von, Bildhauer, Elfenbeinschnitzer, *Dresden (?) um 1703, †Danzig 1780, wurde nach Studien in Frankreich, den Niederlanden und England 1729 Modellmeister der Porzellanmanufaktur in Meißen, 1750 in Wien. L. schuf Porträtreliefs, allegor. und relig. Darstellungen. Sein Stil läßt vermuten, daß er Schüler von B. PERMOSER war.

HW: Wiedererweckung der Kunst (1736; Dresden, Grünes Gewölbe, Elfenbeingruppe); 4 Kinderfiguren (1742; Schwerin, Garten des Schlosses, aus Sandstein); Ruhende Schäferin (München, Bayer. Nat. Mus.).

Luckhardt, Hans, Architekt, *Berlin 16. 6. 1890, †Bad Wiessee 12. 10. 1954, war mit seinem Bruder Wassili (*1889, †1972), Mitgl. der →Gläsernen Kette, stilbildend an der Architektur des Expressionismus der 20er Jahre beteiligt. Beide wirkten auf die dt. Architektur nach 1945.

HW: H. L.: Landesversorgungsamt München (1957). H. L. u. Wassili L.: Utop. Entwürfe (1919); Siedlung Schorlemer Allee, Berlin-West (1925–28); Umgestaltung des Alexanderplatzes (Wettbewerbsentwurf 1929); Berlin-Pavillon der Constructa, Hannover (1951); Wohnhausgruppe Kottbuser Tor, Berlin-West (1956).

Lucknow [l'ʌknaʊ], **Lakhnau,** Hauptstadt von Uttar Pradesh, N-Indien, 896 000 Ew. Obwohl schon im 14. Jh. gegr., war L. erst als Hauptstadt der Nawabs von Oudh im 18. und 19. Jh. von größerer Bedeutung. Die zahlreichen, aus einfachen Baumaterialien errichteten monumentalen Moscheen, Mausoleen und Paläste wirken oft barockartig überladen und lassen den klar gegliederten Baustil der Moguln vermissen; State Museum mit reicher Samml. von Kushana- und Gandhara-Kunst.

Lüdinghausen, Stadt im Kr. Coesfeld, NRW, 18700 Ew., mit spätgot. Stadtkirche (1507–58), einer Rundpfeilerhalle mit Sterngewölbe, und Renaissance-Amtshaus (1569–73). In der malerisch auf 2 Inseln gelegenen Wasserburg **Vischering** (Oberburg 1519, Unterburg 1584) das Münsterland-Mus.

Lüdingworth, Stadtteil von Cuxhaven, Ndsachs.; in der ma. Saalkirche (13./16. Jh.) einzigartiges Zusammenspiel der meist barocken Ausstattungsstücke: bemalte Holzbalkendecke (um 1600), emporenartige Kanzel (1620/1718), Hochaltar (1655), Orgel (1598/1682), reich geschnitzte Empore (1774), Evangelienpult (1776).

Ludmilla, Ludmila, Gemahlin des ersten christl. Böhmenherzogs Bořiwoj, †15. 9. 921(?), Großmutter des Hl. WENZEL. Darstellungen der bildenden Kunst finden sich seit dem 14. Jh.: mit zusammengelegtem Tuch um den Hals (MEISTER THEODERICH, um 1365; Karlstein, Burgkapelle), mit Krone (Statue in Wien, St. Stephan, Mitte des 14. Jh.), beim Unterricht Wenzels (Statue um 1730; Prag, Karlsbrücke); Szenen meist im Zusammenhang mit der Wenzelslegende.

Ludovisischer Thron, ein im Gebiet der früheren Villa Ludovisi in Rom 1887 gefundenes reliefgeschmücktes grch. Marmorwerk (um 470–460 v. Chr., jetzt im Thermenmus., Rom). Auf der Hauptseite ist eine von 2 Mädchen emporgehobene, aus dem Meer auftauchende Göttin (wahrscheinlich Aphrodite) dargestellt. Die Zweckbestimmung des Werkes ist noch immer umstritten, meist gilt es als Teil eines Altars.

Ludwig I., König (1825–48) von Bayern, *Straßburg 25. 8. 1786, †Nizza 29. 2. 1868, lebte nach 1815 in Würzburg und Aschaffenburg, seiner künstler. Neigung folgend. Nach seiner Thronbesteigung machte er München, wohin er 1826 auch die Landes-Univ. verlegte (bisher in Landshut) zur Kunststadt und ließ historist. Bauten ausführen, die noch heute das Stadtbild bestim-

Ludovisischer Thron; um 470–460 v. Chr.

men. Auf seine Initiative geht die Gründung der großen öffentl. Museen, der Glyptothek, der Alten und der Neuen Pinakothek zurück.

Ludwig II., König (1864–86) von Bayern, *Nymphenburg 25. 8. 1845, †(ertrunken) im Starnberger See 13. 6. 1886. Nach polit. Mißerfolgen widmete er sich schon früh ausschließlich seinen künstler. Unternehmungen, die über Jahre vom Werk und von der Person R. WAGNERS geprägt waren, den er nach seiner Thronbesteigung 1864 nach München holen ließ und förderte (Festspiele in Bayreuth). Seine märchenhaften Theatervorstellungen und die phantast. Schloßbauten (Neuschwanstein, Linderhof, Herrenchiemsee) konnten nur dank der finanziellen Unterstützung durch BISMARCK realisiert werden.

L. II. und die Kunst, Ausst.-Kat., München (1968); H. RALL u. M. PETZET: König L. II. (1968).

Ludwig, Peter, Kunsthistoriker, Industrieller, Kunstsammler, *Koblenz 9. 7. 1925, baute mit seiner Frau Irene L., geb. Monheim, eine der größten Privatsamml. moderner Kunst auf, die seit 1969 im Wallraf-Richartz-Mus., Köln, und im Suermondt-Mus., Aachen, zugänglich ist. Seine Samml., die außerdem antike Vasen, präkolumbian. Kunst und Werke des europ. MA., darunter das karoling. Harrach-Elfenbeintriptychon umfassen, sind heute außer in Köln und Aachen in Basel, Wien, Berlin, Paris und Saarbrücken ausgestellt. – Das **Museum Ludwig,** Köln, wurde 1976 durch einen Schenkungsvertrag P. L.s mit der Stadt Köln gegr., 1981–86 entstand ein Neubau für das Wallraf-Richartz-Mus. und das Mus. Ludwig in nächster Nähe des Kölner Doms nach den Plänen der Architekten P. BUSMANN (*1933) und G. HABERER (*1941); in ihm werden sowohl die nach 1900 entstandenen Werke, zuvor im Wallraf-Richartz-Mus., ausgestellt als auch die Samml. mit Werken der klass. Moderne (P. PICASSO, S. DALÍ, H. MATISSE, H. LAURENS, ALBERTO GIACOMETTI), der New Yorker Schule (M. ROTHKO, J. POLLOCK, F. KLINE, B. NEWMAN), der Pop Art (R. LICHTENSTEIN, J. ROSENQUIST, T. WESSELMANN, A. WARHOL), des Nouveau Réalisme (Y. KLEIN, ARMAN, J. TINGUELY, D. SPOERRI) und der Kunst der 70er Jahre (J. BEUYS, G. RICHTER, K. KLAPHECK, G. BASELITZ, A. R. PENCK, B. SCHULTZE u. a.).

Ludwigsburg, Stadt in Bad.-Württ., nördlich von Stuttgart, 81800 Ew.; ehem. Residenz der Herzöge (später Könige) von Württemberg. L. besitzt nach Mannheim das zweitgrößte Barockschloß in Dtl. (18 Gebäude, 452 Zimmer), 1704–33 von J. F. NETTE, D. G. FRISONI und P. RETTI erbaut. Die erlesene Innenausstattung stammt von ital. Künstlern; barockes Schloßtheater. Das Neue Corps de logis (Fürstentrakt) wurde 1797 bis 1804 klassizistisch von N. THOURET umgestaltet, Schloß-Mus. (70 Prunkräume) und Samml. ›Höfische Kunst des Barock‹. Thouret gestaltete auch die Schlösser Favorite (1715–23 erbaut, 250 m nördlich der Residenz) und Monrepos (1760–64 von P. DE LA GUÊPIÈRE erbaut) um 1800 im Innern um. Die Stadt L. wurde nach Entwurf von Frisoni seit 1709 angelegt: arkadengeschmückter Marktplatz, doppeltürmige barocke

Stadtkirche (1718–26 von Frisoni); Städt. Mus. (u.a. Porzellan der →Ludwigsburger Porzellanmanufaktur).

Ludwigsburger Porzellanmanufaktur, vom württemberg. Herzog KARL EUGEN 1758 gegr., 1824 aufgelöst. Die Manufaktur (Blütezeit 1760–70) zählte zu den bedeutendsten in Dtl. Der aus Meißen und Höchst kommende G. F. RIEDEL war 1759–79 Obermaler in Ludwigsburg. Neben vorzüglich bemalten Geschirren stellte die Manufaktur v. a. genrehafte Kleinplastik her. Der wichtigste Modelleur war der spätere Wiener Hofbildhauer J. C. W. BEYER, der zahlreiche Modelle für Porzellanplastik lieferte. Sie sind in 2 von ihm herausgegebenen Kupferstichwerken gesammelt. Seit 1948 arbeitet die Manufaktur wieder.

P. LAHNSTEIN u. MECHTHILD LANDENBERGER: Das Ludwigsburger Porzellan u. seine Zeit ([2]1980).

Ludwigshafen am Rhein, moderne Hafen- und Industriestadt am linken Rheinufer, Rheinl.-Pf., 172000 Ew. Wilhelm-Hack-Mus. (1975–79; spätröm. bis ma. Kunst, Malerei des 20. Jh., v. a. Expressionisten), an der Südseite eine Keramikwand von J. MIRÓ (1978). Die Wallfahrtskirche im Stadtteil **Oggersheim** ist der einzige Sakralbau des Bildhauers P. A. VERSCHAFFELT, 1774–77 im frühklassizist. Stil um eine 1729–33 errichtete Loretokapelle herumgebaut, von vornehmer, an röm. Vorbildern orientierter Wirkung. In der Loretokapelle 2 anbetende Engel von P. EGELL (um 1725).

Ludwigslust, Stadt im Bez. Schwerin, Dt. Dem. Rep., 13200 Ew.; 1757 gegr., einheitlich angelegt von J. J. BUSCH, bis 1837 Residenz des Hauses Mecklenburg-Schwerin. Spätbarockes Schloß (1772–76), im Goldenen Saal reiche Dekoration aus vergoldetem Papiermaché; barocker Park, im 19. Jh. zum Landschaftspark erweitert, mit klassizist. Mausoleen, Kaskade, neugot. kath. Kirche (1803–09). Schloßkirche (1765–70).

Luẹna, Volksgruppe in O-Angola, nahe der samb. Grenze. Zus. mit den nachbarl. Songo, Ngangela und Lunda stehen die L. ganz im Einflußbereich der Chokwe. Die Figuren und Masken der L. zeigen gegenüber denen der Chokwe eine geringere Expressivität, strahlen mehr Ruhe und Geschlossenheit aus. Eine Besonderheit der Figuren ist der breite, bandartige Kopfputz sowie das als Rinne herausgearbeitete Rückgrat.

Luftlack, Maltechnik: schnell trocknender fetter Lack, der mehr Öl als Harz enthält.

Lüftlmalerei, alpenländ. Fassadenmalerei mit meist religiösen Motiven.

P. E. RATTELMÜLLER: L. in Oberbayern (1981).

Lugạno, Stadt im schweizer. Kt. Tessin, am N-Ufer des Luganer Sees, 29300 Ew.; S. Lorenzo (im Kern romanisch, got. Umbau 2. H. 13. Jh.) mit vorgeblendeter Fassade (1517), dem hervorragendsten Beispiel der Frührenaissance im Tessin; in der spätgot. ehem. Minoriten-Klosterkirche S. Maria degli Angioli (1490–1515) bed. Fresken, bes. das monumentale Passionsfresko von B. LUINI (1529). Das Stadthaus (Municipio) ist ein wichtiger Bau des Klassizismus im Tessin (1840–44). Im Mus. di Belle Arti v. a. Werke Tessiner Künstler seit dem 17. Jh.; in der Villa Favorita (1687) in L.-Castagnola die Pinacoteca Thyssen-Bornemisza (H. →Thyssen-Bornemisza).

Lügde, Stadt im Weserbergland bei Bad Pyrmont, NRW, 10900 Ew. Die Kilianskirche (2. H. 12. Jh.) ist eine breitgelagerte, kraftvolle roman. Gewölbebasilika mit Westturm; bei Wölbung und Kapitellen Einflüsse von →Lippoldsberg; Reste von Fresken der ›Soester Schule‹ (um 1200).

Luginbühl, Bernhard, schweizer. Plastiker, *Bern 16. 2. 1929, gestaltet, von der Formenwelt der Technik ausgehend und unter Verwendung industriell vorgefertigter Einzelteile, monumentale, oft aggressiv wirkende, aber auch ins Ironische reichende Eisenplastiken; außerdem Zeichnungen und Kupferstiche.

B. L., Ausst.-Kat., Hannover (1975).

Lugo [l'uγo], span. Stadt und Bischofssitz im Zentrum von Galicien, über dem oberen Miñotal, 66200 Ew.; gut erhaltene Ringmauer aus röm. Zeit mit Türmen und Toren (im 14. Jh. erneuert); dreischiffige Kathedrale (urspr. romanisch, im 15./16. Jh. verändert, Fassade und Türme aus dem 18. Jh.) mit prunktvollem churriguereskem Hauptretabel (1726) und Kreuzgang (Anf. 18. Jh.); got. Kirchen S. Domingo (14. Jh.; roman. Portal) und S. Francisco (15. Jh.; roman. Kapitelle im Kreuzgang); Rathaus (Barockfassade, 18. Jh.); Mus. (u. a. Skulpturen und Gemälde seit dem 14. Jh., galic. Kunsthandwerk).

Lugo, Emil, Maler, *Stockach bei Konstanz 24. 6. 1840, †München 4. 6. 1902, war nach Studien in Karlsruhe (J. W. SCHIRMER, 1856–64) und Weimar (F. PRELLER D. Ä., 1869) in Rom (1871–75), Freiburg i. Br. (1875–87) und München (seit 1887) tätig. Seine Landschaften sind dem Idealstil der Deutsch-Römer wie dem Realismus der Schule von →Barbizon verbunden und zeigen auch den Einfluß von H. THOMA. Bes. frisch wirken seine Naturstudien und Skizzen.

E. L., Ausst.-Kat., Freiburg i. Br. (1977).

Luidl, seit dem späten 16. bis in das 18. Jh. nachweisbare Bildhauerfamilie des bayerisch-schwäb. Barock, weitverzweigt (ansässig in Mering bei Augsburg, Dillingen, Dachau und Landsberg am Lech). Bed. war Lorenz L. (*Mering um 1645, †ebd. 14. 1. 1719), der den Hochaltar der Stadtpfarrkirche Unserer Lieben Frau in Landsberg am Lech (1680/81) schuf.

Luik [lœjk], fläm. Name von →Lüttich.

Luini, Bernardino, ital. Maler, *Luino (?) um 1480/85, †Mailand vor dem 1. 7. 1532, anfangs beeinflußt bes. von V. FOPPA, aber auch von BERGOGNONE und BRAMANTINO, später von LEONARDO DA VINCI. In seinen Bildern verbindet sich die Schönheit ernster, ausgewogener Kompositionsweise mit gefühlvollem Ausdruck. L., im Schatten Leonardos stehend, ist der bedeutendste lombard. Maler seiner Zeit.

HW: Abgenommene Fresken aus Mailänder Kirchen (Madonna mit Kind, Hl. Antonius, Hl. Barbara, 1521) und aus einer Villa bei Monza (Mailand, Brera); weitere Fresken in der Ambrosian. Bibliothek, in S. Maurizio ebd.; in der Wallfahrtskirche zu Saronno; in S. Maria degli Angioli in Lugano. Tafelgemälde: Madonna im Rosenhag (Mailand, Brera); Engel mit Tobias (ebd., Ambrosiana).

Lukarne [frz. lucarne ›Dachluke‹], **Giebelhaus,** Bez. für aufwendigere Gaupen, eigtl. jedoch die besondere Form der Dachaufbauten in Frankreich vom 14. bis 16. Jh., die in der Front der Fassade oft massiv auf das Hauptgesims aufgesetzt sind oder dieses durchbrechen.

Lukas, Evangelist, nach späterer Überlieferung aus Antiochia, Begleiter des Paulus und Arzt. – In der bildenden Kunst wird L. v.a. im Zusammenhang der →Evangelisten dargestellt. Sein besonderes Attribut sind Arztgeräte und Malerutensilien. Nach einer (um 530 nachweisbaren) Legende galt L. als Maler; so wurde auch eine Reihe von Christusbildern auf ihn zurückgeführt (etwa das wohl in das 6. Jh. zurückgehende der Capella Sancta Sanctorium beim Lateran in Rom). Das späte MA. stellte L. auch als Maler der Maria mit Kind dar (R. VAN DER WEYDEN, um 1435–40). – L. als Arzt (und Patron der Medizin. Fakultät) zeigt u. a. der silberne Altar des Münsters in Freiburg i. Br. (1. H. 18. Jh.).

Lukasbund, 1809 in Wien gegr. Vereinigung von Malern, →Nazarener.

Lukas-Gilden, Lukas-Bruderschaften, seit dem 15. Jh. Zusammenschlüsse von Malern, Bildschnitzern, Druckern, Glasern u. ä. Handwerkern am Niederrhein und in den Niederlanden; ihr Schutzpatron war der Evangelist Lukas.

Luks [lʌks], George Benjamin, amerikan. Maler, *Williamsport (Pennsylvania) 13. 8. 1867, †New York 29. 10. 1933, studierte u. a. in Paris und Düsseldorf, arbeitete seit 1895 als Zeitungsillustrator. Seine Gemälde zeigen Motive aus dem Leben von Fabrik- und Bergarbeitern. L. war Mitgl. der Ashcan School.

Luksor, Stadt in Oberägypten, →Luxor.

Lulua: Kultfigur aus schwarz gefärbtem Holz mit zahlreichen Schmucknarben (Privatsammlung)

Lulua, Bena Lulua, Volksgruppe in SW-Zaire; gehört zum künstler. Einflußbereich des Kuba-Reiches, hat jedoch in der Formgebung Eigenständiges entwikkelt, was vermutlich auf die Abstammung der L. von den Luba zurückzuführen ist. Die Skulpturen und Masken haben eine sehr eigenwillige, grazile Prägung und bes. die Ahnenfiguren, kleine stehende Skulpturen, die eine Schale tragen (bei einer Geburt wird eine beschützende Medizin hineingelegt), zeigen oft eine Perfektion der Schnitzkunst; charakteristisch ist die starke Betonung des Nabels, der meist schnabelförmig nach unten gebogen ist. Masken sind bei den L. nicht häufig; manche sind in Zickzack- und Streifenmustern bemalt, andere einfarbig schwarz gehalten; typisch ist die bes. betonte Augenpartie.

Lumbini, Ort in Nepal, an der Grenze nach NO-Indien; histor. Geburtsstätte des Buddha Gautama, an der bereits Kaiser Ashoka eine Ediktsäule errichten ließ. Die Geburt im Hain von L. war kanonisches Thema der buddhist. Szenenreliefs: Die Mutter Maya steht, ähnlich einer Shalabhanjika in einen Baumwipfel grei-

Lund: Dom, im Vordergrund links die got. Laurentiuskapelle

fend, während das Kind aus ihrer rechten Seite tritt und von den Göttern Shakra (Indra) und Brahma empfangen wird.

Lund, Stadt in S-Schweden, 77 200 Ew., wurde 1104 Erzbischofssitz, im MA. größte Stadt und kultureller Mittelpunkt des Nordens; Univ. (1666 gegr.). In der Mitte der Altstadt steht der Dom, Schwedens bedeutendster roman. Bau (beg. um 1080, nach 1104 nach erweitertem Plan fortgesetzt, 1145 gew.), eine dreischiffige Basilika, im Bauplan an Mainz und Speyer erinnernd, im reichen bauplast. Schmuck an Kapitellen, Portalen und Säulen in der Krypta an lombard. Vorbilder; wertvolle Ausstattung, bes. die astronom. Uhr (14. Jh.), got. Chorgestühl und Altarschrein (beides dt. Arbeiten, 14. Jh.). Von den über 20 Kirchen und 7 Klöstern des MA. sind u. a. die got. Laurentiuskapelle, St.-Peter-Klosterkirche (14. Jh.) und Schwarzbrüderkloster (15. Jh.) erh.; im gut bewahrten ma. Straßenbild noch einige Fachwerkhäuser (17./18. Jh.). Mehrere Museen, u. a. Kulturhistor. Mus., Archiv für dekorative Kunst, Histor. Mus.

Lund, Henrik Louis, norweg. Maler, Graphiker, *Bergen 8. 9. 1879, †Oslo 23. 12. 1935, Schüler von HARRIET BACKER, war einer der gefragtesten Porträtisten seiner Zeit (u. a. zahlreiche Porträts K. Hamsuns zw. 1901 und 1934).

Lunda, Balunda, Bantu-Volk in S-Zaire, NO-Angola und NW-Sambia. Das alte L-Reich, um 1600 westlich des Luba-Reichs von einer Luba-Dynastie gegr., bestand bis ins 20. Jh. Der Stil der L. ist stark vom Erbe der Luba geprägt, noch deutlicher als bei den ebenfalls beeinflußten →Chokwe. Dies äußert sich in einer betonten Ruhe und Ausgeglichenheit der Masken und der Figuren, die wie bei den Luena, einen breiten bandartigen Kopfputz tragen.

Lunda: Maske eines schönen Mädchens, aus gefärbtem Holz (München, Privatsammlung)

Lundberg [l'undbærj], Gustaf, schwed. Maler, *Stockholm 17. 8. 1695, †ebd. 18. 3. 1786, Schüler von H. RIGAUD und N. DE LARGILLIÈRE in Paris, wurde durch ROSALBA CARRIERA in die Pastellmalerei eingeführt, kehrte 1745 nach Stockholm zurück, wo er 1776 Direktor der Akad. wurde. Seine Pastellporträts bilden den Höhepunkt der schwed. Rokokomalerei.

Lundbye [l'onby:], Johan Thomas, dän. Maler, *Kalundborg 1. 9. 1818, †Bedstedt bei Schleswig 26. 4. 1848, beeinflußt von C. S. KØBKE, J. C. DAHL und C. D. FRIEDRICH, vertrat mit seinen Tier- und Landschaftsbildern einen romant. Realismus im Rahmen des ›Goldenen Zeitalters‹ der dän. Malerei.

Lundgren [l'undgre:n], Egron, schwed. Maler, *Stockholm 18. 12. 1815, †ebd. 16. 12. 1875, lebte 1839–53 in Paris, Italien und Spanien, danach in London. 1858/59 war er als malender Kriegsberichter in Indien, 1867 kehrte er nach Schweden zurück. L. war v. a. Zeichner und Aquarellist. Sein Werk reicht von glatter Touristenmalerei mit z. T. anekdotischer Zuspitzung zu fast impressionistisch erfaßten Situationsschilderungen.

Lüneburg, Stadt an der Ilmenau, Ndsachs., 63 200 Ew., ehem. Hansestadt, deren Wohlstand auf dem Salzhandel beruhte. L. ist die einzige unzerstörte Stadt der norddt. Backsteingotik; sie besteht aus 4 Stadtteilen: ›Marktviertel‹ mit der Michaeliskirche (1376–1434), einer Rundpfeilerhalle mit prachtvollem Barockorgelprospekt (1708); ›Sandviertel‹ mit der Johanniskirche, einer weiträumigen got., fünfschiffigen Halle mit Kapellenreihen im N und S (13./14. Jh.), imposantem, 108 m hohem Westturm (1406 ff.), Hochaltar (1430–85), der bedeutendsten Orgel in N-Dtl. (1551/1715) über doppelter Empore; ›Salzviertel‹ (die Lambertikirche 1860 wegen Senkung des Untergrundes auf Grund der Salzablaugung abgebrochen); ›Wasserviertel‹ mit der Nikolaikirche, einer spätgot. Backsteinbasilika mit Sterngewölben, Chorumgang und sechseckiger Krypta (15. Jh.), Hochaltar (um 1450); Vorbilder sind Kirchen in Rostock, Wismar und Stralsund. Das Rathaus (Mus.) ist ein aus vielen Gebäudeteilen allmählich zusammengewachsener Komplex, mit der 142 m langen N-Front eines der größten Rathäuser in Dtl.; ältester erh. Teil ist die Gerichtslaube (1328–31) mit bemalter Renaissance-Holztonnendecke (1529), ferner Alte Kanzlei (um 1433), Körkammer (1457–91), got. Kämmereiflügel (1474–82), Fürstensaal (Mitte 15. Jh.), Altes Archiv (1521), prächtig geschnitzte Renaissanceportale zur Großen Ratsstube (1568–84); barocke Marktfassade (1720). Herzogl. Barockschloß (1693–96); Zeughaus (1482); Heiliggeisthospital (14.–19. Jh.); Renaissance-Zollhaus (1574); barockes Kaufhaus (1741 bis 1745); Alter Kran (1346/1482); klassizist. Saline (1818 von G. L. F. LAVES). ›Am Sande‹ ist ein rein gotisch erh. Platz (275 × 40 m) mit zahlreichen Staffelgiebelhäusern des 15./16. Jh.; häufige Verwendung des ›Taustabes‹ (gedrehter Formbackstein). Mus. für das Fstt. L. – In der Nähe **Kloster Lüne,** eine 1172 gegr. Benediktinerinnenabtei (heute evang. Damenstift); große, malerisch verwinkelte Anlage des 14.–18. Jh. mit

Lüneburg: Gerichtslaube im Rathaus; 1328–31

schlichter got. Backsteinkirche (2. H. 14. Jh., reiche Ausstattung 15.–18. Jh.); zum Klosterbesitz gehören kostbare Weißstickereien und Bildteppiche (13. bis 16. Jh.).

Lüneburger Silberschatz, das Ratssilber (36 Stück, meist Tafelgerät) von Lüneburg (1443–1620; heute im Kunstgewerbemus. im Schloß Charlottenburg, Berlin-West).

Lünette [frz. ›Möndchen‹] *die,* Baukunst: das halbkreisförmige, gerahmte Bogenfeld über Türen, Fenstern u. a., oft dekoriert, auch als frei aufgesetzte Fassadenbekrönung.

Lunéville [lynev'il], Stadt im frz. Dép. Meurthe-et-Moselle, an der Meurthe, 24700 Ew. Im 18. Jh., der Blütezeit von L. (u. a. letzte Residenz von STANISŁAW LESZCZYŃSKI, der hier 1766 verstarb), entstanden das Schloß (1702–23 als freie Nachahmung von Versailles von G. BOFFRAND erbaut; mit Schloßkirche, Mus. und Gartenanlagen, 1711) und die Kirche St. Jacques (1730–47, auch von Boffrand und É. HÉRÉ DE CORNY).

Lungmen, amtlich chines. **Longmen,** Höhlentempel in China, 14 km südlich von →Loyang am steilen W- und O-Ufer des Yi-Flusses. Die Anlage der in den Fels gemeißelten Höhlentempel, die sich aus Nischen und Kapellen für den Kult sowie Mönchszellen zusammensetzen, wurde 494 nach der Verlegung der Hauptstadt der Nördl. Wei-Dynastie von →Tat'ung (→Yünkang) nach Loyang begonnen und bis in die Mitte des 8. Jh. (T'ang-Zeit) hinein fortgesetzt (zahlreiche Inschriften mit Namen der Gründer und Stifter); guter Überblick über die Stilentwicklung dieses Zeitraums. Die Herrscher der nichtchines. Wei-Dynastie erklärten den Buddhismus zur Staatsreligion. Unter den am W-Ufer des Yi befindl. Anlagen die Ku-yang-Höhle (495) und P'in-yang-Höhle (500–523) mit Darstellungen von

Buddhas, Bodhisattvas und kaiserl. Stiftern in Flachrelief; charakteristisch ist eine stark lineare, zweidimensionale Auffassung. Dagegen zeigen die Halbreliefs der (den größten Raum einnehmenden) Höhlen aus der T'ang-Zeit realist. Körperbetonung und eine ausgeprägt plast. Interpretation.

Luoyang [luɔjaŋ], Stadt in China, →Loyang.

Lüpertz, Markus, Maler, *Reichenberg (ČSSR) 25. 4. 1941; gehört zum Neoexpressionismus. Die Motive seiner stillebenartigen Bilder sind Mantel, Palette, Schnecke, v.a. Stahlhelme, Kriegskreuze, Militärmützen, die er heraldisch monumentalisiert, symbolisch auflädt und mit kunstgeschichtl. Anspielungen wie polit. Bezügen hinterlegt.

M. L., Ausst.-Kat., Köln (1979).

Lurago, Carlo, ital. Baumeister, Stukkateur, Bauunternehmer, *Pellio Superiore im Val Intelvi 14. 10. 1615, †Passau 12. 10. 1684, entwarf und baute seit 1638 v.a. für die Jesuiten in Böhmen in einem an der oberital. Baukunst orientierten Stil viele Kirchen und Kollegien (Březnice, Jesuitenkirche, 1640ff., und St. Rochus, 1644–49; Hradec Králové/Königgrätz, Mariä Himmelfahrtskirche, 1654–66).

WW: Collegium Clementinum, Prag (1654ff., mit F. Caratti); Umbau des Passauer Domes (1668–78).

Lurçat [lyrs'a], **1)** André, frz. Architekt, Bruder von 2), *Bruyères (Vosges) 27. 8. 1894, †Sceaux (Hauts-de-Seine) 12. 7. 1970, Vertreter des →Internationalen Stils 2) in Frankreich, baute seit 1930 Schulen, Siedlungen.

HW: Cité Seurat, Paris; Karl-Marx-Schule, Villejuif (1931–33); Wiederaufbau Maubeuge (nach 1945); Wohnviertel und Schulen in St. Denis (1947–60).

2) Jean, frz. Maler, Bruder von 1), *Bruyères (Vosges) 1. 7. 1892, †St. Paul-de-Vence (bei Nizza) 6. 1. 1966, malte v.a. karge Landschaften mit zeitweilig surrealist. Einflüssen; seit 1934 trat er mit lyrisch-phantasievollen Entwürfen für die Gobelinmanufaktur Aubusson hervor, mit denen er zur künstler. Erneuerung des Bildteppichs beitrug. Er stellt v.a. Sonne, Mond, Tier- und Pflanzenmotive dar, in denen die menschl. Einbindung in kosmische wie kreatürl. Zusammenhänge zum Ausdruck kommt (›Apokalypse‹, 1947, Assy; ›Das Lied der Welt‹, 1957, Angers, Musée des Tapisseries). Außerdem zahlreiche Theaterdekorationen und Buchillustrationen.

Luristanbronzen, Bronzefunde (Grabbeigaben), die in den Gebirgstälern der westiran. Landschaft Luristan seit 1932 bei Raubgrabungen gemacht wurden und die in zahlreiche Museen gelangten. Erst 1973 gelang es einer belg. Expedition, durch wissenschaftl. Grabungen die Datierung zu klären. Außer einigen Funden aus dem 3. Jahrtsd. v. Chr. gehören die L. 2 Gruppen an: die ältere um 1300–1000 v. Chr. mit z. T. grotesk gestalteten Tieridolen und Nadeln mit Steinbockköpfen, außerdem dreifüßige Keramik; die jüngere Gruppe um 900 bis 700 v. Chr. mit bronzenen Tüllengefäßen (Kropfgefäße), Situlen und Keramik, die mit hängenden Dreiekken bemalt ist (Triangel-Ware). Gemeinsam mit den

Luristanbronzen: Kandare (10,7 cm hoch), Bronze (ehemals Samml. v. Rexroth)

etwa gleichzeitigen Funden am Kasp. Meer (Amlasch) zeugt diese spätbronze- bis eisenzeitl. Kultur von Formenreichtum, Phantasie und techn. Können der iran. Künstler der Frühzeit.

luso-brasilianisches Rokoko, →lateinamerikanische Kunst.

Luster, Gem. am Sognefjord, Norwegen, mit der Stabkirche von →Urnes.

Lüster [frz. lustre ›Glanz‹], **1)** Kronleuchter mit geschliffenen Gehängen aus Kristall, bes. im 18. Jh. beliebt.

2) metallisch glänzender hauchdünner Überzug (Metalloxid) auf Fayence, Glas oder Porzellan, der im Muffelofen (→Emailfarben) eingebrannt wird. Lüsterdekor findet sich im MA. in der islam. Kunst (erste Funde von höchster handwerkl. Qualität schon im 9./10. Jh. in Samarra, unter den Fatimiden in Ägypten und auf den →Alhambra-Vasen), in Italien im 16. Jh. als Derutaware und Gubbio-Majolika.

3) Maltechnik: hochtransparente Lasurfarben in klaren Bindemitteln, z. B. Lack und Öl, seltener Leim oder Gummi, verschiedentlich auch farbige Harze (Drachenblut) oder Gummi (Gummigutt), die, über matte oder polierte Versilberungen oder Vergoldungen gelegt, farbige Metalleffekte oder irisierende Farbwirkungen erzeugen. In roman. Zeit wurden mit L. ornamentale Malereien ähnlich den Emailarbeiten der Goldschmiedewerke ausgeführt. In spätgot. Fassungen und solchen des 17. und 18. Jh. wurden L. als flächige Effektfarben verwendet, seltener in der Tafelmalerei.

Lusthaus, seit der Renaissance v. a. in barocken Garten- und Parkanlagen errichteter, meist kleinerer Bau für Freuden des höf. Lebens oder der Jagd: ›Belvedere‹ in Prag (1536), ›Lustheim‹ im Schloßpark von Schleißheim (1684–88), das ›Chinesische Teehaus‹ im Park von Sanssouci in Potsdam (1756), die drei ›Burgen‹ des Nymphenburger Parks (1716–39), ›Falkenlust‹ am Brühler Schloßpark (1729–46), das L. im Wiener Prater (1782). Seit dem späten 17. Jh. nahm das L. den Charakter eines Lustschlosses an.

Lustschloß, Maison de plaisance [mɛz'ɔ̃ də plɛz'ãs], fürstl. Landhaus, Garten- oder Sommerschloß, das nicht als Residenz, sondern nur dem vorübergehenden Aufenthalt diente; in der Barockarchitektur oft zu einem großangelegten Ensemble aus Kavaliershäusern, Parkanlagen, Lusthäusern, Pavillons, Orangerie u.a. gesteigert. Aus dem Rokoko sind erhalten: ›Pillnitz‹ bei Dresden (1720–23, M. D. PÖPPELMANN), ›Sanssouci‹ bei Potsdam (1745–47, G. W. v. KNOBELSDORFF, BILD Potsdam), ›Solitude‹ bei Stuttgart (1763ff., P. DE LA GUÊPIÈRE), ›Monrepos‹ bei Ludwigsburg (1760–64 von dems.).

Luther, Adolf, Maler, Objektkünstler, *Uerdingen (heute zu Krefeld) 25. 4. 1912, Vertreter der Op Art; wurde v.a. mit Kombinationen von Spiegelelementen und Lichtprojektionen (auch Laserstrahlen) bekannt, womit er Räumlichkeit immateriell darzustellen suchte.
A. L., hg. v. D. HONISCH (1978).

Luti, Benedetto, ital. Maler, *Florenz 17. 11. 1666, †Rom 17. 6. 1724, war als Schöpfer von Andachtsbildern und Porträts durch C. MARATTI beeinflußt, in seinen heiteren mytholog. Genreszenen jedoch der frz. Malerei des frühen 18. Jh. verpflichtet.

Lütjenburg, Stadt im Kr. Plön, Schlesw.-Holst.; Michaelskirche mit spätroman. Schiff (1220/30) und frühgot. Chor (1260–80), Reventlowsche Gruftkapelle (1608) mit prunkvollem Spätrenaissance-Grabmal.

Luton [lu:tn], Stadt in der Cty. Bedford, England, nördlich von London, 164500 Ew.; 3 km südöstlich von L. das Herrenhaus **Luton Hoo** [-hu:], 1766–70 von R. ADAM in palladian. Stil mit halbkreisförmig hervortretenden Eckbauten und mittlerem, auf der Gartenseite vorschwingendem Säulenportikus erbaut. Das Zentrum bildet eine überkuppelte und von einem Säulenkranz umgebene Rotunde; Kunstsamml. Wernher Collection.

Lutrophoros, schlankes Kultgefäß der grch. Antike mit 2 oder 3 Henkeln; enthielt Wasser aus einer hl. Quelle für das Hochzeitsbad und wurde auch im Totenkult verwendet; mit Hochzeits- und Totenklagebildern geschmückt.

Lüttich, frz. **Liège** [ljɛ:ʒ], fläm. **Luik** [lœjk], Hauptstadt der belg. Prov. L. an der Maas, 228000 Ew.; seit etwa 721 Bischofssitz. Der Stadtkern liegt links der Maas; seine Kirchen bergen eine Fülle von Kunstschätzen, darunter HW der →Maaskunst. St. Barthélemy, eine roman. Kirche mit wuchtigem Westbau (11./12. Jh.), birgt in der Taufkapelle das zw. 1107 und 1118 gegossene Taufbecken des REINER VON HUY. Die spätgot. Kathedrale St. Paul (13.–16. Jh.) mit Kreuzgang (14. Jh.) hat Glasgemälde des 16. Jh. im rechten Querschiff und in der Chorapsis; zum reichen Kirchenschatz gehören das Reliquiar Karls d. Kühnen aus Gold und Email (um 1470) und die Reliquienbüste des Hl. Lambertus aus vergoldetem Silber von dem Aachener Goldschmied HANS VON REUTLINGEN (um 1512). St. Jacques, die urspr. roman. Kirche einer Benediktinerabtei, wurde 1513–38 spätgotisch umgebaut; im Innern Netzgewölbe mit Malereien und Glasgemälde (Mitte 16. Jh.), am N-Portal eine ›Marienkrönung‹ (1380–90), auf der W-Seite Renaissanceportal (1558–60). Ste. Croix, eine got. Halle (13./14. Jh.) mit roman. Vorkirche, bewahrt in ihrem Schatz einen Reliquienschrein in Form eines Triptychons (12. Jh.), der GODEFROID DE HUY zugeschrieben wird. St. Jean, um 980 nach dem Vorbild der Aachener Pfalzkapelle erbaut, wurde im 18. Jh. neugebaut, wobei der Barockturm den alten achteckigen Grundriß beibehielt; im Innern bed. ›Maria mit Kind‹ und Kreuzigungsgruppe (13. Jh.). – Der ehem. fürstbischöfl. Palast (heute Justizpalast) im spätgot. Stil (1508–40) umschließt 2 Innenhöfe mit reich skulptierten Säulen; Fassade 1737 verändert. L. hat viele bed. Museen: Musée des Beaux-Arts (u. a. belg. und frz. Malerei des 19. und 20. Jh.), Musée Curtius (archäolog. Mus.), Musée d'Ansembourg (dekorative Kunst), Musée d'Architecture, Musée diocésain (kirchl. Kunst).

Lütticher Möbel, Aachener Möbel, massive Eichenholzmöbel mit erhaben geschnitzter Ornamentik im Rokokostil, im späten 17. bis 18. Jh. im Gebiet um Lüttich und Aachen hergestellt. Im Ggs. zu den damals übl. furnierten Möbeln knüpften sie an die Tradition des früheren Eichenholzmobiliars an.

Lutyens [l'ʌtʃənz], Edwin Sir (1918), engl. Architekt, *London 29. 3. 1869, †ebd. 1. 1. 1944, kam aus dem ›Arts and Crafts Movement‹ des späten 19. Jh. und baute aus örtl. Materialien und in ländl. Tradition großzügige Landhäuser (Lindisfarne Castle, 1903; Castle Drogo, 1910–30, beide Northumberland). Die Repräsentationsbauten von Neu-Delhi (Palast des Vizekönigs, 1931) und Bankgebäude in London zeigen seine Neigung zu einem sehr persönl. Stil, in dem Formen der Antike, des Palladianismus und Stilelemente der Wende zum 20. Jh. verschmelzen.

Lützelburger, Hans, eigtl. H. **Franck,** Formschneider, *Augsburg um 1495, †Basel vor dem 23. 6. 1526, arbeitete in Augsburg und Basel. Nach Zeichnungen von H. HOLBEIN D. J. schnitt L. ebd. seit 1522 in vollendeter Technik das ›Totentanzalphabet‹ und den ›Totentanz‹.

Luxembourg, Palais du L. [pal'ɛ dy lyksãb'u:r], Schloß in Paris zw. Quartier Latin und Montparnasse, 1615–31 von S. DE BROSSE für die Königinwitwe MARIA VON MEDICI als Vierflügelanlage erbaut (heute Sitz des Senats), die eine Kopie des Palazzo →Pitti in Florenz in Auftrag gegeben hatte (→Métezeau 1). Brosse bevorzugte jedoch eine elegantere Lösung (v. a. an Fassade und Innenhof mit Arkadengal. und kuppelbekröntem Portal). Der anschließende **Jardin du L.** ([ʒard'ɛ̃-] mit Denkmälern und Skulpturen geschmückter Renaissance-Park) wurde ebenfalls von Brosse angelegt.

Luxemburg, frz. **Luxembourg** [lyksãb'u:r], Haupt- und Residenzstadt des Ghzgt. L., 78 400 Ew. Das Stadtzentrum (Oberstadt) liegt malerisch auf einer Hochfläche, im S und O von den tief eingeschnittenen Tälern der Alzette und Pétrusse, an der offenen NW-Seite von breiten Parkanlagen anstelle der ehem. Befestigung umgeben. Die Liebfrauenkathedrale, ehem. Jesuitenkirche, ist eine spätgot. Hallenkirche (16. Jh.) mit Renaissance-Nordportal (1613–15) und neugot. Chor, in der Krypta die großherzogl. Grablege, Grabmal des Königs Johann von Böhmen (†1346); an die Kirche anschließend das ehem. Jesuitenkolleg. Das Großherzogl. Schloß, urspr. Rathaus, wurde 1563 im Renaissancestil erbaut und im 19. Jh. erweitert. Auf dem steilen Felsen Bock wurden Reste der Lützelburg (10. Jh.) freigelegt. Die seit dem späten MA. durch die Jahrhunderte immer stärker ausgebauten Befestigungen wurden nach 1867 geschleift; erh. sind u. a. die in den Fels gesprengten Kasematten und die Pulvertürme ›Drei Eicheln‹ (1732). Im Kirchbergviertel entstanden in neuerer Zeit mehrere Gebäude für europ. Organisationen. – Staatsmuseen (Musées de l'État; galloröm. Samml., ma. Skulptur, Gemälde alter Meister); Gal. Pescatore (niederländ. und frz. Malerei seit dem 17. Jh.).

Luxeuil-les-Bains [lyks'œjleb'ɛ̃], schon seit der Römerzeit bekanntes Thermalbad im frz. Dép. Haute-Saône, 10700 Ew. Um 590 gründete hier der irische Apostel COLUMBAN ein bed. Kloster (Abteikirche St. Pierre, 13./14. Jh., Turm 16./17. Jh.); Häuser der Gotik und Renaissance; Samml. galloröm. Grabsteine im Mus.

Luxor, Luksor, arab. **El-Uksur** [›die Paläste‹], Stadt in Oberägypten auf dem östl. Nilufer (KARTE ägyptische Kunst), 40000 Ew.; sie liegt an der Stelle der alten Residenz →Theben, zu der auch die weiter nördlich gelegene Tempelstadt von →Karnak gehörte. Der Amun-Mut-Chons-Tempel von L., kleiner, aber besser erh. als der Amun-Tempel in Karnak, wurde von AMENOPHIS III. um 1400 v. Chr. erbaut. Er besteht aus einem mächtigen, 15,80 m hohen Säulengang (dessen Reliefbilder unter TUT-ENCH-AMUN entstanden), einem Säulenhof mit zweifacher Kolonnade von überaus harmon. Proportionen und dem eigtl. Tempelhaus mit Vorhalle; alle Wände sind reich mit Inschriften und Reliefs mit Kultszenen (darunter die Darstellung der göttl. Geburt Pharaos) geschmückt (BILD ägyptische Kunst). RAMSES II. erweiterte um 1280 v. Chr. den Tempel durch einen Pylon mit Kampfdarstellungen (Schlacht von Kadesch gegen die Hethiter) auf den Außenwänden und einen großen Säulenhof mit Reliefs und Statuen. Vor dem Pylon standen 6 Kolossalbilder des Königs (3 sind noch erh.) und 2 Obelisken (einer davon seit 1836 in Paris, Place de la Concorde).

In dem 1975 eröffneten Mus. altägypt. Kunst Funde aus dem Gebiet von Theben beiderseits des Nils von vorgeschichtl. bis in christl. Zeit.

Luyken [l'œjkə], **1)** Caspar, holländ. Zeichner, Radierer, Sohn von 2), getauft Amsterdam 18. 12. 1672, begraben ebd. 4. 10. 1708, war 1699–1705 in Nürnberg tätig; Radierungen, u. a. zu OVID, CERVANTES, ABRAHAM A SANCTA CLARA.

2) Jan, holländ. Zeichner, Radierer, Dichter, Vater von 1), *Amsterdam 16. 4. 1649, †ebd. 5. 4. 1712, illustrierte die Bibel, Erbauungsschriften, Reisebeschreibungen, schrieb Natur- und Liebesgedichte, religiös-myst. Lyrik. Mit seinem Sohn Caspar hat er über 3000 Blätter radiert.

Luzern, Hauptstadt des schweizer. Kt. L., am Ausfluß der Reuß aus dem Vierwaldstätter See, 67000 Ew., mit gut erh. histor. Stadtbild. In der Altstadt, nach N von der Befestigung (um 1400) mit zahlreichen erh. Türmen begrenzt, auf dem rechten Reußufer das Rathaus (1602–1606) im oberital. Renaissancestil mit Prunkräumen im Obergeschoß; ehem. Ursulinenkloster Maria Hilf (1676–78), dessen Kirche (1679–81) eigenwillige Formen aufweist; zahlreiche Bürgerhäuser (seit 16. Jh.), bes. Haus zur Gilgen, dessen Turm (16. Jh., mit Maßwerkfenstern) Teil der Stadtmauer war; daneben die Peterskapelle, älteste Kirche der Stadt (im Kern 12. Jh., zahlreiche Umbauten). Östlich der Altstadt der ›Hof‹ mit Chorherrenhäusern und Hofkirche (1633–44) im Stil der dt. Spätrenaissance mit spätgot. W-Türmen und überaus reicher Ausstattung. Zur Neustadt führen u. a. 2 gedeckte Holzbrükken, Kapellbrücke (um 1300) mit über 100 Bildern (beg. 1614) und Spreuerbrücke (um 1400) mit Totentanzzyklus (1626–35); in der Neustadt got. Franziskanerkirche (um 1280 voll.) mit barocker Ausstattung (17. bis 18. Jh.), an den Hochschiffwänden aufgemalte Kopien erbeuteter Fahnen; der Rittersche Palast, das ehem. Jesuitenkolleg (1556–61), ist v. a. mit seinem Arkadenhof ein HW der Renaissance in der nördl. Schweiz, im Hof got. Weinmarktbrunnen; die weiträumige Jesuitenkirche (1666–69) ist die erste große Barockkirche der Schweiz. Nördlich der Altstadt Denkmal des ›Sterbenden Löwen‹ nach Entwurf von B. THORVALDSEN. Kunst-Mus.; Hans-Erni-Mus. (seit 1979).

Lwow, russ. Name der Stadt →Lemberg.

Lwówek Śląski [lv'uvεk sjl'ɔ̃ski], poln. Name für →Löwenberg i. Schles.

Lydenburg, Ort im östl. Transvaal, Rep. Südafrika; Fundort der bislang frühesten Skulpturen der afrikan. Eisenzeit südlich des Äquators, datiert auf etwa 500 n. Chr. Gefunden wurden u. a. 7 (2 große, 5 kleine) Terrakotta-Köpfe, Perlen aus Muscheln, Eisen und Kupfer sowie Bruchstücke eines Elfenbein-Armreifs. (BILD afrikanische Kunst)

lydische Kunst: bemalte Terrakottaplatte aus Sardes; um 550 v. Chr. (Manisa, Museum)

lydische Kunst, die Kunst des ehem. Reiches Lydien in W-Kleinasien (heute W-Anatolien). Zeugnisse der stark griechisch beeinflußten Kunst sind v. a. aus der Zeit der lyd. Dynastie der Mermnaden (etwa 685 bis 546 v. Chr.) nachweisbar, bes. seit den Ausgrabungen in der lyd. Königsstadt →Sardes. Dort arbeiteten unter den Königen ALYATTES und KRÖSUS ionische Architekten und Bildhauer; Goldschmiede-, Bronze- und Elfenbeinarbeiten von hochentwickelter, eigenständiger Handwerkskunst; Münzprägung bes. unter Krösus. Die Keramik in den Hügelgräbern der Nekropole von Sardes war mit dunklen geometr. Mustern verziert.

Lydos, Name (möglicherweise auch nur Herkunftshinweis) eines attischen Vasenmalers des schwarzfigurigen Stils, um 560–530 v. Chr. Er bemalte v. a. große Gefäße mit kräftigen, kaum bewegten Figuren.

Lye [laɪ], Len, amerikan. Bildhauer neuseeländ. Herkunft, *Christchurch (Neuseeland) 5. 7. 1901, †Warwick (New York) 15. 5. 1980; seit 1920 Versuche mit kinet. Plastik; in den 1920er und 1930er Jahren Pionier des ›direkten Films‹ (durch Gravuren auf den Zelluloidstreifen), seit 1950 kinet. Plastiken, meist aus federnden, von einem Motor in Schwingung versetzten Stahlstäben (bei späteren Werken vom Betrachter zu steuern).

lykische Kunst, die Kunst des 6.–4. Jh. v. Chr. in der antiken Landschaft Lykien an der SW-Küste Kleinasiens; sie ist reich an monumentalen Grabbauten, die seit dem 6. Jh. v. Chr. als haus- und turmartige Gebäude und als Grabkammern in den steilen Felswänden errichtet wurden. Ihr Reliefschmuck gibt thronende Tote, gegenständige Tiere und Fabeltiere, Szenen aus dem örtl. Totenkult sowie Jagd- und Kriegsszenen, seit dem 5. Jh. v. Chr. auch grch. Mythen wieder und ist stilistisch stark von der ionisch-kleinasiat. Kunst beeinflußt. Zu den ältesten Anlagen gehört das Löwengrab von →Xanthos, um 550 v. Chr.; neben Prachtbauten wie dem um 480 v. Chr. entstandenen ›Harpyienmonument‹ und dem aus dem späten 5. Jh. v. Chr. stammenden ›Nereidenmonument‹ (beide aus Xanthos) sowie dem Heroon von →Gölbaşi und dem von →Limyra finden sich bis in die röm. Kaiserzeit hinein schlichtere Grabgebäude und Sarkophage.

lykische Kunst: Harpyienmonument, Xanthos, um 480 v. Chr.

Lykosura, antike Ruinenstätte mit Heiligtum der Göttin Despoina in Arkadien (Peloponnes), westlich von Megalopolis. In den Resten eines hellenist. Tempels wurden Fragmente kolossaler Marmorfiguren (Demeter und Despoina, Artemis und der Riese Anytos) des Bildhauers →Damophon von Messene gefunden (2. Jh. v. Chr., heute in Athen, Nat.-Mus.).

Lyme Park [laım pɑ:k], Herrenhaus in der westengl. Cty. Cheshire. Der um 1570 erbaute N-Flügel im Elizabethan Style wurde im späten 17. Jh. von einem Rollgiebel mit Minervastatue bekrönt. 1720 entstand die barocke S-Fassade nach Entwürfen des Venezianers G. LEONI (*um 1668, †1746), deren Säulenportikus mit einem 1816–22 von L. WYATT aufgesetzten Attikageschoß abgeschlossen ist.

Lyngby-Tårbaek [l'øŋby: t'ɔrbɛg], nördl. Vorstadtgem. von Kopenhagen, Dänemark, 54 500 Ew.; Schloß Sorgenfri (1705/06, im 18. und 19. Jh. erweitert und umgebaut) in engl. Landschaftsgarten; Jagdschloß Eremitage (1734–36) von L. L. DE THURAH in sächsisch beeinflußtem Barock; Freilicht-Mus. mit Bauernhäusern (17.–19. Jh.).

Lyon [ljɔ̃], Hauptstadt des Dép. Rhône, 462 800 Ew., drittgrößte frz. Stadt, am Zusammenfluß von Rhône und Saône; kath. Erzbischofssitz. Ältester Siedlungskern ist der Stadtteil Fourvière, das röm. **Forum vetus** (mit 2 röm. Theatern; Archäolog. Mus. am Ausgrabungsgelände) am rechten Saôneufer, mit winkligen Straßen, ma. Häusern und Bauwerken: Kathedrale St. Jean (12.–15. Jh., mit spätgot. Fassade, Glasfenstern des 13. Jh. und astronom. Uhr, 1598), Manécanterie (Chorknabenschule, z. T. 12. Jh.), Kirche St. Paul (12. Jh.); ferner Renaissance-Häuser und klassizist. Justizpalast (1832–42). Auf dem Mont Fourvière die Wallfahrtskirche Notre-Dame de Fourvière (1872–96, eine reich mit Mosaiken geschmückte Kuppelkirche versch. Stilrichtungen); daneben eine Wallfahrtskapelle (18. Jh.). Auf der Halbinsel zw. Saône und Rhône liegen u.a. im nördl. Teil an der Place des Terreaux das Rathaus (Hôtel de Ville, 1646–55; mit reich skulptierter Fassade und Glockenturm) und das Palais des Arts (ehem. Benediktinerkloster des 17. Jh.) mit dem Mus. des Beaux-Arts (eines der bedeutendsten frz. Museen mit Gemäldegal., Skulpturen, Antikensamml., Kunsthandwerk u.a.); ferner die Kirchen St. Nizier (15./16. Jh.) und St. Bonaventure (14./15. Jh.), die Börse (1855–60) und das Hôtel-Dieu (1741 beg. von J.-G. SOUFFLOT; mit Mus.). Die Place Bellecour (17. Jh.) in der Mitte der Halbinsel ist Zentrum der Stadt; südlich davon die älteste Kirche L.s, St. Martin d'Ainay (12. Jh., auf eine Basilika des 6. Jh. zurückgehend; im Chor Mosaikfußboden des 12. Jh.). Zahlreiche weitere Museen: Mus. Historique des Tissus (bed. Samml. europ. und oriental. Webarbeiten), Mus. des Arts Décoratifs (Kunsthandwerk), Mus. Guimet (Altertümer, asiat. Kunst) u. a.

Lyrische Abstraktion, von G. MATHIEU 1947 geprägte Bez. (frz. ›abstraction lyrique‹) für eine zunächst frz. Spielart des Abstrakten Expressionismus, bei der der Formalismus einer geometrisch-konstruktiven Abstraktion durch spontane Improvisationen und direkt hingeschriebene Empfindungen ersetzt wird. Frühe Vertreter waren, neben Mathieu, WOLS, H. HARTUNG, J.-P. RIOPELLE, C. BRUYEN. Anfang der 1950er Jahre wurde die Bez. auf verwandte Tendenzen in den USA (J. POLLOCK, M. TOBEY) und Europa (K. O. GÖTZ, SONDERBORG) ausgedehnt und oftmals gleichbedeutend mit Tachismus verwendet. Eine Eingrenzung des Begriffs auf die informelle Richtung der École de Paris wäre eine sinnvolle Präzisierung.

Lys [lis], Jan, Maler, Johann →Liss.

Lysá nad Labem [l'isa: n'adlabɛm], Stadt in der ČSSR, →Lissa a. d. Elbe.

Lyseklοster, ehem. Kloster bei Bergen, die älteste Zisterziensergründung (1146) in Norwegen, nach der Reformation verfallen (Steine z.T. im Rosenkrantzturm in Bergen und im Schloß Kronborg verbaut). Ruine 1822 und 1838 ausgegraben, um 1930 restauriert.

Lysikratesdenkmal, →Choregische Monumente.

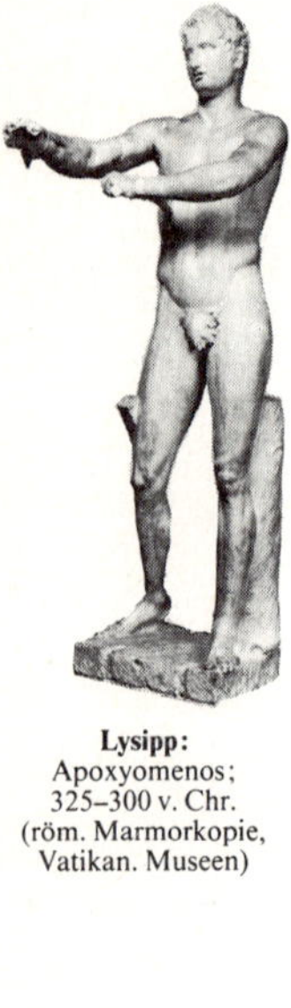

Lysipp: Apoxyomenos; 325–300 v. Chr. (röm. Marmorkopie, Vatikan. Museen)

Lysipp, Lysippos von Sikyon, grch. Bronzebildner des 4. Jh. v. Chr., Hauptmeister der sikyonischen Bildhauerschule, Hofbildhauer von ALEXANDER D. GR. Von der Fülle der für L. bezeugten Götter- und Menschenstatuen ist im Original nichts erh.; nur in der röm. Marmorkopie der Kaiserzeit eines Schabers (Vatikan. Museen) glaubt man mit Sicherheit den ›Apoxyomenos‹ (325–300 v. Chr.) des L. zu erkennen. Vielleicht ist auch der Typ des Farnesischen Herakles (mehrere Kopien, u.a. Florenz, Palazzo Pitti) nach einer Heraklesschöpfung des L. gestaltet; ob die 1968 in der Adria gefundene Bronzestatue eines ›Anadumenos‹ (Paul-Getty-Mus., Malibu, Kalifornien) ein originales Werk des L. ist, bleibt umstritten. Von seinen Alexanderbildnissen geben eine Bronzestatuette und ein Marmorkopf im Louvre eine Vorstellung. Seinem Kreis entstammen u.a. die Marmorstatue des Athleten Agias aus dem Weihgeschenk des Tetrarchen Daochos in Delphi sowie versch., nur in Kopien faßbare Skulpturen (Athletenstatue, Silen mit Dionysoskind, sandalenlösender Jüngling, sitzender Hermes, Herkulanerinnen). L. wurde in der antiken Literatur als Bildhauer von höchster Qualität gepriesen; er und sein Kreis verkörpern am ausgeprägtesten den Geist der ausgehenden klass. Epoche: ein neues Proportionssystem, schlanke Gestalten mit kleinen Köpfen, ein neuer Sinn für Bewegungsabläufe sowie für räuml. Werte. Damit wurde L. zum Wegbereiter der hellenist. Kunst.

Lysistratos, grch. Bildhauer der 2. H. des 4. Jh. v. Chr., Bruder des LYSIPP. Er soll als erster Gipsabgüsse von Skulpturen und Masken von Lebenden angefertigt haben.

Mäander, nach den Windungen des kleinasiat. Flusses M. benanntes Ornamentband, aus rechtwinklig gebrochenen, fortlaufenden Linien gebildet. Schon in vorgeschichtl. Kulturen bekannt (ältester Beleg im Spätpaläolithikum von Mezin, Ukraine), wurde der M. bes. in der geometr. Kunst der Griechen durchgebildet; auch spätere Zeiten haben ihn benutzt (z. B. **M.-Urnen** der Elbgermanen im 1./2. Jh.) und abgewandelt (→Laufender Hund).

In Altamerika ist v. a. die Form des Stufen-M. vertreten, in Mesoamerika (→Mitla) in Form von Steinmosaiken als Fassadendekoration, in Peru auch als Motiv der Gefäßmalerei (Recuay) oder der Verzierung von Metallgefäßen (Chimú).

Mäander: 1 Eigentlicher M. (à la grecque); **2** Laufender Hund

Maaseik [m'a:sɛjk], Städtchen an der Maas in der belg. Prov. Limburg, mit maler. Stadtbild, v. a. um den Marktplatz. Die St. Catharinenkerk (19. Jh.) hat einen kostbaren Kirchenschatz, dessen Stücke meist aus der im 8. Jh. gegr. Abtei Aldeneik bei M. stammen (Evangeliar der Hl. Harlinde, 8. Jh.).

Maaskunst, roman. Kunst im Bereich der Erzdiözese Lüttich mit besonderen Schwerpunkten in der Metallplastik, wie Goldschmiede- und Emailkunst, der Buchmalerei und der Elfenbeinschnitzerei. Trotz fließender Grenzen zum Kölner Raum, zu Lothringen und Frankreich, die bes. in der Architektur deutlich werden, bildet die roman. Kunst des Maaslandes eine stilist. Einheit. Schon in karoling. Zeit erlebten das Maasgebiet und seine Kunst eine erste Blüte. Die karoling. Tradition wirkte bes. in der Baukunst fort (Westbauten, →Westwerk), in der Buchmalerei und Elfenbeinkunst (Schulen von Reims und Metz). Antike Einflüsse, die in der Kathedralschule in Lüttich ihr Gegenstück haben, sind in den HW der Buchmalerei (Bibel von Floreffe, Antiquités judaïques in Chantilly) ebenso zu spüren wie in der Elfenbeinkunst (Notkertafel in Lüttich, um 1000; Mus. Curtius). Auch die HW der Steinskulptur, die Madonna des Dom Rupert (um 1166; ebd.) und das Tympanon eines Schulportals mit Apoll als Schützer der Wissenschaft (ebd.) sowie die Madonnenbilder des 13. Jh. weisen jedes in seiner Weise Bezüge zur Antike auf. Am deutlichsten wird das am frühesten signierten Metallwerk der M., dem Lütticher Taufbecken des REINER VON HUY (1118; BILD Reiner von Huy). Die roman. Goldschmiedekunst hatte hier (neben Limoges) ihr wichtigstes Zentrum. Zu den HW gehören der Hadelinusschrein in Visé (1130–50; St. Martin), der Servatius-Schrein in Maastricht (um 1160–70; St. Servaas), der Tragaltar von Stavelot (um 1160–70; Brüssel, Musées Royaux d'Art et d'Histoire) und das ehem. Remaklus-Retabel von Stavelot (um 1150), das Kreuzreliquiar in Lüttich (um 1160–70; St. Croix), das Armreliquiar Karls des Großen (um 1160–70; Louvre), das Kopfreliquiar Papst Alexanders (um 1145; Brüssel, Musées Royaux d'Art et d'Histoire), das Pfingstretabel aus Stavelot (um 1160–70; Paris, Mus. Cluny) und der Kreuzfuß von St. Omer (ebd., um 1160–70; Mus. de la Ville), der als verkleinerte Replik des von Abt SUGER gestifteten, aber zerstörten Kreuzes in St. Denis gilt. Viele dieser Werke werden mit Abt WIBALD VON STAVELOT (1130 bis 1158) als Stifter und dem Goldschmied GODEFROID DE HUY in Verbindung gebracht. Die maasländ. Goldschmiedekunst fand in der Folgezeit in Köln (u. a. Heribertschrein in Deutz, um 1170) und in Aachen (Karlsschrein, um 1180–1210, Münsterschatz) eine großartige Nachfolge, die in den Werken des NIKOLAUS VON VERDUN ihren Höhepunkt erreichte. Elemente der frühen Gotik zeigen sich in den Werken des Goldschmiedes HUGO VON OIGNIES (um 1230). In dieser Zeit verlor der Emailschmuck an Bedeutung und wurde durch Niello oder Filigranarbeiten ersetzt.

Rhein und Maas, Kunst und Kultur 800–1400, Ausst.-Kat., Köln (1972/73); H. E. KUBACH u. A. VERBEEK: Roman. Baukunst an Rhein und Maas, 3 Bde. (1976).

Maastricht [-tr'ixt], Hauptstadt der niederländ. Prov. Limburg, 110 200 Ew., entstanden als **Traiectum ad Mosam** am röm. Übergang über die Maas. Die Stadtsilhouette wird von den 2 großen roman. Kirchen Liebfrauen und St. Servaas (Servatius) geprägt. Ältester Teil der Liebfrauenkirche ist das wie eine Schildmauer wirkende massive, von 2 runden Türmen flankierte Westwerk (um 1000); Umgangschor und Apsis mit doppelter Galerie, reich verzierte Kapitelle, unter dem Chor vierschiffige Krypta; spätgot. Kreuzgang (16. Jh.), reicher Kirchenschatz (Reliquienschreine, Elfenbeinarbeiten, 11.–16. Jh.). Der heutige Bau der im 6. Jh. über dem Grab des Hl. Servatius gegr. St. Servaaskerk stammt in den ältesten Teilen aus dem 11. Jh. (Querschiff, Chor mit Apsis und Krypta); 2 Chortürme und Apsis mit Zwerggalerie in Anlehnung an Speyer, monumentaler Westbau mit 2 Türmen; im Obergeschoß der Vorhalle ›Kaisersaal‹, im Westbau sehr reich verzierte Kapitelle mit in der roman. Kunst ungewöhnl. weltl. Motiven, Südportal (13. Jh.) im Übergang zur Gotik, got. Kreuzgang (15. Jh.); im wertvollen Kirchenschatz der Servatiusschrein (um 1160–70), ein HW der Maaskunst. Neben St. Servaas liegt die got. St. Janskerk (14./15. Jh.) mit hohem, reich gegliedertem Turm. Got. Basiliken sind die Kirchen des Dominikaner- und Franziskanerklosters. Im Bonnefantenkloster (1672) befindet sich das Kunst- und Altertümer-Mus. (ma. liturg.

Kunst, Gemäldesamml.). Das auf dem Markt freistehende Rathaus (1659–64) im niederländisch-klassizist. Stil ist ein HW von P. Post. Zahlreiche Bürgerhäuser (17.–18. Jh.).

Ma'at, altägypt. Bez. für die Ordnung, die der Schöpfergott gesetzt hat; sie galt als verbindl. Norm für alle Wesen und konnte auch Wahrheit, Gerechtigkeit bedeuten. Zahlreiche Tempelreliefs zeigen, wie der König zum Zeichen der unverletzten Weltordnung die M. den Göttern darbringt. Häufig wird die M. als Göttin personifiziert; sie trägt dann eine Straußenfeder (das Schriftzeichen für den Begriff M.) auf dem Kopf.

Mabuse [mab'y:z], Jan, niederländ. Maler, →Gossaert.

Mac- [mək-], geschrieben auch **Mc-** und **M',** unbetonte Vorsilbe irischer und schottischer Familiennamen in der Bedeutung ›Sohn des...‹.

Macao, portug. **Macau,** amtlich chines. **Aomen,** portugies. Besitzung an der S-Küste der chines. Prov. Kwantung, 16 km², 260 200 Ew. Der auf einer Halbinsel gelegene Hafen ist die älteste Niederlassung von Europäern im Fernen Osten. Zahlreiche barocke Kirchen u. a. Baudenkmäler; zu den bedeutendsten gehört die Basílica de S. Paulo, 1637 nach dem Entwurf eines portugies. Jesuiten durch japan. Katholiken (vor Christenverfolgungen geflohen) erbaut; seit einem Taifun 1835 nur die Fassade erh. Im Rathaus ›Leal Senado‹, 1784 im Stil eines portugies. Herrenhauses erbaut (1870 neue Fassade), die Nat.-Bibl. mit seltenen Hss. Das ›Heilige Haus der Barmherzigkeit‹ (Sitz einer der ältesten kirchl. Wohlfahrtsorganisationen der Welt) wurde etwa 1560 erbaut. Die Kathedrale wurde 1580 gegr.; heutiger Bau 19. Jh. Auf dem prot. Friedhof (18./19. Jh.) Grabmäler von Angehörigen der engl. Ostind. Kompanie. Das nach dem Dichter Luis de Camões, der in M. 1556 ›Die Lusiaden‹ geschrieben haben soll, benannte Mus. in dem Kolonialgebäude Casa Gordan (1770) beherbergt eine für Ostasien außergewöhnl. Samml. christl. Kunst sowie eine Samml. chines. Kunst. Zahlreiche chines. Tempel sowie das Haus von Sun Yat-sen, des Begründers der chines. Republik, sind erhalten.

Macchia [m'akkia, ital. ›Flecken‹] *die, Mz.* **Macchiai,** Bez. für einen Farbauftrag aus leuchtenden, übergangslos nebeneinander gesetzten Farbflecken, die als Eigenwert von Licht und Farbe die Komposition bestimmen. Während diese Malweise bei T. Géricault und E. Delacroix von den Zeitgenossen als barbarisch angesehen wurde, sieht die Kunstwissenschaft in den M. ein Ausdrucksmittel im Vorfeld des Impressionismus.

Macchiaioli, Macchiaiuoli [makkiaiu'ɔ:li], Bez. für Maler, die in Macchia-Art, mit tupfendem Pinsel farbig skizzieren, speziell eine toskan. Künstlergruppe, die sich bald nach 1850 vom Akademismus abwandte und für eine realist. Freilichtmalerei mit lockerer Pinselführung eintrat. Die Mitgl. dieser der Schule von Barbizon und später dem frz. Impressionismus verpflichteten Kunstbewegung gewannen auf die Entwicklung der ital. Malerei des 19. Jh. großen Einfluß. Künstler wie G.

ABBATI, G. BOLDINI, G. FATTORI, S. LEGA oder T. SIGNORINI haben die Tendenzen dieser Gruppe vertreten.

Macclesfield [m'æklzfi:ld], Stadt in der Cty. Cheshire, England, südöstlich von Manchester, 44200 Ew. Neben der 1278 geweihten, 1898 weitgehend erneuerten Stadtpfarrkirche St. Michael ist die 1838–41 von A. W. N. PUGIN als neugot. Basilika erbaute Kirche St. Alban zu nennen (Turm unvoll.).

Macellum [lat.], der Lebensmittelmarkt in den Städten des Röm. Reiches; ein von Portikusanlagen mit Verkaufsläden (Tabernae) umgebener Platz, im Zentrum der Anlage ein Rund- oder Polygonalbau.

Macerata [-tʃe-], ital. Stadt und Bischofssitz südlich von Ancona, 45000 Ew. Zentrum der auf einem Hügel trapezförmig angelegten Altstadt ist die Piazza della Libertà mit Palazzo Comunale (17. Jh., 1820 erneuert), Loggia dei Mercanti (1504/05) und Palazzo del Governo (17. Jh., Portal 1509). Dom (1771–90); Pinakothek; Sferisterio (1820–29 erbaute Wettkampfstätte in klassizist. Stil für 10000 Zuschauer).

MacGregor [məgr'egə], Robert, engl. Maler, *Yorkshire 1848, †Portobello bei Edinburgh Nov. 1922, Schüler und Mitgl. (1889) der Royal Scottish Academy; schloß sich der Schule von Barbizon an. Motive für seine Bilder empfing er aus dem Bauern- und Fischerleben.

Machern, Gem. östlich von Leipzig, Dt. Dem. Rep.; neben dem Schloß, urspr. Wasserburg (16. Jh., häufig verändert), entstand seit 1760 einer der bedeutendsten engl. Gärten mit künstl. Burgruine, klassizist. Pavillon, Mausoleum u. a.

Machsor [hebr. ›Zyklus‹] *der,* das jüd. Gebetbuch für die Feiertage; seit dem 9. Jh. Bez. der regelmäßig im gottesdienstl. Jahr wiederkehrenden Bibelstellen, seit dem 13. Jh. dann für das Gebetbuch, das in großem Format (für das Pult des Vorbeters) und kostbar geschmückt hergestellt wurde: Miniaturen am Rand, für die Anfangsbuchstaben und im Text, z. T. nach dem Vorbild der oberrhein. Buchmalerei dieser Zeit. Bed. Exemplare sind der ›Wormser M.‹ (1272; Jerusalem, Nat.-Bibl. und Univ.-Bibl.) und der ›Leipziger M.‹ (um 1320–30).

Machuca [matʃ'uka], Pedro, span. Architekt, Bildhauer, Maler, *Toledo Ende 15. Jh., †Granada 1550, erhielt seine Ausbildung in Italien, kehrte 1520 nach Spanien zurück. M. baute den Palast Karls V. in Granada (seit 1527), der starke Anklänge an BRAMANTES Bauweise zeigt und den bis dahin vorherrschenden Mudéjar-Stil ablöste. Als Maler war er einer der ersten in Spanien, die von der ital. Hochrenaissance (RAFFAEL) ausgingen (Altarwerk in der Kathedrale von Jaén, 1546; weitere Gemälde im Prado).

Machu Picchu [m'atʃu p'itʃu], festungsartige Anlage in Peru, aus der Zeit der Inka-Kultur (1440–1532), 2700 m ü. M. auf einem terrassierten Felssporn über dem Urubambatal gelegen. Gut erhalten sind zahlreiche Gebäude, die aus sorgfältig gehauenen Granitblökken und Lehmmörtel errichtet sind: Tempel und Paläste, eine monumentale Sonnenuhr (Gnomon), steingefaßte Wasserrinnen und hunderte von künstlich angelegten Terrassen und behauenen Monolithen. Die strategisch günstige Lage an den steilen Abhängen machte techn. Befestigungsanlagen wie Mauern überflüssig.

SIMONE WAISBARD: M. P. (a. d. Engl., 1978).

Macip [maθ'ip], span. Maler, →Masip.

Mack, Heinz, Maler, Objektkünstler, *Lollar (Hessen) 8. 3. 1931, Mitbegründer der Künstlergruppe Zero, gestaltete u. a. Strukturreliefs und z. T. motorisch bewegte Plastiken aus reflektierenden Metallen und Glas, architekton. Lichtanlagen an Großbauten, Lichtplastiken (›Sahara-Projekt‹, 1968; mit Lichtstelen) und Wasserplastiken (›Wasserwolke‹ für die Olympischen Spiele in München, 1972).

K. THOMAS: H. M. (1976).

Macke, August, Maler, *Meschede 3. 1. 1887, †(gefallen) bei Perthes-les-Hurles (Champagne) 26. 9. 1914, studierte 1904–06 an der Akad. Düsseldorf, 1907/08 bei L. CORINTH in Berlin, reiste 1907–12 mehrmals nach Paris. Seine Begegnung mit H. MATISSE, F. MARC (1910) und R. DELAUNAY, die Beteiligung am ›Blauen Reiter‹ und seine Reise nach Tunis 1914 mit P. KLEE und L. MOILLIET waren künstlerisch für ihn bestimmend. M. erstrebte nicht (wie W. KANDINSKY und F. Marc) die Abstraktion, seine Kunst blieb gegenständlich. Er verstand seine Bilder als ›visuelle Poesie‹, die weniger mit der weltanschaul. Romantik der Münchner Freunde als mit der heiteren Sensualität der Franzosen zu tun hat. Hauptthema war der Mensch, den M., stark vereinfachend und nur flächenhaft angedeutet, in lebensvollen Gruppen mit leuchtenden Farben wiedergab. Am bekanntesten wurden seine Straßen- und Parkmotive. Von besonderem Reiz in ihrer klaren Harmonie und hellen Durchsichtigkeit sind seine auf der Tunisreise entstandenen Skizzen, Zeichnungen und Aquarelle

August Macke: Tunesische Landschaft; 1914 (Mannheim, Kunsthalle)

(›Reise nach Kairouan‹, 1954; ›Die Tunisreise‹, mit Aufzeichnungen aus dem Tagebuch von P. KLEE, 1958). BILD Aquarellmalerei

A. M. und F. Marc, Briefwechsel, hg. v. W. MACKE (1964); G. BUSCH: A. M. Handzeichnungen (1966); ders. u. W. HOLZHAUSEN: Die Tunisreise ([3]1973); D. STEMMLER u. a.: Die Rheinischen Expressionisten. A. M. und seine Malerfreunde (1980); A. M., tunesische Landschaft, Ausst.-Kat., Mannheim (1981).

Mackensen, Fritz, Maler, *Greene bei Kreiensen 8. 4. 1866, †Bremen 12. 5. 1953, gründete 1889 mit O. MODERSOHN u. a. die Künstlerkolonie in Worpswede, wo er meist lebte; 1910–18 Leiter der Weimarer Kunstschule. M. malte lyrisch-stimmungsvolle, norddt. Landschaften und Bauernbilder in weicher Farbgebung; stand zeitweise dem Jugendstil nahe.

K. DEDE: F. M. (1981).

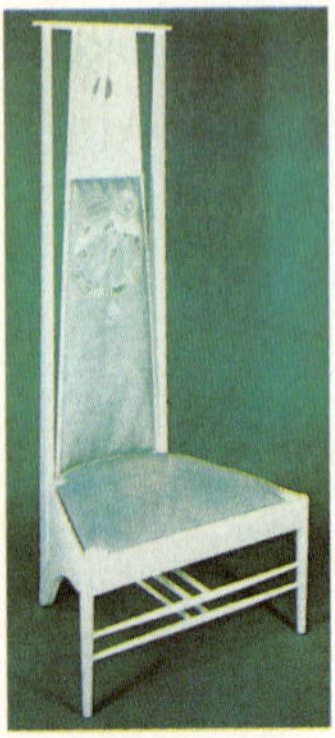

Charles Rennie Mackintosh: Stuhl nach einem Entwurf für ›The Hill House‹; 1902/03, neuere Anfertigung (Darmstadt, Hessisches Landesmuseum)

Mackintosh [mˈækɪntɔʃ], Charles Rennie, schott. Architekt, *Glasgow 7. 6. 1868, †London 10. 12. 1928. Mit seinem eigenartig linearen Dekorationsstil ist er einer der Hauptvertreter des Jugendstils (Glasgow School of Art, 1896–1909); seine Wohnhäuser und Inneneinrichtungen (Hill House, Helensburgh, 1902) wurden vorbildlich für die Moderne.

M., Architecture, hg. v. J. COOPER (London 1978).

Mackmurdo [mækmˈəːdəʊ], Arthur Heygate, schott.-engl. Architekt, Zeichner, *London 12. 12. 1851, †Wickham Bishops (Essex) 15. 3. 1942, gründete 1882 in London die ›Century Guild‹, eine Werkstatt für Inneneinrichtung, und trug zur frühen Herausbildung des Jugendstils bei.

Madagạskar, Inselstaat vor der Küste Ostafrikas. In den Rückzugsgebieten im N und S wurden von den Tsimihety, den Mahafaly und Antandroy 2–4 m hohe Grabpfosten verwendet, die meist figürl. Darstellungen mit geometr. Schnitzereien verbanden; diese ›Aloala‹ sollten als Mittler zw. den Familienangehörigen und ihren Ahnen dienen und wurden auf die großen kult. Grabanlagen (›Valavato‹) der vornehmen Klans gestellt.

Madạra, Ort am felsigen N-Abhang des Balkangebirges, 17 km östlich von Schumen, Bulgarien. Reste ei-

Madara: ›Reiter von M.‹; Felsrelief, wohl 9. Jh.

ner großen röm. Villa rustica und einer Festung des 6.–7. Jh., die im 8. und 14. Jh. von den Bulgaren erweitert wurde. In den Felsen gehauen das lebensgroße Relief des ›Reiters von M.‹, wohl aus dem 9. Jh.

Madaure, Ruinengelände der römisch-byzantin. Schulstadt **Madaurus** (im 2. Jh. **Apulejus,** im 4. Jh. **Augustinus**) in NO-Algerien, 43 km südlich von Souk-Ahras. Verstreut über eine Fläche von 30 ha liegen das röm. Forum mit byzantin. Festung (535) in der Mitte, Reste einer dreischiffigen Basilika, eines Ceres-Tempels, eines kleinen Theaters, großer Bäder und ein zweistöckiges röm. Mausoleum. Die wichtigsten Funde sind in den Mus. in Guelma, Algier und Constantine.

Madeba, Madaba, Stadt in Jordanien östlich vom N-Teil des Toten Meeres, rd. 13 000 Ew.; bekannt durch die **Karte von M.,** ein großes, 1896 in der grch.-orthodoxen Kirche entdecktes Fußbodenmosaik des 6. Jh., die älteste Karte Palästinas, von Ägypten im SW bis nach Phönikien im N; erarbeitet aus einer röm. Straßenkarte, in die die christl. Gedenkstätten der Zeit (mit z. T. genauer Angabe ihres Aussehens) aufgenommen wurden.

Maderno, Maderna, 1) Carlo, ital. Baumeister, *Capolago bei Lugano 1556, †Rom 30. 1. 1629, der führende Architekt Roms zw. G. DA VIGNOLA und G. L. BERNINI, ausgebildet bei seinem Onkel D. FONTANA. Seit 1603 war er Bauleiter der Peterskirche in Rom, die er mit dem Bau des Langhauses und der Vorhalle (urspr. mit geplanten Turmaufbauten) als lat. Kreuz über der Grundfläche der alten Basilika vollendete. An der zweigeschossigen, durch Säulen und Pilaster gegliederten Fassade von S. Susanna (1596–1603) in Rom entwikkelte er seinen klaren, plast. und bewegten Stil, ein Musterbeispiel des Frühbarock.

WW (in Rom): Ausbau und Kuppel von S. Andrea della Valle (1608 ff.); Palazzo Barberini (Plan 1624 als offener Flügelbau, Baubeginn 1628, von G. L. BERNINI und F. BORROMINI weitergeführt).

2) Stefano, ital. Bildhauer, *Bissone bei Lugano 1576, †Rom 17. 9. 1636. Seine Marmorfigur der nach ihrem Martyrium am Boden liegenden Hl. Cäcilia gehört zu den großen Bildwerken des ital. Barock (1599, Rom, S. Cecilia in Trastevere). M. war auch Antiken-Restaurator und Schöpfer von Kleinbronzen mit antiken Motiven (Herkules und Antäus; Herkules im Kampf mit Nemëischem Löwen).

Madonna [ital. ›meine Herrin‹], Maria als Mutter mit dem Jesuskind (→Marienbild).

Madras, Hauptstadt des ind. Bundesstaats Tamil Nadu, 3,3 Mio. Ew.; aus einer alten ind. Siedlung erwachsene, durch portug. (Kirchen des Hl. Thomas aus dem 16. Jh.) und brit. Kolonialbauten (seit 1639) geprägte Hafenstadt mit bed. Museum (Skulpturen aus Amaravati, Bronzen der Pallava- und Chola-Zeit).

Madrasa, →Medrese.

Madrazo [maðr'aθo], **1) Madrazo y Agudo** [-iaɣ'uðo], José de, span. Maler, Vater von 3), *Santander 22. 4. 1781, †Madrid 8. 5. 1859, Schüler von J. L. DAVID in Paris, 1803–19 in Rom, seit 1838 Direktor des Prado. Er malte unter dem Einfluß von David und J. A. D. INGRES klassizist. Porträts, Historien- und Kirchenbilder.

2) Madrazo y Garreta, Raimundo de, span. Maler, Sohn von 3), *Rom 24. 7. 1841, †Versailles 15. 9. 1920, Schüler seines Schwagers M. FORTUNY Y CARBO, wirkte in Paris, malte Genrebilder und bes. Porträts.

3) Madrazo y Kuntz, Federico de, span. Maler, Sohn von 1) und Vater von 2), *Rom 9. 2. 1815, †Madrid 10. 6. 1894, Schüler seines Vaters, kam über Paris (1832, 1837) und Rom (1840) nach Madrid (1842), wo er Hofmaler Königin ISABELLAS II., Direktor der Akad. und des Prado (1860–68, seit 1881) wurde. Er war v.a. als Porträtmaler des span. Adels geschätzt (Werke in versch. Madrider Museen, u.a. ›Condesa de Vilches‹, 1853; Prado).

Madrid [span. maðr'ið], Hauptstadt und kultureller Mittelpunkt Spaniens, Sitz eines Erzbischofs, 3,87 Mio. Ew. M. (seit 1561 königl. Residenzstadt) bietet heute das Bild einer modernen Weltstadt, in der Hoch- und Zweckbauten des 19. und 20. Jh. gegenüber Bauten früherer Zeiten dominieren. In der 2. H. des 18. Jh. und wieder seit der 2. H. des 19. Jh. setzte eine großzügige Erweiterung und Erneuerung der Stadt ein. Das Stadtbild ist in die 3 Bereiche Altstadt, Wirtschafts- und Handelszentrum sowie Außenring (Neubauviertel) gegliedert. Früherer Mittelpunkt M.s war innerhalb der Altstadt die Plaza Mayor, ein 1617–19 von J. GÓMEZ DE MORA angelegter Platz, an allen 4 Seiten von Barockbauten mit Arkadengängen umschlossen (in der Mitte Reiterstandbild Philipps III., beg. von GIAMBOLOGNA, voll. von P. TACCA); westlich davon die Plaza de la Villa mit spätgot. Tor, Casa de Cisneros (1537) und Rathaus (1640, von Gómez de Mora). Nordwestlich davon liegt an der Plaza del Oriente (mit Reiterstandbild Philipps IV. von Tacca, 1636–40; BILD Tacca) der Palacio Real (Königl. Palast), 1738–64 von G. B. SACCHETTI nach Entwürfen von F. JUVARRA an Stelle des 1734 abgebrannten Alcázars für Philipp V. erbaut, mit prunkvoller Innenausstattung (u.a. Deckenfresken von G. B. TIEPOLO im Thronsaal; Porzellankabinett mit Samml. aus der Manufaktur von Buen Retiro; Gemälde von F. GOYA, JUAN DE FLANDES u.a., über 2500 v.a. fläm. Wandteppiche des 15. und 16. Jh.; Armería, mit Waffensamml. Karls V.; ehem. königl. Bibl.); neben dem Palast, im S, liegt die Kathedrale Nuestra Señora de la Almudena (seit 1895 im Bau); im NO des Palastes das ehem. Kloster La Encarnación (1611 von MARGARETE VON ÖSTERREICH gegr.; heute Mus. mit Gemäldegal. und Reliquiensamml.). In der Altstadt befinden sich zahlreiche weitere Kirchen mit z.T. bed. Innenausstattung, u.a. Capilla del Obsipo (1535; Retabel und Grabmäler im Platereskenstil), die frühere Kathedrale S. Isidro el Real (1626–61; barocke Skulpturen), S. Francisco el Grande (1776–85; Gemälde von Goya) sowie das Kloster Descalzas Reales (16. Jh.; heute Mus. mit Gemäldegal., 12 Wandteppichen nach Kartons von P. P. RUBENS, farbig gefaßten Skulpturen von P. DE MENA Y MEDRANO und G. HERNÁNDEZ und Grabmal der Johanna von Österreich von P. LEONI). Außerhalb der Altstadt im NO das ehem. Kloster Las Salesas Reales (1750 gegr. von Königin BÁRBARA VON BRAGANÇA; heute Justizpalast) mit reich ausgestatteter Barock-Kirche und im NW am Río Manzanares die beiden Eremitagen S. Antonio de la Florida (letzte Ruhestätte Goyas, von diesem mit Kuppelfresken ausgemalt, 1798) und Virgen del Puerto (von P. DE RIBERA, 1718 gew.).

Mittelpunkt der neueren Stadt ist im Geschäftsviertel nördlich der Altstadt die belebte Plaza Puerta del Sol; nordöstl. davon liegt die Plaza de la Independencia mit der triumphbogenartigen Puerta de Alcalá (1778). Westlich der Plaza de España im Park de la Montaña der wiederaufgebaute ägypt. Tempel von Debod (südlich von Assuan, 1. Jh. v. Chr.; Staatsgeschenk Ägyptens, 1972). Am O-Rand des Stadtzentrums liegt der Park El Retiro mit den Resten des Schlosses →Buen Retiro, im N das Schloß El →Pardo.

Museen. Das bedeutendste der zahlreichen Museen ist der →Prado. Im Archäolog. Nat.-Mus. umfangreiche Samml. aus iber. (v. a. die ›Dame von Elche‹, 5. Jh. v. Chr.), röm. (Skulpturen, Mosaiken), westgot. (Votivkronen) und maur. Zeit (Elfenbeindose von Al-Hakem II., 964); Academia de S. Fernando (Akad. der Schönen Künste, 1744 von Ferdinand VI. gegr., Gebäude von J. CHURRIGUERA 1752 voll.) mit Gemäldesamml. (v. a. Werke von Goya, F. DE ZURBARÁN, A. R. MENGS). Ehem. Privatsamml. bilden den Grundstock der Museen Sorolla (Nachlaß des Malers J. SOROLLA Y BASTIDA), Lázaro Galdeano (Gemäldesamml., Möbel, Emailarbeiten u. a.), Cerralbo (Porzellan-, Gemäldesamml.) und des Herzogs von Alba (Porträts von Goya u. a.). Mus. der Romantik (Möbel und Gemälde des 19. Jh.); Kunstgewerbemus.; Instituto de Valencia de Don Juan (Kunsthandwerk mit bed. Keramiksamml. aus maur. Zeit); Völkerkundemus.; Museo de América (vorkolumb. und Kolonialkunst); in der Nat.-Bibl. wertvolle Hss.-Samml.

CHUECA GOITIA: M. (a. d. Span., 1973).

Madurai, Stadt und hinduist. Wallfahrtsort in Tamil Nadu, eines der ältesten Kulturzentren in S-Indien, 817 600 Ew.; gelangte im 17. Jh. zu größerer Bedeutung unter seinen Statthaltern, den Nayaks. Aus dieser Zeit stammt einer der größten spät-dravidischen Tempelkomplexe, der Zwillingstempel der Minakshi und des Sundareshvara (Shiva), umgeben von bis zu 50 m hohen Gopuras, nebst der 1000-Pfeiler-Halle sowie der Palast des Tirumala Nayak in indo-islam. Stil. (BILD S. 164)

Maecenas, Gaius, röm. Ritter aus etrusk. Geschlecht, *13. 4. um 70 v. Chr., †Rom 8 v. Chr., Vertrauter des Kaisers AUGUSTUS; versammelte in seinem Palast auf dem Esquilin in Rom die bedeutendsten Dichter der Zeit, HORAZ, VERGIL, PROPERZ u. a. Nach ihm heißt ein großzügiger Förderer der Künste ›Mäzen‹.

Maeght [mæxt], Aimé, frz. Kunsthändler, →Fondation Maeght.

Maella [ma'eʎa], Mariano Salvador de, span. Maler, *Valencia 21. 8. 1739, †Madrid 10. 5. 1819, war 1760–65 in Rom, wo er sich dem akadem. Klassizismus

Madurai: Tempelkomplex

anschloß, danach in Madrid Kammermaler KARLS IV. und 1795 Direktor der Akad. M. war an der Ausmalung der königl. Schlösser beteiligt, schuf Altarbilder und v. a. Porträts (Karl IV., Madrid, Königl. Palast).

Maes [ma:s], Nicolaes, holländ. Maler, *Dordrecht Januar 1634, begraben Amsterdam 24. 12. 1693, Schüler REMBRANDTS um 1650, malte neben bibl. und mytholog. Darstellungen v. a. Genrebilder, bes. häusl. Szenen und alte Frauen in warmbraunem, mit Rot belebtem Ton. Seit 1660 schuf er zahlreiche farblich effektvolle Porträts im Stil von A. VAN DYCK.

Ma|està [ital. ›Majestät‹] *die,* bes. in der ital. Kunst des 13. und 14. Jh. die Darstellung der thronenden, von Engeln und Heiligen umgebenen Madonna, v. a. als Stadtpatronin – ausgehend von der Weihe der Stadt Siena an die Madonna anläßlich der Schlacht von Montapierti (1260), der eine Reihe von ›Staatsbildern‹ folgten (DUCCIO, 1308–11; SIMONE MARTINI, 1315; A. LORENZETTI, 1336). Im Typus der M. ist auch das Kölner ›Dom-Bild‹ S. LOCHNERS (um 1435) gehalten.

Mafai, Mario, ital. Maler, *Rom 15. 2. 1902, †ebd. 31. 3. 1965, war in den 1920er Jahren unter frz. Einfluß an der Entwicklung des ital. Expressionismus beteiligt, gestaltete v. a. röm. Straßen- und Platzansichten von intensiver Farbigkeit. Nach einer klassizistisch-traditionellen Stilphase wandte er sich nach dem 2. Weltkrieg einem Abstrakten Expressionismus zu.

Maffei, Francesco, ital. Maler, *Vicenza 1605, †Padua 2. 7. 1660, schuf in eigenwillig maler. und großzügig dekorativer Manier Andachtsbilder und Huldigungsallegorien in Vicenza, Venedig u. a. In seinen Anfängen durch J. BASSANO, TINTORETTO und v. a. durch PAOLO VERONESE bestimmt, entwickelte er während seines Venedig-Aufenthaltes zw. 1638 und 1640 unter dem Eindruck der Werke von J. LISS und B. STROZZI einen barocken Stil, dessen Einfluß bis hin zu S. RICCI und G. B. TIEPOLO spürbar bleibt.

Mafra, portug. Stadt etwa 30 km nordwestlich von Lissabon, rd. 7000 Ew. Die gewaltige Klosteranlage (auf über 40 000 m² Fläche) mit Palast wurde 1717–30 durch den dt. Baumeister JOHANN FRIEDRICH LUDWIG (†1752) und dessen Sohn JOHANN JOACHIM LUDWIG (*1733, †1803) für KÖNIG JOHANN V. in süddt. Barockformen errichtet. Kirche mit überreicher weißer Marmordekoration und kassettiertem Tonnengewölbe; in den Klosterbauten Bibliothek (reiche Inkunabelnsamml.) und Mus. de Escultura Camparada (Samml. von Abgüssen aller bed. Skulpturen Portugals). In der Stadt romanisch-got. Kirche S. André (12./13. Jh.).

Magazin [ital. aus arab.] *das,* **Depot** [dep'o, frz.], Raum zur Aufbewahrung von Kunstwerken, die aus Platzmangel, wegen minderer Qualität und Wertschätzung, Beschädigung oder aus anderen konservator. Gründen der Öffentlichkeit nicht in den ständigen Ausstellungsräumen zugänglich sind.

Magdalena, Heilige, →Maria 2).

Magdalénien [-lenj'ɛ̃] *das,* Kulturstufe des Paläolithikums, benannt nach der Fundstätte La Madeleine bei Tursac a. d. Vézère (Dép. Dordogne). Die vom Kantabrischen Gebirge bis zu den Karpaten verbreitete Kultur wird um 15 000–10 000 v. Chr. angesetzt. Die erhaltene Kleinkunst und die Felsbilder zeigen, wie die Eiszeitkunst überhaupt, lebensnahe Tierdarstellungen.

Magdalensberg, Helenenberg, 1058 m hoher Berg nördlich von Klagenfurt, Kärnten, Österreich, auf dem eine ausgedehnte keltisch-röm. Siedlung lag; reiche Funde im Grabungs- und Freilicht-Mus. An der Stelle eines keltisch-röm. Tempels spätgot. Wallfahrtskirche (2. H. 15. Jh.) mit geschnitztem Flügelaltar (1502), in der Magdalenenkapelle gelungene Einbeziehung eines unvollständig erh. spätgot. Altars in einen Barockaltar (um 1700).

Magdeburg, Bezirkshauptstadt in der Dt. Dem. Rep., an der Elbe, 281 600 Ew.; in otton. Zeit Kaiserpfalz, 968 Erzbischofssitz. 1945 wurde die Altstadt fast völlig zerstört, bei der Neugestaltung wurden nur bed. histor. Bauten wiederhergestellt. Vom otton. Dom (955–70, 1207 abgebrannt) sind Reste einer Krypta freigelegt. Der Neubau (1209 mit dem Chor beg., 1363 gew.) ist eine im Grund- und Aufriß der frz. Gotik folgende dreischiffige Basilika mit Chorumgang, Kapellenkranz, unvoll. O-Türmen und hoher Doppelturmfront im W; unter dem reichen plast. Schmuck ragen die Figuren im Chor und an der Paradiespforte am nördl. Querhausarm heraus (›Kluge und törichte Jungfrauen‹, um 1240–50); zahlreiche Bronzegrabdenkmäler, bes. der Erzbischöfe Friedrich von Wettin (um 1150), Wichmann (um 1190) und Ernst (1494/95 von P. VISCHER D. Ä.); an der S-Seite des Doms Kreuzgang. Klosterkirche Unser Lieben Frauen, roman. Basilika (11.–12. Jh., um 1220/30 gotisch eingewölbt) mit Querschiff, unter Vierung und Chor Krypta; die Klostergebäude mit Kreuzgang an der N-Seite der Kirche sind ein seltenes Beispiel für eine einheitl. roman. Anlage (1135–50). Weitere bed. Kirchen sind die im Kern roman. Stiftskirche St. Sebastian (12.–15. Jh.), die got.

Magdeburg: Dom von Westen

Wallonerkirche (1366 gew.), die klassizist. Nikolaikirche (1821–24 von K. F. SCHINKEL). Unter dem barocken Rathaus (1691–98) spätroman. Ratskeller (13. Jh.), davor auf dem Alten Markt Kopie des ›Magdeburger Reiters‹ (um 1240, Original im Kulturhistor. Mus.).

Maghreb [arab. ›Westen‹], der westl. Teil der arabisch-muslim. Welt (Marokko, N-Algerien, Tunesien, Tripolitanien und das islam. Spanien im MA.). Über die Kunst des M. →islamische Kunst, →maurischer Stil.

Magischer Realismus, von F. ROH 1924 geprägte Bez. für die Stilrichtung des Nachexpressionismus, →Neue Sachlichkeit.

Magna Graecia, Großgriechenland, Bez. für die Kolonien grch. Städte in Unteritalien und Sizilien; von den mehr als 40 Gründungen (seit dem 6. Jh. v. Chr.) sind v. a. Cumae, Neapel, Rhegion (Reggio), Sybaris, Kroton, Metapont, Tarent, Poseidonia (Paestum), Naxos, Megara, Syrakus und Zankle (Messina) bekannt. Der Beitrag dieser Kolonien zur Ausformung und Tradierung der grch. Kultur hatte außerordentl. Bedeutung. Die Kunst der M. G. (Tempelbau, Bau- und Freiplastik, v. a. aber Vasen und Terrakotten) unterscheidet sich von der mutterländ. durch größere Dimensionen, in der Plastik und Malerei außerdem durch geringere Präzision sowie stärkere Betonung der Farbigkeit und des Phantastischen.

R. BOSI: M. G. (1982).

Magnasco [maɲ'asko], Alessandro, gen. **Il Lissandrino,** ital. Maler, *Genua 1667, †ebd. 12. 3. 1749, lernte in Mailand, seit 1735 in Genua; stellte in einer eigentüml., virtuosen Malweise, die auf dunklem Grund unheiml. Lichter aufflackern läßt, Mönche, Nonnen, Einsiedler, Soldaten und zwielichtiges Volk in romantisch wirkenden, oft ruinenhaften Räumen oder wilden Landschaften dar.

Magnelli [maɲ'ɛlli], Alberto, frz. Maler ital. Herkunft, *Florenz 1. 7. 1888, †Meudon bei Paris 21. 4. 1971, Autodidakt, lebte seit 1931 in Paris. Bes. unter dem Einfluß von P. PICASSO und F. LÉGER malte er anfangs abstrakt, später auch in stark vereinfachender figurativer Darstellung, bevor er in Paris zur völligen Abstraktion zurückkehrte (stark konturierte, geometr. Formen in meist dunklen Farben).

Magnesia am Mäander, antike grch.Stadt in Karien, in der heutigen türk. Prov. Aydın, nördlich von Söke; von grch. Kolonisten aus Thessalien (NO-Griechenland) gegr. 400/399 v. Chr., wurde M. an Stelle der bisher im versumpften Flußgebiet liegenden Stadt auf den Vorhöhen des Berges Thorax vom spartan. Feldherrn THIBRON neu gegr. und erlebte Blütezeiten unter den Seleukiden und später unter den Römern. Ausgrabungen legten v.a. den großen Tempel der Artemis Leukophryene frei, ein Pseudodipteros von 67 m Länge, von dem Architekten HERMOGENES Ende des 3. Jh. v. Chr. anstelle eines Vorgängerbaus errichtet. Teile eines Relieffrieses mit Amazonenkämpfen sind in Museen von Berlin, Paris und Istanbul erh. Geringe Reste wurden von der Agora, vom Theater, einem röm. Odeum und einem Gymnasion freigelegt; z. T. gut erh. Stadtmauer.

Magnus, Eduard, Maler, *Berlin 7. 1. 1799, †ebd. 8. 8. 1872, seit 1844 ebd. Prof. an der Akad.; malte realist.

René Magritte: Das Reich des Lichts II; 1950 (New York, Museum of Modern Art, Schenkung D. und J. de Menil)

Porträts bed. Persönlichkeiten seiner Zeit (B. Thorvaldsen, C. D. Rauch, A. v. Menzel, Jenny Lind, Henriette Sontag).

Magritte [magr'it], René, belg. Maler, *Lessines (Belgien) 21. 11. 1898, †Brüssel 15. 8. 1967, studierte in Brüssel und Paris, wo er bis 1930 lebte und mit den Surrealisten in Verbindung stand. V. a. von G. DE CHIRICO beeinflußt, wurde er ein eigenständiger Vertreter des verist. Surrealismus, der die banalen Dinge des Alltags, naturalistisch im Detail, durch irrealist. Zusammenfügen verfremdet und in neue Zusammenhänge stellt. M.s Grundproblem war die Dialektik von Abbild und Wirklichkeit, Schein und Sein, die er in präzisen Bildvisionen ineinander verspiegelte. Seit den 1960er Jahren gewann diese Thematik, zus. mit den Trivialelementen, die M. verarbeitete, Bedeutung für zahlreiche Richtungen von der Pop Art bis zur Concept Art. Neben Tafelbildern malte M. auch Wandbilder (Kasino von Knokke, 1953; Palais des Beaux-Arts in Charleroi, 1957; Palais des Congrès in Brüssel, 1961). BILD S. 167

R. M., Sämtl. Schriften, hg. v. A. BLAVIER (1981).

U. M. SCHNEEDE: R. M. (1973); R. SCHIEBLER: Die Kunsttheorie R. M.s (1981); R. M. und der Surrealismus in Belgien, Ausst.-Kat., Hamburg (1982).

Mahabalipuram, Mamallapuram, Ort an der SO-Küste Indiens, bei Madras, ehem. Seehafen der Pallava-Dynastie, mit hinduist. Kultdenkmälern des 7. bis 8. Jh. Neben zahlreichen reliefgeschmückten Höhlentempeln (u. a. die Varaha-Höhle, Mahishamardini-Höhle und das Krishna-Mandapa mit großem Govardhanadhara-Relief) entstanden hier die aus einzelnen Felsbrocken skulptierten Monolith-Tempel, die ›Fünf-Pandava-Rathas‹, an deren unterschiedl. Gestaltung sich der Beginn des Dravida-Stils abzeichnet. Der ›Ufertempel‹ mit steilem Pyramidenturm (Anf. 8. Jh.) ist wohl der früheste Freibautempel S-Indiens. Eindrucksvoll ist das eine 25,5 m breite, 8,5 m hohe Felswand bedeckende, vielfigurige Relief ›Arjunas Buße‹.

Mahabalipuram: Ufertempel; 8. Jh.

Mahabhạrata, aus 18 Büchern (Parvans) bestehendes ind. Epos, etwa zw. dem 4. Jh. vor und dem 4. Jh. nach Chr. entstanden. Traditionsgemäß mit etwa 100 000 Doppelversen ist es das längste Epos der Weltliteratur, buchweise oder in kürzeren Versionen häufig von Künstlern der Mogul-, v. a. aber der Rajput-Malerei illustriert.

Mahadẹva [Skt. ›der große Gott‹], Beiname des hinduist. Gottes Shiva, bes. seines gnadenvollen Hauptaspekts an mehrköpfigen Bildwerken (Maheshamurti).

Mahagọni [indian.] *das*, Bez. (18. Jh.) für Edelhölzer der Zedrachgewächse mit guten techn. Eigenschaften, v. a. im Möbelbau verwendet; rotbraun mit Goldglanz.

Mahakạla [Skt. ›der große Schwarze‹ oder ›Tod‹], eine furchterregende Form →Shivas, dargestellt mit zornvollem Gesicht, mit Schlangen und Totenschädeln als Attribute.

Mahạkuta, hinduist. Kultstätte in Indien, nahe Badami im Deccan, mit einer Gruppe von Tempeln des 7. Jh. (Chalukya-Dynastie). Die um einen künstl. Teich gelagerten Mahakuteshvara-Tempel und Mallikarjuna-Tempel wurden im Dravida-Stil, die übrigen im Nagara-Stil errichtet.

Mahamạndapa [Skt.], auch **Sabhamạndapa,** die Haupthalle ind. Tempel, als Versammlungsraum der Gläubigen dem turmüberbauten Allerheiligsten vorgelagert.

Mahavịra [Skt. ›der große Held‹], Ehrenname des Vardhamana (um 540–477 v. Chr., in NO-Indien), des Stifters und 24. Tirthankaras der Jaina-Religion, dargestellt als nackter Asket mit einem Löwen als Symboltier (→jinistische Kunst).

Mahayạna [Skt. ›das große Fahrzeug‹], die sich im 1.–2. Jh. in N-Indien entwickelnde Schule des Buddhismus, die in Gegnerschaft zum Hinayana neue Glaubensprinzipien (Vergöttlichung des Buddha, Erlösung mit Hilfe des Bodhisattva) durchsetzte und die buddhist. Bilderverehrung mit einem ständig erweiterten Pantheon hervorbrachte. Über Zentralasien gelangte der M.-Buddhismus nach O-Asien. Eine zu höchster Esoterik weiterentwickelte Form, das →Tantrayana oder →Vajrayana, wurde in Nepal und Tibet heimisch.

Mahdịa [max-], **Al-M.,** Stadt an der O-Küste Tunesiens, 21 700 Ew. Die typisch phönik. Hafenanlage (›Kothon‹; Rechteckbecken 126 × 57 m mit einer von 2 Wachtürmen gesicherten, 15 m breiten Fahrrinne) wird noch heute genutzt. 916 Neugründung als Festungshauptstadt durch die Fatimiden; erh. sind die gewaltige Eingangstorburg Skifa El-Khala und Reste zweier Kalifenpaläste. Die Große Moschee in T-förmigem Bauschema (916 beg., 1965/66 völlig restauriert, Großquaderwerk) hat einen Gebetssaal von 9 Schiffen zu je 3 Jochen, einen Narthex sowie ein monumentales Risalit-Eingangstor. Massive Kasba Bordj Er-Ras (1595) mit 2 Fassadenskulpturen. Bed. Kunsthandwerkszentrum (u. a. Damaszenerweberei) mit Mus. Die aus dem 100 v. Chr. gesunkenen ›Mahdia-Schiff‹ gehobenen grch. Kunst- und Gebrauchsgegenstände befinden sich im Bardo-Museum.

Maheshamurti [Skt. ›Bildwerk des großen Gottes‹], Darstellung des hinduist. Gottes Shiva als All-Gott. Von seinen 5 unterschiedlich charakterisierten Köpfen sind 4 in die Himmelsrichtungen gewendet, der zentrale 5. wird als äther. Kopf nur selten wiedergegeben. Reliefskulpturen wie in Elephanta zeigen lediglich 3 Gesichter, deren mittleres Mahadeva oder Maheshvara genannt wird.

Mahishasuramardini [Skt. ›Töterin des Büffeldämons‹], die hinduist. Göttin Durga, die, von allen Göttern mit deren charakterist. Waffen ausgestattet (u. a. Trishula von Shiva, Chakra von Vishnu), den als Büffel verkörperten Hauptdämon Mahisha besiegt. Die weit verbreiteten Kultbilder der M. (bes. in Bengalen) reichen zurück bis zu den Anfängen der hinduist. Kunst.

Mahringer, Anton, österr. Maler, Graphiker, *Neuhausen (bei Stuttgart) 26. 9. 1902, †St. Georgen im Gailtal 29. 12. 1974, entwickelte aus expressionistisch-realist. Anfängen eine raumordnende, helle, kristalline Malweise und strenge Bildstruktur (v. a. Gebirgslandschaften).

Mährisch Trübau, tschech. **Moravská Třebová** [m'ɔravska: trʒ'ɛbɔva:], Städtchen nördlich von Brünn, ČSSR, mit Stadtmauer und Basteien aus dem MA. Das Rathaus mit Turm über oktogonalem Grundriß in den Obergeschossen wurde im 15. Jh. im got. Stil erbaut, später im Renaissancestil umgebaut. Von der urspr. got. Burg sind ein Renaissance-Tor und die Vorburg aus dem 17. Jh. erh. In der barocken Pfarrkirche aus dem 18. Jh. sind noch got. und Renaissance-Elemente erh.

Maiano, ital. Baumeister und Bildhauer, →Benedetto da Maiano, →Giuliano da Maiano.

Maichishan, amtlich chines. **Maijishan** [maɪdʒɪʃan], Kalkfelsen in der chines. Prov. Kansu, etwa 300 km westlich von Sian, mit Höhlentempeln, die in versch. Ebenen in den Fels gehauen wurden; um etwa 500 n. Chr. begonnen, in der Sui-, T'ang- und Sung-Zeit fortgesetzt, infolge ihrer abgeschiedenen Lage besser erhalten als in Tunhuang. Die z. T. aus Ton modellierten Plastiken der Frühphase zeigen den Einfluß des Nördl. Wei-Stils, sind gegenüber den Werken von →Lungmen jedoch weniger fein durchgearbeitet. Die Überreste der durch die Witterung stark beschädigten Wandmalereien erinnern mit ihren breiten farbigen Flächen und dem Gebrauch eines leuchtenden Blaus an die Malereien in →Tunhuang.

Maidbronn, Gem. im Kr. Würzburg, Bayern; die frühgot. Kirche der ehem. Zisterzienserinnenabtei (1232 gegr., 1235 hierher verlegt) besitzt ein Sandsteinrelief der ›Beweinung Christi‹, ein Spätwerk von T. RIEMENSCHNEIDER (nach 1520).

Maiestas Domini [lat. ›Herrlichkeit des Herrn‹], von der Vision Ezechiels, Jesajas und der Apokalypse ausgehende Darstellung der Macht und Herrlichkeit des erhöhten Christus. Nach verschiedenartigen früh-

Maiestas Domini: Wandmalerei aus S. Clemente de Tahull; Ende 12. Jh. (Barcelona, Museo de Arte de Cataluña)

christl. Vorstufen (Rom, S. Pudenziana, 402–17, und SS. Cosma e Damiano, 6. Jh.) bildete sich, offenbar in karoling. Zeit (830–50 im Skriptorium von Tours) die dann gültige Form der Darstellung heraus: Christus in einer Mandorla thronend, umgeben von den Evangelistensymbolen. Die Anordnung der Symbole deutet oft auf die 4 Weltgegenden. Eindrucksvoll sind die Darstellungen des frühen und hohen MA.: in Miniaturen, als Fresko in Apsiden (v. a. S. Clemente de Tahull, südl. Pyrenäen, Ende 12. Jh.; Barcelona, Mus. de Arte de Cataluña), als Relief in Portaltympanen (v. a. Chartres, Königsportal, 1144–50, Arles, St. Trophime, W-Portal, Ende 12. Jh.). An ihre Stelle tritt später zunehmend das Bild vom →Jüngsten Gericht.

Maigelein, napfförmiges Trinkgefäß aus Glas mit meist bauchiger Wandung. Die Oberfläche erhielt durch Einblasen in eine Hohlform ihren Dekor. M. waren im 15.–17. Jh. bes. in Dtl. beliebt.

Maijishan [maɪdʒɪʃan], buddhist. Höhlentempel in China, →Maichishan.

Mailand, ital. **Milano,** Hauptstadt der Lombardei und kultureller Mittelpunkt N-Italiens, 1,7 Mio. Ew., Erzbischofssitz. Von der röm. Siedlung **Mediolanum,** deren Forum dem Umriß der heutigen Piazza S. Sepolcro entspricht, sind nur wenige sichtbare Reste erhalten. Die ma. Stadtbefestigung (3 von ehem. 18 Toren erh.) wurde infolge rascher Bevölkerungszunahme im 16./17. Jh. durch eine bastionsartige Mauer ersetzt, beiderseits des Castello Sforzesco beginnend (ehem. Residenzfestung F. SFORZAS, Neubau seit 1450; im 19. Jh. restauriert; heute Städt. Mus. mit umfangreicher Kunstsamml., u. a. MICHELANGELOS letztes unvollendetes Werk, die Pietà Rondanini).

Zentrum von M. ist der got. Stadtkern um die Piazza Mercanti (1228–51 angelegt) mit mehreren Gebäuden des 13.–16. Jh. (u. a. Palazzo della Ragione oder Broletto Nuovo, Casa Panigarola, Loggia degli Osii, Palazzo dei Giureconsulti) und die Piazza del Duomo mit dem Wahrzeichen der Stadt, dem Dom. Er wurde 1386 beg. (auf mehreren Vorgängerbauten errichtet, deren Reste unterhalb des Domplatzes freigelegt wurden), 1572 gew. (Fassade im 19. Jh. voll.) und ist eine der größten Kirchen der Gotik (158 m lang; größtenteils von dt. Baumeistern ausgeführt). Die fünfschiffige Basilika mit dreischiffigem Querhaus ist marmorverkleidet und überreich mit Fialen, Skulpturen (etwa 2300), Glasmalereien und Zierrat geschmückt; im Inneren viele Kunstwerke, v. a. Wandgrab für Gian Giacomo Medici (†1555), siebenarmiger Trivulzio-Kandelaber (Ende 12. Jh. oder Anf. 13. Jh.; 5 m hoher, figürlich geschmückter Bronzeleuchter, 1562 von J. B. TRIVULZIO gestiftet). Am Domplatz der Palazzo Reale (urspr. 12. Jh., mehrfach verändert; mit Palastkapelle S. Gottardo und Dom-Mus.) und Palazzo Arcivescovile (Bischofspalast, urspr. 13./14. Jh.). Zu den ältesten erhaltenen Kirchen M.s gehören der Zentralbau von S. Lorenzo Maggiore (um 350/370 gegr., im 12. und 16. Jh. erneuert; frühchristl. Baptisterium mit Mosaiken, 5. Jh.), S. Ambrogio (im 4. Jh. gegr., nach Veränderungen im 9. Jh. im 11./12. Jh. neu erbaut), eine dreischiffige Basilika ohne Querhaus mit langgestrecktem Atrium

Mailand: Dom; 1386 beg.

im W, dort der →Mailänder Goldaltar und in der Grabkapelle S. Vittore in Ciel d'Oro des 5. Jh. ein frühchristl. Mosaikzyklus; im Pfarrhaus Mus.; Sant'Eustorgio (Kirchengründung des 4. Jh., jetziger Bau 12./13. Jh.; hinter der Apsis die Portinari-Kapelle von MICHELOZZO, 1462–68, mit Grabmal für Petrus Martyr von G. DI BALDUCCIO, 1336–40). S. Maria delle Grazie besteht aus einem got. Langhaus und einem von BRAMANTE 1492 bis 1497 errichteten Zentralbau im O (im Refektorium des ehem. Klosters das ›Abendmahl‹, Wandgemälde von LEONARDO DA VINCI; BILD Abendmahl).

Unter den zahlreichen Palästen und Profanbauten sind zu erwähnen: Palazzo Belgioioso (1772–81, von G. PIERMARINI), Clerici (seit 1736 ausgebaut), Durini (1645–48), Litta (beg. 1648, Fassade 1752–63), Poldi-Pezzoli (Mitte 18. Jh.; Mus. mit Gemäldesamml.), die Casa Leoni (1573), Villa Reale (1780–96; Mus. für Moderne Kunst) und Ospedale Maggiore (Hospitalanlage, 1456 beg., seit 1954 Universitätsgebäude); die wichtigsten Museen befinden sich im Palazzo dell' →Ambrosiana und im Palazzo di →Brera. Die Piazza della Scala mit Teatro alla Scala (1776–78, von Piermarini) und Palazzo Marino (Rathaus, 1558 beg.) ist mit dem Domplatz verbunden durch die fünfgeschossige Ladenpassage Galleria Vittorio Emanuele II (1867 bis 1877), ein Höhepunkt der Architektur des späten 19. Jh. Beispielhaft für den Jugendstil ist das Teatro Trianon (an der Piazza Liberty). Das Pirelli-Hochhaus (1955 bis 1958) und der Velasca-Turm (1957 f.) vertreten die moderne Architektur M.s – 7 km südöstlich von M. die Abteikirche **Chiaravạlle** [kjara-], ein früher ital. Zisterzienserbau, 1135 von Clairvaux aus gegr., mit über der Vierung sich erhebendem Glockenturm.

Mailänder Goldaltar, einziger erhaltener karoling. Altar aus Edelmetall (Mailand, S. Ambrogio, um 840). Im Ggs. zu dem meist nur frontalen →Antependium umschließt der M. G. (ital. **Paliọtto**) vierseitig einen Altar mit den Sarkophagen der Märtyrer Protasius und Gervasius. Der M. G. wurde von Erzbischof ANGILBERT II von Mailand (824–59) gestiftet und von einem Meister WOLVINIUS signiert. Wolvinius stattete sein Werk mit aus Gold und Silber getriebenen Darstellungen, mit Edelsteinbesatz und Emailbändern ungewöhnlich prunkvoll aus. (BILD karolingische Kunst)

V. H. ELBERN: Der karol. Goldaltar von Mailand (1952).

Maillol [maj'ɔl], Aristide, frz. Plastiker, Graphiker, *Banyuls-sur-Mer (Pyrénées-Orientales) 8. 12. 1861, †ebd. 27. 9. 1944, bildete sich bei L. GÉRÔME und A. CABANEL zum Maler aus und gelangte, angeregt durch P. GAUGUIN, zu einem flächengebundenen, linienbetonten Stil, in dem er v. a. symbolist. Bilder und Wandteppiche schuf. Als Bildhauer (seit 1895) war er Autodidakt, gestaltete v. a. weibl. Akte. Er fand mit Kleinplastiken in Holz und Ton Beachtung und arbeitete dann große Figuren in Stein und für Bronze, die von klass. Einfachheit der Körperbewegung sind. Wegen der rein plast. Wirkung verzichtete er auf die von A. RODIN angestrebte impressionist. Belebung der Oberfläche und den dadurch entstehenden Ausdruck spontaner Existenz. Ohne klassizist. Tendenzen sind seine Gestalten der

Aristide Maillol: Der Sommer; Bronze (Paris, Jardin des Tuileries)

frühgrch. Plastik verwandt (›Die Nacht‹, 1902; Méditerranée, 1902–05). Ihre rein plast., alles Malerische, Illustrative abstreifende Präsenz, die Rückführung der Körper auf stereometr. Grundelemente, ihre klar bestimmte, aber begrenzte Ausdrucksskala begründen M.s Position als Überwinder des 19. und Mitinitiator der Plastik des 20. Jh. Sein reiches graph. Werk besteht meist aus Holzschnitten, die sich durch klare, betonte Umrißlinien auszeichnen, v.a. als Buchillustration (Eklogen des Vergil, 1910–12; Daphnis und Chloe von Longus, 1937; Zeichnungen zu den Georgica des Vergil, 1939 ff.).

W. GEORGE u. DINA VIERNY: A. M. (a. d. Frz., 1964); A. M., Ausst.-Kat., Baden-Baden (1978).

Mainardi, Sebastiano, ital. Maler, *San Gimignano um 1460, †Florenz(?) Sept. 1513, Schüler und Nachahmer des D. GHIRLANDAIO, von dem er häufig zur Mitarbeit herangezogen wurde; über das Ausmaß solcher Beteiligungen herrscht noch weitgehend Unklarheit.

Mainau, Insel im Bodensee, Bad.-Württ., gehörte 1272–1805 dem Dt. Orden, dessen Baumeister J. C. BAGNATO das dreiflügelige Barockschloß (1739–46) und die reizvolle Schloßkirche (1734–39) errichtete; vorzügl. Innenausstattung von F. POZZI (Stuck), F. J. SPIEGLER (Malerei) und J. A. FEUCHTMAYER (Altäre). Park- und Gartenanlagen.

Maino, Fray Juan Bautista, span. Maler, →Mayno.

Mainz, Hauptstadt von Rheinl.-Pf. am linken Rheinufer, 186 300 Ew.; das röm. **Mogontiacum,** durch Bonifatius (8. Jh.) Erzbischofssitz und kirchl. Metropole Dtls., seit 1477 Universitätsstadt. Bis zur weitgehenden Zerstörung der Innenstadt im 2. Weltkrieg war M. nach Wien und Prag die Stadt mit den meisten Adelspalästen. Das barocke Stadtbild prägten die Baumeister M. v. WELSCH (Festungswerke, Zeughaus), A. F. v. GRÜNSTEIN (Deutschhaus, Schloß, Adelshöfe) und J. V. THOMANN (St. Peter, Domhäuser, Osteiner Hof). Charakterist. Altstadtstraßen sind Leichhof, Kirschgarten, Augustinerstraße. Der Dom bildet mit denen von Worms und Speyer die Trias der mittelrhein. Kaiserdome: eine doppelchörige roman. Pfeilerbasilika mit 2 hohen Vierungstürmen und 4 Chorflankentürmen. Vom 1009–36 errichteten otton. Bau sind die O-Türme und die N-Wand des W-Querschiffs erh.; um 1100 Neubau von O-Chor und Langhaus unter Kaiser HEINRICH IV., 1137 Vollendung der zweigeschossigen Gotthardkapelle, W-Bau und Einwölbung 1190/95, bis 1319 Anbau der got. Seitenkapellen; wertvolle Ausstattung, bes. die Willigis-Bronzetüren (vor 1011) und die über 60 Grabplatten und -denkmäler (13.–18. Jh.); Rokoko-Chorgestühl (1767). Im 1410 voll. Domkreuzgang und den angrenzenden Kapitelräumen das Bischöfl. Dom- und Diözesan-Mus. (v.a. Lettnerfragmente des →Naumburger Meisters, 1239; Domschatz).

Als ›Alter Dom‹ gilt die Johanniskirche (um 900, Chor 1320/25). Got. Kirchen sind St. Quintin (13. bis 15. Jh.), eine quadrat. Halle, Altarbild von F. A. MAULBERTSCH (1758) und Rokoko-Kanzel (1761) aus der zer-

Mainz: Ostchor des Doms

störten Emmeramskirche, St. Stephan (14. Jh.), die älteste Halle am Mittelrhein, im Chor Glasfenster von M. CHAGALL (1978 ff.), maler. spätgot. Kreuzgang (1499 voll.), und die Karmeliterkirche (um 1360 voll.), eine Basilika mit bemalten Gewölben. Barocke Sakralbauten sind St. Peter (1752–56), eine weiträumige Halle mit Doppelturmfassade, Stuck und Kanzel in überquellendem Rokoko, Fresken von G. APPIANI (1980/81 rekonstruiert), St. Ignaz (1763–74) mit Kreuzigungsgruppe von H. BACKOFEN im Kirchhof (1519) und die Augustinerkirche (1768–72).

Aus der Renaissance stammen der Marktbrunnen (1526), die Alte Universität (1615–18) und das Kurfürstl. Schloß (1628 beg., 1675–88 und 1751/52 fortgeführt) mit überaus reichem plast. Schmuck. Von den Adelspalästen ist jeweils nur der Außenbau erh.: u. a. Schönborner (1668–70), Dalberger (1715–18), Stadioner (1728–33), Erthaler (1734–43), Eltzer (1742/43), Osteiner (1747–52) und Bassenheimer Hof (1750 bis 1755). An der wirkungsvollen Rheinfront liegen (neben dem Schloß) Deutschhaus (ehem. Deutschordenskommende, 1730–37) und Neues Zeughaus (1738–40), Eiserner Turm (Anf. 13. Jh.), ehem. Heiliggeisthospital (außen spätromanisch, innen got. Halle mit Netzgewölben) und Holzturm (Anf. 15. Jh.), Christuskirche (1897–1903 im Neurenaissance-Stil). – In dem repräsentativen Frühbarockpalais ›Zum römischen Kaiser‹ (1653–64) das Gutenberg-Mus. (Welt-Mus. der Druckkunst, Erweiterungsbau von R. SCHELL 1960–62). Im kurfürstl. Marstall (Golden-Roß-Kaserne 1766/67) das Landesmuseum Mainz (röm. Funde, Gemälde und Plastik vom MA. bis 20. Jh., Höchster Porzellan). Römisch-German. Zentral-Mus. (Altsteinzeit bis Früh-MA.). Prinz-Johann-Georg-Samml. (u. a. Ikonen). – Im Stadtteil **Marienborn** barocke Wallfahrtskirche (1729 bis 1738) mit monumentalem Hochaltar (1748); im Stadtteil **Zahlbach** ehem. Aquädukt (sogenannte Römersteine, 70/80 n. Chr.) und der einzige Kirchenbau aus napoleon. Zeit (1809/10).

F. ARENS: Die Kunstdenkmäler der Stadt M., Teil 1, Kirchen A–K (1961); ders.: Der Dom zu M. (1982); Ausst.-Kat., 1000 Jahre Mainzer Dom, 975–1975, M. (1975).

Mair, 1) Hans, gen. **Mair von Landshut,** Maler, Kupferstecher, *um 1450(?), †1520, arbeitete in Landshut und Freising. M. vertrat eine skurrile, bodenständige Spätgotik; originell sind seine 22 Kupferstiche. Die Lichtführung seiner Kreidezeichnungen wurde wegweisend für die Helldunkelmalerei A. ALTDORFERS.

2) auch **Mayr,** Johann Ulrich, Maler, *Augsburg 1630, begraben ebd. 11. 6. 1704, Schüler von REMBRANDT und J. JORDAENS, reiste nach England und Italien und arbeitete für die Höfe in Wien, München und Heidelberg. M. schuf Porträts und relig. Darstellungen.

Maison [mɛz'ɔ̃], Rudolf, Bildhauer, *Regensburg 29. 7. 1854, †München 12. 2. 1904, zeichnete und modellierte Entwürfe für Fabriken, als Bildhauer Autodidakt, schuf dekorative Figuren für den Justizpalast in München und (im Auftrag von P. WALLOT) für den Reichstag in Berlin. Sein Stil verbindet die neuklassizist. Tradition mit realist. Elementen, wendet sich jedoch in der Fassung der Figuren der Polychromie zu (Stuckfigur ›Römischer Augur‹ u. a.).

WW: Pegasusfontäne (Park von Herrenchiemsee); Teichmann-Brunnen (1899; Bremen); Denkmal für Kaiser Friedrich III. (um 1904; Berlin, vor dem ehem. Kaiser-Friedrich-Mus.).

Maisonette [mɛzɔn'ɛt, frz. ›kleines Haus‹] *die,* innerhalb eines vielgeschossigen Wohngebäudes eine mehrgeschossige Wohnung mit eigener, innenliegender Treppe.

Maisons-Laffitte [mɛzɔ̃laf'it], Stadt im frz. Dép. Yvelines, unterhalb von Paris am linken Seineufer, 23 800 Ew. Das Schloß entstand 1642–51 nach Entwürfen von F. MANSART, der mit dem zweigeschossigen Corps de logis und den axial zugeordneten (nicht erh.) 3 Höfen mit Wirtschaftsgebäuden ein HW des frz. Schloßbaus im 17. Jh. vor Versailles schuf. In der strengen, aus Pilastern und Säulen gebildeten Wandgliederung von Fassade und Räumen an frz. Traditionen des 16. Jh. anknüpfend, gilt M.-L. als ein Hauptbeispiel des frz. Classicisme; seit 1905 Nat.-Mus. (Skulpturen, Gobelins, Gemälde).

Maitani, Lorenzo, ital. Baumeister, Bildhauer, *Siena vor 1275, †Orvieto Juni 1330, wurde 1310 an die Bauhütte des Domes von Orvieto berufen; er gilt als der Entwerfer der Domfassade. In den Reliefs und Bronzefiguren der Portalzone verschmolz er den klass. got. Stil mit verfeinertem Naturalismus.

Maitreya [Skt.], der zukünftige Buddha im Tushita-Himmel, seit der Kushana-Zeit in N-Indien als reich geschmückter Bodhisattva segnend und mit einer Nektarflasche auf einem Thron sitzend (Paryankasana) oder stehend dargestellt. In seinem Haarschopf trägt er als Emblem ein Juwel, seit etwa dem 6. Jh. einen kleinen Stupa. Der M. (in nachdenkl. Haltung) war auch ein verbreiteter Typ in der ostasiat. Plastik (2 vergoldete M. im Nat.-Mus. Seoul, 6./7. Jh.).

Majapahit, nach der M.-Dynastie benannte Kunstperiode in O-Java (→indonesische Kunst).

Majolika [n. der Insel Mallorca] *die,* ital. und span. →Fayencen und deren Nachahmungen.

Makara [Skt.], Meerungeheuer der ind. Fabel in Form eines Krokodils mit einer Art Rüssel, Symboltier der Flußgöttin Ganga, häufig auch an Stein- und Ziegeltempeln als Dekorationsmotiv auf Reliefpaneelen und als Wasserspeier (bes. in SO-Asien).

Makara

Makart, Hans, österr. Maler, *Salzburg 28. 5. 1840, †Wien 3. 10. 1884, wurde nach Studien ebd., in München (K. v. PILOTY, 1859–65) und Reisen in England, Frankreich und Italien 1869 nach Wien berufen (Atelier auf Staatskosten) und war seit 1879 ebd. Prof. an der Akad. Als tonangebender Maler der Gründerzeit malte M. in neubarockem Stil großformatige, effektvolle Bilder histor. und allegor. Inhalts in hellem Kolorit nach dem Vorbild der venezian. Malerei (PAOLO VERONESE). Seine auf dekorativen Prunk gerichtete Kunst beeinflußte Mode, Wohnkultur, Ausstellungen und Kunsthandwerk der 70er und 80er Jahre des 19. Jh.

HW: Pappenheims Tod (1861/62; Wien, Kunsthistor. Mus.); Venedig huldigt Catarina Cornaro (1873; Wien, Österr. Gal.); Kleopatra auf dem Nil (1875; Stuttgart, Staats-Gal.); Einzug Karls V. in Antwerpen (1878; Hamburg, Kunsthalle, farbige Skizze um 1875; Wien, Österr. Gal.); Die Falknerin (1880; München, Neue Pinakothek).

H. M. – Triumph einer schönen Epoche, Ausst.-Kat., Baden-Baden (1972); G. FRODL: H. M. (1974).

Makedonische Dynastie, von BASILEIOS I. MAKEDON (867–86) begr. Dynastie des byzantin. Kaisertums (867–1056), benannt nach ihrer Herkunft aus dem byzantin. Militärbezirk Makedonien im nordwestl. Thra-

Hans Makart: Kleopatra auf dem Nil (Ausschnitt); 1875 (Stuttgart, Staatsgalerie)

Makonde: Weibliche Figur aus schwarz gefärbtem Holz, mit roter Kopfbedeckung, 67,5 cm (Privatsammlung)

kien; eine Blütezeit des Byzantin. Reiches und der →byzantinischen Kunst.

Makedonische Gräber, im Hellenismus gegen Ende des 4. Jh. v. Chr. aufkommende Form von Grabbauten, v. a. in Makedonien, die an östl. Sepulkralarchitektur anknüpft. Für das Fortleben im Grab, ein ungrch. Glaube, wurde hier eine Behausung für den Toten geschaffen: Tumuli mit gewölbter Grabkammer, deren Front im Lauf der Entwicklung eine architekton. oder gemalte Fassade erhielt (Lefkadia, Vergina).

Maki-e, japan. Streubild, eine Technik in der japan. →Lackkunst.

Makimono *das,* japan., nicht zum Aufhängen bestimmte, erzählende Bildrolle (→Querrolle).

Makonde, der bekannteste kunstschaffende Stamm Ostafrikas, in SO-Tansania und angrenzenden Teilen Moçambiques. Die M. schnitzen kraftvoll geformte Figuren, häufig mit Lippenpflöcken und mit in Brusthöhe ausgestreckten Händen. Weibl. Brustplatten (ähnlich den Leibmasken der →Yoruba) dienen als Maske der Transvestitentänzer; sie symbolisiert die Legende vom ersten Mann der Schöpfung, der eine Holzfigur schnitzte, die hierauf zum Leben erwachte und seine Frau wurde. Darüber hinaus sind zweierlei Maskentypen bekannt: eine meist klein geschnitzte Gesichtsmaske, die in ihrer einfachen Form an die Masken der Rega in O-Zaire erinnert und möglicherweise von diesen beeinflußt ist, sowie eine sehr naturalistisch gestaltete Helmmaske aus leichtem Holz, häufig mit den charakterist. Schmucknarben und echten Haaren versehen. (BILD afrikanische Kunst)

Seit Beginn des 20. Jh. schnitzen die M. auch für den Touristenmarkt, den sie sowohl mit naturalist. Genre-Figuren des afrikan. Alltags als auch mit surrealistisch geprägten Skulpturen und Dämonenfiguren (›Sheitani‹, von arab. ›Teufel‹) beliefern; beide Typen werden v. a. aus Ebenholz hergestellt.

Makowskij, Wladimir Jegorowitsch, russ. Genremaler, Graphiker, *Moskau 7. 2. 1846, †Petrograd 21. 2. 1920, Mitgl. der Peredwischniki, Hauptvertreter der russ. realist. Malerei des 19. Jh., schuf Bilder aus Bereichen des alltägl. Lebens. Sein Bruder Konstantin Jegorowitsch M. (*1839, †1915) war ebenfalls Maler.

Makramee, frz. **Macramé** *das,* Knüpfarbeit, bei der festgedrehte Fäden mit Fransenbildung, auch lose in Musterformen, zu Spitzen, Einsätzen u. a. geknotet werden. – Das M. wurde von den Assyrern aus der Technik der geknüpften Franse entwickelt.

Makron, spätarchaischer, attischer Vasenmaler des rotfigurigen Stils, arbeitete im 1. Viertel des 5. Jh. v. Chr. M. entsprach an Qualität seinen Zeitgenossen DURIS und dem BRYGOSMALER. Leichtigkeit der Bewegung zeichnet seine Figuren aus; Thiasos-Darstellungen (Fest zu Ehren eines Gottes, bes. des Dionysos mit Gefolge) gehören zu seinen bevorzugten Themen. HW u. a. Lenäenschale (Berlin-West, Staatl. Museen), Götterschale (Bochum, Kunstsamml. Ruhr-Univ.).

Maksura, Maqsura [arab.], vergitterte Loge für einen islam. Herrscher in Freitagsmoscheen in der Nähe des Michrabs. Die M. kann ebenerdig oder wie eine Empore auf Säulen neben dem Michrab stehen; die älteste erh. M. (11. Jh.) mit reich geschnitzten Gittern befindet sich in der Großen Moschee von Kairouan.

Maktar, Ort in Tunesien, rd. 160 km südwestlich von Tunis, mit Ruinenstätte der röm. Stadt **Mactaris.** Reste vom Forum mit Triumphbogen des Trajan, eines Bacchustempels, der Thermen, der Schola der Juvenes (Schule mit vormilitär. Ausbildung) u.a. Gebäude. Mus. mit Ausgrabungsfunden.

Malachit [von grch. malache ›Malve‹] *der,* auch **Berggrün, Lazurgrün,** smaragd- bis schwärzlichgrünes Mineral; Schmuckstein. M. entsteht in der Oxidationszone von Kupfererzen; er kam früher ausschließlich aus dem Ural und wurde zu Kunstgegenständen (Vasen, Becher, Tischplatten u. a.) verarbeitet.
Maltechnik: Zerstoßen wurde M. seit der Antike häufig in der Wandmalerei benutzt, während es auf Staffeleibildern selten vorkommt. (→Verditer)

Málaga, span. Stadt und Bischofssitz an der Costa del Sol, 411 200 Ew. Auf einer Anhöhe die maur. Alcazaba (Festungsanlage des 8.–14. Jh., heute größtenteils rekonstruiert; Archäolog. Mus.) mit Gärten und Innenhöfen im Stil der Nasriden; sie ist verbunden mit der Festung Gibralfaro auf dem darüberliegenden Burgberg. Die dreischiffige Renaissance-Kathedrale (1528 bis 1588, nach Erdbeben 1680 z.T. zerstört, unvoll.) mit Umgangschor und Kapellenkranz birgt ein qualitätvolles Chorgestühl (1631–58) mit Holzreliefs von P. DE MENA Y MEDRANO, der dort auch zahlreiche farbig gefaßte Holzplastiken von Heiligen schuf. Weitere Kirchen: Sagrario (mit prächtigem isabellin. Portal, 1517), Nuestra Señora de la Victoria (urspr. 15. Jh., 1693 erneuert; mit barocker Altarkapelle ›Camarín‹ und Krypta). Mus. mit Gemäldegal. (L. DE MORALES, B. E. MURILLO, J. DE RIBERA, P. PICASSO). – Zur Zeit der Nasriden war in M. eine bed. Produktion von Lüsterfayence mit Blaumalerei (v. a. →Alhambravasen).

Malakka, Malacca, Stadt an der W-Küste der Malaiischen Halbinsel, 100 000 Ew.; aus portug. Zeit Festungstor Porta de Santiago (16. Jh.) und Reste der Sankt-Pauls-Kirche (1521), aus niederländ. Zeit Rathaus (1641–60) erh.; buddhist. Tempel Chen-Hun-Teng (1704; ältester chines. Tempel Malaysias).

Malakoff-Turm, in der Art eines Festungsturmes gestalteter Förderturm in Bergwerken der 2. H. des 19. Jh., benannt nach einem bes. festen Turm der Festung Sewastopol des Krimkrieges.

Malamir, Talsenke in der südwestiran. Landschaft Chusistan (KARTE Alter Orient), Fundstelle mehrerer neuelam. Felsreliefs (7. Jh. v. Chr.).

Malanggane, geschnitzte Figuren und Friese, die im nördl. und mittleren Teil Neuirlands im Mittelpunkt von ebenfalls M. genannten Totengedenkfeiern stehen. Die meisten M. bestehen aus einem einzigen Stück Holz, sind aber (dreidimensional) durchbrochen gear-

Malanggane: Totok-Figur von Neuirland, 115 cm hoch (Stuttgart, Linden-Museum)

beitet. Vollplast. **M.-Figuren** (›Totok‹) verkörpern gerade Verstorbene oder auch unpersönl. Ahnen: Ein relativ gedrungener Körper wird von einer Vielzahl von Fischen, Vögeln, Schlangen oder Pflanzenmotiven umrankt. Köpfe sind eher maskenartig oder direkt auf das Vorbild bezogen dargestellt, häufig mit einem Fisch- oder Vogelmotiv als Aufsatz. Die Figuren sind alle bemalt (rot, gelb, weiß und schwarz, gelegentlich auch blau und grün). **M.-Friese** sind symmetrisch gestaltet, durchbrochen als Flachrelief oder (im Mittelteil) vollplastisch, häufig mit einer Zentralfigur (Mensch oder Vogel), die Seiten mit ausgebreiteten Vogelschwingen. Manche **M.-Masken** (z. B. die Tatanua-Masken) stellen Verstorbene dar und verkörpern mit der traditionellen Trauerfrisur (Haarkamm, die kahlen Kopfseiten mit Kalk eingerieben) ein traditionelles Schönheitsideal.

A. Krämer: Die M. von Tombára (1925); K. Helfrich: M., 1 (1973).

Malatya, Hauptstadt der Prov. M. in SO-Anatolien, Türkei, am östl. Taurus, 154100 Ew. Nördlich von M., auf dem Hügel Arslantepe, lag **Milid,** Sitz eines späthethit. Fürstentums, vom Assyrerkönig Sargon II. im späten 8. Jh. v. Chr. zerstört; Ausgrabungen legten u. a. die Burgmauer und den Königspalast frei. Die Funde (Reliefs und Orthostaten) zeigen einen von Assyrien beeinflußten hethit. Provinzstil des 9./8. Jh. v. Chr. Nördlich vom Arslantepe liegen die Ruinen der von Griechen gegr. Stadt **Melitene** (heute Eski Malatya); Baureste aus byzantin. und seldschuk. Zeit.

Malberg, Gem. in der Eifel, Rheinl.-Pf.; das über dem Kylltal gelegene, in schlichten Barockformen 1703–14 erbaute Schloß hat seine wertvolle Ausstattung aus dem 18. Jh. bewahrt.

Malbork, poln. Name für →Marienburg (Westpr.).

Malbrett, Maltechnik: Vor Einführung der Leinwand im Spät-MA. dienten meist Holztafeln als Bildträger. Die M. wurden i. d. R. gerahmt vom Tischler geliefert. Im 16. und 17. Jh. wurde außer in der niederländ. und der von ihr beeinflußten Malerei kaum mehr auf Holz gemalt; im frühen 19. Jh. wurden M. wieder für kleinere Formate verwendet.

Malchin, Stadt in Mecklenburg, südlich vom Kummerower See, Dt. Dem. Rep., 10900 Ew.; spätgot. Stadtkirche (nach Brand 1397 neu beg.), dreischiffige Backstein-Basilika, mit großem Schnitzaltar und Triumphkreuz (um 1400); 2 Stadttore (1. H. 15. Jh.).

Malcontenta [ital. ›die Unzufriedene‹], Ort südwestlich von Venedig an einem Mündungskanal der Brenta mit der **Villa Foscari** (›La M.‹ gen.), zw. 1550 und 1560 nach Plänen von A. Palladio erbaut, mit gewölbtem Hauptsaal auf kreuzförmigem Grundriß.

Malczewski [-tʃ-], Jacek, poln. Maler, *Radom 15. 7. 1854, †Krakau 8. 10. 1929, malte zunächst brauntonige ländl. Genreszenen, dann Bilder zum nationalen Befreiungskampf in Polen (neuromant. Symbolismus). Als Hauptvertreter der Bewegung ›Junges Polen‹ schuf M. Gemälde zu Themen der poln. Nationalliteratur in greller Farbgebung. (Bild S. 181)

Jacek Malczewski: Polnischer Hamlet; 1903 (Krakau, Nationalmuseum)

Maler, Hans, Maler, *Ulm um 1490, †Schwaz (Tirol) um 1530, zw. 1500 und 1523/26 nachweisbar, vielleicht aus der Zeitblom-Werkstatt in Ulm kommend. Sein Werk zeigt den Einfluß von B. STRIGEL und H. BURGKMAIR D. Ä. Ihm werden etwa 30 Porträts und viele Altarbilder zugeschrieben. Der verhaltene Stil von M. betont in kühlem Kolorit die Fläche.

HW: Porträts: Anna von Ungarn (1520; New York, Samml. Guggenheim); Anton Fugger (1525; Karlsruhe, Kunsthalle); Maria von Burgund (um 1525; Wien, Kunsthistor. Mus.); Wolfgang Ronner (1529; München, Alte Pinakothek). – Apostelaltar (1525–30; urspr. Schwaz, Franziskanerkirche; Mitteltafel und 2 Flügel: Tratzberg/Tirol, Schloß Tratz; 2 Flügel: Nürnberg, German. Nat.-Mus.).

Malerbuch vom Berge Athos, Hb. der byzantin. Kirchenmalerei, auf dem Athos verfaßt von dem Mönchsmaler DIONYSIOS AUS PHURNA (zw. 1701–33 nachweisbar). Der Urtext, der auf alte Überlieferungen zurückgeht, ist nur noch in versch. späteren Abschriften faßbar. Die älteste Abschrift ist die von A. DIDRON auf dem Athos gefundene und 1845 in frz. Sprache herausgegebene (1855 erschien in Trier eine dt. Ausgabe). Teil I des M. v. B. A. beschäftigt sich mit der Technik der Malerei, Teil II mit der Ikonographie bibl. Szenen, Teil III mit den Heiligen-Darstellungen und Teil IV mit Verteilung und Anordnung der Bilder in den Kirchen. Das M. v. B. A. erlangte bes. in der 2. H. des 18. und der 1. H. des 19. Jh. in den orthodoxen Ländern O-Europas große Bedeutung.

Malerei, die künstler. Flächengestaltung mit Farben im Unterschied zu den dreidimensionalen Künsten Architektur, Bildhauerei und den meist farblosen Flächenkünsten Zeichnung und Graphik (Druckgraphik). Die Unterteilung der M. ist nach versch. Kriterien möglich. Nach Verwendungszweck, Bildträger und Maltechniken unterscheidet man 4 Hauptbereiche der M.: 1) →Wandmalerei und →Deckenmalerei, deren wichtigste Techniken die Freskomalerei (→Fresko), die →Secco-Malerei und die Silikatmalerei (→Silikatfarben) sind, und Fassadenmalerei (→Kratzputz, →Sgraffito); 2) →Tafelmalerei, die sich nach den versch. Techniken in die →Aquarellmalerei, →Gouachemalerei, →Ölmalerei, →Pastell, →Temperamalerei und →Tuschemalerei gliedern läßt; 3) →Buchmalerei, ausgeführt in →Deckfarben und Gold; 4) M. im Bereich des Kunstgewerbes (→Lackkunst, →Porzellan, →Vasen, →Hinterglasmalerei).

Je nachdem, ob das Motiv im →Atelier oder in der freien Natur gemalt wird, unterscheidet man Ateliermalerei und →Freilichtmalerei.

Grenzbereiche der M. sind das in die dritte Dimension reichende, bemalte Relief, die →Farbigkeit der Architektur, die farbige →Fassung eines plast. Bildwerks, die farbig ausgestaltete Graphik (→Farbholzschnitt) sowie farbige Flächengestaltungen, die nicht durch direkten Farbauftrag entstehen, wie →Glasmalerei, →Intarsia, →Mosaik und Arbeiten der →Emailkunst.

INHALT · FUNKTION

Zum Inhalt der M. kann alles aus der sichtbaren Welt, aus dem Vorstellungs- und Gefühlsbereich gemacht werden. Bei den Anfängen der M. in vorgeschichtl. Zeit wie auch bei der M. der Naturvölker dürfte das Verlangen nach magisch-kultischer Darstellung, aber auch das Bedürfnis nach Schmuck von Wohnstatt, Gerät und Kleidung eine Rolle gespielt haben. Die Darstellung all dessen, was im dreidimensionalen Raum sichtbar oder vorstellbar ist, in einer zweidimensionalen Kurzform sowie die Neuschöpfung von Flächenformen aus dem Bedürfnis zur Information, zur Erwekkung von Assoziationen oder zur Befriedigung eines Schmuck- oder Luxusbedürfnisses sind immer Funktionen der M. geblieben.

ENTWICKLUNG DER EUROP. MALEREI

Jedes Stoffgebiet der M. hat seine besondere Geschichte, so die →Landschaftsmalerei, das →Porträt, die →Historienmalerei, das →Genre, das →Stilleben und die →Miniaturmalerei 2), die abstrakte, dekorative und rein ornamentale M.

Früheste Zeugnisse sind Höhlenbilder aus vorgeschichtl. Zeit (→Felsbilder). Von den M. der →kretisch-mykenischen Kunst sind nur die in dauerhaften Techniken ausgeführten erh.: Wandmalereien, bei denen der Farbstoff chemisch an die Substanz der Wand gebunden war, wie bei Fresko- und Enkaustik-Techniken, Mosaiken, M. auf gebrannten glasierten Tonflächen. Die M. der grch. Antike ist hauptsächlich in Beschreibungen oder wenigen Kopien aus röm. Zeit überliefert (→griechische Kunst); nur die Vasen-M. (→Vasen) blieb in größerem Umfang erh. Etrusk. Wandmalereien finden sich v. a. in den Gräbern von Tarquinia (→etruskische Kunst). Röm. Wandmalerei und Mosaiken wurden in den Ruinen verschütteter Städte wie Pompeji und Herculaneum gefunden (→römische Kunst).

Die Techniken der antiken M. lebten im christl. MA. fort: Fresken, z. B. in den röm. →Katakomben und roman. Kirchen; Mosaiken der →frühchristlichen Kunst; enkaust. Tafelmalerei, z. B. in den bzyantin. →Ikonen, und →Buchmalerei; seit dem hohen MA. wurde die Technik der →Glasmalerei entwickelt.

Bis ins 15. Jh. gab es keine auf ein mathemat. System gegründete zweidimensionale Raumdarstellung. Nach empir. Bemühungen in der Spätantike und wieder im

14. Jh. (GIOTTO) wurde im 15. Jh. in Italien die Zentralperspektive (→Perspektive) entwickelt (F. BRUNELLESCHI, MASACCIO, L. B. ALBERTI), die sich zur Zeit A. DÜRERS auch in Dtl. durchsetzte. Sie hat die Darstellung alles Räumlichen im Bereich der M. bis ins späte 19. Jh. bestimmt. – Die neuen Ausdrucksmöglichkeiten, die die M. seit der Renaissance entwickelte, führten im Barock zu einem Höhepunkt in der Wand- und Deckenmalerei. Das Tafelbild, das sich bis dahin in enger Bindung an den Altar entwickelt hatte, erhielt mit zunehmendem profanen Bestimmungszweck eine neue Selbständigkeit, die eine Glanzzeit in den Niederlanden im 17. Jh. erlebte (→Architekturbild, →Gruppenbild, →Gesellschaftsstück, →Interieur, →Seestück). Im 18. und weiten Teilen des 19. Jh. wurde die M. von den jeweils vertretenen Lehrmeinungen der Akademien bestimmt und blieb bis zum Impressionismus v. a. um eine künstler. Interpretation der Realität bemüht. Neben die traditionellen Formen, eine vorgegebene Realität zu interpretieren, trat im 20. Jh. die abstrakte M., die nur noch ihren eigenen Formimpulsen folgte. Das führte v. a. in den 1940er Jahren zum Abstrakten Expressionismus, in dem die psych. Empfindungen des Künstlers in einer spontanen Malgeste auf die Leinwand geschrieben wurden, so daß M. nicht länger die äußere Realität, sondern eine innere Realität zum Ausdruck brachte. Obwohl von zahlreichen neuen Kunstgattungen und -konzeptionen bedrängt (→zeitgenössische Kunst), besteht die Tafelmalerei bis heute.

ENTWICKLUNG DER AUSSEREUROP. MALEREI

Zu den wenigen erh. Wandmalereien des Alten Orients gehören die Gemälde im Palast zu Mari (Syrien) aus dem frühen 1. Jahrtsd. v. Chr.; die al fresco auf Gipsputz aufgetragenen M. waren vermutlich Abbilder eines Wandteppichs. Aus neuassyr. Zeit sind Wandgemälde in Tell Achmar (Til Barsip, 8. Jh. v. Chr.) erh.

In Ägypten trat die M. nach dem Alten Reich häufig an die Stelle des Reliefs und erreichte ihren Höhepunkt v. a. in der Grabmalerei des Neuen Reichs und der daran anschließenden Sarg- und Buchmalerei (Textil-Illustrationen auf Papyrus). Verwendet wurden ungemischte, mineral. Grundfarben, klar gegeneinander abgesetzt und al secco auf einen Verputz als Wandmalerei aufgetragen (→ägyptische Kunst). Im übrigen Afrika spielt die M. bis auf die →Felsbilder keine bed. Rolle; erst wieder in der Moderne (→afrikanische Kunst).

Für Indien ist bes. nennenswert die →Wandmalerei wie sie sich in Ajanta erhalten hat (BILD indische Kunst). Vergleichbare Wandmalereien finden sich in weiten Teilen des Subkontinents mit Ausstrahlungen nach Ostasien und zu den buddhist. Höhlentempeln Zentralasiens.

In der islam. Kunst ist die Entfaltung der M. durch das von islam. Theologen geforderte Verbot figuraler Darstellung, das in der relig. Kunst strikt eingehalten wurde, eingeschränkt; nur an den Höfen kunstliebender Fürsten läßt sich eine reiche und eigenwillige Entwicklung der islam. M. innerhalb der →Miniaturmalerei 1) verfolgen.

In Ostasien (China, Japan, Korea) nehmen die versch. Arten der M. Weltrang ein: 1) die kultisch orientierte Wandmalerei der buddhist. Tempel (in Japan und Korea fast vollständig zerstört), 2) die Wandmalerei in den Hügelgräbern mit einer auf das Diesseits und das Jenseits gerichteten Ikonographie (bes. gut in Korea erh.), 3) die profane Wandmalerei der Paläste. (BILDER chinesische Kunst und koreanische Kunst)

Wichtigste Formen der bewegl. Bildträger sind außer den auf Seide gemalten Bildern der Frühzeit (→Totenbanner) die →Querrolle, seit etwa dem 8. Jh. auch die →Hängerolle. Weitere bewegl. Bildträger waren das Fächerblatt (→Fächer) und der →Stellschirm. Stilistisch lassen sich die Künstler sehr viel schwieriger erfassen als die europ. Maler, da sie viel traditionsbewußter sind und die Werke ihrer Vorgänger immer wieder kopieren. Zwei große Strömungen lassen sich unterscheiden: 1) die akadem. Richtungen und 2) die individualist. Richtungen, wie sie in der →Literatenmalerei gipfelten. Die →Ch'an-Malerei und die →Zen-Malerei verstehen sich als Meditationsform.

In Ozeanien, v. a. bei den →Australiern, in →Melanesien und Mikronesien hat die M. große Bedeutung. Neben dem Überziehen ganzer Figuren mit Rötel oder der Hervorhebung von Dekorelementen, z. B. durch Kalk, erhalten viele Schnitzereien (z. B. der Abelam und Kwoma) durch die farbige Fassung erst ihre Plastizität. Farbige Gestaltung von Linien und Flächen ist auch wichtig bei kerbschnittverzierten Schilden, durchbrochen gearbeiteten Ahnenbrettern, Skulpturen und Masken (u. a. →Sepik, →Malanggane). Die M. ist eigenständige Ausdrucksform, v. a. bei der polychromen Bemusterung von Palmblattverkleidungen der Männer- und Kulthäuser, bei der Bemalung von Baumbaststoffen (→Tapa) in Melanesien (z. B. Masken der Baining, BILD Neubritannien) und Polynesien, bei der Körperbemalung (→Körperschmuck), ferner auf Keramik und (früher) in der Felsbildkunst Australiens und Neuguineas. Eine Tradition anderer Art findet sich in den szen. Malereien auf den oft im Flachrelief geschnitzten Männerhausgiebeln der →Palau-Inseln.

Aus dem vorkolumb. Amerika sind von den Andinen Hochkulturen nur wenige Wandmalereien überliefert, darunter ein fünfteiliges Fresko aus der Mondpyramide von Moche, das im Stil Ähnlichkeit mit Szenendarstellungen der Moche-Keramik (→Moche) aufweist, wie überhaupt im Andengebiet die M. auf Gefäßen bes. ausgeprägt ist. In Mesoamerika sind Wandgemälde in Teotihuacán und Cacaxtla (Zentralmexiko) und in Bonampak, Uaxactún, Tulum und Chichén Itzá (Maya-Gebiet) erhalten. In der Maya-Kultur ist auch die polychrome Gefäßmalerei voll ausgeprägt. Buchmalerei ist nur in Mesoamerika vertreten; →Bilderhandschriften sind von Mixteken, Azteken und Maya überliefert.

Bei den Indianern Nordamerikas findet sich M. schon auf Keramik der vorgeschichtl. Zeit (z. B. Mimbres), später bei den Völkern im SW der USA (Pueblo, Hopi). In diesem Gebiet finden sich auch Wandmalereien in den →Kivas (zw. 1000 und der span. Eroberung). Ausgezeichnete M. finden sich, v. a. mit stark stilisierten Formen, bei den Nordwestküsten-Indianern (auf Holz und Bastmatten; BILD Kwakiutl). Im O Nordamerikas sowie in den Plains war die kunstvolle Bemalung von Häuten (Leder) hoch entwickelt.

Vgl. auch die Artikel über die einzelnen Epochen, z. B. Barock, Gotik, sowie die einzelnen Kulturen, z. B. chinesische Kunst, griechische Kunst, indische Kunst.

Die große Enzyklopädie der M., 8 Bde., hg. v.. H. BAUER u. a. (1976–78); Kindlers Malereilexikon, 6 Bde. (Nachdr. 1979).

Maler|email [-emaj], v. a. in Limoges angewendete Technik der →Emailkunst.

Malerhandbuch, Ausführungen zu techn., ikonograph. und ästhet. Fragen der Malerei, meist von Künstlern verfaßt. Im MA. standen techn. Anleitungen und Rezepte im Vordergrund wie die ›Schedula diversarum artium‹ des THEOPHILUS PRESBYTER (Anf. 12. Jh.) und das etwa gleichzeitige Manuskript des Mönches HERACLIUS, das später unter dem Titel ›De artibus romanorum‹ bekannt wurde. Zu diesen als Quellenschriften zur Maltechnik bes. wichtigen Anweisungen gehören in nachma. Zeit das ›Libro dell 'arte‹ des CENNINI (14. Jh.) und LE BEGUES Schriften (15. Jh.). Unter den späteren sind die Notizen des Grafen DE MAYERNE (17. Jh.) von Bedeutung. Seit der 2. H. des 18. Jh. erschienen Lehrbücher, z. B. von J. F. WATIN: ›L'art du peintre, doreur, vernisseur...‹. Seit der Renaissance erhielten in den M. die kunsttheoret. Ausführungen über Proportions- und Perspektivelehre den Vorrang (L. B. ALBERTI, LEONARDO DA VINCI, A. DÜRER). Im 17. Jh. erlangten die mit Farbholzschnitten illustrierten M. aus China Berühmtheit (Zehnbambushalle, Senfkorngarten).

Maler-Radierer, →Peintre-graveur.

Mäleßkircher, Gabriel, Maler, *um 1430, †München 1495. Zu seinem von der altniederländ. Kunst bestimmten spätgot. Werk gehören v. a. die urspr. für die Tegernseer Klosterkirche St. Quirin gemalten 13 Altartafeln (um 1478; München, Alte Pinakothek, Lugano, Samml. Thyssen-Bornemisza).

Malewitsch, Malevič, Kasimir Sewerinowitsch, russ. Maler, *bei Kiew 23. 2. 1878, †Leningrad 15. 5. 1935, in Kiew und Moskau ausgebildet, war 1918 Prof. in Moskau, 1919–22 in Witebsk, danach v. a. in Leningrad tätig. Seit 1919 stand er unter zunehmendem polit. Druck; als Formalist angeklagt, stellte er seine künstler. Tätigkeit nach 1933 ein. M. ist einer der Begründer der modernen Malerei, der vom Impressionismus über den Fauvismus (um 1910), den röhrenförmig stilisierenden ›Tubismus‹ (1911/12) bis zum Kubofuturismus auf eigenständige Weise an vielen Neuerungen teilnahm, bis er mit seinen suprematist. Bildern seit 1913/14 selber zum fundamentalen Neuerer aus dem Geist einer russisch-myst. Spiritualität wurde (BILD Suprematismus). Die Beschränkung auf das reine Quadrat, zu dem später Dreieck und Kreis kamen, sollte die ›Empfindung der Gegenstandslosigkeit‹ ausdrücken, in der alle Gegensätze der Welt zusammenfallen. Höhepunkt: ›Weißes Quadrat auf weißem Grund‹ (1918; New York, Mus. of Modern Art).

Kasimir Malewitsch: Heumäher; 1909 (Moskau, Tretjakow-Galerie)

Schrift: Die gegenstandslose Welt, hg. v. H. M. WINGLER (Nachdr. 1980).

M., Ausst.-Kat., Amsterdam (1972); K. M., Ausst.-Kat., Düsseldorf (1980); LARISSA A. SHADOWA: K. M. u. sein Kreis (a. d. Russ., 1982).

Malgrund, Maltechnik: Untergrund für eine Malerei. Beim Staffeleibild ist dies i. d. R. die Grundierung, bei manchen modernen Bildern oder in der →Tüchleinmalerei auch das appretierte textile Gewebe. Beim Fresko ist der noch feuchte Putz M., bei Seccogemälden der trockene Putz oder die geglättete Werksteinfläche. Papier oder Pappe sind M. für Aquarelle und Gouachen.

Malibu [m'ælıbu:], westl. Vorort von Los Angeles, Kalifornien, USA, bekannt durch das →Getty Museum.

Malina [məl'i:nə], Frank Joseph, amerikan. Wissenschaftler und Künstler, *Brenham (Texas) 2. 10. 1912, leitete führende Forschungseinrichtungen (UNESCO). Mit seinem kinet. ›Lumidyne system‹ (1954/55; eine elektrodynam. Lichtkonstruktion) wurde er richtungweisend für die Lichtkinetik.

Malinạlco, archäolog. Fundort südwestlich der Stadt Mexiko. Die Anlage, im wesentlichen ein einziger Tempel (›Haus des Adlers‹), wurde um 1500 von den Azteken aus dem gewachsenen Fels gehauen, nur in wenigen Teilen durch Schichtmauerwerk ergänzt und mit aus dem Fels gehauenen Skulpturen geschmückt. Den Eingang bildet ein Schlangenrachen, im kreisrunden Innern findet man Skulpturen von Adlern und Jaguaren und eine breite Rundbank mit Reliefverzierungen. Hier ist auch ein aztek. Wandgemälde erhalten, das Krieger oder Jagdgötter darstellt.

Malịndi, Stadt und Badeort am Indischen Ozean in

Kenia, 23300 Ew.; bis Ende des 16. Jh. mächtige und reiche Hafenstadt am Seeweg nach Indien, verfiel dann bis Ende 19. Jh. Am Hafen das Vasco-da-Gama-Kreuz (1499) mit portug. Wappen, eines der ältesten europ. Denkmäler in Tropisch-Afrika. Im S der Altstadt kleine portugies. Kapelle (vor 1542). Neben der modernen Jamia-Moschee 2 guterhaltene Säulengräber; das kleinere hat einen Teil des Porzellandekors bewahrt. Als Beispiel früher ostafrikan. Kolonialarchitektur ist ein Haus von 1890 erh. Bei M. die Ruinenstadt von →Gedi.

Malines [mal'in], frz. Name von →Mecheln.

Malinke, Volk in Westafrika, etwa 2 Mio. Menschen in Senegal, W-Mali, N-Elfenbeinküste, Gambia, N-Guinea; bereits zu Beginn des 20. Jh. fast völlig islamisiert, so daß nach dieser Zeit kaum noch Kunstwerke entstanden. Während der einzige bekannte Maskentyp, der einen abstrakten Tierkopf mit breitem Maul, Hörnern und spitzen Ohren darstellt, kaum eine Verwandtschaft mit nachbarl. Stilformen aufweist, zeigen die Ahnenfiguren Ähnlichkeit mit denen der →Bambara.

Maljawin, Filipp Andrejewitsch, russ. Maler, *Kasanka (Gouv. Samara) 22. 10. 1869, †Brüssel 23. 12. 1940, studierte um 1890 bei I. REPIN in St. Petersburg, errang mit seinen Bildern russ. Bäuerinnen aus dem Rjasaner Gebiet in leuchtenden Kleidern und maler. Tüchern internat. Erfolg. Die Spanne des Dargestellten reicht von ruhigem Stehen (›Bauernmädchen mit Strickstrumpf‹, 1895; Moskau, Tretjakow-Gal.) bis zu ekstat. Bewegtheit (›Der Wirbel‹, 1906; ebd.).

Malla-Dynastie, nepalesisches Herrscherhaus (1200–1768), unter dem im Katmandu-Tal die Städte Bhaktapur, Patan und Katmandu (nach Zerstörung durch die Muslime 1349/50) mit den noch heute das Stadtbild prägenden Palästen und Tempeln ausgestattet wurden. Der eigenständige künstler. Stil der **Malla-Periode,** v. a. der Bronzefiguren und Thangka-Malerei der Newari-Bevölkerung, fand Einlaß in die Kunst Tibets.

Mallersdorf-Pfaffenberg, Markt im Kr. Straubing-Bogen, Niederbayern, 5800 Ew. Die stattl. ma. Kirche des ehem. Benediktinerklosters (1107 gegr.) in Mallersdorf wurde in der 2. H. 18. Jh. mit Stuck und Fresken barock umgestaltet; Hochaltar von I. GÜNTHER (1768 bis 1770); die beiden Türme und das W-Portal noch spätromanisch (um 1200).

Malles Venosta, ital. für →Mals.

Mallet-Stevens [mal'ɛ stev'ɛns], Robert, frz. Architekt, *Paris 24. 3. 1886, †ebd. 8. 2. 1945, ein frz. Vertreter des →Internationalen Stils 2).

HW: Une cité moderne (1914, Entwurf); Pavillon du Tourisme (Paris, Exposition Internationale des Arts Décoratifs et Industriels Modernes 1925); Häuser in der Rue Mallet-Stevens, Paris (1926).

Mallia, Ruinenstätte an der N-Küste Kretas, östlich von Knossos (KARTE kretisch-mykenische Kunst) mit Resten eines Palastes des 17.–16. Jh. v. Chr.; Ausgrabungen seit 1921. Die Anlage war Zentrum einer ausgedehnten Stadtsiedlung mit Marktplatz und einer Art

Rathaus. Der Palast ist einfacher in Bauformen und Ausstattung und etwas kleiner als der von Knossos. Erhalten sind die Mauern des Sockelgeschosses mit Magazinen, kleinen Kulträumen, einem Pfeilersaal u.a. Räumen. Die meisten Repräsentationsräume lagen im Obergeschoß. Der rechteckige Zentralhof mit einer Opfergrube(?) in der Mitte war auf der N-Seite von einer Säulenhalle, auf der O-Seite von einer Säulen-Pfeilerhalle begrenzt. Hauptfassade des Hofes war – wie in Knossos – die W-Seite. Teile einer älteren Anlage (um 1800–1700 v. Chr.) sind unter dem Fußboden und den Fundamenten der Jüngeren Palastzeit ermittelt. Der Palast, Fundort eines goldenen Schwertgriffs und einer Prunkaxt in Leopardengestalt, wurde um 1450 v. Chr. zerstört. In einem auf mächtigen Mauern errichteten vielräumigen Grabhaus am Meer (Chrysolakkos) fand man eine minoische Goldschmiedearbeit, einen Anhänger, 2 Wespen an einer Honigwabe darstellend (Anf. 2. Jahrtsd. v. Chr.; BILD Goldschmiedekunst).

H. VAN EFFENTERRE: Le palais de M. et la cité Minoenne (Rom 1980).

Mallorca [maʎ'ɔrka], →Palma de Mallorca.

Malmaison [malmɛz'ɔ̃], Schloß am W-Rand des Pariser Vorortes Rueil-M. (urspr. Bau 1620–22, nach 1799 im Empirestil durch C. PERCIER und P. L. F. FONTAINE erweitert), Aufenthaltsort NAPOLEONS als Konsul und seiner Frau JOSÉPHINE, die bis zu ihrem Tod (1814) hier lebte; heute Nat.-Mus. (BILD Empire)

Malmédy [malmed'i], Stadt in der belg. Prov. Lüttich, 10000 Ew., mit ehem. Benediktinerabtei (648 gegr.). In der ehem. Abteikirche, einem barocken Neubau mit Doppelturmfassade (1776–84), u.a. Reliquienschrein des Hl. Quirinus (Holz vergoldet, 1698), Beichtstühle (Ende 17. Jh.), Kanzel (1770).

Malmesbury [m'ɑːmzbərɪ], Marktstadt in der Cty. Wiltshire nordöstlich von Bristol, S-England, mit 635 gegr. Benediktinerabtei. Von der um 1150 beg. Abteikirche ist nur das 1928 wiederhergestellte roman. Langhaus erhalten.

Malmittel, Maltechnik: versch. Stoffe, die zur Verdünnung beim Malvorgang den Malfarben zugesetzt werden, die aber auch best. Eigenschaften der Malfarbe, z. B. Verlauf oder Transparenz, beeinflussen sollen. Bei der Ölmalerei werden trocknende und →ätherische Öle, →Balsame oder →Firnisse als M. verwendet, bei den wässerigen Techniken (Temperamalerei) ist i. d. R. Wasser das M.

Malmö, drittgrößte Stadt Schwedens, 238500 Ew., gegenüber von Kopenhagen am Öresund. Mittelpunkt der Altstadt ist der Markt (Stortorget) mit Rathaus (1546, 1864–69 erneuert) und Länsresidenz (1730 aus 2 Bürgerhäusern, um 1600), südlich davon das Flensburgskahuset (1595), alle in niederländisch geprägtem Renaissancestil. Die Petrikirche (Anf. 14. Jh.), eine dreischiffige Basilika mit Chorumgang und Kapellenkranz, ist ein bed. Beispiel der balt. Backsteingotik; im Innern Kanzel (1599), Taufbecken (1601) und Altaraufbau (1611) in norddt. Renaissance. Westlich der Altstadt liegt die Festung Malmöhus, 1434 gegr., 1537–42 neu gebaut, im Übergangsstil von der Gotik zur Renaissance, heute Mus. (u. a. Gemäldesamml.).

Malmström, Johan August, schwed. Maler, *Västra Ny (Östergötland) 14. 10. 1829, †Stockholm 18. 10. 1901; 1887–93 Direktor der Akad. ebd. Nach Studien in Düsseldorf und bei T. COUTURE in Paris wandte er sich der nord. Saga-Welt zu, die er in romantisch angelegten Ölbildern, aber auch in Buchillustrationen schilderte (z. B. ›Frithiofs Saga‹ von E. TEGNÉR).

Malouel [malw'ɛl], Jean, eigtl. Jan **Maelwael** [m'a:lwa:l], franko-fläm. Maler, *in der Prov. Geldern, †Dijon 1415 oder Paris 1419, Onkel der Brüder LIMBURG, war in Paris und seit 1397 als Hofmaler der Herzöge von Burgund tätig (Malereien in der Kartause von Champmol). Das ihm zugeschriebene Rundbild einer Pietà (um 1400; Louvre) zeigt die feine Formensprache des Schönen Stils und niederländisch-realist. Elemente. M. war der Vorläufer von H. →Bellechose.

Mals, ital. **Malles Venosta,** Gem. im oberen Vintschgau, Südtirol, 4600 Ew.; Kirche St. Benedikt (9. Jh., Turm 12. Jh.) mit Resten karoling. Fresken (9. Jh.); Kirche St. Martin (urspr. romanisch); Pfarrkirche (urspr. gotisch); Fröhlichsburg (12. Jh., Ruine). – Über Kloster **Marienberg** →Burgeis.

Malstab, Stock, oft an einem Ende gepolstert, der, an die Staffelei gelehnt, dem Maler zur Stützung der Hand dient.

Malta, Inselgruppe und Staat im Mittelmeer, 95 km südlich von Sizilien, 332 000 Ew. Die Inseln M. und Gozo waren schon in der Jungsteinzeit dicht besiedelt; erhalten sind Kultstätten einer eigenständ. Megalithkultur. Ihr Grundriß wird oft von einer Reihung eines einheitl. Bautypus (2 ovale Räume mit innerem und äußerem Mauerring aus kleineren Blöcken auf bis zu 2 m hohen Steinplatten) bestimmt; vermutet wird eine Nachbildung älterer Felsgräber. Die ältesten Bauten (um 3000 v. Chr.) finden sich im NW-Teil der Insel M. (Ta' Hagrat, Mgarr) und auf Gozo (Ggantija). Wenig jünger sind die Tempel von Hagar Kim und Mnaidra unmittelbar über der steilen S-Küste M.s. Die Steinblöcke sind hier z. T. mit Punkt-Ornamenten, in Tarxien (südlich von Valletta) mit Spiralmustern überzogen. In Tarxien begegnen Reliefs von Opfertieren und v. a. das Unterteil einer urspr. wohl 2,5 m hohen Kultstatue. Bed. ist die unterird. Anlage (Hypogäum) in Pawla (um 2500 v. Chr.) mit rotfarbigem Deckenmuster. – Hauptstadt von M. war bis zur Gründung von →Valletta (1566) →Mdina. – Das Archäolog. Mus. in Victoria (auf Gozo) bietet Funde aus Ggantija, aus phöniz. und röm. Zeit.

Maltai, Ort in Irak, nördlich von Mosul (KARTE Alter Orient) mit einer Quellhöhle und (urspr.) 4 Felsreliefs aus der Zeit des assyr. Königs SANHERIB (Anf. 7. Jh. v. Chr.); dargestellt ist jeweils eine Prozession der 7 Hauptgötter Assyriens auf ihren Symboltieren vor dem König.

Maltechnik, 1) Anwendung von Erfahrungen über

die Eigenschaften, das Verhalten und die Verträglichkeit der unterschiedl. Werkstoffe des Malers, die im Laufe von Jahrhunderten gesammelt wurden: Maltechn. Kenntnisse wurden früher in den Werkstätten weitervermittelt (auch durch Malerhandbücher und Werkstattrezeptbücher). Mit zunehmender Verlegung der künstler. Ausbildung an die Akademien wurden aber die techn. Aspekte der Malerei so vernachlässigt, daß um die Wende zum 20. Jh. die Einrichtung eines eigenen Faches M. für nötig erachtet wurde. Der prakt. Nutzen dieses von M. Doerner begründeten Studienganges war jedoch gering, da die moderne Malerei mit der Loslösung vom Gegenständlichen auch technisch bald unkonventionelle Wege beschritt. Das urspr. für Künstler gedachte Fach ist inzwischen fast vollständig in den parallel einsetzenden Bestrebungen (E. Berger, A. Eibner) zur Erforschung histor. M. aufgegangen. Die M. umschließt alle Probleme der Herstellung und Verarbeitung der für Malerei und Fassung verwendeten Werkstoffe sowie deren Alterungsverhalten.

2) Art und Handschrift des Farbauftrags.

Maluenda, span. Ort rd. 70 km südwestlich von Saragossa; charakterist. Bauten im Mudéjar-Stil, so die Kirchen S. María (15. Jh.) mit ornamentverziertem Backsteinturm und Artesonado-Decke im Inneren und Santas Rufina y Justina (1410) mit fein gearbeitetem, überreich mit Ornamenten (Yeserías) verziertem Portal zur Capilla del Rosario (16. Jh.).

Malwa, Malschule der →Rajput-Malerei, benannt nach der Landschaft und dem ehem. Sultanat in Zentralindien; im 17. und 18. Jh. heben sich die Figuren, Vegetation und Gebäude kontrastreich vom stets monochromen Hintergrund ab. Bevorzugte Farben waren Rot, Gelb und Dunkelolivgrün.

Mama, kleine Volksgruppe in Zentral-Nigeria, etwa zwischen der Stadt Jos und dem Benue-Fluß; etwa 15 000 Menschen. Die M. schnitzten meisterhaft auf einfachste Formen reduzierte Büffel- und Antilopenmasken, die im ›Kambon‹-Spiel des Udawaru-Geheimbunds für Opfer- und Begräbniskulte getragen wurden. Die Masken sind fast alle ziemlich klein, oft mit Rotholzmehl eingerieben und meist aus hartem Holz geschnitzt; manchmal wird als Gehörnteil eine Astgabel verwendet. Die (selteneren) Figuren sind ebenfalls sehr abstrakt gestaltet und gelegentlich mit Bohnen (als Augen) verziert.

Mamallapuram, Ort in Indien, →Mahabalipuram.

Mambila, Volksgruppe in O-Nigeria, an der kamerun. Grenze; bekannt geworden v. a. durch ihre skurrilen, meist schwarz-weiß-rot bemalten Tiermasken, welche trichterartig vorgeschobene Augen, ein weit offenes Maul und elegant nach hinten geschwungene Hörner haben; sie sind i. a. nicht sehr groß, doch kennt man auch Stücke von über einem Meter Länge. Daneben gibt es (ebenfalls meist kleine) Figuren mit kleinen Holzpflöcken als Augen, die dadurch aufgeweckt und staunend wirken, sowie mit Holzstiften als Haare; die angewinkelten, verschränkten oder unter dem Kinn sich fassenden Arme und die zickzackförmig gestalte-

Mambila: Ahnenfigur oder Dorfwächter aus gefärbtem Holz, 22,5 cm (München, Privatsammlung).

ten Beine weisen auf die Nachbarschaft der Stämme N-Nigerias hin. Bei den Figuren handelt es sich um Ahnenfiguren oder um Dorfwächter, die teilweise auch Medizin enthalten (meist in einer Öffnung im Rücken). Die Seelenbehälter aus Terrakotta tragen – ebenso wie die großen, zoomorph gestalteten Gefäße aus gebranntem Ton – jene von den Masken her bekannten Tierköpfe.

Mamelucken, Mamluken, nachträglich freigelassene Kaufsklaven türk. oder tscherkess. Herkunft, die unter den →Aijubiden in Ägypten und Syrien Kriegsdienst leisteten und als Sultane von 1250 bis zur osman. Eroberung (1516/1517) von Kairo aus diese Gebiete beherrschten. Nach der Eroberung Bagdads durch die Mongolen (1258) verlagerte sich das Schwergewicht der arabisch-islam. Welt in das mameluck. Ägypten. – Über die künstler. Leistungen unter den M. →islamische Kunst.

Mammisi [aus koptisch ›Ort der Geburt‹], moderne Bez. der Geburtshäuser, die zu ägypt. Tempeln der griechisch-röm. Zeit gehörten. Sie wurden für Mitglieder der Götterfam. errichtet; ihr Reliefschmuck bezieht sich auf den kult. Nachvollzug der Geburt des göttl. Kindes. M. haben meist die Form eines kleinen Tempels mit Umgang (Dendera, Edfu, Philae).

Mamre, Vulgata **Mambre,** eines der bedeutendsten Heiligtümer S-Palästinas, 4 km nördlich von Hebron, heute **Ramet el-Chalil,** mit Hof aus herodian. Zeit (im SW Brunnen). Reste einer konstantin. Basilika und Kleinfunde bestätigen die in literar. Berichten aus byzantin. Zeit erwähnten Wallfahrtsfeste.

Manabí, Prov. an der NW-Küste Ecuadors, in der Reste einer vorkolumb. Megalith-Kultur (Manteño-Kultur, 500–1500) zu finden sind. Bedeutendste Fundorte sind Cerro Jaboncillo und Cerro de Hojas. Im Zusammenhang mit Hügelgräbern von etwa 20 m Durchmesser wurden steinerne Statuen von Tieren und Menschen gefunden, ferner Stelen (mit Flachrelief verzierte Steinplatten mit menschl. Figuren, von geometr. Borten umrahmt) sowie aus einem Stück gearbeitete, U-förmige Steinsitze, die von hockenden oder kauernden, menschl. oder tier. Figuren auf dem Rücken getragen werden. M. ist der einzige Ort Ecuadors, an dem Steinskulpturen gefunden wurden. In der vorwiegend einfarbigen, dunkelgefärbten Keramik gibt es komplizierte Gefäßformen mit ausschweifendem Hals, dem ein menschl. Gesicht anmodelliert ist.

Mänaden [grch. ›die Rasenden‹], grch. Mythos: die ekstat. Frauen im Gefolge des Dionysos, meist dargestellt (v. a. auf grch. Vasen, auch freiplastisch wie bei Skopas und in Reliefs) mit aufgelöstem Haar, mit Efeu bekränzt, in Tierfelle gehüllt und mit Schlangen umwunden; in den Händen tragen sie Thyrsosstäbe, auch junge Tiere, die sie säugen oder zerreißen und roh verzehren. Die urspr. kult. Würde ausstrahlende Gestaltung nahm später zunehmend sinnlicheren Charakter an (pompejan. Wandmalereien).

Manasija, auch **Resava,** Kloster in Serbien, Jugoslawien, im Tal der Morawa, unweit Despotovac. Das

Kloster wurde 1407–18 gebaut und ist von Festungsmauern mit Türmen umgeben. Die Kirche, mit reichem plast. Ornament verziert, hat eine stark erhöhte Kuppel und gut erh. Fresken, die zu den schönsten der ›Schule von Morawa‹ zählen.

Manch'eng, amtlich chines. **Mancheng** [mantʃeŋ], Ort in der chines. Prov. Hopeh, etwa 150 km südwestlich von Peking, mit in den Fels gehauenen Grabkammern des Prinzen LIU SHENG (†113 v. Chr.) und seiner Gemahlin TOU WAN (†vor 104 v. Chr.), durch Namenssiegel und beschriftete Objekte im Grabgut identifiziert. Sie waren jeweils in einem aus Jadeplättchen bestehenden Jadeanzug bestattet. Zu der Grabausstattung gehörten rituelle Pi-Ringscheiben aus →Jade, Gefäße, Waffen und Schmuckgegenstände sowie eine Öllampe aus Goldbronze in Form einer die Lampe haltenden Dienerin.

Manchester [m'æntʃɪstə], größte Stadt in der Metrop. Cty. Greater Manchester, England, 490 000 Ew. Aus einer röm. Stadt hervorgegangen, erhielt M. durch die Tuchproduktion im 14.–15. Jh. große wirtschaftl. Bedeutung. Die Pfarrkirche St. Mary wurde 1421 zur Stiftskirche erhoben (seit 1848 Kathedrale), anschließend als flachgedeckte Basilika im Perpendicular Style erneuert und bis Ende des 19. Jh. durch zusätzl. Seitenschiffe und ein oktogonales Chapter House erweitert. Nach ersten klassizist. Bauten des frühen 19. Jh. wurde die Stadt vorwiegend von Bauten des viktorian. Stils geprägt, dessen erstes Denkmal das Albert Memorial (1862–67) ist. 1859 wurden die Assize Courts, 1868–77 die Town Hall anstelle eines klass. Vorgängerbaus und ab 1869 Owens College (heute Univ.) errichtet.

Mạndala [Skt. ›Kreis‹] *das,* geometrisch-kosmolog. Grundmotiv ind. Kunstwerke, das die axial von einem Zentrum ausstrahlenden göttl. Kräfte im Universum, oder – in umgekehrter Richtung – das Eingehen aller Dinge in das Absolute symbolisiert. Sowohl die Grundrisse von Stupas, Tempeln und Stadtanlagen wie die Anordnung von Kultfiguren und die Konzeption mehrköpfiger Bildwerke basieren auf dem Prinzip des M., das der Gläubige durch die Umwandlung des Kultobjekts (Pradakshina) nachvollzieht. M.-Malereien oder Bodenzeichnungen geben meist ein streng geometrisches Muster von Kreis oder Quadrat mit konzentrischer und axialer Gliederung wieder. Bes. häufig sind sie auf tibet. Thangkas (BILD tibetische Kunst). Über japan. M. →Mandara.

Mandalay [m'ændəleɪ], **Mandalẹh,** Stadt in Zentral-Birma, am Mittellauf des Irrawaddy, 417 000 Ew. Der Königspalast im NO der Stadt, 1856/57 gegr., wurde im 2. Weltkrieg weitgehend zerstört. Im Schwenandaw-Kloster, Ende 19. Jh., finden sich Teile des alten Palastes mit urspr. polychromen, vergoldeten Holzschnitzarbeiten. In der nach dem Vorbild der Schwezigon-Pagode von Pagan errichteten Kuthodaw- (Maha-Lawkamarazein-)Pagode ist der Zentral-Stupa von 729 Marmorplatten mit dem eingravierten Text des Pali-Kanons umgeben. Der Tempel der Schwekyimyin-Pagode, im 12. Jh. gegr., enthält Buddha-Figuren.

Mandapa, Säulenhalle ind. Kultbauten, meist als Bauglied der →Tempel: Vorhalle (→Ardhamandapa); Haupt- oder Versammlungshalle →Mahamandapa oder Sabhamandapa (BILD Tempel); auch freistehende Pavillons vor Tempeln (→Natyamandapa) und in Palästen.

Mandara, japan. Version der indischen Mandala. Es sind schemat. Bilddiagramme buddhist. Gottheiten, erstmalig in der frühen Heian-Periode (8./9. Jh.), meist mit Goldfarbe auf Seide, die in geometrisch-konzentr. Anordnung das esoter. Weltbild der Shingon-Sekte verdeutlichen. In den beiden Versionen ›Diamantwelt‹ und ›Mutterschoßwelt‹ gruppieren sich um das zentrale Bild des Dainichi-Nyorai (Lichtbuddha) Buddhadarstellungen, z. T. durch Sanskritzeichen oder Kultsymbole ersetzt; bei der Diamantwelt auf insgesamt 9 gleich großen Feldern, bei der Mutterschoßwelt auf 12 versch. großen Feldern.

Mander, Carel (Karel) van, holländ. Maler, Kunstschriftst., *Meulebeeke Mai 1548, †Amsterdam 2. 9. 1606, war 1573–77 in Rom, danach mit B. SPRANGER in Wien, gründete um 1593 mit H. GOLTZIUS und C. CORNELISZ die ›Haarlemer Akademie‹, in der der holländ. Manierismus seinen Höhepunkt fand; war u. a. Lehrer von F. HALS. Sein ›Schilder-Boeck‹ (1604, ^{2}1917/18) nach G. VASARIS Vorbild ist eine wichtige Quelle für die Kenntnis der niederländ. Kunst seiner Zeit (kunsttheoret. Lehrgedicht und Künstlerbiographien).

Mandi, Malschule der →Rajput-Malerei, blühte etwa 1700–1850 im gleichnamigen ehem. Kleinstaat in Himachal Pradesh, Indien.

Mandl, Mändl, Michael Bernhard, Bildhauer, *Prag(?) 1660, †Salzburg 23. 4. 1711, war ebd. an Bauten J. B. FISCHER v. ERLACHS beteiligt. Sein Stil verschmolz heim. Überlieferung mit Anregungen des ital. Barock.

HW (alle in Salzburg): Mittelgruppe des Rossebändigers (1695; Hofmarstallschwemme); Athletenfiguren (1697; Eingang zum Mirabellgarten); Petrus und Paulus (1697; vor dem Dom); Fassadenfiguren und Engel (1699; Dreifaltigkeitskirche, Engel-Figuren an beiden Seitenaltären).

Mandorla [ital. ›Mandel‹] *die,* mandelförmiger →Heiligenschein.

Mandu, Ruinenstätte südwestlich der ind. Stadt Indore in Madhya Pradesh; ehem. stark befestigte Hauptstadt des Sultanats Malwa (1392–1531; 1539–63). Gut erh. ist das Mausoleum des Hoshang Shah (etwa 1440) aus weißem Marmor. Der an einem See gelegene Jahas Mahal (Schiffspalast) enthält im oberen Stockwerk mehrere Badeanlagen. Daneben ragen die Freitagsmoschee (etwa 1440) und der Hindol Mahal (Schaukelpalast, etwa 1425) mit seinen außen angeschrägten Wänden unter den vielen Monumenten heraus. M. war Zentrum der jinist. Miniatur- und der Sultanatsmalerei im 15. Jh.

Mandylion [wohl von spätgrch. mandelion ›Handtuch‹] *das,* seit 944 in der kaiserl. Kapelle von Konstantinopel bezeugtes Christusbild auf einem Leinentuch

(Gesicht in Goldumrahmung), identisch mit dem seit 544 bezeugten, doch älteren ›Edessabild‹, wohl Urbild des →Acheiropoieta; seit der Plünderung der Stadt durch frz. Kreuzritter (1202) verschwunden.

Mandyn [m'andɛjn], **Mandijn,** Jan, niederländ. Maler, *Haarlem 1500, †Antwerpen um 1560, Lehrer von B. Spranger, malte phantast. Bilder in der Art von H. Bosch, doch in breiterer Technik; nur ein von ihm signiertes Bild ist bekannt (›Die Versuchung des Hl. Antonius‹, um 1530, Haarlem, Frans-Hals-Mus.).

Mạnes, Josef, tschech. Maler, Graphiker, *Prag 12. 5. 1820, †ebd. 9. 12. 1871, schuf nach Studien in München (P. Cornelius) und Kenntnis der dt. Spätromantik und der belg. Historienmalerei romant. Darstellungen aus Geschichte und Volksleben Böhmens, ferner realist. Landschaften und Porträts.

Manessier [-sj'e], Alfred, frz. Maler, Graphiker, *Saint-Ouen (Somme) 5. 12. 1911, lebt in Paris. Über eine kubist. sowie surrealist. Phase kam M. seit den 1940er Jahren zur abstrakten Malerei (Lyrische Abstraktion) mit v. a. relig. Themen. Sein wesentl. Gestaltungsmittel ist die Farbe (bes. Blau und Rot), die poetisch verklärt und zu lichthaltiger Leuchtkraft gesteigert wird. M. wurde v. a. bekannt durch abstrakte Farbglasfenster (Allerheiligenkirche, Basel, 1952; Krypta des Essener Münsters, 1959; Liebfrauenkirche, Bremen, 1966–79).

A. M., Ausst.-Kat., Wien (1974).

Manẹssische Liederhandschrift, Große Heidelberger Liederhandschrift, eine Sammel-Hs. mittel-

Manessische Liederhandschrift: Gottfried von Straßburg (mit Diptychon); Universitätsbibliothek, Heidelberg

hochdeutscher Minnelyrik, gen. nach ihrem jetzigen Aufbewahrungsort Heidelberg, Univ. Bibl., sowie nach dem mutmaßl. Auftraggeber, dem Zürcher Ratsherrn RÜDIGER MANESSE (†1304), zw. etwa 1300 und 1340 im Zürcher Raum entstanden. Die M. L. enthält die Lieder von 140 Dichtern (meist 13./14. Jh.) und ist mit 137 ganzseitigen Miniaturen, an denen mindestens 4 Illuminatoren gearbeitet haben, ein HW der profanen Buchmalerei der Gotik. Die Autorenbilder zeigen die Dichter in ritterlich-höf. Szenen (Jagd-, Turnier-, Tanz-, Liebesszenen). Die sich durch große Farbenfreudigkeit auszeichnenden Figuren stehen ohne Vorder- oder Hintergrundangabe auf dem hellen Grund des Pergaments und werden bestimmt durch ein sehr bewegtes Linienspiel. Farbige Rahmen umschließen die Darstellungen.

W. KOSCHORRECK u. W. WERNER: Codex Manesse (1981).

Manet [man'ɛ], Édouard, frz. Maler, Graphiker, *Paris 23. 1. 1832, †ebd. 30. 4. 1883, war 1850–56 Schüler von T. COUTURE (dessen Einfluß nachwirkt im ›Absinthtrinker‹, 1859, Kopenhagen, Ny Carlsberg Glyptothek), machte Studienreisen nach Belgien, Holland, Dtl., Italien und studierte immer wieder die Bilder des Louvre (venezian. Maler, REMBRANDT, E. DELACROIX, F. GOYA), die er kopierte oder als Anregung für eigene Bilder nahm (›Olympia‹, 1863, Musée d'Orsay). Seine frühen Bilder stehen unter dem Einfluß der span. Malerei (›Span. Gitarrespieler‹, 1860, New York, Metropolitan Mus. of Art). In ihnen beschränkte er sich bewußt auf das Sichtbare. I. Ggs. zu G. COURBET arbeitete er nicht mit den Mitteln der Tonmalerei, sondern mit großflächig die Komposition gliedernden Gegensät-

Édouard Manet: Das Frühstück im Freien, 1863 (Paris, Musée d'Orsay)

zen heller und dunkler Partien. 1861 stellte er zum erstenmal im ›Salon‹ aus; 1863 rief sein ›Frühstück im Freien‹ (Musée d'Orsay), das dort abgelehnt und im ›Salon der Zurückgewiesenen‹ (frz. ›Salon des Refusés‹) ausgestellt wurde, einen Sturm der Entrüstung hervor, die sich 1865 vor seiner ›Olympia‹ noch steigerte. Auf der Weltausstellung 1867 zeigte er 50 Werke in einer eigenen Baracke. Seine Bilder wurden von der offiziellen Kritik, weil angeblich ›unschicklich‹, erbittert bekämpft, jedoch von É. Zola, C. Baudelaire und S. Mallarmé verteidigt und hatten auf die jüngeren Maler außerordentl. Einfluß.

M. hat mit seiner Hellmalerei den Impressionismus entscheidend vorbereitet, empfing aber auch seinerseits Anregungen von den Impressionisten, denen er freundschaftlich verbunden war, ohne jedoch mit ihnen auszustellen. Er steigerte seine Farben zu einem feinen Spiel von Licht und Atmosphäre und entwickelte sie zu einem reinen Formwert. Sein Themenkatalog ist ungemein weit: neben Porträts (Zola, 1868, Mallarmé, 1876, alle im Musée d'Orsay) stehen Szenen aus dem Alltag, Stilleben und Landschaften sowie – unter Aktualisierung histor. Vorbilder – zeitgenöss. Ereignisse (›Erschießung Kaiser Maximilians von Mexiko‹, 1867, Mannheim, Kunsthalle; ›Erschießung‹, 1871, Essen, Folkwang-Mus.). M. hat auch Radierungen geschaffen, die trotz der Härte des Strichs malerisch wirken, sowie leicht und sicher gezeichnete Lithographien.

WW: Frühstück im Atelier (1868; München, Neue Pinakothek); Die Barke (1874; ebd.); Porträt von Clemenceau (1879/80; Musée d'Orsay); Bar in den Folies-Bergère (1882; London, Courtauld Institute Galleries).

M. VENTURI u. SANDRA ORIENTI: É. M. (Mailand 1967); G. HOPP: É. M., Farbe und Bildgestalt (1968); É. M. Das graph. Werk, Ausst.-Kat., Ingelheim (1977); M. and modern Paris, Ausst.-Kat., Washington, D.C. (1982); É. M., Ausst.-Kat., Paris (1983).

Manfredi, Bartolomeo, ital. Maler, *Ustiano bei Mantua um 1587, †Rom 1620/21, malte im naturalist. Stil CARAVAGGIOS Wirtshaus-, Spieler-, Soldatenszenen sowie bibl. Darstellungen.

Manfredonia, ital. Hafenstadt und Bischofssitz am Adriat. Meer, Apulien, 52000 Ew.; Kirche S. Domenico (14. Jh.), Dom (Neubau 17. Jh.), Kastell (13. Jh.). – M. wurde von König MANFRED 1256 in der Nähe der 1223 durch Erdbeben zerstörten antiken Hafenstadt **Sipontum** gegr. Von Sipontum (ital. Siponto) blieben die Kirchen S. Maria (Erneuerung eines älteren Baus Ende des 12. Jh.) und S. Leonardo (11./12. Jh., Überrest einer ehem. Komturei des Dt. Ordens) erhalten.

Manganfarben, Maltechnik: hochwertige künstl. Mineralpigmente in den Farben Manganblau, Manganschwarz und Manganviolett (Nürnberger Violett). Die M. können, außer Manganviolett, das nicht kalkbeständig ist, in allen Techniken verwendet werden.

Mangbetu, Volksgruppe in NO-Zaire, deren künstler. Gestaltungsfreude sich mehr auf Gebrauchsgegenstände wie Messer, Krüge, Dosen und Musikinstrumente richtet als auf die Fertigung von Figuren. Die wenigen existierenden Figuren sind – wie die Körper der M. selbst – mit netzartigen Linien bemalt. Die Musikinstrumente sind, wie bei den nordwestlich benachbarten Zande, häufig mit anthropomorphen Attributen versehen; für die Köpfe dieser Instrumente wird – wie auch für die kunstvoll geschmiedeten Messer – neben Holz oft Elfenbein verwendet. Auch die Palmweinkrüge aus Keramik, deren Entstehung man in die jüngere Zeit datiert, sind von den Männern, denen bei den M. die Töpferei obliegt, meist anthropomorph gestaltet und zeigen, wie die anderen Skulpturen, die typ. Gesichtszüge und Kopfformen der M. (der Kopf der Kinder wird in einer streckenden Form bandagiert, um den als vornehm geltenden ausgeprägten Hinterkopf zu erhalten).

Mangiarotti [mandʒa-], Angelo, ital. Architekt, Designer, *Mailand 26. 2. 1921. Durch Studien der Arbeiten von L. MIES VAN DER ROHE, K. WACHSMANN und L. NERVI entwickelte sich M.s Interesse an Verfahren der Vorfabrikation am Bau.

HW: Kirche in Baranzata, Mailand (1957); Villa in Bardolino, Verona (1971); Touristenzentrum, Verona (1972); Tragsystem für eine Fabrik in Bussolengo, Verona (1976–79); Ausstellungsgebäude, Udine (1978).

E. D. BONA: A. M. (Mailand 1980).

Manier, Mani|era [ital.], von G. VASARI eingeführter Begriff für die einem Künstler (z. B. späte Stilphase Michelangelos) oder einer Zeit eigentüml. Gestaltungsweise, z. B. →Maniera Greca. Mit **Maniera Tedesca** (dt. Manier) wurde die Gotik bezeichnet, die nach Auffassung Vasaris für den angebl. Verfall der ital. Kunst im MA. verantwortlich war. Seitdem wird M. auch in abschätzigem Sinn verwendet: Routine, gesucht, gekünstelt, geziert.

Mani|era Greca [ital. ›grch. Manier‹], Bez. für den im 13. Jh. bis Anf. des 14. Jh. vorherrschenden Stileinfluß der byzantin. Kunst in Italien (in Venedig bis Mitte des 14. Jh.). Bedingt durch die Eroberung Konstantinopels während des 4. Kreuzzuges (1204) kamen byzantin. Künstler und Kunstwerke nach Italien (bes. Venedig). Die byzantin. Stilelemente setzten sich am stärksten in der Malerei durch, v. a. in den Werken von CIMABUE, DUCCIO und COPPO DI MARCOVALDO. Ende des 13. Jh. verlor die M. G. an Einfluß auf die ital. Kunst (→Duecento).

Manierismus, der Kunststil zw. Renaissance und Barock, der mit einer künstler. Bewegung in der ital. Malerei etwa 1520–25 einsetzte. Wissenschaftsgeschichtlich wurde das Phänomen M. sehr versch. interpretiert. G. VASARI sprach von der ›Maniera‹ als dem Spätstil MICHELANGELOS, L. LANZI benutzte ihn in seiner ›Storia pittorica d'Italia‹ (1795/96) abwertend für die ital. Malerei nach RAFFAEL. Im 20. Jh. wurde M. v. a. durch dt. Kunsthistoriker im Sinn eines übergreifenden neutralen Stilbegriffs für die europ. Kunst in der Zeit von 1520 bis 1600 eingesetzt. Die ausländ. Forschung engt den Begriff M. auf bestimmte Schulen und Richtungen des 16. Jh. ein und betont die fließenden Übergänge und das Nebeneinander von M., Spätrenaissance und Frühbarock.

Die Ursache für die Entstehung des M. wird in der gesellschaftl., relig. und geistigen Krisenstimmung der Zeit gesehen, in der das anthropozentr. Weltbild der

Manierismus: Parmigianino, ›Madonna dal collo lungo‹; 1534–40 (Florenz, Uffizien)

Renaissance zerfiel. Die widersprüchl. Erscheinungsformen des M. erklärt man mit dem Ästhetizismus an den Höfen des frühen Absolutismus (MEDICI), den Akademiegründungen, aber auch mit dem Antiklassizismus der Gegenreformation mit ihrem subjektivist. Schönheitsbegriff, ihrer Mystik und Irrationalität. Anstelle humanist. Bildung trat spekulative Gelehrsamkeit, die durch Emblematik und Ikonologien Bildinhalte und -programme bestimmte.

Ausgangspunkt sind Bildkompositionen Raffaels (Borgobrand, Stanzen des Vatikan) und Michelangelos (Sixtinische Kapelle, BILD Deckenmalerei), die florentin. und röm. Malerschulen nach 1520 beeinflußten (G. ROMANO, J. PONTORMO, G. B. ROSSO, BRONZINO, PARMIGIANINO, G. VASARI, SALVIATI). Charakteristisch für diese ›Maniera‹ sind überlängte, in sich gedrehte Bildfiguren mit kleinen Köpfen und gezierten Bewegungen, die in unklaren räumlichen Beziehungen zum Hintergrund stehen. Gesuchte Kontraste von Hell und Dunkel verbinden sich mit einer emailartig leuchtenden Lokalfarbigkeit der Gewänder. Das Porträt des M. gibt die individuellen Züge zugunsten einer kühl-distanzierten, aristokrat. Norm (Ideal des ›cortigiano‹, des Höflings) auf. Die natürl. Sinnlichkeit der Renaissancedarstellung weicht erot. Anspielungen in kompositor. Künstlichkeit. In Oberitalien und Venedig verband sich der M. mit einem myst. Sensualismus und formalen Elementen der Spätrenaissance (L. LOTTO, G. A. PORDENONE, J. BASSANO, TINTORETTO). In der Plastik (GIAMBOLOGNA, B. BANDINELLI, B. AMMANATI) setzte sich die Allansichtigkeit der Figurenauffassung durch, verbunden mit einer künstlich schraubenförmigen Komposition

(→Figura serpentinata) und polierter Oberfläche. Techn. Verbesserungen ließen zahlreiche Werkstattausführungen des maßstabgerechten Entwurfs zu (B. CELLINI, L. LEONI). Neben Brunnen, Epitaphien und Porträtskulpturen spielte die an Fürstenhöfen gesammelte Kleinplastik eine wichtige Rolle.

In der ital. Architektur unterschied sich der M. nur in gestreckteren Proportionen, Oberflächenstrukturen, Dekorelementen und Bauaufgaben von der Hochrenaissance (Palazzo del Tè, Mantua, von G. Romano; Palazzo Massimo alle Colonne, Rom, von B. PERUZZI; Palazzo Farnese, Caprarola, von G. DA VIGNOLA). Perspektivisch angelegte Bühnenhaftigkeit demonstrieren die städtebaulich wirksamen Uffizien in Florenz (G. VASARI) und die Neugestaltung der Piazza S. Marco in Venedig (J. SANSOVINO); manierist. Gartenanlagen verbinden labyrinth. Verschachtelung mit Realitätsverfremdung (Boboli-Gärten in Florenz, Villa d'Este in Tivoli, Park in Bomarzo).

Von Italien aus verbreitete sich der M. v. a. als internat. Kunst mit stark konventionellen Zügen über die Höfe Europas, am frühesten nach →Fontainebleau (Schule von Fontainebleau, F. PRIMATICCIO, G. B. ROSSO, N. DELL'ABBATE), gegen das Jh.-Ende nach Prag an den Hof Kaiser Rudolfs II. (B. SPRANGER, H. V. AACHEN, J. HEINZ, G. ARCIMBOLDO, A. DE VRIES) und an den Münchner Hof (F. SUSTRIS, P. DE WIT, H. SCHWARZ, H. GERHARD). Manierist. Schloßanlagen entstanden in Güstrow und in Krakau (Wawel). In den Niederlanden bildete der M. in der 2. H. des 16. Jh. eine eigene Kunstsprache aus, die durch die bürgerl. Gesellschaftsordnung und die Maltradition (LUCAS VAN LEYDEN) geprägt ist (A. MOR, M. VAN HEEMSKERCK, P. BRUEGEL D. Ä., P.

Manierismus: Jacopo da Pontormo, ›Heimsuchung Mariä‹; um 1528/29 (Carmignano, Pfarrkirche)

Manierismus: Giambologna, ›Raub der Sabinerinnen‹; 1579–83 (Florenz, Loggia dei Lanzi)

AERTSEN, M. DE VOS, F. FLORIS) und in der Architektur durch das Rathaus von Antwerpen von C. FLORIS und den Floris-Stil in Brügge und Leyden vertreten ist. Von den Niederlanden und Dtl. ging auch jener volkstüml. Ornamentstil mit Roll- und Beschlagwerk aus, der durch H. VREDEMAN DE VRIES und W. DIETTERLIN zu einer spekulativen Architekturtheorie wurde, deren ornamentale Merkmale Masken, Hermen und Diamantquaderung sind. Die verspätete Verbreitung des M. in den nördl. Ländern ist nicht wie in Italien an die Renaissance gebunden, sondern eine eigenständige Verarbeitung der ital. Vorlagen mit Reminiszenzen der einheim. Spätgotik. In Spanien entwickelte der in Venedig geschulte Maler EL GRECO eine visionäre Mystik im relig. Figurenbild und Porträt.

Dem Kunsthandwerk, das in den Wunder- und Kunstkammern der Fürstenhöfe gesammelt wurde, kam im M. besondere Bedeutung zu. Kupferstecher wie die SADELER, H. GOLTZIUS und J. BELLANGE übermittelten Bildvorlagen an Tapisserien, Goldschmiede und Elfenbeinschnitzer (Familien JAMNITZER, VAN VIANEN), Goldschmiedezentren waren Augsburg und Nürnberg. Beliebt waren abstruse Naturformen wie Korallen und Muscheln und Abgüsse nach der Natur (B. PALISSY).

Die Bildsprache des M. hatte Auswirkungen auf das Rokoko, den Jugendstil und den Surrealismus.

(BILDER: B. Ammanati, P. Bruegel d. Ä., Bronzino, B. Cellini, Giambologna, W. Jamnitzer, L. Lotto, Parmigianino, Tintoretto, G. Vasari)

E. MICHALSKI: Die Bedeutung der ästhet. Grenze in der Methode der Kunstgesch. (1932); G. R. HOCKE: Die Welt als Labyrinth, 2 Bde. (1957–59); D. FREY: M. als europ. Stilerscheinung (1964); Die Kunst des 16. Jh., hg. v. G. KAUFFMANN (1970); M. WUNDRAM: Renaissance (Tb. 1978); F. WÜRTENBERGER: Der M. (Neuaufl. 1979); E. BATTISTI: Hochrenaissance und M. (a. d. Ital., 1979).

Manila, Hauptstadt der Philippinen, 1,5 Mio. Ew.; 1571 gegr., Erzbischofssitz. Die altspan. ummauerte Kernstadt ›Intramuros‹ mit der mehrfach umgebauten Kathedrale wurde 1863 (Erdbeben) und 1945 weitgehend zerstört (Kathedrale und 2 Stadttore erneuert). Erh. ist die Klosterkirche San Agustín (1599–1605, 1879/80 von 2 ital. Künstlern ausgemalt), älteste erh. Steinkirche der Philippinen; im Kloster Mus. (Fresken, Gemälde, Chorstühle). Im alten span. Fort Santiago histor. Mus. Der Malacañang-Palast (1863) ist Residenz des Präsidenten. Nat.-Mus. und Metropolitan Mus.

Manisa, Hauptstadt der türk. Prov. M. in W-Anatolien, 78 100 Ew., das antike und byzantin. **Magnesia** am Sipylos; am Berghang die z. T. erhaltene byzantin. Stadtmauer; aus seldschuk. Zeit die 1366 gestiftete Große Moschee (Ulu Camii) mit angegliederter Medrese; aus osman. Zeit die Çesnigir-Moschee (1474), die Hatuniye-Moschee (1485), die Sultans-Moschee (1522) und die Muradiye Külliye mit Moschee (Fliesen-Dekoration), Medrese (heute Mus.) und Imaret (Hospiz) mit Bibl. (1583–86; vielleicht nach Plänen von SINAN von seinen Schülern MAHMUT AĞA und MEHMET AĞA erbaut). Der Bedestan (gewölbte Ladenstraße) ist eine Stiftung RUM MEHMET PASCHAS aus der 2. H. des 15. Jh.

Manjushri [-ʃr'i], der buddhist. Gott der Weisheit, als geschmückter Bodhisattva dargestellt, meist im Lotossitz (Padmasana) mit einem Schwert in der erhobenen rechten Hand, in der linken einen Lotos haltend, auf dem ein kleines Manuskript liegt.

Mankot, Malschule der →Rajput-Malerei, benannt nach dem Kleinstaat im Jammu, Indien; stilistisch und zeitlich der Malschule von Basohli nahestehend.

Manna [hebr.], auch **Man** *das,* das Wunderbrot, das auf dem Wüstenzug für die Kinder Israels vom Himmel fiel. Das Brotwunder, zuweilen zus. mit dem Wachtelwunder wiedergegeben, konnte von der frühchristl. Kunst in eucharist. Sinn, auch als Antitypus zur christl. Hoffnung auf die Auferstehung (Rom, Cyriacus-Katakombe, 2. H. 4. Jh.) wie zur Brotvermehrung (Rom, Tür von S. Sabina, um 430), aufgefaßt werden. Das MA. stellte es in der ›Biblia pauperum‹ und im ›Speculum humanae salvationis‹ (auch im Klosterneuburger Altar, 1181) dem Abendmahl gegenüber. Oft wurde das Aufsammeln des M. dargestellt (D. BOUTS, um 1467; Löwen, St. Peter) oder der in Krügen u. a. aufgefangene M.-Regen (P. P. RUBENS, Entwürfe zu Teppichen für den Kölner Dom), schließlich auch das M. als Brot (um 1400; Rothenburg ob der Tauber, Jakobskirche, Eucharistiefenster). Häufig erscheint die Szene auf Antependien und in Sakramentskapellen (TINTORETTO 1591–94; Venedig, S. Giorgio Maggiore, Chor).

Manneken-Pis, Brunnen in Brüssel mit der Bronzestatuette eines urinierenden Knaben, an der Stelle einer ähnl. älteren Figur 1619 von J. DUQUESNOY D. Ä. ausgeführt. Bei besonderen Anlässen ließen Monarchen, Zünfte oder Politiker den Knaben festlich kleiden.

Männerhaus, bei vielen Naturvölkern verbreitete Einrichtung, die oft die Funktionen des →Kulthauses übernimmt; hier werden die heiligen und geheimen Objekte (Ahnenschädel, Masken und Maskenkostüme, Figuren, Musikinstrumente u. a.) aufbewahrt, hier finden Zeremonien und Initiationen statt; zusätzlich dient es jedoch den Männern auch als Aufenthalts-, Versammlungs- und z. T. als Schlafraum. In Ozeanien zählen die M., wie die Kulthäuser, zu den bedeutendsten Werken der Kunst und Architektur, v. a. am Sepik. Hier sind die Pfosten der oft über 2 Stockwerke und meist in Pfahlbauweise angelegten M. mit Darstellungen der mytholog. Überlieferungen der einzelnen Klane beschnitzt, die hochaufragenden Giebel sind z. T. mit Malereien oder mit Masken versehen, die als die ›Nasen‹ oder ›Augen‹ des Hauses gelten. In anderen Gebieten Ozeaniens (z. B. →Palau-Inseln) sind die M. mit in Szenen gegliederten Darstellungen aus Mythen und Sagen geschmückt.

Männerseite, →Epistelseite.

Mannheim, Stadt in Bad.-Württ., 310 000 Ew., am Zusammenfluß von Rhein und Neckar; 1606 gegr., 1720–78 Residenz der Kurfürsten von der Pfalz; einzigartiger Stadtgrundriß (144 Quadrate, nach Buchstaben und Ziffern geordnet). Von der im Krieg schwer zerstörten Barockstadt wurden wiederaufgebaut: Schloß

(1720–60 von A. GALLI DA BIBIENA, N. DE PIGAGE u. a.), mit der 600 m langen Stadtfront eine der ausgedehntesten Schloßanlagen Europas, sehenswert Treppenhaus, Rittersaal, Schloßkirche (Fresken von C. D. ASAM, Stuck von P. EGELL); Untere Pfarrkirche (1706–23) und Altes Rathaus (1700–11), durch einen Turm miteinander verbundene Baugruppe; ehem. Jesuitenkirche (1733–60 von Galli da Bibiena u. a.), die bedeutendste Barockkirche in SW-Dtl. in Anlehnung an Il Gesù in Rom; Konkordienkirche (1717/1739, innen neu); Palais Bretzenheim (1771–88); Sternwarte (1772–74). M. besitzt bedeutende Werke des Jugendstils: Wasserturm (1886–89); die Festhalle im Rosengarten (1899–1903), die Kunsthalle (1907 von H. BILLING; Gemälde, Graphik, Plastik 19./20. Jh.). Reiß-Mus. im barocken Zeughaus (1777–79 von P. A. VERSCHAFFELT; u. a. Archäologie, Theatersamml.).

Mannọzzi, Giovanni, ital. Maler, →Giovanni da San Giovanni.

Manọlo, eigtl. Manuel Martinez **Hugué** [uγ'ɛ], span. Bildhauer, Maler, *Barcelona 30. 4. 1872, †Caldas de Montbuy (Katalonien) 17. 11. 1945, Autodidakt, übersiedelte 1900 nach Paris, 1913 nach Ceret (S-Frankreich), wo er mit G. BRAQUE, J. GRIS und P. PICASSO zusammentraf, sich aber nicht deren kubist. Phase anschloß. M. kehrte 1919 nach Spanien zurück. Seine stets noch gegenständl. Plastiken zeigen span. Themen, auch kraftvolle Akte und Porträtbüsten.

Manrẹsa, span. Stadt in der Prov. Barcelona, 57 800 Ew.; in der Kathedrale S. María (1328–1592) Altargemälde alter katalan. Meister, so v. a. das Pfingstretabel von P. SERRA (1393/94), Retabel des Hl. Markus (um 1350) und des Hl. Nikolaus (1406). Stadtmus. (archäolog. Funde, ma. Keramiken, moderne katalan. Malerei).

Mansart [mãs'a:r], **1)** François, frz. Baumeister, *Paris 23. 1. 1598, †ebd. 23. 9. 1666, wurde 1635 ›Architecte du Roi‹, schuf in Paris Kirchenbauten (Ste. Marie-de-la-Visitation, beg. 1634; Val-de-Grâce, beg. 1645, voll. von J. LEMERCIER u. a.) und Hôtels (de la Vrillière, 1635–38; Mazarin, 1645/46, heute Teil der Bibl. Nationale; Jarry, 1648 u. a.) sowie Schloßbauten: Balleroy (Normandie, 1626); Flügel des Gaston d'Orléans am Schloß Blois (1635–38, ein Musterbeispiel des frz. →Classicisme, unter dem Einfluß von S. DE BROSSE, bei dem M. vermutlich lernte) und Schloß →Maisons-Laffitte.

A. BRAHAM u. P. SMITH: F. M. (London 1973).

2) Hardouin-Mansart [ardu'ɛ̃-], Jules, frz. Baumeister, Großneffe und Schüler von 1), *Paris 16. 4. 1646, †Marly bei Paris 11. 5. 1708, wurde 1674 unter LUDWIG XIV. ›Architecte du Roi‹, 1675 Mitgl. der Akad., 1699 ›Surintendant des Bâtiments du Roi‹, beherrschte seitdem bis zu seinem Tod das gesamte offizielle Bauwesen in Frankreich. H. übernahm als Nachfolger von L. LEVAU und F. D'ORBAY 1678 die Bauleitung am Schloß von →Versailles, dessen Erweiterung, Parkfassade, Spiegelgalerie (1678–84), Schloßkapelle (1699 beg.) und Parkschloß Grand Trianon (1687/88) sowie die gesamte Stadtplanung von Versailles sein Werk ist. In Paris errichtete er Hôtels, entwarf die Pläne für die Places Victoire (1684) und Vendôme (um 1685), errichtete den Invalidendom (1679–1706) sowie in der Provinz versch. (z. T. zerstörte) Schlösser wie Dampierre (1675–83) und Marly-le-Roi (1679). M. suchte seinen Bauten Würde und Größe zu verleihen; er vereinfachte die Formen zu einem klassisch gemäßigten Barockstil und ist damit Hauptvertreter des →Classicisme unter Ludwig XIV., wobei er auf bereichernde Details zugunsten groß gesehener Flächen verzichtete. – M. verwendete häufig das nach ihm benannte Mansarddach, ein gebrochenes Giebeldach mit Ausnutzung des unteren Dachraumes für Zimmer.

P. BOURGET u. G. CATTAUI: J. Hardouin-M. (Paris 1960).

Mansfeld, Stadt am Ostrand des Harzes, Dt. Dem. Rep., 5400 Ew.; von der umfangreichen Anlage aus urspr. 3 Schlössern (ma. Kern, im wesentl. 16. Jh.) sind große Teile Ruine, erh. ›Vorderort‹ (1509–18, neugotisch ausgebaut 1860–62), die got. Schloßkapelle (Anf. 15. Jh.) mit Flügelaltar (um 1520) und 2 Sakramentshäusern (16. Jh., spätgotisch und Renaissance).

Mansoura [-s'u-], Ruinenstadt der Meriniden-Dynastie in NW-Algerien, 3 km südlich von Tlemcen. 1302 als befestigtes Militärlager gegr., Ende 14. Jh. zerstört. Gut erh. Teile der Stadtmauer (Stampflehm, quadrat. Türme, gerade Zinnen). Im O auf einem Hügel die Ruine der prachtvollen Moschee (1303–48 erb.; 85 × 60 m): 12 Eingangstore, quadrat. Sahn mit allseitigen Riwaks, 13 Längsschiffe mit je 6 Jochen auf Onyxsäulen, 3 Transversalschiffe mit 8 Kreuzbogenträgern, 14 m hoher Kuppel und Maksura (46 m^2). Der Michrabnische in der Längsachse genau gegenüber liegt das quadrat. Minarett (40 m hoch, 1,5 m dicke Hausteinmauern, S-Wand eingestürzt); in Aufbau und allseitigem Wanddekor führt es die Tradition der almohad. Minarett-Türme von Marrakesch (Kutubija), Rabat (Hasan-Moschee) und Sevilla (Giralda) weiter: im Innern reitbare Rampe bis zur Terrasse, kunstvolle Fassadenornamentik mit sämtl. maur. Bogenformen, Schmuckrahmen, Steingitterwerk, Fayencebändern und Säulenfries unterhalb der Zackenbekrönung; monumentales Eingangstor: Hufeisenbogen auf weißen Marmorsäulen (spanisch-maur. Blattkapitelle) mit doppelten Schmuckblendarkaden und prächtigem Alfiz (Muschelinkrustationen, Rauten- und Akanthusdekor, spiralige Steinskulpturen). Ausgrabungsfunde in den Mus. von Tlemcen und Algier.

Mantegna [mant'ɛɲa], Andrea, ital. Maler und Kupferstecher, *Isola di Carturo (zw. Vicenza und Padua) 1431, †Mantua 13. 9. 1506, neben GIOVANNI BELLINI der bedeutendste Meister der oberital. Frührenaissance, lernte bei F. SQUARCIONE in Padua, wo er sich an Werken der Antike und der florentin. Frührenaissance, bes. DONATELLOS, bildete. Seit 1459 arbeitete er, von LUDOVICO GONZAGA berufen, in Mantua. M. führte die aus Florenz übernommene Perspektivlehre weiter (Darstellung ›di sotto in su‹, in ›Untersicht‹); seine Formge-

Andrea Mantegna: Beweinung Christi (Mailand, Brera)

bung ist streng plastisch, seine Auffassung herb. In seinen Spätwerken näherte er sich, bes. nach einem Aufenthalt in Rom (1488/89), dem Stil der Hochrenaissance. M. war damals neben A. DEL POLLAIUOLO der bedeutendste ital. Kupferstecher.

HW: Frühzeit: Fresken in der Eremitani-Kirche in Padua (seit 1448 mit N. PIZZOLO u. a.; 1454–57 allein: Himmelfahrt Mariä und 6 Darstellungen aus dem Leben des Hl. Jakobus; 1944 zum Großteil zerstört); Altarwerk in Verona, S. Zeno (1456–59). – Erste Zeit in Mantua: dreiteiliger Altar mit Anbetung der Könige, Himmelfahrt Christi, Darstellung im Tempel (um 1464; Florenz, Uffizien); Hl. Georg (Venedig, Akad.); Beweinung Christi (Mailand, Brera); Fresken der Camera degli Sposi, Mantua, Palazzo Ducale (1474 voll.). – Spätzeit in Mantua: Triumphzug Caesars, neun Bilder auf Leinwand (um 1492; Hampton Court); Madonna della Vittoria mit Heiligen und dem knienden Francesco Gonzaga (1495/96; Louvre); die Allegorien ›Parnaß‹ (1497; ebd.) und ›Sieg der Tugend‹ (um 1502; ebd.). – Kupferstiche: Madonna mit Kind; Grablegung Christi (um 1500); Kampf der Tritonen; Bacchanal (2 Fassungen).

M. BELLONCI u. N. GARAVAGLIA: L'opera completa del M. (Rom 1967).

Mantinẹa, antike Stadt in der ostarkad. Hochebene (Peloponnes), nördlich von Tripolis. Baureste stammen aus der Zeit der Neugründung (nach 371 v. Chr.) der 385 v. Chr. zerstörten Stadt (Mauerring von 4 km Länge, Theater). M. ist Fundort von 3 Platten einer Reliefbasis (Musenbasis) mit Darstellung von Apoll, →Marsyas und den Musen (um 340/30 v. Chr., Athen, Nat.-Mus.), ein wichtiger Beleg für den Stil der Praxiteles-Zeit.

Mạntua, ital. **Mạntova,** ital. Stadt (65 000 Ew.) und Bischofsitz in der Po-Ebene, zw. den seenartigen Verbreiterungen des Mincio (bereits im 12./13. Jh. reguliert). Die wichtigsten Bauwerke gruppieren sich entlang der Platzfolge von Piazza delle Erbe über Piazza Broletto zur Piazza Sordello und zeugen von der Bedeutung M.s seit dem MA., v. a. unter der Herrschaft der GONZAGA (1328–1708; kultureller Höhepunkt durch Heirat mit ISABELLA D'ESTE, 1490, die die bedeutendsten Künstler der Zeit nach M. berief). An der Piazza Sordello liegen: der Palazzo Ducale (im 13. Jh. von den BONACOLSI beg., von den Gonzaga seit dem 14. Jh. als Residenz immer wieder erweitert), einer der weitläufigsten Fürstensitze Europas (heute Mus. mit reichen Kunstsamml.), besteht aus dem eigtl. Palast (mit Spiegelsaal, 16. und 18. Jh.), Innenhöfen, Gärten, einer Kirche und dem Castello S. Giorgio (in der ›Camera degli Sposi‹ Fresken von A. MANTEGNA, um 1465–74); Dom (fünfschiffige Basilika, ab 1545 nach Entwurf von GIULIO ROMANO erneuert; roman. Campanile, um 1140); Palazzo Bonacolsi-Castiglioni (13. Jh.); Palazzo Bianchi (auch Vescovado, 18. Jh.; heute Bischofspalast) und Torre della Gabbia (55 m hoher Geschlechterturm der Bonacolsi, um 1300). An der Piazza Broletto der gleichnamige Stadtpalast (12./13./15. Jh.); an der Piazza delle Erbe der Palazzo della Ragione (13./14. Jh.; mit Uhrturm, 1462 beg.), Casa Boniforte (1455) und die Kirchen S. Lorenzo (roman. Kuppelrotunde, Ende 11. Jh.) und S. Andrea (Neubau 1472 beg., nach Plänen von L. B. ALBERTI; Kuppel von F. JUVARRA, 1733–63; im Inneren Renaissance-Dekorationen von Mantegna und Giulio Romano). Im S der Stadt liegt der Palazzo del Tè, ehem. Sommerresidenz für Federico II. Gonzaga, nach Entwürfen Giulio Romanos 1525–34 erbaut und ausgestattet (prächtiger Freskenschmuck, v. a. in der Sala di Psiche und Sala dei Giganti). Zahlreiche Kirchen (u. a. S. Francesco, 13./14. Jh.; S. Sebastiano; Zentralbau nach Entwurf von Alberti, 1460 beg.) und Profanbauten (u. a. Wohnhaus von Giulio Romano, 1544; Palazzo dell'Accademia Virgiliana mit barockem Theater, 18. Jh.) runden das Stadtbild von M. ab.

Außerhalb von M. wurden am Mincio Überreste einer etrusk. Stadt aus dem 5. Jh. v. Chr. gefunden; Funde von Bronzearbeiten und Keramik.

Manuel, Niklaus, bis zu seiner Heirat **Alleman** gen., nahm dann den väterl. Taufnamen M. als Familienna-

Mantua: Spiegelsaal im Palazzo Ducale, 16. und 18. Jh.

Niklaus Manuel: Urteil des Paris; 1520/25 (Basel, Kunstmuseum)

men an und verwendete die Initialen NMD (D als Abk. von Deutsch – in Übersetzung von Alleman, daher auch **Deutsch** gen.), Maler, Zeichner für den Holzschnitt, Dichter, *Bern um 1484, †ebd. 28. 4. 1530, mit URS GRAF der bedeutendste schweizer. Künstler der Dürer-Zeit. M. war Schüler des ›Berner Nelkenmeisters‹ (Ende 15. Jh.) und von H. FRIES. Urspr. vermutlich als Glasmaler ausgebildet, stand er später unter dem Einfluß von H. BALDUNG, M. GRÜNEWALD, H. BURGKMAIR und der Graphik A. DÜRERS. Auf mindestens 2 Italienreisen lernte er die oberital. Kunst kennen. Sein vielseitiger Stil zeigt z. T. auch Elemente der Donauschule und steht dem Manierismus nahe. Neben Altarwerken schuf M. mytholog. Darstellungen, Porträts, Holzschnitte und Zeichnungen.

HW: Marienaltar (1515; Bern, Kunstmus., und Winterthur, Samml. O. Reinhart); Totentanz (1517–19; urspr. Bern, Dominikanerkloster, zerstört, doch aus Kopien bekannt); Enthauptung Johannes des Täufers (um 1518; Basel, Kunstmus.); Antoniusaltar (1520; Bern, Kunstmus.); Urteil des Paris (1520/25; Basel, Kunstmus.); Pyramus und Thisbe (1525; ebd.). – Holzschnitt-Folge der klugen und törichten Jungfrauen (veröffentlicht 1618). Zeichnungen (bes. Landsknechte).

Manuelstil, Manuelinischer Stil, →Emanuelstil.

Manus, die größte der →Admiralitätsinseln, Melanesien. Hölzerne Objekte des profanen und zeremoniellen tägl. Gebrauchs wie Kalkspatel, große Eßschalen, Pritschenfüße, Kanuaufsätze, Netzschwimmer, ferner Kalkbehälter aus Kürbisschalen sind bis zum 2. Weltkrieg mit bes. Sorgfalt künstlerisch ausgestaltet worden. Figuren, stehend oder in Hockstellung, in naturnah-gerundeter oder geometrisch-kantiger Formung sind ebenso charakteristisch wie abstrakt-geometr. Elemente (Spirale, Oval, Dreieck u. a.). Bei den Gesichtern ist die Mund- und Kieferkante hervorgehoben (Unterkiefer scheint oft zu fehlen). Mit Kalk ausgestrichene

Kerbschnittbänder gegen matten roten oder glänzend dunklen Grund geben Narbentatauierungen (→Körperschmuck) wieder. Schnitzer waren v. a. die auf vorgelagerten Inseln im N und O siedelnden Matankol und Balluan, weniger die Manus im S der Insel (Fischer und Händler) oder die Ussiai (Inland-Bev.). Bed. sind ferner Muschel- und Schneckenschalenschmuck, Perlenstoffe, Dolche und Speere mit Obsidianspitzen u. a.

Manzanares el Real [manθa-], span. Ort etwa 25 km nördlich von Madrid, mit Kastell (1435 beg., um 1473 von J. GUAS zu einem prächtigen Palast umgebaut), einer quadrat. Anlage mit 4 mächtigen Rundtürmen, S-Fassade im Isabellin. Stil, got. Schloßkapelle mit Freskenresten (14. Jh.).

Manzoni, Piero, ital. Maler, Bildhauer, *Soncino 13. 7. 1933, †Mailand 6. 2. 1963, wurde seit 1957 v.a. durch seine ›Achromes‹ (›unfarbige Bilder‹; mit Kaolin geschlemmte, auch rohe Leinwand, weißes Material wie Watte, Glaswolle), ›Linien‹ (auf bis über 7000 m langen Papierrollen) sowie die Einbeziehung von Plastikstoffen und Verpackungen einer der einflußreichsten Anreger seiner Generation; Wegbereiter der Objekt- und der Prozeßkunst, des Happenings und der Concept Art.

P. M., Ausst.-Kat., Köln (1981).

Giacomo Manzù: Tanzschritt; 1954 (Mannheim, Kunsthalle)

Manzù, Giacomo, ital. Bildhauer, Graphiker, Zeichner, *Bergamo 22. 12. 1908, 1941–45 Prof. an der Brera-Akad., Mailand. Angeregt von A. RODIN, E. DEGAS und der Plastik des florentin. Quattrocento, gestaltete er, anfänglich mit impressionist. Oberflächenbehandlung, figurative Plastiken (Kardinäle, Tänzerinnen, weibl. Porträts und Akte); schuf auch Reliefs und Bronzetüren (u.a. für St. Peter in Rom und den Salzburger Dom). In seinem Werk verbinden sich relig. und zeitkrit. Thematik. – G. M.-Mus. in Ardea bei Rom (gegr. 1969).

J. REWALD: G. M. (a. d. Engl., 1966).

Maori, Bevölkerungsgruppe, die, vermutlich aus Zentral- und O-Polynesien kommend, um 900 Neuseeland besiedelt hat. Ihre Kunst, die ihre Blüte im 17. und 18. Jh. (bei Ankunft der Europäer) hatte, zeigt eine eigenständige Entwicklung auf polynes. Grundlage. Es gibt eine Vielzahl künstlerisch gestalteter Objekte des tägl. Lebens für Würdenträger wie Adlige, Häuptlinge, Priester, die wegen ihrer Aufladung mit relig., sozialer und ritueller Kraft den direkten Kontakt mit Gewöhnlichen zu meiden hatten, was zur Auszeichnung ihrer persönl. Gerätschaften (z.B. Keulen aus Knochen oder Stein) und Kleidung (Mäntel aus neuseeländ. Flachs in Zwirnbindung mit Streifendekor und z. T. mit Federn) führte. Dank des Holzreichtums konnte sich eine bed. Schnitzkunst entwickeln. In den Gemeinschaftsräumen waren tragende Teile, Fenster- und Türumrandungen sowie Giebelaufsätze mit Gestalten der myth. und histor. Überlieferung beschnitzt, z. T. in Hoch-, z. T. in Flachrelief; die Zwischenräume wurden in unterschiedl. Maße mit Malereien, Flechtwerk und Schnitzerei gestaltet, die Kurven-, Spiral- oder Mäander- und Rautenmotive oder die traditionellen ›manaia‹-Wesen (menschl. Körper, vogel- oder reptilienartiger Kopf im Profil) zeigen. Die Augen der Dargestellten sind häufig durch irisierende Einlagen hervorgehoben. Die von den M. entwickelten Muster der Gesichts- und Körpertatauierung hervorragender Männer und Frauen sind reich an Spiralornamenten; sie wurden z. T. durch konservierte Ahnenschädel überliefert und von der klass. Zeit an auch auf Schnitzwerken wiedergegeben. Die beschnitzten Holzteile von Häusern und Kanus wurden in

Maori: Schnitzwerk von einem Haus (Wellington, Neuseeland, Nationalmuseum)

stumpfroter Farbe gefaßt. Am schönsten und aufwendigsten verziert waren die Steven- und Heckverzierungen der Kriegskanus sowie das meist vom Boden abgehobene zeremonielle Vorratshaus des Dorfs. Bes. ansprechend sind die Holzbehälter zur Aufbewahrung von Schmuckfedern. Von den für hochgestellte Frauen aus Nephrit geschliffenen Halsanhängern (›hei-Tiki‹, kleine Menschenfigur) bestehen zahlreiche Nachahmungen. (BILDER Körperschmuck, Tiki)

H. TISCHNER: Rauru. Ein Versammlungshaus von Neuseeland in der alten Kultur der M. (1971); S. M. MEAD: The origins of M. art: Polynesian or Chinese? Oceania 45 (Sydney, 1975).

Maprik, Hügelland und Stilprovinz nördlich des mittleren Sepik, Papua-Neuguinea, mit den →Abelam.

Mapungubwe, reich mit Goldschmuck ausgestattete königl. Begräbnisstätte in S-Simbabwe; →Simbabwe.

Maputo, Hauptstadt von Moçambique, am Indischen Ozean, etwa 800 000 Ew.; Mitte des 16. Jh. als **Lourenço Marques** [lorˈẽsu mˈarkɪʃ] gegr. Die kleine Altstadt konnte z. T. ihren Charakter des späten 19. Jh. bewahren. Atelier des Künstlers VALENTE MALANGATANA (*1936; mit Samml.).

Maquette [mak'ɛt, frz. ›Skizze‹, ›Modell‹] *die,* Bildhauermodell, erster Entwurf in Wachs oder Ton für eine Skulptur.

Marabut, Marabout [-b'u], in N-Afrika Grabstätte eines M., eines islam. Heiligen: weißer kubischer Kuppelbau mit quadrat. oder sechs- bis achteckigem Grundriß, entweder geschlossen mit nur einem Eingangstor oder offen mit allseitigen Bogengalerien; meist siedlungsfern oder am Ortsrand gelegen.

Maragheh, Maragha, Stadt in Aserbaidschan, NW-Iran, etwa 60000 Ew. M. war bereits im 10. Jh. ein bed. Zentrum, im 12. Jh. Hauptstadt eines Kurdenstaates, im 13. Jh. der Ilchaniden. Nördlich von M. befinden sich 5 Grabtürme, darunter Gumbad-i Sorch (1147 bis 1148), ein quadrat. Bau aus dunkelroten Ziegeln mit einer Kuppel auf 4 Stalaktitentrompen, Gumbad-i Ghaffarijeh (frühes 14. Jh.), quadrat. Bau mit schwarz, weiß und blau glasierten Fliesenmosaiken, Blendarkaden, Fenstern, ferner → Gumbad-i Kabus.

Marajó [maraʒ'ɔ], Insel im Amazonasdelta, Brasilien, 40000 km² groß. Aus vorkolumb. Zeit wurden hier mächtige Grabhügel gefunden, ferner bemerkenswerte Keramikgefäße, deren Oberflächen mit kunstvollen, streng geometr. Mustern in versch. Techniken (Malerei, Relief, Gravierungen u. a.) dekoriert sind. Sie werden in die letzten Jh. vor der portug. Eroberung datiert.

Maratti, fälschlich **Maratta,** Carlo, ital. Maler, *Camerano (Marken) 15. 5. 1625, †Rom 15. 12. 1713, Schüler von A. SACCHI, wurde der schulbildende Hauptmeister des röm. Spätbarock. Seine lichterfüllten Andachtsbilder vereinigen den Ausdruck des Erhabenen mit reichem Aufbau und schwungvoller Bewegung. In den Spätwerken strebte er nach ausgeglichener Schönheit in einem weichen, sich bereits dem Rokoko nähernden Stil. Seine Porträts sind von psychologisch vertiefter Auffassung. M. schuf auch Radierungen.

HW: Hl. Nacht (1650; Rom, S. Giuseppe dei Falegnami); Immaculata (1671; Siena, S. Agostino); Hl. Filippo Neri (1675; Florenz, Palazzo Pitti); Vision des Hl. Karl Borromäus (1690; Rom, S. Carlo al Corso); Taufe Christi (1697; Rom, S. Maria degli Angeli).

A. SUTHERLAND HARRIS u. E. SCHAAR: Die Handzeichnungen von A. Sacchi und C. M. (1967).

Marburg, 1) Univ.-Stadt in Hessen, an der Lahn, 74000 Ew.; Wirkungsort der Hl. Elisabeth (†1231); 1308–1604 (mit Unterbrechungen) Residenz einer Linie der hess. Landgrafen, 1255–1809 Sitz der Ballei Hessen des Dt. Ordens (Gebäude des 13.–18. Jh. erh.). M. besitzt ein eindrucksvolles, an einem Bergrücken aufgebautes und überwiegend von der Gotik geprägtes Stadtbild. Die Elisabethkirche (1235–83) ist neben der Trierer Liebfrauenkirche der erste rein got. Sakralbau in Dtl.; in der mächtigen Doppelturmfassade das W-Portal (um 1270) mit origineller Rosen- und Weinlaubfüllung des Tympanons; die got. Glasmalereien im Dreikonchenchor (BILD Glasmalerei) und der goldene Elisabethschrein (beides Mitte 13. Jh.) zählen zu den besten Leistungen der Zeit; im ›Landgrafenchor‹ hervorragende Grabmäler, Hochaltar 1290 gew., Elisabeth-Mausoleum um 1280; in der Mitte des Lettners (vor 1343 voll.) ausdrucksstarkes Bronzekruzifix von E. BARLACH (1931). Westlich der Elisabethkirche die got. Michaelskapelle (1270), südlich die Ruine der Elisabeth-Hospital-Kapelle (Mitte 13. Jh.). Ebenfalls gotisch sind Marienkirche (13.–15. Jh.), Klosterkirche der Kugelherren (1485 voll., mit ornamental bemaltem Netzgewölbe) und Univ.- (ehem. Dominikaner-) Kirche (1300/20, asymmetr. zweischiffige Halle mit sehr steilem Polygonalchor, das Innere 1927 expressionistisch neugestaltet). Die Alte Univ. wurde 1870–91 im neugot. Stil an Stelle des Dominikanerklosters erbaut. In der durch winklige Gassen und Treppen geprägten Altstadt das noch der Spätgotik zugehörige Rathaus (1512–14), dessen markanter Treppenturm mit einer Kunstuhr im Renaissancegiebel (1581/82) geschmückt ist. In erhöhter Lage das Landgrafenschloß (Mus.), seit 1260 ausgebaut: zu den ältesten Teilen gehören die doppelgeschossige Kapelle (1288 gew.) und der zweischiffige Rittersaal mit geschnitzten Renaissanceportalen, einer der bedeutendsten Profanräume des dt. MA.; weitere Trakte entstammen dem 15./16. Jh. Marburger Univ.-Mus. für Kunst- und Kulturgesch. (v. a. Mittelhessen).

E. LEPPIN: Die Elisabethkirche in M. ([2]1980).

2) dt. Name von →Maribor.

Marc, Franz, Maler, Graphiker, *München 8. 2. 1880, †(gefallen) vor Verdun 4. 3. 1916, studierte seit 1900 an der Münchener Akad., reiste wiederholt nach Paris (u. a. 1907 Begegnung mit Werken von V. VAN GOGH, 1912 R. DELAUNAY), lebte seit 1904 meist in Oberbayern. Er gründete 1911 mit W. KANDINSKY den ›Blauen Reiter‹ und gab mit ihm auch den gleichnamigen Almanach heraus. Nachdem er zunächst impressionistisch gemalt und v. a. Tierstudien gezeichnet hatte, fand er im Umgang mit A. MACKE (seit 1910) und W.

Franz Marc: Tiger; 1914 (München, Städt. Galerie im Lenbachhaus)

Kandinsky, später auch von Kubismus und Orphismus beeinflußt, seinen eigenen expressiv-abstrahierenden Stil mit reinen, symbolstarken Farben und kristallinen Formen, mit denen er fast ausschließlich die im Einklang mit der Natur lebende, zum Symbol stilisierte Kreatur darstellte. In seinen letzten Arbeiten, bes. Zeichnungen und Aquarellen aus dem 1. Weltkrieg, erreichte er eine Abstraktion, bei der sich Farben und Formen des Tieres immer mehr mit denen seiner Umwelt durchdrangen und die Gefährdung kreatürl. Unschuld in einer apokalypt. Welt in den Vordergrund trat.

HW: Tierschicksale (1913; Basel, Kunstmus.); Turm der blauen Pferde (1913; ehemals Berlin, Nat.-Gal.; seit 1945 verschollen); Tirol (1913/14; München, Staatsgal. moderner Kunst); Tiger (1914; München, Städt. Gal. im Lenbachhaus).

A. Macke u. F. M., Briefwechsel, hg. v. W. Macke (1964); F. M. Schriften, hg. v. K. Lankheit (1978).

K. Lankheit: F. M. Kat. der Werke (1970); ders.: F. M. Sein Leben, seine Kunst (1976); F. M., Ausst.-Kat., München (1980).

Marçal de Sax [mars'al-], Andreu, in Valencia (zw. 1393 und 1410 nachweisbar) tätiger Maler wohl sächs. Abstammung, Vertreter des Schönen Stils und Haupt einer fruchtbaren Malerschule ebd.; erh. sind Tafelbilder in der dortigen Kathedrale und im Mus. der Schönen Künste (›Der ungläubige Thomas‹).

Marcantonio, ital. Kupferstecher, →Raimondi.

March, Otto, Baumeister, *Charlottenburg 7. 10. 1845, †Berlin 2. 4. 1913, baute ebd. das Schillertheater (1907; im 2. Weltkrieg zerstört, 1950/51 nach abgeänderten Plänen wiederaufgebaut), die Grunewaldrennbahn und das Dt. Stadion (1913). Sein Sohn Werner (*1894, †1976) baute 1934–36 ebd. das Reichssportfeld, 1958–66 das Großstadion in Kairo.

Marcillat [marsij'a], Guillaume de, ital. **Guglielmo di Pietro de M.** [guʎ'ɛlmo-], frz. Glasmaler, *La Châtre (Berry) 1467, †Arezzo 13. 4. 1529, war zunächst in Rom (Glasmalereien im Vatikan, um 1505; nicht erh.), später v. a. in Cortona (›Anbetung der Könige‹ für ein Fenster des Doms; heute London, South Kensington Mus.) und Arezzo (Rundfenster mit dem Pfingstwunder an der Fassade des Doms; Gewölbemalereien im Inneren) tätig; verband frz. got. Tradition mit ital. Renaissancekunst.

Marcks, Gerhard, Bildhauer, Graphiker, Zeichner, *Berlin 18. 2. 1889, †Burgbrohl (Eifel) 13. 11. 1981, lernte 1907–12 bei R. Scheibe in Berlin, lehrte seit 1919 am Bauhaus in Weimar, seit 1925 an der Kunstgewerbeschule in Halle (1933 entlassen); wurde 1946 Prof. an der Landeskunstschule in Hamburg. – M. gelangte nach anfänglich expressionistischen Werken schon in den 20er Jahren, beeinflußt v. a. von der griechisch-archaischen Kunst, zu einer streng vereinfachenden Formgebung mit beruhigter, herber Menschengestaltung (Jünglinge und Mädchen). Tierbildwerke, Totenmale (Köln, Hamburg, Mannheim), kleinplastische Arbeiten und klar gegliederte, kraftvolle Holzschnitte (seit 1920) ergänzen das plastische Werk (meist aus Bronze). – Seit 1971 besteht eine G.-M.-Stiftung im Alten Torhaus in Bremen.

Gerhard Marcks:
Selbstporträt; 1954

Marduk von einem Lapislazuli-Siegel; neubabylonisch, 2. Hälfte 9. Jh. v. Chr. (Berlin-Ost, Staatl. Museen)

G. M. Das plast. Werk, hg. v. G. BUSCH, Werkverz. v. MARTINA RUDLOFF (1977).

Marcolini, Camillo Graf, *Fano (Mittelitalien) 2. 4. 1739, †Prag 10. 7. 1814, war seit 1774 Leiter der Meißener Porzellanmanufaktur, daneben seit 1780 Direktor der Dresdener Kunstakad. und der kurfürstl. Samml. Unter ihm wurde das Meißener Porzellan den klassizist. Formen angepaßt; die Meißener Schwertermarke erhielt zusätzlich einen Stern unter den Kurschwertern.

Marcoussis [markus'i], Louis, eigtl. Ludwig **Markus,** frz. Maler poln. Herkunft, *Warschau 14. 11. 1883, †Cusset (O-Frankreich) 22. 10. 1941. Sein Werk (v. a. Städtebilder; Stilleben, Landschaften) gehört zum Umkreis des Kubismus, wandelt dessen Strenge jedoch stärker zum Dekorativen und heiter Beschwingten hin ab.

Mardin, Hauptstadt der türk. Prov. M. in SO-Anatolien, 36 600 Ew. Unter den Ortokiden (1108–1475) entstanden die bedeutendsten der vielen islam. Baudenkmäler von M.: die Zitadelle mit Resten zweier Moscheen (13./14. Jh.) und eines Palastes (15. Jh.).

Marduk, Stadt- und (seit der 2. H. des 2. Jahrtsd. v. Chr.) Reichsgott Babylons; Sohn des Ea, residierte in Babylon im Tempelkomplex Esagila. Sein Symboltier ist der Schlangendrache Muschchusch. M. selbst wird in königl. Ornat mit einem zylinderartigen Polos auf dem Kopf dargestellt.

Marées [mar'e], **1)** George(s) de(s), auch **Desmarées** [demar'e], Maler, *Österby (Schweden) 29. 10. 1697, †München 3. 10. 1776, Schüler seines Onkels M. VAN MEYTENS in Stockholm, weitergebildet auf Reisen durch Dtl., die Niederlande und Italien (1725 in Venedig bei G. B. PIAZZETTA). 1731 wurde M. kurfürstl. Hofmaler in München. Sein anmutiger Stil machte ihn zu einem begehrten Porträtmaler des bayer. Rokoko.

2) Hans von, Maler, *Elberfeld 24. 12. 1837, †Rom 5. 6. 1887, malte nach Studien in Berlin (1854/55, K. STEFFECK) und München (seit 1857, A. LIER, F. v. LENBACH) meist tonige kleine Landschaften mit Pferden und Reitern, auch mit mytholog. Figuren sowie Porträts mit stark individueller Prägung. 1864 ging er mit Lenbach als Kopist für den Grafen SCHACK nach Italien und wurde seit 1866 in Rom von dem Kunsthistoriker K. FIEDLER (*1841, †1895) gefördert; mit ihm reiste er 1869 nach Spanien, Frankreich und Holland. Durch die Freundschaft mit ihm und A. v. HILDEBRAND fand M. den Weg zu einer idealist. Malerei, die seine Vision von einer vollkommenen Einheit von Mensch und Natur verwirklichte. Seine reliefhaft klaren Kompositionen zeigen einen vereinfachenden, monumental-abstrakten Stil, der ihn zu einem der Wegbereiter neuerer Kunst in Dtl. werden ließ.

Nach Aufenthalt in Berlin und Dresden (1872/73) fand M. in Neapel (1873/74) die Möglichkeit, seinen bildner. Ideen in den Fresken der Zoolog. Station (1873/74) Ausdruck zu geben. In Rom (seit 1875) schuf er die von heroisch-schwermütigem Lebensgefühl erfüllten Bilder seiner reifen Zeit.

Hans von Marées: Pferdeführer und Nymphe; 1882/83 (München, Neue Pinakothek)

WW: Porträt A. v. M., des Vaters (1862; München, Neue Pinakothek); H. v. M. und Lenbach (1863; ebd.); Rast der Diana (1863; ebd.); Philippus und der Kämmerer (1869/70; Berlin-West, Staatl. Museen); A. v. Hildebrand und C. Grant (1870; Mannheim, Kunsthalle); Röm. Vigna (1870/71; Hamburg. Kunsthalle); Drei Jünglinge unter Orangenbäumen (1874/80; München, Neue Pinakothek); Lob der Bescheidenheit (1879–85; ebd.); Urteil des Paris (1880/81, verschollen; ehem. Berlin, Nat.-Gal.); Pferdeführer und Nymphe (1882/83; München, Neue Pinakothek); Werbung (1884/85; ebd.); Hesperiden (1885; ebd.); Die drei Reiter (1885/87; ebd.); Die Entführung des Ganymed (1887; ebd.).

UTA GERLACH-LAXNER: H. v. M. Katalog seiner Gemälde (1980); H. v. M.s Zeichnungen, Ausst.-Kat., Kaiserslautern (1982).

Margareta, legendäre Märtyrerin, Anfang des 4. Jh. unter Diokletian enthauptet, angeblich aus Antiochia in Pisidien; im Osten seit Ende des 10. Jh. dargestellt (Göreme, Tokali Kilise), im Westen seit dem 12. Jh. in Szenen ihrer Legende (Tournai, Kathedrale; Westseite des Nordquerhauses). Häufiger erscheint M. als Einzelfigur mit einem Drachen, weil sie nach der Legende im Kerker den als Drachen erscheinenden Teufel mit dem Kreuzzeichen in die Flucht geschlagen haben soll. Noch nach dem MA. entstanden bed. Beispiele (HUGO VAN DER GOES, 1476–78; RAFFAEL, 1518; TIZIAN, 1550 bis 1552; N. POUSSIN, 1640). In Bildern der M. finden sich z. T. Darstellungselemente der Georgslegende.

Marhia, Ort in Zentral-Indien, mit der Ruine eines Vishnu-Tempels aus der Gupta-Zeit (›Vamana-Tempel‹, 5. Jh.), einem der frühesten Steintempel mit Ansatz eines Turmaufbaus (Shikhara).

Mari, alte Stadt am mittleren Euphrat (KARTE Alter Orient), heute **Tell Hariri** in Syrien, die seit etwa 3000 v. Chr. Bedeutung hatte. M. war Sitz mehrerer Dynastien und wichtige Station zw. Sumer und dem Mittelmeer. Große Teile des etwa 100 × 600 m umfassenden Stadtgebiets wurden seit 1933 aufgedeckt und eine Fülle von Funden gemacht. Baureste mehrerer Tempel und der Vorläufer einer Zikkurat aus der Mitte des 3. Jahrtsd. v. Chr., ebenso viele Fundobjekte (Schmuckstücke, Waffen, Einlegearbeiten, über 100 Beterstatuetten, eine große Beterstatue und Sitzbilder, u. a. des Sängers Urnansche). In einem riesigen, zu seiner Zeit bereits berühmten Palast mit über 300 Räumen (Ende 3., Anf. 2. Jahrtsd. v. Chr.) befanden sich bed. Wandmalereien: Darstellung eines Opferzuges (BILD syrische Kunst) sowie große Gemälde beim Thronsaal mit der Amtseinführung (›Investitur‹) des Königs ZIMRILIM (18. Jh. v. Chr.); der Herrscher in Begleitung fürsprechender Gottheiten vor Ischtar, wahrscheinlich das Abbild eines Wandteppichs. Außer einem Archiv mit über 2000 Tontafeln wurden im Palastbezirk Rollsiegel und Statuen, u. a. die fast lebensgroße Figur einer Göttin (BILD syrische Kunst) gefunden; aus dem Bereich von Vorgängerbauten im östl. Palastteil stammt ein Schatzfund aus frühdynast. Zeit, etwa 2650 v. Chr., vom Ausgräber als Geschenk aus Ur angesehen, daher ›Schatz von Ur‹ gen., mit Rollsiegeln, Statuetten, Gewandnadeln, Arm- und Halsschmuck sowie einer Lapislazuliperle mit dem Namen des Königs →Mesanepada von Ur. M. wurde um 1715 v. Chr. von Hammurapi von Babylon erobert und zerstört, später nicht wieder besiedelt.

A. PARROT: M. (New York, 1974).

Mari, Enzo, ital. Künstler, Designer, *Novara 1932. Seine kinet. Objekte variieren Lichtstrukturen und sind auf aktive Beteiligung des Betrachters gerichtet.

Maria, 1) die Mutter Jesu, →Marienbild.

2) M. Magdalena, M. von Magdala, nach dem N. T. eine der galiläischen Frauen, die Jesus nachfolgten, Augenzeugin der Kreuzigung und Grablegung Jesu; ihr erschien der Auferstandene am Ostermorgen; im Westen mit der ›namenlosen Sünderin‹ gleichgesetzt. – Von der bildenden Kunst wird M. Magdalena mit einem Salb- oder Weihrauchgefäß dargestellt (Hinweis auf den Gang zum Grab Jesu), mit einem Palmzweig (H. HOLBEIN D. Ä., nach 1500; Federzeichnung), einer Krone (um 1500; Oberwesel, Liebfrauenkirche, Wandfresko), einem Buch (TIZIAN, um 1530/35) u. a. Sie erscheint im Haus der Martha, bei der Auferweckung des Lazarus, beim Gastmahl des Pharisäers, bei der Salbung des Leichnams Christi, bei der →Beweinung Christi und im →Noli me tangere, seit dem hohen MA. auch als Büßende unter dem Kreuz. Szenen ihrer legendären Flucht aus dem Hl. Land nach Südfrankreich finden sich v. a. auf dem Tiefenbronner Altar von L. MOSER (1431), ihre legendäre Himmelfahrt im Kleid ihrer Haare seit dem späten MA. in vielen Darstellungen (Hausbuchmeister, T. RIEMENSCHNEIDER, 1490–92; Münnerstadt). Im Barock wurde sie als schöne Büßerin oft dargestellt (P. P. RUBENS u. a.). – Zyklen finden sich seit dem 13. Jh. v. a. in Frankreich, z. T. auch in Italien (um 1280, Tafelbild des Florentiner M. Magdalena-Meisters. Florenz, Accademia; im 14. Jh. Fresken der Giotto-Schule in Assisi, San Francesco, Unterkirche, M. Magdalena-Kapelle).

Maria [mərˈɪə], Walter de, amerikan. bildender Künstler, *Albany (Kalifornien) 1. 10. 1935, nahm teil an der Happening-Bewegung (1960), an der Minimal Art, der Concept Art und Land Art, doch lassen sich seine radikal vereinfachenden, symbolstarken Arbeiten auf keine Richtung festlegen (›Vertikaler Erdkilometer‹ auf der documenta 6 in Kassel, 1977; ein Messingstab von 5 cm Ø und 1 km Länge in die Erde gesenkt).

Maria Birnbaum, barocke Wallfahrtskirche bei Aichach im bayer. Schwaben; origineller, überkuppelter Zentralbau (1661–68) mit entwicklungsgeschichtlich interessantem Stuck von M. SCHMUZER und qualitätvoller gleichzeitiger Einrichtung.

Maria Gail, Stadtteil von Villach, Kärnten, Österreich. Die got. Pfarrkirche (1. H. 15. Jh.) mit mächtigem, im Kern roman. Turm birgt einen prächtigen spätgot. Flügelaltar (um 1520), mit Ausnahme des Gesprenges vollständig erh., im Mittelschrein vollplast. Gruppe der Marienkrönung.

Maria Laach, 1) Benediktinerabtei (1093 gegr.) in der Gem. Glees, Kr. Ahrweiler, Rheinl.-Pf., am Laacher See; die sechstürmige, doppelchörige, kreuzgratgewölbte Klosterkirche (1093 bis um 1220/30), eine dreischiffige Pfeilerbasilika, ist eines der hervorragendsten Zeugnisse roman. Baukunst, beeinflußt von den Domen von Mainz, Speyer und Bonn. Im O-Chor bed. Altarciborium (nach 1256); got. Stifter-Tumba (um 1270). In der stimmungsvollen Paradiesvorhalle (um 1225) reicher plast. Schmuck des Samson-Meisters.

2) M. L. am Jauerling, Marktgem. im Bez. Krems, NÖ. Die spätgot. Pfarrkirche (15. Jh.) birgt einen prachtvollen Flügelaltar aus Passauer Werkstatt (um 1490) und das Renaissance-Freigrab Johann Georgs III. von Kuefstein (1607 von A. COLIN).

Maria-Limbach, barocke Wallfahrtskirche (1751 bis 1755) bei Eltmann, Unterfranken, ein Spätwerk B. NEUMANNS mit prachtvollen Altären (1761) von J. P. WAGNER und Rokokostuck.

Maria Laach 1): Klosterkirche; 1093 bis um 1220/30

Mariana, Stadt im Staat Minas Gerais, Brasilien, 16000 Ew. Das 1709 gegr. M. hat sein kolonialzeitl. Gepräge weitgehend erhalten, steht heute unter Denkmalschutz und besitzt mit seinen Kirchen Hauptwerke des Minas-Barock: Kathedrale (1709–1760) mit zweistökkiger, vertikal und horizontal gegliederter Zweiturmfassade, bekrönt von einem spitzen Giebel; S. Francisco de Assis (1763–19. Jh.) mit dekorativem Portalrelief und Treppe aus Speckstein, Sakristei mit Deckengemälden; die Kirche S. Pedro dos Cléricos (1752) ist heute Mus. (Barockkunst). Die Kapelle Nuestra Senhora da Boa Morte (18. Jh.) hat eine ausgewogen gestaltete Rokoko-Fassade (schöner Abschluß der farbig abgesetzten, geschweiften Giebelpartie durch Voluten). Daneben sind auch schöne Profanbauten, u. a. Bürgerhäuser im Barock- und Rokokostil, erhalten. Erzbischöfl. Mus. (Kolonialkunst).

Mariapfarr, Marktgem. im Lungau, Salzburg, Österreich. Die im Kern roman. Pfarrkirche mit frühgot. Chor und spätgot. basilikalem Langhaus (1446 gew.) birgt roman. (Leben Jesu, um 1220) und got. Fresken (Georgslegende, um 1430, von den Meistern FRIEDRICH und JOHANNES VON VILLACH).

Maria Saal, Marktgem. bei Klagenfurt, Kärnten, Österreich, 3450 Ew. Die spätgot. Wallfahrtskirche (1. H. 15. Jh.) liegt inmitten einer Kirchenburg. In den dreischiffigen, doppeltürmigen Bau sind zahlreiche röm. Spolien (u. a. Pantherrelief, Relief eines Reisewagens) und Grabsteine seit der frühen Neuzeit eingemauert. Im Inneren Fresken (15. Jh.), wertvolle Ausstattung (u. a. 2 spätgot. geschnitzte Flügelaltäre: ›Arndorfer Altar‹, um 1515/20, und ›Georgsaltar‹, 1526; karoling. Tischaltar mit 6 Säulchen, zu einem Sarkophag ausgemauert; Barockaltar mit geschnitzter spätgot. Kreuzgruppe). Der runde Karner (1416) ist in die Wehranlage einbezogen. Freilicht-Mus. (Kärntner Bauernhöfe).

Maria Taferl, Marktgem. im Bez. Melk, NÖ, 800 Ew., bed. Wallfahrtsort. Der 1660 beg. barocke Kirchenbau wurde 1710 mit der Kuppel von J. PRANDTAUER voll., die Dekoration und Ausstattung stammt v. a. aus dem 18. Jh. (Altarbilder von M. J. SCHMIDT).

Maria von Ägypten, Einsiedlerin, deren Grab im 6. Jh. verehrt wurde; nach der Legende eine Dirne, die, durch ein Wunder in Jerusalem bekehrt, 47 Jahre in der Wüste östlich des Jordan lebte. Darstellungen begegnen im O seit Ende des 10. Jh. (kappadok. Höhlenkirchen), im W seit dem 12. Jh. (Toulouse, St. Étienne – heute ebd., Mus.); von Maria Magdalena oft nur durch ihr Attribut (3 Brote, die sie in die Wüste mitnahm) unterscheidbar.

Maria Wörth, Gem. in Kärnten, Österreich, am S-Ufer des Wörther Sees, 1000 Ew.; spätgot. Pfarrkirche mit roman. Resten (12. Jh.), spätgot. und barocke Fresken an südl. und westl. Außenwand, prachtvoller Hochaltar (1658), roman. Krypta; roman. ›Winterkirche‹ (wohl 1155 gew.) mit bed. roman. Fresken; kreisrunder Karner (1279 gew.).

Mariazell, Wallfahrtsort in der Obersteiermark, Österreich, 2400 Ew. Die Pfarr- und Wallfahrtskirche ist eine dreischiffige got. Halle (1380–96); beim Umbau (1644–83) erhielt der got. W-Turm 2 flankierende Barocktürme. Reiche Stuckdekoration; Hochaltar von J. B. FISCHER VON ERLACH; Gnadenkapelle mit wertvoller Ausstattung.

Marib, ehem. Hauptstadt der Sabäer in S-Arabien (heute Arab. Rep. Jemen), →altarabische Kunst.

Maribo, Hauptort der dän. Insel Lolland, 5300 Ew., um ein Birgittenkloster (17./18. Jh. abgerissen) entstanden; got. Dom (ehem. Klosterkirche, 15. Jh.), eine dreischiffige Hallenkirche mit breitem, leicht überhöhtem Mittelschiff; Altaraufbau im Knorpelstil (1641).

Maribor, dt. **Marburg,** Stadt in Slowenien, Jugoslawien, an der Drau, 104700 Ew. Der dt. Name geht auf die Markburg, den Sitz des Markgrafen zurück; seit 1836 heißt die Stadt Maribor. – In der Altstadt Reste der Stadtmauern mit Wasserturm (14. Jh.) und Gerichtsturm (16. Jh.). Das Schloß des Landesfürsten (15. Jh., im 17. Jh. barockisiert; Rokoko-Treppe von 1749) ist heute Mus. Der Dom aus dem 12. Jh. wurde mehrmals umgebaut; im Innern spätgot. Chorschranke und Steinsitze, Marienholzplastik (um 1510). In mehreren Phasen wurde das Rathaus gebaut (Renaissance-Hauptfassade; barocke Elemente); barocke Aloysiuskirche (1769) mit klassizist. Portal.

Marieberg [mari:əb'ærj], heute Stadtteil von Stockholm. 1758 wurde hier durch den Töpfereibesitzer J. L. E. EHRENREICH eine Fayencemanufaktur mit dem Privileg zur Porzellanherstellung gegr., die seit 1769 auch eine Art cremefarbenes Steingut herstellte. Die in M. produzierte Ware wurde häufig mit einem aufmodellierten Rosenzweig geschmückt. 1782 Verkauf an die Manufaktur in Rörstrand.

Mari|enberg, Stadt im mittleren Erzgebirge, Dt. Dem. Rep., 8900 Ew.; 1521 als Bergstadt (Silberfunde) gegr., regelmäßiger Grundriß mit großem Marktplatz; spätgot. Marienkirche (1558–64, im 17. Jh. umgestaltet) mit reicher Ausstattung: spätgot. Schnitzaltar aus Freiberger Werkstatt, 2 Bergmannsleuchter (1614), 2 lebensgroße Bergmannsfiguren (1687) u.a.; Renaissance-Rathaus (1533–39).

Mari|enbild, die Darstellung Mariens in Bild (→Ikone; →Altarbild, →Gnadenbilder) und Plastik, neben dem →Christusbild das Hauptthema der christl. Kunst. Unterschieden werden Szenen des Marienlebens, seit dem 12. Jh. von Byzanz ausgehend, in Zyklen und, seit der Gotik, in einzelnen Szenen (→Andachtsbild, →Beweinung Christi, →Darstellung Christi im Tempel, →Flucht nach Ägypten, →Geburt Christi, →Heilige Familie, →Heimsuchung Mariä, →Himmelfahrt Mariä, →Kreuzabnahme Christi, →Kreuzigung, →Krönung Mariä, →Mater dolorosa, →Schutzmantelbild, →Tempelgang Mariä, →Verkündigung) und die selbständige Darstellung der Gestalt Mariens, schon in der frühchristl. Kunst (seit dem 2. Jh.) wie in der byzantin. Kunst (seit dem 6. Jh.). Nach Herkunft oder Bestimmung des Urbildes begegnen hier versch. Typen des M., v. a. die **Blacherniọtissa** (das Urbild wohl aus der Blachernenkirche in Konstantinopel): Sie zeigt Maria in Orantenstellung, meist in der Apsis (als Hinweis ihrer vermittelnden Stellung zu dem, in der Kuppel dargestellten, Pantokrator). Die **Hodegẹtria** (das Urbild aus dem Hodegon-Kloster in Konstantinopel) zeigt Maria mit dem Kind auf dem linken Arm, die **Glykophilụsa** (dt. ›die Süß-Küssende‹) Maria, das Kind im Arm liebkosend. Das Urbild der **Nikopọia** (Istanbul, Hagia Sophia, Empore, um 1118; Venedig, S. Marco, 10. Jh.) soll, wie ihr Name ›die Siegbringende‹ besagt, den byzantin. Kaiser auf seinen Feldzügen begleitet haben; sie zeigt Maria thronend, das Kind vor sich auf dem Schoß haltend. Bes. dieser Typus nahm Anregungen der vorchristl. Antike auf und war im Westen (in eigenständiger Darstellung) bis zur Romanik vorherrschend. Als Thron des Gottessohnes erscheint Maria in einer dem Diesseits entrückten Strenge in dem ersten vollplast. M. des Westens, der ›Goldenen Madonna‹ (973–82; Essen, Münsterschatz; BILD Essen) und der Madonna des Bischofs Imad (zw. 1051 und 1076; Paderborn, Diözesan-Mus.; BILD salische Kunst). Die thronende Hodegetria zeigen Altartafeln des 13./14. Jh. in Italien (GUIDO DA SIENA, Madonna del Voto, 1262; CIMABUE, um 1280; DUCCIO, Madonna Rucellai, 1285; GIOTTO, Ognisanti-Madonna, 1312), Maria zw. Heiligen in breitformatigem Altarbild (P. LORENZETTI, 1320; Arezzo). Von den Altartafeln der Giotto-Schule des 14. Jh. werden beide Typen in einem einheitl. Raum zusammengefaßt (Vorstufe der späteren →Sacra conversazione). – Mit dem →Schönen Stil der Gotik wandelte sich die Darstellung Mariens: sie wendet sich stärker dem Kind zu, das sich spielend in ihrem Arm bewegt. Doch bleibt die Würde der Madonna selbst als stillende Mutter **(Galaktotrophụsa,** lat. **Maria lạctans)** erhalten (J. VAN EYCK ›Lucca Madonna‹; Frankfurt a. M., Städelsches Kunstinstitut). Während die Gotik die stehende Madonna bevorzugt (Kathedralplastik des 13. Jh.: Marien-Statuen am Mittelpfosten der Portale; →Schöne Madonnen, um 1400), wendet sich die Renaissance wieder dem Andachtsbild der auch auf den Wolken (RAFFAEL, Sixtin. Madonna, 1513/14; BILD Raffael) oder in der Landschaft thronenden (G. BELLINI, Madonna in der Wiese, um 1505) Gottesmutter zu (vgl. auch →Paradiesgärtlein). Im Barock wird die Verherrlichung Mariens thematisch variiert (›Assunta‹, ›Immaculata‹); sie wird in eine mit Wolken und Engelsscharen erfüllte Sphäre erhoben (B. E. MURILLO, Immaculata, um 1678, Louvre; E. Q. ASAM, Himmelfahrt Mariä, 1718–22, Rohr, Klosterkirche), erscheint als ›Maria vom Siege‹ (I. GÜNTHER, 1764; Weyarn, Holzskulptur) über der Mondsichel oder auf der Erdkugel, die Schlange des Bösen niedertretend, zuweilen umgeben von den Symbolen ihrer Jungfräulichkeit (Turm, geschlossener Garten, blühender Stab Aarons, ›rosa mystica‹). Verbreitet sind bes. in dieser Zeit die Ordens- und Bruderschaftsbilder (M. DA CARAVAGGIO, Rosenkranz-Madonna, 1605–07; P. P. RUBENS, 1631/32), Haus-Madonnen (v. a. H. KRUMPPER, Patrona Bavariae, 1614–16, München, Residenz;

J.B. Straub, Haus-Madonna, 1759) und Mariensäulen (v.a. die Mariensäule auf dem Marienplatz in München mit der Statue von H. Gerhard, 1598–1613, und die Mariensäule auf dem Domplatz in Eichstätt von J. P. Prokop, 1713).

Die nüchterne Betrachtung der Aufklärung ließ zunächst eine neue Gestaltung des M. nicht zu. Das 19. Jh. (E. Delacroix, A.-D. Ingres; →Nazarener, →Beuroner Kunstschule) folgte im M. v.a. dem Vorbild der Renaissance, das 20. Jh. eher dem des MA. Der subjektiven Darstellung von E. Munch (Maria als Halbakt mit rotem Nimbus, 1894/95) und der Übernahme einer Gestalt aus der Südsee (P. Gauguin, La Orana Maria, 1891) stehen die ikonenhafte Maria von G. Rouault (in ›Miserere‹, 1927) und die archetyp. Auffassung von H. Moore (1944; Northampton, St. Matthew) gegenüber.

R. Lange: Das M. der frühen Jahrhunderte (1970); Die Gottesmutter, M. in Rheinland und in Westfalen, hg. v. L. Küppers, 2 Bde. (1974); E. G. Grimme: Dt. Madonnen (1977); K. Kolb: Mariengnadenbilder ([2]1978); H. Sperber: Unsere Liebe Frau. 800 Jahre Madonnenbild und Marienverehrung zw. Lech und Salzach (1979).

Mari|enborn, Gem. im Kr. Oschersleben, Bez. Magdeburg, Dt. Dem. Rep., 900 Ew., mit der spätroman. Kirche des ehem. Augustinerinnenklosters (2. H. 13. Jh., verändert 19. Jh.); vom spätgot. Kreuzgang (2. H. 15. Jh.) sind S- und W-Flügel erhalten.

Mari|enburg (Westpr.), poln. **Malbork**, Stadt in der poln. Wwschaft Elblag (Elbing), 34000 Ew., an der Nogat. – M. (Stadtrecht 1276) wurde neben der Ordensburg planmäßig angelegt, mit breiter Marktstraße und dem Rathaus (1365–80; 1457–60 umgebaut) im Mittelpunkt; im 2. Weltkrieg stark zerstört, danach wiederaufgebaut. Erh. blieben Teile der Stadtmauern mit Töpfer- und Marientor (1352–83); spätgot. Pfarrkirche (1468–1523; Gewölbe 1538).

Die Burg war seit 1280 Konventssitz des Dt. Ritterordens, 1308–1457 Residenz des Hochmeisters. Der älteste Teil der Anlage ist das Hochschloß, 1276–80 auf quadrat. Grundriß gebaut, 1334–44 ausgebaut mit doppelgeschossigem Kreuzgang zum Hof, Kapitelsaal, Marien- und Annakapelle mit Sterngewölbe sowie mächtigem Wehrturm. Die ehem. Vorburg wurde zum Mittelschloß ausgebaut, 1318–24 entstand der Große Remter mit Sterngewölbe, 1383–99 an der W-Seite der wehrhafte Hochmeisterpalast. Die neue Vorburg im N mit Zeughaus, Laurentiuskirche u.a. Bauten entstand 1309. Die Burganlage war von Wehrmauern mit Basteien (13./14. Jh.) umgeben. Im 19./20. Jh. wurde die z. T. verfallene Burg restauriert und nach Zerstörung (1945; 1959 Brand) wiederhergestellt (heute Mus.).

H. Boockmann: Die M. (1982).

Mari|enfeld, Stadtteil von Harsewinkel, Kr. Gütersloh, NRW, mit ehem. Zisterzienserabtei (1185 gegr.); die Klosterkirche an der Wende von Romanik zu Gotik (1222 gew.) erhielt im 14. Jh. den rechteckigen Chorumgang, im 18. Jh. entstanden das nördl. Seitenschiff und die O-Partie; prunkvolle Barockorgel (1747–51).

Mari|enhafe, Gem. im Kr. Aurich, Ndsachs. Die got. Gewölbebasilika St. Marien (›Mariendom‹,

13. Jh.) war bis zum Teilabbruch 1829 mit 73 m Länge der größte und am reichsten geschmückte Sakralbau Ostfrieslands. Reste der originellen Bauplastik im Turm und im Ostfries. Landes-Mus. in Emden.

Mari|enkapelle, die dem Chor von Kathedralen und größeren Kirchen im O angefügte, der Jungfrau Maria geweihte Kapelle; sie kommt bes. in N-Frankreich und den Niederlanden vor (Kathedralen von Évreux, Anfang 14. Jh., und Coutances, um 1380), oft als Zentralbau (Gent, Sint Pieters, Ende 13. Jh.). In England heißt die M. →Lady Chapel.

Mari|enmünster, Stadt im Kr. Höxter, NRW, mit ehem. Benediktinerkloster (1128 gegr.); die roman. Basilika wurde ab 1661 umgebaut und barock ausgestattet (imposanter Hochaltar, 1685, schmiedeeisernes Chorgitter, 1693).

Mari|ensee, Stadtteil von Neustadt am Rübenberge, Ndsachs., mit ehem. Zisterzienserinnenkloster (heute evang. Damenstift); die dreijochige got. Backsteinsaalkirche (13. Jh.) besitzt gute Holzplastiken (u. a. hervorragendes Dreinagelkruzifix der Erbauungszeit). Vierflügelige barocke Abteianlage (1726–29).

Mari|enstatt, Ortsteil von Streithausen, Westerwaldkreis, Rheinl.-Pf.; Zisterzienserabtei (1215 gegr., seit 1222 in M.) mit frühgot. Klosterkirche, einer Rundpfeilerbasilika des 13./14. Jh. Der Chor mit offenem Strebesystem hat einen Umgang mit Kapellenkranz. Reiche Ausstattung, u. a. Chorgestühl (köln. Arbeit um 1300) und Ursula-Altar (um 1350), einer der ältesten Flügelaltäre in Dtl. Schloßartige barocke Klosteranlage (1735–47) mit repräsentativem Treppenhaus.

Mari|ental, Gem. im Kr. Helmstedt, Ndsachs. Die Kirche des ehem. Zisterzienserklosters (1138 gegr.) ist eine roman. flachgedeckte Pfeilerbasilika (12. Jh.). Die Abteigebäude (12.–14. Jh.) sind bis auf den 1840 abgerissenen Kreuzgang gut erhalten.

Mari|enwerder, poln. **Kwidzyn** [kf'idzin], Stadt in

Marienwerder: Ordensburg

der poln. Wwschaft Elbląg (Elbing), 31 000 Ew. – Der Dt. Orden baute 1233 hier eine Burg und überließ diese dem Bischof von Pomesanien. Der heutige got. Backsteinbau (mit Dansker, durch einen Arkadengang verbunden) ist größtenteils aus dem 14. Jh. und bildet eine baul. Einheit mit der Kathedrale (1344–55), in der Mosaiken und Wandmalereien (14. Jh.) erh. sind.

Marieschi [mari'eski], Michele, ital. Maler, *Venedig 1. 12. 1710, †ebd. 18. 1. 1743, malte venezianische Veduten nach den Vorbildern von CANALETTO und B. BELLOTTO und war vor 1735 einige Zeit als Bühnendekorateur in Dtl. tätig.

Marin [m'ɑ:rɪn], John, amerikan. Maler, *Rutherford (New Jersey) 23. 12. 1870, †Cape Split (Maine) 1. 10. 1953, ausgebildet in Europa, stellte 1913 in der Armory Show in New York aus. Seine Architektur- und Städtebilder sind von kristallinem Aufbau (›Downtown New York‹, 1923; London, Tate Gal.).

Marind-anim, Stammesgruppe an der S-Küste W-Neuguineas (Irian Jaya), Träger des Dema-Kultes. Dema – Schöpferwesen der Urzeit, die durch ihren Tod heutiges Leben begründet haben – werden in Zeremonien als individuelle Wesenheiten vergegenwärtigt. Die dazu benutzten Tanzaufsätze und Kostümierungen (oft in Tier- und Pflanzenform) aus Palmmaterialien werden durch Auflegemuster mit versch. schwarzen, roten und weißen Samen, durch Aufstecken von Federn und durch Bemalen verziert. Die Schnitzkunst beschränkt sich auf Röhrentrommeln, Schilde und einige wenige Holzobjekte (Paddel, verzierte Pfosten von Festhütten). Die Schädel Verstorbener (oder im Ritual Getöteter) wurden möglichst realistisch mit dem traditionellen Haarschmuck aus Pandanusblättern konserviert.

Marind-anim: Dema aus Palmblattmaterial, Holz, Bast, Samen und Federn; Höhe 3,1 m (Basel, Museum für Völkerkunde)

P. WIRZ: Die M.-a. von Holländisch-Süd-Neu-Guinea. Abhandlungen aus dem Gebiet der Auslandskunde 10 u. 16, 4 Bde. (1922 u. 1925).

Marinemalerei, →Seestück.

Marinetti, Emilio Filippo Tommaso, ital. Schriftst., *Alexandria (Ägypten) 22. 12. 1876, †Bellagio 2. 12. 1944, gründete 1908 mit anderen Literaten, Malern, Bildhauern und Architekten die Bewegung des →Futurismus, deren Ideen in Manifesten, Gemälden, Plastiken und architekton. Projekten (seit 1914 mit A. SANT'ELIA) verbreitet wurden.

F. T. M.: Manifeste du Futurisme, in: Le Figaro (Paris, 20. 2. 1909).

Marini, Marino, ital. Bildhauer, Maler, Graphiker, *Pistoia 27. 2. 1901, †Viareggio 6. 8. 1980, unterrichtete seit 1929 an der Kunstschule in Monza, 1940–70 an der Brera-Akad. in Mailand. M. lernte schon früh von der antiken, bes. der etrusk. Plastik, die seiner Wirklichkeitsbeobachtung Vorbilder einer knapp formulierenden Abstraktion lieferte. Er verband das mediterrane Erbe konzentrierter Menschendarstellung mit dem Formbewußtsein des 20. Jh. und wurde so der wichtigste ital. Bildhauer zw. Tradition und Modernität. Durch die polychrome Bemalung mit Kraftlinien und -feldern gewinnen seine Holz-Bronze-Gipsskulpturen eine zusätzl. Eigenart. Ihr Spektrum umfaßt, neben Tänzerin-

Marino Marini: Reiter; Bronze, 1947 (Amsterdam, Stedelijk Museum)

nen, Akten, Gauklern, v.a. die Polarität von erdhaft schweren, rundleibigen Frauenkörpern, Urbildern des mütterl. Lebens (Pomona) und von Reiter und Pferd, die in den 1950er Jahren immer dramatischer zu einer einzigen Formfigur verschmelzen und um 1960 z. T. in eine rein abstrakte Komposition übergehen; außerdem Porträtköpfe zw. psycholog. Präzision und abbrevierter Modellierung. M.s Malerei übersetzt die Figurenwelt seiner Plastik in eine eher dekorative Farbigkeit.

P. Waldberg u. G. di San Lazzaro: M. M. Leben und Werk (1971); A. M. Hammacher: M. M. (a.d. Niederländ., 1972); M. M. Druckgraphik, Werk-Kat. (1976).

Maris, niederländ. Maler: Jacob (*Den Haag 25. 8. 1837, †Karlsbad 7. 8. 1899) lernte bes. in der Schule von Barbizon, ging von der Figuren- zur Landschaftsmalerei über, in der er die niederländ. Ebene, Weiden und den Strand in Luft und Licht darstellte. Sein Bruder Matthijs (*Den Haag 17. 8. 1839, †London 22. 8. 1917) malte unter dt.-romant. und englisch-präraffaelit. Einfluß Stimmungslandschaften und traumhafte Figurenbilder. Beider Bruder Willem (*Den Haag 18. 2. 1844, †ebd. 10. 10. 1910) war ihr Schüler und malte sonnendurchschienene niederländ. Flachlandschaften und Tierbilder.

Marisọl, eigtl. Marisol **Escobạr,** amerikan. Bildhauerin venezolan. Herkunft, *Paris 22. 5. 1930, gestaltet mit satir. Akzent zeitgenöss. Idole und Rituale aus Politik, Film und Fernsehen mit vereinfachten Mitteln (›The party‹, 1965/66, 15 lebensgroße Holzfiguren mit stelenartigem Charakter); ihre Werke stehen der Pop Art nahe.

Maristạn, Muristạn [pers. ›Krankenhaus‹], im islam. Kulturbereich eine Anlage, die ein Krankenhaus, eine Moschee, Medrese und auch das Grab des Stifters umschließt, z. B. Stiftungskomplex des Sultans Kalaun in Kairo (13. Jh.).

Marka, Volksgruppe in Westafrika, beiderseits der Grenze Mali/Obervolta; schnitzt hauptsächlich Masken und (v. a. in Mali) Marionettenfiguren. Die M. in Mali arbeiten sehr im Stil der nachbarl. Bambara; ihre Masken sind lediglich spitzer im Gesicht und meist durch Metallstreifen geschmückt. Die M. in Obervolta nähern sich dagegen den Ausdrucksformen der Bobo, Grusi u. a., deren Masken durch strengere Linien, einen Hang zu kubist. Formen und zu starken Farben gekennzeichnet sind.

Mark-Aurel-Reiterstandbild, →Reiterstandbild.

Mark-Aurel-Säule, Markus|säule, Marcus|säule, die dem Kaiser Mark Aurel nach seinem Tod zw. 180 und 193 errichtete, jetzt 42 m hohe Säule auf der Piazza Colonna in Rom, nach dem Vorbild der Trajanssäule erbaut. Das spiralförmig um den Schaft laufende Reliefband schildert Kriegstaten des Kaisers in den Jahren 172–175. Auf der Säule steht seit der Erneuerung von 1589 ein Standbild des Apostels Paulus.

Marke, an →Porzellan (Porzellan-M.), Fayencen, Edelmetall- und Zinngerät (→Stempelung), Möbeln, Gobelins u. a. angebrachte Herkunftszeichen, die Ort, Manufaktur oder Fabrik, Meister, gelegentlich auch den Besitzer angeben und damit zugleich die Entstehungszeit erkennbar machen. Über die M. der bildenden Künstler →Monogramm.

Markelius, Sven Gottfrid, schwed. Architekt, *Stockholm 25. 10. 1889, †ebd. 27. 2. 1972, führte um 1930 die Formensprache des ›Internationalen Stils‹ in Schweden ein; war 1944–54 als Stadtplaner in Stockholm tätig.

Marketerie, frz. **Marqueterie** [markətr'i], →Intarsia.

Markgröningen, ehem. Reichsstadt im Kr. Ludwigsburg, Bad.-Württ., 12300 Ew., hat zahlreiche Fachwerkhäuser, am schönsten das mächtige dreistöckige Rathaus (15. Jh.) und das Wimpelinhaus (1630) neben dem originellen Obertorturm; doppeltürmige Stadtkirche, eine got. Gewölbebasilika (13./14. Jh., Chor 1472, Malereien 14.–16. Jh.); Heiliggeistspital (15./16. Jh.) mit got. Kapellenchor (um 1300). Im Stadtteil **Unterriexingen** klassizist. Schloß (1813) mit ma. Bergfried und got. Wallfahrtskirche (14. Jh.).

Markov, Kloster des Hl. Demetrius, südlich von Skopje in Jugoslawien, von Marko, dem Sohn von König Stefan Dušan, 1345 gegr. Die Kirche mit reichem Stein- und Terrakotta-Dekor hat bed. Wandmalereien (1371–95).

Marksdorf, Stadt in der ČSSR, →Markušovce.

Marksuhl, Gem. bei Eisenach, Dt. Dem. Rep., mit Renaissanceschloß (1587–91, O-Flügel 1714 abgebrochen), hoher Treppenturm, in den Fenstergiebeln des Erdgeschosses Neidköpfe, Tor mit reicher Bauplastik (1613–16); barocke Pfarrkirche (2. H. 17. Jh.).

Marktbreit, Stadt im Kr. Kitzingen, Unterfranken, 3200 Ew.; maler. Stadtbild mit spätgot. Nikolauskirche (15./16. Jh.), Renaissance-Rathaus (1579) mit dem Maintor (1600), ehem. Seinsheimsches Schloß (1580) und gut erh. Stadtbefestigung (16. Jh.).

Markuslöwe, geflügelter Löwe, meist mit Heiligenschein, das Emblem des Evangelisten Markus, des Schutzpatrons von Venedig (seit Anfang des 9. Jh.). – Der venezian. M. (als Herrschaftszeichen) stützt eine Pranke auf ein offenes Buch mit der Inschrift ›Pax Tibi Marce Evangelista Meus‹ (lat. ›Friede Dir, mein Evangelist Markus!‹); bei auf den Krieg bezogenen Darstellungen ist das Buch geschlossen.

Markušovce [-ʃɔftsɛ], dt. **Marksdorf,** Gem. im Ostslowak. Kr., ČSSR, unweit Zipser Neudorf. Bei M. Schloßruinen (13./16. Jh.). Das Herrenhaus der Fam. Mariássy, ein Renaissanceschloß mit fast quadrat. Grundriß und kreisförmigen Eckbasteien (1643), wurde 1770–75 im Rokokostil umgestaltet (heute Mus. für histor. Möbel der Slowakei); im Schloßpark Bauten aus dem 18. Jh.

Marlik Tepe, archäolog. Fundstelle in Iran, nahe dem Kasp. Meer (KARTE Alter Orient), mit 53 von iran. Archäologen ausgegrabenen Gräbern. Neben figürl. Keramik (Amlasch nahestehend) wurden v. a. Schmuckstücke und Gefäße aus Bronze und Edelmetall gefunden, deren Machart und Dekor Verbindungen zu den Steppenvölkern S-Rußlands, aber auch nach Luristan verraten. Die Datierung (etwa 1250–1000 v. Chr.) ist umstritten.

Marmion [marmj'ɔ̃], Simon, frz. Buch- und Tafelmaler, *Amiens(?) um 1420/25, †Valenciennes 15. oder 24. 12. 1489, ebd. seit 1455 nachweisbar, stand der Pariser Schule der Buchmalerei und den niederländ. Malern (bes. R. VAN DER WEYDEN und D. BOUTS) nahe. Zugeschrieben werden ihm als Jugendwerk der Hochaltar der Abteikirche St. Bertin in St. Omer (1455–59; je 2 Tle. in Berlin-West, Staatl. Museen, und London, Nat.-Gal.) sowie Tafelbilder, Porträts, Chroniken und v. a. Miniaturen für Gebetbücher. Allen Werken ist die Feinheit in der Wiedergabe von Einzelheiten gemeinsam.

WW (Miniaturen; z. T. mit anderen) in: Bilderchronik ›Froissart‹ (Leningrad, Bibl.); Fleurs des Histoires de Jean Mansel (Brüssel, Bibl. Royale); Pontificale von Sens (ebd.); Pontificale (Haarlem, Teyler Mus.); Missale (Turin, Bibl. im Palazzo Reale); Estrif de Fortune (ebd.); Gebetbuch (Löwen, Univ.-Bibl.); Stundenbuch (London, Brit.-Mus.).

Marmor [grch. marmaros ›Felsblock‹], mittel- bis grobkristalliner metamorpher Kalkstein, seltener Dolomit; Verunreinigungen führen zu flecken- oder aderförmigen Verfärbungen, z. B. Eisenverbindungen (gelb, rot, braun), Graphit (grau, schwarz). **Ophicalcit** ist ein von Serpentinstreifen durchzogener M.; rein weißer M. für Bildhauerzwecke ist selten (z. B. Carrara, Italien).

M. war in der Antike wohl das am häufigsten verwendete Material in Architektur und Bildhauerei, wobei er in der Bauplastik z. T. nur eingeschränkt (Partien der unbedeckten Haut) verarbeitet wurde. Die Griechen bevorzugten einfarbigen M., in der röm. Kaiserzeit verwendete man häufiger am Bau und auch für Skulpturen verschiedenfarbigen M. Bekannteste M.-Arten des antiken Griechenland waren der **pentelische** und der **parische M.** Der pentelische M. aus dem Pentelikongebirge Attikas war weiß, feinkörnig und bekam im Lauf der Zeit einen gelbl. Schimmer; die unter PERIKLES errichteten Bauten Athens nach den Perserkriegen waren aus diesem M. Der teils grob-, teils auch feinkörnige parische M. (von der Insel Paros) war reinweiß und galt als bester Statuen-M. der Antike; von Karystos (Euböa) stammte ein verschiedenfarbig gestreifter M. (→Cipollino); in Italien wurde seit der Antike bis heute weißer, sehr feinkörniger M. in Luni (heute Carrara) gebrochen. Aus Afrika kamen die in der röm. Kaiserzeit außerordentlich beliebten bunten M.-Arten, v.a. der gelbe **M. Numidiens** in reichster Farbskala.

M. blieb in Italien zu allen Zeiten bevorzugtes Material. Nördlich der Alpen wurde er im MA. kaum verwendet. Erst die Renaissance, v. a. der Barock, der seine Farbwirkung gerne nützte, schenkte ihm wieder Beachtung. Der Farbvorstellung des Klassizismus kam der weiße M. aus Carrara entgegen. In der Kunst des 20. Jh. wird M. selten benutzt (A. MAILLOL, C. BRÂNCUŞI).

Marmorbilder, röm. Bilder der frühen Kaiserzeit, in enkaustischer Technik auf Marmorplatten gemalt. Die in Pompeji und Herculaneum gefundenen Tafeln, einst in die Wände eingelassen, gelten als Kopien grch. Gemälde des 5.–3. Jh. v. Chr. (›Knöchelspielerinnen‹, ›Kentaurenkämpfe‹, Neapel, Nat.-Mus.).

Marmorierung, Maltechnik: gemalte Strukturierung eines Objektes in Marmorart. Schon im klass. Altertum wurden zur Dekoration von Bauwerken seltene Marmore durch Malerei imitiert. Urspr. sind M. preiswerter Ersatz für tatsächlich vorkommende Steinarten, doch läßt sich in allen Perioden der Kunstgeschichte auch ihre Verselbständigung zu einer vom natürl. Vorbild gelösten Dekorationskunst beobachten.

Marmorkalk, Maltechnik: 1) gemahlener kristallreiner Kalkstein, als weißer Füllstoff gebraucht; 2) hochwertiger Kalk für Wandmalereien.

Marmormehl, Maltechnik: pulverisierter kristallreiner Kalkstein, der als Füllstoff in Feinputzen und Grundierungen verwendet wird.

Marmorzement, eigtl. **Marmorgips,** doppeltgebrannter, alaunisierter Gips.

Marmoutier [marmutj'e], frz. für →Maursmünster.

Máro, Antonio, peruan. Maler, *Catacáos (N-Peru) 1928, lebt seit 1950 in Europa; verbindet, v.a. beeinflußt von W. BAUMEISTER, Elemente der europ. und peruan. Malerei. Seine Ölbilder und ›Contraplanos‹ (Ölfarbe u.a. Materialien) sind in mehreren, farblich abwechslungsreichen Schichten angelegt.

Maron, Anton von (1772), Maler, *Wien 1733, †Rom 3. 3. 1808, lernte in Wien und Rom (A. R. MENGS), reformierte 1772 die Wiener Akad. Er malte Historienbilder und Porträts.

HW: Porträt J. J. Winckelmann (1768; Weimar, Mus.).

Marquesas: Kanu-Tiki (Berlin-West, Museum für Völkerkunde)

Marot [mar'o], frz.-holländ. Künstlerfamilie des 17./18. Jh.: Jean (*Paris? 1619, †ebd. 15. 12. 1679), Architekt, Kupferstecher, der in seinen Stichen die Bauten der Zeit LUDWIGS XIV. (z. B. die Stadt →Richelieu) überlieferte und die Pläne für die Vollendung des Louvre in Paris und für das Mannheimer Schloß entwarf. Sein Sohn Daniel d. Ä. (*Paris um 1663, †Den Haag 4. 6. 1752), Architekt, Kupferstecher, seit 1685 in den Niederlanden, verbreitete durch Ornamentstiche den frz. Dekorationsstil in Holland und England (Londonaufenthalt 1697/98); veröffentlichte den ›Grand M.‹ (Den Haag 1703, Stichsammlung).

Maroua [-u-], **Marua,** Stadt in N-Kamerun, am O-Fuß der Mandara-Berge, 46 100 Ew.; kleines Mus. (traditionelle Kunst Kameruns).

Marquesas [-k'e-], Inselgruppe am östl. Rand Polynesiens, vermutlich um 200 v. Chr. von Samoa und Tonga aus besiedelt. Die klass. Periode der M.-Kultur lag zw. 1400 und dem ersten Kontakt mit Europäern (1595). Figürl. Plastiken aus Holz (Bootsaufsätze, Stelzentritte) oder Stein (Netzsenker, Ahnen auf Kultplätzen), seltener aus Elfenbein (Ohrschmuck, Fächergriffe) zeigen auf gedrungenem, gelegentlich sitzend dargestelltem Körper einen gerundeten Kopf mit wenig greifbaren Binnenkonturen und großen, runden Augen sowie gerader Mundlinie. Auf plast. Figuren sind z. T. einzelne Elemente in Flachrelief (Stein, Holz, Bein und Schildpatt) wiedergegeben. Keulenköpfe sind in Form eines Januskopfes, häufig mit kleinen Schädel- (Seelen?) Darstellungen anstelle von Augen und Mund, gearbeitet. Die steinernen →Tiki haben auf den M. mehrdeutigen Charakter, u. a. als Darstellungen von vergöttlichten Ahnen. Eine bes. Blüte erreichte auf den M. die Kunst der Tatauierung.

K. VON DEN STEINEN: Die Marquesaner und ihre Kunst, 3 Bde. (1925, 1928).

Marquet [mark'ɛ], Albert, frz. Landschaftsmaler, *Bordeaux 27. 3. 1875, †Paris 14. 6. 1947, Schüler von G. MOREAU, wandte sich unter dem Einfluß von H. MATISSE dem Fauvismus (→Fauves) zu, gelangte jedoch um 1906 zu einer Bildauffassung, die genaue Naturbeobachtung auf einfache maler. Formen zu bringen suchte. M. malte, durch ganz Europa reisend, v. a. Hafen- und Stadtansichten in abgestumpften und gedeckten Tönen; er schuf auch stimmungsvolle Zeichnungen.

A. M., Ausst.-Kat., München (1976).

Marqueterie [markətr'i, frz.], **Marketerie,** →Intarsia.

Marquise [mark'i:z, frz.], Sitzmöbel, →Causeuse.

Marrakesch, frz. **Marrakech** [-k'ɛʃ], Oasenstadt am N-Fuß des Hohen Atlas, südlichste der 4 marokkan. ›Königsstädte‹, 436 000 Ew. Um 1062 von den Almoraviden gegr. und zur befestigten Hauptstadt ausgebaut; städtebaul. Blüte unter den Almohaden (12./13. Jh.), Meriniden (13./14. Jh.), Saditen (16./17. Jh.) und Aliden (19./Anf. 20. Jh.). Die maler. Medina ist von einer

12 km langen, 15 Seiten bildenden Stampflehmmauer (bis 9 m hoch) mit auskragenden Türmen umgeben, davon 9 km 1126/27 erbaut. Die gegen 1162 vollendete 17schiffige Kutubija-Moschee (T-förmiges Bauschema) ist eine der größten des westl. Islam und gilt als Meisterwerk maur. Baukunst: Kiblaschiff mit Lambrequinbögen, 5 Mukarnaswölbungen, prachtvoller Michrab-Alfiz (Polygonflechtwerk, Rosettenzwickel), monumentaler Minbar (Anf. 13. Jh. in Córdoba gefertigt) mit Elfenbein- und Edelholzschnitzwerk. Das quadrat. Haustein-Minarett (1158–96) mit reitbarer Rampe um 6 übereinanderliegende prächtige Innenräume (oberster mit Rippenkuppel auf Stalaktitentrompen) hat allseitigen, versetzten harmon. Baudekor (Lambrequin-,

Marrakesch: Agnaou-Tor

polylobe und Kreuzbögen-Blendarkaden, blaugrüner Lasurfries unter dem Zinnenkranz) und ist Vorbild der Minarette von Rabat und Sevilla. In der weitläufigen dreiteiligen Almohaden-Kasba (1185–90) liegen der Kalifenpalast und die Kasba-Moschee (1557–74 erneuert) mit 80 m langer Zinnenfassade, im Sahn allseitig offene Riwaks, 11 Schiffe, 3 Stalaktitenkuppeln, prachtvolle Michrabgestaltung (Jaspissäulen, omajjad. Kapitelle), Schnitzminbar (13. Jh.) mit Edelholz-Elfenbein-Intarsien, Minarett mit Arabeskenreliefs und türkisfarbenen Lasurfliesenbändern. Die Mitte des 14. Jh. von den Meriniden gegr. Ben-Jusuf-Medrese wurde 1564/65 zur größten des Maghreb ausgebaut (reicher Stuck-, Marmor- und Edelholzdekor); das marmorne Reinigungsbecken (Ende 10. Jh.) mit dreireihigem Schmuck stammt aus Córdoba. Die Saditen-Mausoleen (1578–1603, seit 1917 restauriert) sind Meisterwerke maur. Innendekors (Stalaktitenkuppeln, Lambrequin- und Mukarnasbögen, gebauchte Marmorsäulen, Stuckarabesken, bemalte vergoldete Zedernholzdecken). Viele prachtvolle Wohnpaläste im maurisch-andalus. Stil mit Innengärten, u. a. Dar Si Said (Ende 19. Jh.), heute Mus. für marokkan. Kunst. Die schönsten Beispiele maghrebin. Gartenbaukunst sind die von den Almohaden angelegten Königsgärten Agdal (3,5 × 1,5 km), Inan Roudan und der Menara-Garten. Von den zahlreichen Monumentaltoren sind die almohad. Schmucktore Bab Agnaou (1130–63, blaues Gueliz-Gestein, vierfache Schmuckarchivolte, reichverzierter

Alfiz, Kufi-Schriftrahmen) und Bab er-Robb (1184–99) bes. reich gestaltet.

Mars, auch **Mavors, Marmar, Marspiter, Mamers,** altitalisch-röm. Gott des Krieges, aber auch Schützer der Fluren und der Tiere, dem grch. Ares gleichgesetzt, aber weit bedeutungsvoller als Siegbringer und Staatsschützer. Der Monat März (Martius) war ihm geheiligt; ein Altar, später ein Tempel lagen auf dem Marsfeld (campus Martius). AUGUSTUS weihte dem M. Ultor (›Rächer‹) auf seinem Forum einen Tempel (als Dank für die an Caesars Mördern gewährte Rache bei Philippi) als Stätte des Staatskults. Seine Attribute waren Lanze, Stier und Pferd. Darstellungen des M. zeigen ihn dem →Ares angeglichen, in der Antike v. a. auf Wandbildern und Reliefs; in der röm. Kaiserzeit entstanden zahlreiche Statuetten des M. Die Neuzeit bevorzugte die Themen M. und Venus (S. BOTTICELLI, P. VERONESE, P. P. RUBENS, N. POUSSIN) sowie M. und Vulcanus (TINTORETTO, F. BOUCHER, L. CORINTH).

Marseille [mars'ɛj], bedeutendste Hafenstadt und zweitgrößte Stadt Frankreichs, östlich des Rhône-Deltas am Golfe du Lion, 914400 Ew.; kath. Erzbischofssitz. M. ist eine grch. Gründung um 600 v. Chr. (Ausgrabungsgelände in der Nähe des Alten Hafens). Die Kirche St. Victor, im 5. Jh. gegr. (Krypta, Katakombe), wurde im 13. Jh. anstelle eines frühroman. Baus neu errichtet, im 14. Jh. erweitert; Alte Kathedrale (12. Jh., spätere Veränderungen; mit Chapelle St. Lazare von F. LAURANA, 1481). Rathaus und die Forts St. Jean und St. Nicolas stammen aus dem 17. Jh.; Mitte des 19. Jh. entstanden u. a. die Börse, die Kathedrale (mit reicher Marmor- und Mosaikausstattung) und Notre-Dame-de-la-Garde auf einem 150 m hohen Kalksteinfelsen; 1947–52 schuf LE CORBUSIER das Hochhaus Unité d'Habitation (Wohnblock auf Pfeilern). Zahlreiche bed. Museen: im Palais Longchamps (1862–70) das Mus. des Beaux-Arts (Gemäldegal.); Mus. Grobet-Labadié (Kunsthandwerk, frz. Gemälde und Zeichnungen); Mus. Cantini (Fayencensamml. aus M. und der Provence, zeitgenöss. Kunst); Archäolog. Mus.; Mus. des Docks Romains (röm. Funde aus Unterwassergrabungen im Alten Hafen) u. a.

Marsfarben, Marsgelb, Marsrot, →Eisenoxidfarben.

Marshall [mɑːʃl], Ben, engl. Maler, *Leicester 1767, †London 24. 7. 1835, tätig in London und Newmarket, malte, von G. STUBBS angeregt, Pferdebilder und Reitsportszenen.

Marssum, Dorf in der niederländ. Prov. Friesland, bei Leeuwarden, mit dem Popta-Schloß (16. Jh., Umbauten 1631 und 18. Jh.); Renaissance-Torhaus; Einrichtung des 17. Jh. erh. (Mus.).

Mar|stall, seit dem 15. Jh., bes. in Renaissance und Barock, selbständiger Gebäudeteil (für Pferde, Wagen und Geschirr) eines Schlosses oder einer Residenz. Der M. wurde oft künstlerisch gestaltet, u. a. mit Reithalle, Wohnungen und Festräumen und zuweilen für 1000 Pferde und mehr berechnet. Er diente oft als großartiger städtebaul. Abschluß des Platzes vor der Schloßanlage. Bed. sind der Große und Kleine M. in Versailles (1679–82, J. HARDOUIN-MANSART), die M. in Chantilly (1719–35), in Dtl. die Renaissance-M. (Stallhof) in Dresden (1586–91), Kassel (1591/92) und Heidelberg (beg. 1590) sowie die Barock-M. in Wien (für 600 Pferde, 1725, nach Plänen von J. B. FISCHER V. ERLACH) und von Schloß Pommersfelden (1717/18, M. V. WELSCH).

Marstrand [m'arsdran], Nicolai Wilhelm, dän. Maler, *Kopenhagen 24. 12. 1810, †ebd. 25. 3. 1873, Schüler von C. W. ECKERSBERG, studierte in Italien und München, malte farbig reizvolle volkstüml. Genrebilder. M. war auch ein sehr produktiver Zeichner und schuf Monumentalgemälde (Roskilde, Dom).

Marsyas, phryg. Flußgott oder Quellendämon, im grch. Mythos Silen oder Satyr aus Kelainai (Phrygien); er hob die Flöten auf, die Athene erfunden, aber weggeworfen hatte, da sie beim Musizieren die Gesichtszüge entstellten. M. forderte Apoll vermessen zum musikal. Wettkampf auf (Flöte gegen Kithara), verlor, wurde an einen Baum gehängt und lebend enthäutet. Antike Darstellungen sind häufig auf Vasen und Reliefs zu finden, wie auf der ›Musenbasis‹ von Mantinea: Apoll sitzend mit einer großen Kithara, M. die Doppelflöte blasend, ein Diener mit dem Messer zw. beiden (um 340/30 v. Chr., Athen, Nat.-Mus.). Die Bronzegruppe Athene und M. von MYRON ist aus röm. Marmorkopien rekonstruierbar (u. a. Rom, Lateran, und Frankfurt a. M., Liebieghaus). Auch neuzeitl. Künstler gestalteten den Mythos (TINTORETTO, P. P. RUBENS), u. a. als Sinnbild der Überwindung ird. Lebens (TIZIAN).

Martand, Ruine eines um 750 erbauten Surya-Tempels in Kaschmir, Indien. Gliederungselement der Steinwände sind die hohen Zentralnischen mit Dreipaßbögen, die, wie die Flachpilaster und Innenkolonnaden der Umwallung, der Tradition der Gandhara-Kunst entstammen.

Marter der Zehntausend, legendäres Martyrium von 10 000 christl. Soldaten (angeführt durch den Hl. Achatius) unter HADRIAN und ANTONINUS PIUS; nach Einführung angebl. Reliquien durch die Kreuzfahrer in Europa, erste Darstellungen Ende des 13. Jh. (Boppard, St. Severin), dann v. a. von V. Carpaccio (1505) und A. DÜRER (1508).

Martersäule, Passionssäule, mit Passionswerkzeugen, die an das Leiden Christi erinnern, geschmückte Säule; von einem Hahn (Mt. 26,34 und 69–75) bekrönt.

Martersäule;
Braunschweig, Dom

Martigny [martiɲ'i], Stadt im schweizer. Kt. Wallis, 11 600 Ew.; 4. bis Ende 6. Jh. Bischofssitz. Vom röm. **Octodurum** wurden Reste des Amphitheaters und der Ringmauer ergraben. Die barocke Pfarrkirche Notre-Dame-des-Champs (1645–87) steht vermutlich auf Fundamenten der spätantiken Kathedrale.

Martin, M. von Tours [-tu:r], Apostel Galliens, *Savaria (heute Steinamanger/Szombathely, Ungarn) 316/17, †Candes (Mittelfrankreich) 8. 11. 397. Aus seiner Legende wird oft die Szene der Teilung des Mantels mit einem Bettler dargestellt (z.B. Sakramentar, um 1000; Ivrea); meist sitzt M. dabei auf einem Pferd, so in monumentalen Reiterbildern des 13./14. Jh. (Lucca, S. Martino, Portal und Fassade des Doms; →Bassenheimer Reiter; Regensburg, Dom, innere W-Wand, um 1340/50). Zyklen finden sich auf Glasmalereien in Chartres und Tours (2. H. 13. Jh.), v.a. auf den Fresken von SIMONE MARTINI (Anfang des 14. Jh.; Assisi, S. Francesco, Unterkirche). Im Spät-MA. wurde M. öfter zu Fuß (Ulmer Münster, Vorhalle; Stich von M. SCHONGAUER), sonst meist zu Pferde dargestellt. – Die niederländ. Kunst bevorzugte das M.-Fest (P. BRUEGEL D. Ä., J. JORDAENS, J. STEEN).

Martin, 1) [m'ɑ:tɪn], Agnes, amerikan. Malerin kanad. Herkunft, *Macklin (Prov. Saskatchewan, Kanada) 22. 3. 1912, lebt seit 1932 in den USA; gestaltete hellfarbige, sensible Bilder mit abstrakten Formelementen, die sie schließlich bis auf ein Raster aus horizontalen und vertikalen Linien reduzierte; beeinflußte Minimal Art und Analyt. Malerei.

2) Elias, schwed. Maler, Graphiker, *Stockholm 8. 3. 1739, †ebd. 25. 1. 1818, studierte in Paris, lebte 1768 bis 1780 in London, wo er v.a. Eindrücke von T. GAINSBOROUGH und W. HOGARTH aufnahm. M. wurde der erste bed. Naturschilderer Schwedens; einen Höhepunkt seines Schaffens bilden seine einfühlsamen Landschaftsaquarelle aus England und Schweden.

3) [mart'ɛ̃], Étienne, frz. Bildhauer, →Étienne-Martin.

4) [m'ɑ:tɪn], John, engl. Maler, *Haydon Bridge (Northumberland) 19. 7. 1789, †Douglas (Isle of Man) 17. 12. 1854, schuf farbstarke Historienbilder mit phantast. Landschaften, kühn erdachten Bauwerken und unwirkl. Lichteffekten; er bevorzugte visionäre Stoffe, Themen aus dem A. T. und der Apokalypse (›Die gestürzten Engel in der Hölle‹, um 1841; London, Tate Gal.) und illustrierte J. MILTONS ›Verlorenes Paradies‹.

5) [m'ɑ:tɪn], Kenneth, brit. Bildhauer, Maler, *Sheffield 13. 4. 1905, kam 1948 zur abstrakten Malerei auf der Grundlage mathematisch strenger Formabläufe. Seit 1951 entstanden seine von A. PEVSNER beeinflußten mobilen Drahtplastiken, deren Formstrukturen sich aus einer Schraubenbewegung entwickeln. Seit Mitte der 60er Jahre weiten sich seine kinet. Versuche (auch mit ultravioletten Lichteffekten) zu räuml. Environments.

Martín, Stadt in der ČSSR, →Sankt Martin.

Martinelli, Domenico, ital. Baumeister, *Lucca 30. 11. 1650, †ebd. 11. 9. 1718, weitgereister Wanderarchitekt; führte in Wien den blockförmigen, klar gegliederten Palasttypus Roms ein (Stadtpalais Harrach, 1690; Stadtpalais Liechtenstein, 1692–1705; Gartenpalais Liechtenstein, 1698–1711, u.a.).

Martínez del Mazo [mart'inɛð ðɛl m'aθo], Juan Bautista, span. Maler, →Mazo.

Martínez Montañés [mart'inɛð montaɲ'es], Juan,

spanischer Bildhauer und Baumeister, →Montañés.

Martini, **1)** Arturo, ital. Bildhauer, *Treviso 11. 8. 1889, †Mailand 22. 3. 1947, stellt mit einem manieriert gegenständl., dem Surrealismus verwandten Stil eine eigenständige Alternative zu den Bewegungen des Kubismus und Konstruktivismus dar; trug zur Erneuerung der ital. Plastik bei (u. a. soziale Themen).

2) Francesco di Giorgio, ital. Maler, →Francesco di Giorgio Martini.

3) Simone, ital. Maler, →Simone Martini.

Martorell [-ʎ], Bernardo, span. Maler, seit 1427 nachweisbar in Barcelona, †1452/53, wurde, beeinflußt von L. BORRASSÁ, ein Hauptvertreter des Internat. Stils in Katalonien in der 1. H. des 15. Jh.; lange als ›Meister des Hl. Georg‹ bezeichnet, bevor er als Schöpfer des Georgsaltars (um 1430) identifiziert wurde (Mitteltafel in Chicago, Art Institute; 4 Seitenflügel im Louvre). Die Präzision der Zeichnung wird bei M. durch leuchtendes Kolorit gesteigert. Er führte auch die in den Gipsgrund der Holztafeln geprägten Stuckreliefs ein, die für die katalan. Kunst charakteristisch wurden.

Martos, Iwan Petrowitsch, russ. Bildhauer, *Itschnja (Gebiet Tschernigow) 1754, †St. Petersburg 17. 4. 1835, in Rom unter B. THORVALDSEN, A. R. MENGS und P. BATONI geschult, einer der Hauptvertreter der russ. Bildhauerei der Zeit ALEXANDERS I., schuf Grabmäler und Denkmäler in klassizist. Auffassung, u. a. das Denkmal für K. Minin und D. Poscharskij in Moskau (Roter Platz, 1804–18).

Märtyrer, Martyrer [grch.], urspr. der Zeuge des Lebens Jesu, seit dem 2. Jh. der Christ, der für sein Bekenntnis den Tod erlitt. – Bildende Kunst: →Heiligenbild.

Martyrium [grch.], das Blutzeugnis eines Märtyrers, dann auch sein Grab oder seine Gedenkstätte (lat. memoria) mit Reliquien. Aus letzterer haben sich später die ältesten Kirchen entwickelt (→Kirchenbau).

Maruoka, Stadt in Japan, im mittleren Honshu, nördlich von Fukui an der Japansee; ehem. Burgstadt. Die gut erh. kleine Burg (1595) mit wuchtigen Formen besitzt noch die alte steinerne Dachdeckung und zählt zu den ältesten Burgen Japans.

Maruyama-Schule, von Maruyama →Okyo um die Mitte des 18. Jh. in Kioto gegründete Malschule realistisch-naturalist. Stils, die japan., chines. und europ. Stilrichtungen kombinierte. Von seinen Schülern übertrafen ihn ROSETSU an Pinseltechnik und GOSHUN.

Marwar, eine Malschule der →Rajput-Malerei, mit Zentrum →Jodhpur.

Marxwalde, Gem. im Kr. Seelow, Bez. Frankfurt a. d. Oder, Dt. Dem. Rep.; Herrenhaus, im Kern barock, 1820–23 von K. F. SCHINKEL umgebaut, der auch die klassizist. Dorfkirche (1814–17) baute; großer Landschaftspark nach Plan von P. J. LENNÉ (1821).

Marzabotto, Gem. im Tal des Reno südlich von Bologna (Italien) mit etrusk. Siedlung des 6.–4. Jh. v. Chr. Unterhalb eines Tempelbez. Wohn- und Industrieviertel (Ton- und Metallverarbeitung), in rechtwinkligem Straßensystem angelegt. Vor den Toren 2 Nekropolen. M. ist vermutlich mit der antiken Stadt **Misa** identisch.

Marzocco, der oft dargestellte Löwe als Wappentier der Rep. Florenz; Darstellung von DONATELLO (um 1420; vollplastisch aus Sandstein), urspr. vor S. Maria Novella, dann vor dem Palazzo della Signoria in Florenz (Original ebd. im Mus. Nazionale del Bargello).

Masaccio [mas'attʃo], eigtl. Tommaso di Giovanni di Simone **Guidi,** ital. Maler, *San Giovanni Valdarno (Toskana) 21. 12. 1401, †Rom 1428, nach der Überlieferung durch G. VASARI Schüler von MASOLINO, seit 1422 in Florenz nachweisbar, 1424 in die Lukasgilde aufgenommen; in diesem Jahr setzte vermutlich erst die gemeinsame Tätigkeit mit Masolino ein. M., der von DONATELLO und F. BRUNELLESCHI angeregt wurde, gilt als der Schöpfer der Renaissance-Malerei in Italien. In seinen reifen Werken gelangte er zu klarer, durch Linearperspektive und einheitl. Lichtführung bestimmter Erfassung des Raums und zu wuchtiger Gestaltung wirklichkeitsnah erfaßter Menschen. In der monumentalen Größe der Auffassung und der seel. Eindringlichkeit seiner Kunst ist M. der Nachfolger von GIOTTO. (BILD Perspektive)

HW: Madonnentafel des Triptychons aus S. Giovenale a Cascia (1422, Florenz, Uffizien); Hl. Anna selbdritt, gemeinsam mit MASOLINO (um 1424/25, ebd.); Altarwerk aus S. Maria del Carmine in Pisa (1425/26, heute zerstückelt: Madonna mit Kind in London, Nat. Gal.; Kreuzigung in Neapel, Mus. Nazionale di Capodimonte; Predellenszene und 4 Heiligenfigürchen in Berlin-West, Staatl. Mus., u. a.). – **Fresken:** Dreifaltigkeit mit kniendem Stifterpaar in S. Maria Novella, Florenz (um 1426/28); Freskenfolge aus der Geschichte des Apostels Petrus in der Brancacci-Kapelle in S. Maria del Carmine, Florenz (mit MASOLINO, 1424/1425, 1427/28), davon unbezweifelt Werke M.s: Petrus taufend, Almosenspende, Petrus, Kranke durch seinen Schatten heilend, Zinsgroschen, Vertreibung aus dem Paradies, Petrus in Kathedra, Erweckung des Königsohns (von FILIPPINO LIPPI ergänzt). Die von VASARI M. zugeschriebenen Fresken in der Passions-Kapelle in S. Clemente in Rom gelten heute als Werke MASOLINOS.

L. BERTI: M. (Mailand 1964); M. L'opera completa, hg. v. P. VOLPONI (ebd. 1968).

Masaccio: Der Zinsgroschen; Fresko, um 1424/28 (Florenz, S. Maria del Carmine)

Masar-e Scherif: Grabmoschee des Kalifen Ali

Masada, auch **Metsuda** [hebr. ›Festung‹], **Metsada,** arab. **Kasr as-Sabbah,** von HERODES D. GR. 36–30 v. Chr. ausgebautes Felsplateau auf der W-Seite des Toten Meeres, 441 m über dessen Spiegel, fiel 73 n. Chr. als letzter Stützpunkt der Juden gegen Rom. Erh. sind Überreste der röm. Lager und des Belagerungswalls, aus Herodian. Zeit 2 auf Terrassen übereinander angelegte Paläste, Thermen, Vorratsgebäude, die Kasemattenmauer und eine Synagoge.

Masanobu, japan. Maler, →Kano.

Masar-e Scherif, Mazar-i Sharif, Hauptstadt der Prov. Balch, N-Afghanistan, 60000 Ew., bed. islam. Wallfahrtsort zum legendären Grab des 4. Kalifen ALI (†661). Der 1., 1136 erbaute Schrein wurde 1221 von DSCHINGIS KHAN zerstört. Der Bau des heutigen Heiligtums begann 1481, die urspr. Dekorationen wurden jedoch im 19. Jh. erneuert. Die Moschee ist mit glasierten Fayencen, bei denen Kobaltblau und Türkis vorherrschen, dekoriert; sie wird von 2 jadegrünen Kuppeln überragt.

Mascherini [masker'i:ni], Marcello, ital. Bildhauer, *Udine 14. 9. 1906, lebt in Triest, schuf langgliedrige elegante Figuren von arachaisierender Abstraktion und oft geheimnisvoller Phantastik; entwarf auch Bühnenbilder, Kostüme und Innenausstattungen.

Maschikulis [frz.] *der,* Baukunst: →Pechnase.

Maschkow, Maškov, Ilja Iwanowitsch, russ. Maler, *Staniza Michajlowskaja (Gebiet Wolgograd) 29. 7. 1881, †Moskau 20. 3. 1944, Mitgl. von Mir Iskusstwa und Karobube, malte v. a. Stilleben, aber auch Porträts und Landschaften. Er übertrieb dabei die Form und versuchte, die Sujets möglichst massiv darzustellen.

Maschrabijja, in der islam. Hausarchitektur reich geschnitzte Holzgitter an Fenstern, Balkonen, Erkern.

Masdjid [-dʒid, arab. ›Ort, an dem man zum Gebet niederfällt‹], engl. Schreibung **Masjid,** arab. für →Moschee.

Masegne, Massegne [-ɲe], ital. Bildhauer- und Baumeisterfam. des 14. und 15. Jh. Bedeutendste Mitgl. waren die Brüder Jacobello dalle M. (†um 1409) und Pierpaolo dalle M. (†1403?); sie verarbeiteten Anregungen von ANDREA und NINO PISANO und leiteten in ihrem Linienstil zum Schönen Stil über.

HW: Marmoraltar in S. Francesco, Bologna (1388–92); Ikonostasis mit Maria, dem Hl. Markus und den 12 Aposteln in S. Marco, Venedig (1394).

Maser, Gem. in der ital. Prov. Treviso, Venetien. Die **Villa Barbaro,** 1557–62 von A. PALLADIO für die venezian. Patrizierfam. Barbaro erbaut, bietet ein gelungenes Beispiel fruchtbarer Zusammenarbeit bed. Künstler. Die plast. Ausschmückung stammt von A. VITTORIA (u.a. Stuckrelief im Giebelfeld); PAOLO VERONESE schuf die Fresken in den Innenräumen (nach 1561; maler. Auflösung von Decke und Wänden in illusionistisch dargestellte Gruppen, Einzelgestalten und Landschaftsbilder). Ebenfalls von Palladio der 1580 erbaute ›Tempel‹ für Marc Antonio Barbaro, ein kuppelbekrönter Rundbau mit Portikus.

Masereel, Frans, belg. Graphiker, Maler, *Blankenberge (Westflandern) 30. 7. 1889, †Avignon 3. 1. 1972, lebte nach Studium an der Kunstakad. in Gent und ausgedehnten Reisen 1921–41 in Paris. M. schuf in einem durch scharfe Schwarzweiß-Gegensätze gekennzeichneten, spätexpressionist. Stil v.a. Holzschnittillustrationen (für R. ROLLAND, S. ZWEIG) und Holzschnittfolgen, deren sozialkrit., pazifist. und humanist. Tendenz sich mit einem flämisch-sinnl. Lebensgefühl verbindet. Themen seiner Gemälde sind Seestücke, Stadt- und Hafenszenerien, auch Porträts.

F. M., Ausst.-Kat., Berlin (1979).

Maserholz, Wurzelholz, bes. von Ahornbäumen, zur Herstellung (13.–16. Jh.) von Trinkgefäßen, häufig in Verbindung mit Edelmetallmontierungen.

Maserierung, Maltechnik: gemalte Imitation der Maserung meist edler Hölzer, auch Intarsien auf billigerem Material. Vereinzelt finden sich M. schon im späten MA., zur täuschenden Perfektion wurde sie aber erst im 18. Jh. entwickelt.

Mashiko [-ʃ-], Töpferort in Japan, etwa 80 km nordöstlich von Tokio; seit 1852 weltweit bekannt durch die Arbeiten von SHOJI HAMADA und BERNARD LEACH.

Masip, Macip [maθ'ip], **1)** Vicente Juan d. Ä., span. Maler, Vater von 2), *Valencia um 1475, †ebd. zw. 1545 und 1550. Wohl in Oberitalien ausgebildet (Einflüsse von SEBASTIANO DEL PIOMBO lassen darauf schließen), vermittelte er die ital. Renaissancemalerei nach Valencia.

HW: Taufe Christi (Valencia, Kathedrale); Marienaltar (Segorbe, Kathedrale).

2) Vicente Juan d. J., gen. Juan de **Juanes (Joanes)** [xu'anes], span. Maler, Sohn und Schüler von 1), *Fuente la Higuera bei Valencia 1523(?), †Bocairente 21. 12. 1579, beeinflußt durch die ital. Renaissancemalerei und seinen Vater, mit dem er in Werkstattgemeinschaft arbeitete, wurde er zu einem Hauptmeister des Manierismus in Valencia; er malte v.a. relig. Darstellungen und das hervorragende Porträt des Don Luis de Castella de Vilanova (Madrid, Prado).

WW: 5 Tafeln der Stephanslegende (Madrid, Prado); Abendmahl (ebd.); Kreuzigungsaltar (Valencia, S. Nicolás); Andachtsbilder (Valencia, Mus. der Schönen Künste).

Maskaron [maskar'ɔ̃, frz.] *der,* soviel wie ›Maske‹, bes. als dekorative Bauplastik (Renaissance, Barock).

Maske, eine Bedeckung aus Baumrinde, Leder, Wachs, Holz, Bast, Metall, Stoff oder Pappe, die das Gesicht verhüllt, verfremdet und damit dem Träger die Möglichkeit bietet, seine Identität zu verändern, eine das Alltägliche überschreitende Rolle zu spielen.

Bei Naturvölkern sind M. v.a. Bestandteil des Kult- und Zeremonialwesens; das Recht zum Tragen ist vielfach an best. Personen oder Gruppen gebunden (Schamanen, Geheimbünde u.a.). Sie stellen Ahnen, Geister, mytholog. Gestalten, Tiere, Ungeheuer u.a. dar. Den mit M. verbundenen Bräuchen liegt oft die Anschauung zugrunde, daß man sich durch die Verkleidung in das betreffende Wesen verwandeln kann (Bildzauber).

Es gibt porträtähnl. M. mit naturalist. Gesichtern und vielfältigen Ausdrucksformen (ernst, heiter, furchterregend, verzerrt), aber auch stark stilisierte, die z.B. auf elementare geometr. Formen reduziert sind.

Die Bez. M. ist auch üblich für Gesichtsdarstellungen, die als sinngebender Schmuck dienen, z.B. in Ozeanien an Männerhäusern oder Booten, oder die als Grabbeigaben den Toten mitgegeben wurden. Kleine M.-Nachbildungen (aus Metall, Elfenbein, Leder u.a.) gelten als Amulette oder haben stellvertretende Funktionen, wie die Gürtel-M. (etwa 15–20 cm groß, aus Bronze oder Elfenbein), die von Würdenträgern in Benin und bei benachbarten Völkern (Yoruba, Nupe) meist an der linken Hüfte mit einem Band am Gewand getragen wurden.

Nach den Formen der M. werden unterschieden: **Gesichts-M.,** die vor dem Gesicht mit Schnüren u.a. befestigt werden; **Vorhalte-M.,** die (weil zu groß oder zu schwer) nur mit Hilfe eines Griffes vor dem Gesicht gehalten werden; **Stülp-M.,** die wie ein Helm über den Kopf gestülpt den ganzen Kopf des Trägers verhüllen; **Aufsatz-M.,** mit meist kleiner Basis, die mit Hilfe eines Korbgeflechts o.ä. auf dem Kopf oder auf dem Rücken befestigt werden, mit hoch aufragendem Aufbau (Tier- oder Menschendarstellungen, z.T. mit Pflanzenmotiven); **Schulter-M.,** große, auf den Schultern des Trägers ruhende Gerüste, auf denen meist ein abstrakt gestalteter Kopf mit langem Hals sitzt.

AUSSEREUROPÄISCHE KULTUREN

In Afrika ist das M.-Wesen bes. im W ausgeprägt und verbreitet. Wesentl. Bestandteil der M. ist neben dem meist aus Holz geschnitzten Gesichts- oder Kopfteil das dazugehörige Bast- oder Stoffgewand, das mit der M. eine Einheit bildet. Hervorragende Beispiele sind die Aufsatz-M. der →Bambara in Mali: Zu Fruchtbarkeitstänzen werden kunstvoll geschnitzte Antilopenfiguren auf dem Kopf befestigt, das Gesicht mit Stoff, der Körper mit einem geflochtenen Kostüm verhüllt. (BILDER afrikanische Kunst, Baule, Bobo, Dan, Ekoi, Lunda, Mende, Pende, Yoruba)

In Amerika finden sich M. bei den Indianern Südamerikas v.a. im Amazonasgebiet (meist aus Rohrgeflecht mit bemaltem Rindenbaststoff), in Nordamerika v.a. bei den Irokesen (holzgeschnitzte M. des Falschgesichter-Bundes mit verzerrten Gesichtern, langem Pferdehaar, roter und schwarzer Gesichtsbemalung; M. aus geflochtenem Maisstroh), bei den Hopi (Kachina-M.) und bei den Nordwestküsten-Indianern, die die künstlerisch großartigsten M. herstellten (meist holzgeschnitzt, streng stilisiert oder realistisch-porträtähnlich. Eine Besonderheit stellen hier die Verwandlungs-M. dar, die z.B. ein Tier darstellen, aufgeklappt aber ein menschl. Gesicht freigeben). Von der NW-Küste ist das M.-Wesen auch zu den in Alaska lebenden Eskimo verbreitet worden.

In den Hochkulturen des vorkolumb. Amerika wurden M. den Toten beigegeben; gefunden wurden im andinen Bereich M. aus gehämmertem Gold oder Silber, geschnitztem Holz oder aus bemaltem Stoff; in Mesoamerika Mosaik-M. (mit Türkis und Muscheln), im Maya-Gebiet Jade-M. Darstellungen von Göttern und anderen myth. Wesen wurden in Mesoamerika bei religiös-zeremoniellen Anlässen als M. von Menschen getragen; das zeigen Reliefdarstellungen, Steinskulpturen, Gefäßmalereien und Bilder-Hss., auf denen auch Götter mit M. dargestellt sind. Götter als M. finden sich in der Fassadendekoration, ausgeprägt z.B. bei den Maya (→Kabah).

Asien: In Indien werden bei Kulttänzen phantasievoll gestaltete und bemalte Gesichts-M. aus Holz oder Pappmaché zur Darstellung von Göttern und Dämonen (Krankheitsdämonen in Sri Lanka, Kumari-M. in Nepal) verwendet. – M.-ähnl. Flachbronzen Shivas und der Devi, die als Bildwerke aufgestellt und bekleidet wurden, entstanden im nordind. Kulu-Tal seit etwa dem 10.–11. Jh. In Thailand tragen Tänzer beim ›Khon-Spiel‹ Kopf-M. aus mit Gold bemaltem Pappmaché über dem Gesicht mit 3 ineinander gesteckten vergoldeten Holzteilen darüber. Im javan. und balines. Theater (→Wayang) werden farbig gefaßte Holz-M., z.T. mit Tierhaaren und Textilteilen, verwendet. Die balines. M. (Tapel) stellen Voll- oder Halb-M. dar. Die javan. M. (Topeng) sind von äußerst feiner Schnitzerei und Malerei bei höf. und grob-derb bei mehr volkstüml. Figuren.

In Japan wurden hölzerne Gyodo-(Prozessions)M., die buddhist. Gottheiten darstellen und Teufels-M. des Tsuina (Geisterbeschwörung) bis etwa 1400 bei relig. Zeremonien verwendet. Als Gigaku (Holztanz)-M. dienten überlebensgroße Schädel-M. aus Holz oder Kanshitsu (Trockenlack) bei kult. und auch weltl. Feiern. Bugaku-M. für Bugaku-Tänze wurden erst ab Mitte 11. Jh. in Anlehnung an Gigaku und kontinentale buddhist. Vorbilder als Halbschädel- und Gesichts-M.

aus dünnem Holz geschnitzt. Sie hatten bewegl. Gesichtsteile und waren daher meist in Yosegi-Technik gefertigt. Künstlerisch wertvolle Beispiele entstanden im 12./13. Jh. in buddhist. Bildhauerwerkstätten. Die kleinen, relativ leichten M. der japan. Bühnenkunst No und ihres komischen Zwischenspiels Kyogen gelten i. Ggs. zu den Prozessions- und Tanz-M. als rein japan. Provenienz, entwickelten sich aus der Volkskunst und zeigen im Spiel erstaunl. Aussagekraft, da sich je nach Haltung des Kopfes und Lichteinfall die Züge zu ändern scheinen; bes. qualitätvolle Arbeiten entstanden im 16. Jh. Kagura-M. für shintoist. Hoffeste und bei Volksfesten getragene M. sind eher völkerkundlich als künstlerisch interessant.

In Ozeanien verkörpert die bekannteste Form der M., die Tatanua von Neuirland, Verstorbene. Bei den relativ kleinen Gesichtslarven mit vorspringender Kinnpartie und prominenter, oft gebogener Nase und hochaufragender Frisur aus Kalk, Bastmaterial, Federrippen und Stoff, sind die Augen fast immer aus den Verschlußdeckeln von Schnecken. M. aus Baumbaststoff oder Fasermaterialien, z. B. Eulen-M., stellen – ebenso wie die beim Tanz getragenen Tanzmundstücke – Bezüge zur myth. Geschichte her, die im Tanz verkörpert wird. Zu fast allen bei Zeremonien verwendeten M. verhüllt der Träger seinen Körper, oft in **M.-Kostümen**, z. B. die Dukduk- und Tumbuan-M. der Tolai auf Neubritannien: aus schwarz und weiß bemaltem Maschenstoff, Baumbaststoff oder (später) Sackleinwand über ein Rotanggestell gearbeitet; die Wassergeist-M. auf Neukaledonien: Holzlarve auf federverkleidetem geflochtenem Zylinder; oder die Abwan- und Mai-Masken der Iatmül in Neuguinea: entweder ein bis zwei breite Gesichter darstellend, meist aus Ton modelliert und bemalt, auf einem leibähnl. Wulsthalbgeflecht, oder eine schmale hölzerne M. auf einem konischen, mit Palmblattmalereien o. ä. verkleideten Traggestell.

EUROPA

Vorgeschichte und Antike: In der paläolith. Kunst gibt es mehrere Darstellungen von Menschen mit Tiermasken und in Tierverkleidungen (Trois-Frères, Lourdes, La Madeleine u. a.). Es kann sich dabei um Wiedergaben von Maskierten (Schamanen, Teilnehmer von Kultfesten), aber auch um Bilder von Mischwesen (Tierahnen) handeln. Aus den metallzeitl. Epochen stammen →Gesichtsmasken aus Gold oder Bronze aus den bronzezeitl. Schachtgräbern von Mykene, aus hallstattzeitl. Hügelgräbern der Steiermark (Klein-Klein), von Trebenište am Ohridsee. Toten-M. der Etrusker sind in Urnengräbern bei Chiusi gefunden worden (7. Jh. v. Chr.). Von altröm. Adeligen wurden bemalte Toten-M. aus Wachs im Haus aufbewahrt (imagines maiorum). In diesem Brauch liegt eine der Wurzeln der hochentwickelten röm. Porträtplastik. In Griechenland wurden Gesichts-M. bei Kulthandlungen verwendet; durch die im Dionysos-Kult verwendeten M. gelangten sie ins Theaterwesen. In der klass. Zeit bestand die Schauspieler-M. aus leicht verderbl. Stoffen und wurde erst später aus festem Material angefertigt. Dabei erstarrte sie zur Fratze und wurde über Jahrhunderte in der Malerei und auf Mosaiken als Symbol des Theaters dargestellt. Man unterschied tragische, komische, chorische und Satyr-M. Die auf Schildern, Firstbalken, Gebrauchsgefäßen u.a. angebrachten Gorgonen (→Gorgo) sind auf Abwehrzauber zurückzuführen.

Im Mittelalter begegnen M. zuerst in der Buchmalerei, die sie aus der Antike übernahm, dann plastisch an Konsolen, Schlußsteinen, Kämpfern, Kapitellen, Gesimsen von Kirchen, an Taufsteinen, Chorgestühlen u.a. In der Gotik ist der M.-Kopf oft von einem Blütenkranz umgeben oder scheint aus ihm zu wachsen (→Blattmaske). – Die M. des MA., häufiger und vielgestaltiger als in der Antike, kann reines Phantasiegebilde, doch zugleich Ausdruck des ma. Dämonismus sein. Von besonderer Ausdruckskraft sind die M. der Kathedralplastik (Reims). In ihnen findet sich ein Element des Individuellen, das z.T. zum Porträt führt.

Seit der Renaissance werden Toten-M. von Bildhauern abgenommen und weitergestaltet für Grabmäler und Büsten. Auch brachte die Renaissance eine Wiederbelebung der antiken M. Bes. häufig erscheint die Fauns-M. v.a. in dekorativem Zusammenhang. Dem Manierismus wie dem Barock entsprach die groteske M. (M. der sterbenden Krieger von A. SCHLÜTER am Berliner Zeughaus). Im 20. Jh. wurden die M. der Naturvölker und der Volkskunst durch den Expressionismus aufgewertet. Bilder von J. ENSOR, E. NOLDE zeigen den dämon. Charakter der M.

Der Volksbrauch kennt die Gesichts-M. (Larve, Scheme, Schembart, Butzenantlitz) und die den ganzen Körper erfassende Maskierung. Geschnitzte Holz-M. werden v.a. in den alemann. und alpenländ. Fastnachtslandschaften getragen. Hier sind Narren-M. nach unterschiedl., doch festgelegten Typen bekannt, teils von grotesker Komik, teils von heiterer Anmut (Herkunft aus dem antiken M.-Wesen).

H. LUCAS: Ceylon-M. (1958); ders.: Java-M. (1973); GUNHILD GABBERT: Die M. des Bugaku, 2 Bde. (1972); BRIGITTA HAUSER-SCHÄUBLIN: ›Mai‹-M. der Iatmül (1978).

Maso di Banco, ital. Maler, tätig in Florenz und Neapel, nachweisbar 1341–46, einer der bedeutendsten Schüler GIOTTOS, arbeitete wahrscheinlich mit diesem 1329–32 im Castel Nuovo in Neapel und schuf in Florenz den Freskenzyklus mit der Sylvesterlegende in der Kirche S. Croce. In der Monumentalität seiner Figuren und der Öffnung großer Räume ist M. di B. das wichtigste Glied zw. GIOTTO und MASACCIO.

Masolino, Tommaso di Cristoforo **Fini,** gen. M., ital. Maler, *Panicale(?), Toskana, um 1383, †vor 1447 (?), Gehilfe L. GHIBERTIS, beeinflußt von GENTILE DA FABRIANO, einer der Hauptmeister des Schönen Stils in Italien, geriet jedoch in den Jahren gemeinsamer Tätigkeit mit MASACCIO (wahrscheinlich ab 1424) unter dessen Einfluß, von dem er sich nach Masaccios Tod (1428) wieder weitgehend frei machte. Gegenüber Masaccios monumentalem Figurenstil wirken die Gestalten M.s vergleichsweise elegant und schwerelos.

HW: Fresken im Chor der Kollegiatkirche in Castiglione d'Olona (1432 signiert) und im Baptisterium ebd. (1435); die älteren Fresken in der Brancacci-Kapelle von S. Maria del Carmine, Florenz; nach der heute überwiegenden Meinung die Fresken der Passionskapelle von S. Clemente in Rom.

Massa Marittima, ital. Stadt und Bischofssitz in der Toskana, 10500 Ew.; ma. Stadtbild mit Bauten bes. des 13. und 14. Jh. (Palazzo Pretorio, Palazzo Comunale, Festung). Das Äußere des Doms (13. und 14. Jh.) ist durch Blendarkaden gegliedert, im Innern u. a. das Grabmal des Hl. Cerbone mit Basreliefs und Medaillons (1324).

Massegne [-ɲe], →Masegne.

Massicot [masik'o, frz.], **Königsgelb,** Maltechnik: das aus Quellenschriften bekannte, der Bleiglätte verwandte gelbe Bleioxid, entgegen früherer Annahme kaum als Pigment, sondern eher als Sikkativ gebraucht.

Massim, Stilregion der Kulturen an der O-Küste Neuguineas und auf den vorgelagerten Inseln, deren Einheitlichkeit durch ein System von zeremoniellem Tausch (›Kula-Handel‹) geprägt ist. Künstlerisch herausragend sind u. a. die **Trobriand-Inseln**, auf denen Verzierungen im Flachrelief, z. T. à jour gearbeitet, für Yamsvorratshäuser, Bootssteven und -querbretter sowie Tanzpaddel, Holzschalen, Betelmörser und v. a. Kalkspatel geschnitzt wurden. Reine Malerei ist auf Zeremonialschilde beschränkt. Vorherrschend sind gerundete, fließende und ineinandergreifende Formen, die auf Kurven, Kreisen und Spiralen aufbauen, seltener dagegen winklige Zierbänder. Häufige Motive sind Vogelschnäbel und menschl. Figuren in Hockstellung, in versch. Abstraktionsgraden, ferner Fische, Blätter u. a. Manche Objekte sind farbig (bes. rot und weiß) gefaßt (Hausbretter, Tanzpaddel), andere sind im dunklen Holzton poliert, wobei der Dekor oft durch Kalkinkrustation hervorgehoben ist.

D. NEWTON: M. Art of the M. area (New York 1975).

Massironi, Manfredo, ital. Maler, *Padua 1937, lebt in Padua, Mitbegründer (1959) der auf die Erforschung visueller und räuml. Phänomene gerichteten ›Gruppe N‹ in Padua.

Masson [mas'ɔ̃], **1)** André, frz. Maler, Graphiker, *Balagny (Oise) 4. 1. 1896, studierte in Brüssel und Paris, erhielt formale Anregungen vom Kubismus und schloß sich seit 1924 (trotz eines vorübergehenden Bruchs 1929) eng an die surrealist. Bewegung an. Seine phantast., lyrisch-spontane Malerei wechselt zw. emblemat. Darstellung und graph. Arabeske (Sandbilder, Mappenwerke). In den USA (1941–45) hatte er großen Einfluß auf den entstehenden Abstrakten Expressionismus. Nach 1945 kehrte M. eine Zeitlang zur impressionist. Naturauffassung zurück.

A. M., hg. v. R. PASSERON (1974); D. RAHN: Raumdarstellung und Zeitbezug in der Malerei. Zur Kunst u. Kunstgesch. v. A. M. (1982).

2) Antoine, frz. Kupferstecher, *Loury bei Orléans 1636, †Paris 30. 5. 1700, schuf v. a. Porträts, die sich durch virtuose Stichelführung und lebenswahre Erfassung des Individuellen auszeichnen.

Maßwerk, Bauornament des MA., konstituierender Bestandteil der Gotik. Es wurde mit dem Zirkel ›gemes-

Maßwerk

sen‹ und ist Ausdruck der konstruktiv-geometr. Möglichkeiten der ma. Bauhütte. In der Spätromanik erwuchs die Aufgabe, große Fensteröffnungen für die Aufnahme bleiverglaster Fenster zu unterteilen und diese statisch auszusteifen. Vorformen des M. sind die gleichsam aus der massiven Wand ausgeschnittenen Lochfenster und Rosen des 12. Jh. (Chartres, Limburg a. d. Lahn). Diese Form wurde entmaterialisiert in den ersten echten M.-Fenstern (Reims 1211 beg.; kurz darauf in Dtl., Marburg, Elisabethkirche). Diese Fenster bestehen aus 2 Lanzetten, die eine von einem großen Spitzbogen gerahmte Rose tragen. Im Lauf der Entwicklung des M. wurden die Motive und Figurationen bis zum 14. Jh. immer reicher. Neben dem Paß, der aus Kreisformen mit nasenartigen Überschneidungen besteht, kennt man das Blatt aus sphär. Dreiecken und Quadraten mit einbeschriebenen Blättern (Dreiblatt, Vierblatt usw.). Der Schneuß oder die →Fischblase ist eine M.-Form der Spätgotik; in Frankreich wurde sie in Flammenform zum Hauptornament dieser Stilepoche (Flamboyant-Stil). Die engl. Variante mit ausschließl. Verwendung von Stabwerk und starker Betonung der Senkrechten heißt Perpendicular Style. In der letzten Stufe der dt. Spätgotik wurde das M. oft ins Ornamental-Groteske übersteigert, bes. an den Gehäusen von Schnitzaltären, an Kanzeln und Sakramentshäusern. Das M. erscheint auch in vegetabilen Formen in der Art von Ast- und Laubwerk. Bis weit in das 16. Jh. lebte das M. als applizierte Ornamentform weiter. Es erfuhr eine kurze, seltene Wiederaufnahme in der Architektur der Zeit der Gegenreformation (Jesuiten- oder Nachgotik: Köln, Maria Himmelfahrt; Molsheim, Elsaß). Im Historismus des 19. Jh. gewann das M. in der Neugotik für das Ornament wieder zentrale Bedeutung.

Massys [m'asɛjs], auch **Matsys, Metsys,** niederländ. Malerfamilie des 15./16. Jh., **1)** Cornelis, Sohn von 3), *Antwerpen um 1511, †ebd. nach 1557, malte panoramaähnl. Landschaften mit kleinen Figuren; hinterließ ein umfangreiches Kupferstichwerk mit relig.,

Quentin Massys: Der Goldwäger und seine Frau; 1514 (Paris, Louvre)

mytholog. und sittenbildl. Themen sowie Ornamentstiche; war ein bed. Vorläufer P. BRUEGELS D. Ä.

2) Jan, Sohn von 3), *Antwerpen um 1509, †ebd. vor dem 8. 10. 1575, schuf relig. Sittenbilder. Anfangs unter dem Einfluß seines Vaters, wurde sein Stil später von den Romanisten geprägt.

3) Quentin oder Quinten, Vater von 1) und 2), *Löwen 1465 oder 1466, †Antwerpen 1530, seit 1491 ebd. ansässig. M. gilt als der führende niederländ. Meister der Übergangszeit zw. spätgot. altniederländ. und Renaissancekunst des 16. Jh. Er griff u. a. auf R. VAN DER WEYDEN, D. BOUTS, H. VAN DER GOES zurück, nahm auch ital. Anregungen auf, bes. von LEONARDO DA VINCI, auf dessen Einfluß die karikaturhaft gezeichneten Physiognomien einiger seiner Porträts zurückgehen, und gelangte zu einer neuen Körperlichkeit in regelmäßigen Formen bei klarer Farbigkeit und Komposition sowie großer Feinheit der Durchführung. Zw. 1515 und 1524 arbeitete er gelegentlich mit J. PATINIR zusammen (›Versuchung des Hl. Antonius‹, Madrid, Privatsamml.). M. verwendete erstmals konsequent changierende Farben; außer Altarwerken hat er Porträts und sittenbildl. Darstellungen in Halbfiguren geschaffen. (BILD S. 240)

WW: Altar der Hl. Sippe für St. Peter in Löwen (1507/09; Brüssel, Musées Royaux des Beaux-Arts); Johannesaltar (1508/11; Antwerpen, Koninklijk Mus. voor Schone Kunsten); Porträt eines bartlosen Greises (1513; Paris, Mus. Jacquemart-André); Porträt einer häßlichen Frau (1513/14; London, Nat.-Gal.); Der Goldwäger und seine Frau (1514; Louvre).

M. J. FRIEDLÄNDER: Q. M. (Leiden 1971); A. DE BOSQUE: Q. M. (Brüssel 1975).

Mastaba [arab. ›Steinbank‹] *die,* ägypt. Grabober-bau aus Stein oder Ziegeln. Massiv oder mit Kammern für den Totenkult versehen, wurden die M. über dem Grabschacht mit der Sargkammer errichtet; der Grundriß ist rechteckig, die Wände sind leicht geböscht und bei der Ziegel-M. vielfach mit einer Nischengliederung versehen (›Palastfassade‹), während die Stein-M. glatte Flächen zeigt. In der Frühzeit, seit 3000 v. Chr., wurden M. für Königsgräber (Abydos, Sakkara) angelegt; sie erreichten, aus Ziegeln aufgeführt, Ausmaße bis zu 37 × 65 m Grundfläche; auch die Gräber von Königinnen und hohen Beamten wurden als M. errichtet. Mit dem Beginn des Alten Reiches wurde dann die M. als Königsgrab zur →Pyramide erweitert; sie blieb aber, aus Steinquadern gebaut und immer reicher mit Kultkammern ausgestattet, die Grabform der hohen Beamten und wurde erst im Lauf des Mittl. Reiches vom →Felsengrab verdrängt.

Mastelletta, eigtl. Giovanni Andrea **Donducci** [dond'uttʃi], ital. Maler, Radierer, *Bologna 14. 2. 1575, †ebd. 25. 4. 1655, schuf, geschult am Manierismus, Altar- und Staffeleibilder mit bibl. Motiven und Genreszenen in reicher Landschaft, die eine eigenwillig-flüchtige Manier kennzeichnet.

Mastix [lat.] *der,* Maltechnik: Harz der Mastixpistazie; in Terpentinöl oder Alkohol gelöst, seit dem 19. Jh. als Gemäldefirnis in Gebrauch; als transparenzsteigernder Zusatz zu Malölen länger bekannt.

Ewald Mataré: Mosaik auf einer Bronzetür am Kölner Dom; 1948

Mastos, antikes grch. Trinkgefäß in Form einer weibl. Brust. (BILD Vasen)

Matabe|i, Iwasa, japan. Maler, *Itami (Prov. Settsu) 1578, †Edo 20. 7. 1650, verband Stilelemente der Kano- und Tosa-Schulen in Themen der klass. japan. Malerei, eröffnete aber auch der Genremalerei (Ukijo-e) neue Aspekte. M. schuf auch die Porträtfolge der ›36 Dichter‹ (Ieyasu-Tempel in Kawagoe).

Matanzas [-sas], Stadt an der N-Küste Kubas, 99 200 Ew. Ältestes Bauwerk ist die Festung S. Severino (17. Jh.). Die Kathedrale (gegr. 1693, heutiger Bau von 1878) hat eindrucksvolle Decken- und Wandmalereien. Das Teatro Sauto (1863) ist der bedeutendste neoklassizist. Bau Kubas (mit Fresken, Holzschnitzereien).

Mataré, Ewald, Bildhauer, Graphiker, *Aachen 25. 2. 1887, †Büderich (heute zu Düsseldorf) 29. 3. 1965, war Prof. an der Akad. in Düsseldorf; seine frühen Holzschnitte gehören dem Expressionismus an. Als Bildhauer, bes. von Tierfiguren aus kostbaren, feinpolierten Hölzern, gelangte er zu stark abstrahierten Formen. Zum Spätwerk mit verstärkt relig. Thematik gehören bronzene Türflügel mit Mosaikeinlagen für den Kölner Dom (1948–54). M. war auch ein bed. Lehrer (Schüler: G. MEISTERMANN, E. HEERICH, J. BEUYS).

E. M. Tagebücher, ausgew. u. hg. v. HANNA M. u. FRANZ MÜLLER (1973); E. M., Ausst.-Kat., Kaiserslautern (1981).

Matejko, Jan, poln. Maler, *Krakau 28. 7. 1838, †ebd. 1. 11. 1893, war nach Studien in München und Wien seit 1860 ebd. tätig (seit 1873 Leiter der Schule für Schöne Künste). Seine großformatigen Historienbilder zeigen eine Steigerung von romant. Stimmung zu neubarockem Pathos. In der Spätzeit widmete sich M. auch der Wandmalerei.

Poln. Malerei von 1830 bis 1914, hg. v. J. C. JENSEN (1978); J. M. 1838–1898, Ausst.-Kat., Nürnberg (1982).

Matera, südital. Stadt und Bischofssitz in der Basilicata, 49 000 Ew., mit rd. 3300, meist verlassenen Höhlenwohnungen, die terrassenförmig in den Kalktuff der Felsabhänge (›Sassi‹) eingeschnitten sind. Roman. Dom (2. H. 13. Jh.; im Innern barock), S. Giovanni Battista (13. Jh.) u. a. Kirchen aus Renaissance und Barock (S. Francesco d'Assisi, S. Pietro Caveoso). Archäolog. Funde im Mus. Nazionale Ridola.

Mater dolorosa [lat. ›Schmerzensmutter‹], Maria, die Mutter Jesu, im Schmerz über die Leiden ihres Sohnes; in der bildenden Kunst oft dargestellt; als Einzelfigur seit dem 15. Jh. (Holzschnitte von H. BURGKMAIR), später oft nur die Kopfpartie in z. T. sentimentaler Darstellung (G. RENI, G. B. SALVI, gen. Sassoferrato). →Andachtsbild 2), →Marienbild

Materialbild, in der modernen Kunst Bez. für Bilder, die aus urspr. bildfremden Materialien hergestellt sind, z. B. aus Holz, Glas, Sand, Kies, Sackleinen, auch Abfallprodukten. M. finden sich u. a. bei A. TÀPIES, A. BURRI, J. DUBUFFET, W. BAUMEISTER, M. MILLARÈS. Die Abgrenzung des M. zu Assemblage, Combine-Painting, Collage und Montage ist nicht immer eindeutig.

Mathey [mat'ɛ], Jean-Baptiste, frz. Baumeister, Maler, *Dijon um 1630, †Paris Dez. 1696, folgte 1668 einem Ruf des Prager Erzbischofs nach Königgrätz, 1675 nach Prag; dort wurde M. 1680–1700 zum bevorzugten Baumeister des böhm. Adels. M. errichtete in Prag das Erzbischöfl. Palais (1675–84), das Palais Toscana (1687–91), die Reitschule (1694) sowie den Südflügel des Klosters Strahov (1682–84) und Schloß Troja (1676–85). – M. verdrängte den böhm. Spätmanierismus und Frühbarock und entwickelte unter vorzügl. Verbindung röm. Vorbilder (G. L. Bernini, C. Rainaldi) mit dem frz. maßvoll-verhaltenen Frühklassizismus von F. Mansart einen neuen Sinn für klare Proportion und verfeinertes flaches Fassadenrelief bei Ausgleich vertikaler und horizontaler Gliederungen.

Mathieu [matj'ø], Georges, frz. Maler, *Boulogne-sur-Mer 27. 1. 1921, lebt seit 1947 in Paris, prägte 1947 den Begriff ›abstraction lyrique‹ (→Lyrische Abstraktion), gehört zu den Hauptvertretern der Informellen Kunst. Seine explosive Schleudertechnik vereinigt pastosen Farbauftrag (v. a. Blau, Rot, Schwarz, Weiß) mit lyr. Arabeske. Den Malvorgang, bei dem für ihn Schnelligkeit und Zufall als Garant der emotionalen Direktheit entscheidend sind, stellte er öffentlich zur Schau. Die Bildtitel entnimmt er oft der ma. Geschichte; schuf Ölbilder, Gouachen, Lithographien (1959); verfaßte theoret. Schriften (›Au delà du tachisme‹, 1963; ›La réponse de l'abstraction lyrique‹, 1975).

Mạthura, Stadt in N-Indien, westlich von Agra am Fluß Yamuna, 140000 Ew.; seit dem Altertum Zentrum des Buddhismus, Jinismus und Hinduismus mit zahlreichen, archäologisch nachgewiesenen Kultbauten und blühender künstler. Aktivität (→Mathura-Kunst). Als Geburts- und Wirkungsstätte von →Krishna ist M. gemeinsam mit den Nachbarorten Brindaban und Govardhan noch heute eine der meistbesuchten vishnuit. Pilgerstädte. Der ehem. Haupttempel Krishnas auf dem Katra-Hügel wurde 1667 unter dem Mogulkaiser Aurangzeb zerstört und durch eine große Moschee aus rotem Sikri-Sandstein überbaut. Kultzentrum sind heute die Ghats und Pavillons aus dem 18. Jh. mit ständig erneuerten Wandmalereien der Krishnalegende. Im Mus. von M. sind die bed. Skulpturen der M.-Kunst und Funde aus Sonkh ausgestellt.

Mạthura-Kunst, die in →Mathura, N-Indien, v. a. in der Kshatrapa-, Kushana- und Gupta-Epoche (1. bis 6. Jh.) geschaffenen Skulpturen und Terrakotten versch. relig. Bestimmung, deren traditionsbildende Ikonographie und Stilistik wesentlich die frühe →indische Kunst prägten. Seit dem 4.–3. Jh. v. Chr. entstanden eine stilistisch eigenständige Terrakotta-Kunst und seit dem 2. – 1. Jh. v. Chr. buddhist. und jinist. Architekturreliefs (Bauten nicht erh.) in dem für die M.-K. typ. roten Sikri-Sandstein. Die Schaffung der ältesten freiplast. hinduist. Götterbilder (Balarama, um 100 v. Chr.) und Yaksha-Figuren (Parkham-Yaksha) sowie v. a. der menschl. Buddha-Darstellung (1. Jh. wohl parallel zur Gandhara-Kunst) leitete die Bilderverehrung in Indien ein (Bild indische Kunst). Unter der Kushana-Dynastie gelangte die M.-K. zu größter Produktivität und ikonograph. Vielfalt. Der sinnlich-vitale Stil der früheren Phasen wandelte sich in der Gupta-Zeit durch eine meditative Komponente zu harmon. Klassizität, die auf das Buddhabild in Sarnath und Nalanda bis Nepal sowie in Ajanta einwirkte.

Matisse [mat'is], Henri Émile Benoît, frz. Maler, Graphiker, *Le Cateau (Nord) 31. 12. 1869, †Cimiez (heute zu Nizza) 3. 11. 1954, wandte sich 1890 der Malerei zu und wurde 1893 Schüler von G. Moreau, lebte seit 1917 meist in Nizza. Angeregt bes. von P. Cézanne, überwand M. den Impressionismus seiner Frühzeit und entwickelte unter dem Einfluß der Neoimpressionisten (P. Signac) um 1905 die Grundlagen seines Stils, indem er leuchtende, reine Farbflächen in scharfer Abgrenzung gegeneinanderstellte (›Luxe, calme et volupté‹, 1904, Paris, Musée d'Orsay). Damit stand die Farbe nicht mehr im Dienst stoffl. Oberflächencharakterisierung, sondern machte die Gegenstände zu Farbträgern. Zugleich gewann das flächig-dekorative, arabeskenhafte Element an Bedeutung (›Der Tanz‹, 1909/10, Leningrad, Eremitage). Die Steigerung der Lokalfarben führte wohl dazu, daß M. und die sich um ihn gruppierenden Maler Fauves (frz. ›Wilde‹) genannt wurden (Bild Fauves). Das Stilleben, das M.s Vorliebe für flächig ornamentale Aufteilung entgegenkam, durchzieht das gesamte Werk. Seine Figurenkompositionen stellen v.a. nackte oder bekleidete Frauengestalten (häufig Odalisken, ›weiße Haremssklavinnen‹) dar, daneben auch Landschaften und Porträts. I. Ggs. zu P. Picasso und den Kubisten war für ihn nicht in erster Linie der Bildaufbau Konzept, sondern die Farbe. Alles Körperliche und Räumliche setzte er in Farbflächen um, mit denen er rhythmisch ausgewogene Kompositionen von dekorativer Wirkung schuf. Er blieb dabei gegenständlich und deformierte nur zugunsten des Ausdrucks.

In den 1920er Jahren steigerte M. seine Malweise durch weitere Reduktion des Körperlichen bis zu ornamentalen Strukturprinzipien, Verwendung nur weniger

Henri Matisse: Goldfische; 1911 (Berlin-West, Privatsammlung)

Farben und rhythmisch linearer Abgrenzung der Farbfelder. In den graph. Arbeiten wurde eine immer konsequentere Vereinfachung der die Form erfassenden Linienführung erreicht. Eine Reihe von Skulpturen ergänzten das Werk.

Der flächig farbige Stil führte M. zur Wandmalerei. 1930–34 entstand die dreiteilige große Dekoration ›Der Tanz‹ (Merion, Pennsylvania, Barnes Foundation) aus einfarbigen Flächen, die aus Papier ausgeschnitten und aneinandergeklebt wurden. Seit 1941 entstanden auch reine Scherenschnitt-Collagen (›papiers découpés‹; Zyklus ›Jazz‹). – In den letzten Jahren seines Lebens widmete er sich der Ausgestaltung (Wandbilder, Glasfenster, liturg. Geräte) der Klosterkapelle Notre-Dame du Rosaire in Vence bei Nizza.

Für den dt. Expressionismus war M.s Werk von großer Bedeutung. Viele seiner Gemälde sind in der UdSSR (Moskau, Puschkin-Mus.; Leningrad, Eremitage) und in den USA (Merion, Pennsylvania, Barnes Foundation; New York, Mus. of Modern Art), weitere in Bremen, Essen, Frankfurt a. M., München, Kopenhagen, London und Paris. 1982 wurde in seinem Geburtsort (Le Cateau-Cambresis) ein M.-Mus. eröffnet.

WW: Luxus I (1907; Paris, Musée d'Orsay); Luxus II (1907; Kopenhagen, Statens Mus. for Kunst); Das rote Atelier (1911; New York, Mus. of Modern Art); Goldfische (1911; Berlin-West, Privatsammlung).

G. Jedlicka: H. M., Die Kapelle von Vence (1955); J. Guichard-Meili: H. M. (a. d. Frz., 1968); M. W. Alpatow: H. M. (1973); Catherine C. Bock: H. M. and neo-impressionism 1898–1908 (Ann Arbor, Michigan, 1981); H. M. Über die Kunst, Sämtl. Aufsätze, Interviews, ... sowie Gespräche mit Apollinaire..., hg. v. J. D. Flam (a. d. Engl., 1982); Magrit Hahnloser-Ingold u. a.: H. M. Gravures et lithographies (Fribourg 1982); H. M. Der Zeichner, hg. v. J. Jouvet (1982); H. M., Ausst.-Kat., Zürich (1982/83).

Henri Matisse: Selbstporträt; Zeichnung, 1937

Matrei, 1) M. am Brenner, Marktgem. in Tirol, Österreich; spätgot. Pfarrkirche (um 1470), 1754/55 barock umgebaut und ausgestattet; Johanneskapelle (1509 bis 1521), ein unverändert erh., einheitl. spätgot. Bau von seltener stilist. Reinheit.

2) M. in Ost|tirol, Marktgem. bei Lienz, Österreich; frühklassizist. Pfarrkirche (1777–83) mit qualitätvollem Stuck- und Freskenschmuck, in die W-Fassade got. Turm des Vorgängerbaus einbezogen; Nikolauskirche (Ende 12. Jh.), um 1470 gotisiert, im mächtigen Turm 2 Chöre übereinander, beide mit bed. Fresken des 13. Jh.; Schloß Weißenstein (12. Jh., im 19. Jh. umgebaut).

Matria, Ort in NW-Tunesien, 22 km nördlich von Teboursouk. Auf einem Hügel bei M. die Ruinen des antiken **Numuli** (röm. Stadt und frühchristl. Bischofssitz): Thermen, Zisternen, Monumentaltor, Forum, Jupitertempel (170 n. Chr.) in korinth. Ordnung mit Marabut im Innern, 2 christl. Basiliken.

Matrika [Skt.], ind. Muttergöttin seit prähistor. Zeit (Terrakotta-Figuren der Harappa-Kultur), die als Symbol der Fruchtbarkeit wie auch als Personifikation von Krankheiten (Hariti) seit dem 4.–3. Jh. v. Chr. in der Terrakotta-Kunst häufig dargestellt wurde. Zu kanonischen Gruppen von 7 oder 8 M. (Sapta-M., Ashta-M.) zusammengefaßt, wurden sie in den folgenden Jh. den

Hauptgöttern des Hinduismus zugeordnet und, mit deren Vahanas versehen, auf Reliefs abgebildet.

Matronenreli|efs, provinzialröm. Weihreliefs des 2. und 3. Jh. n. Chr. mit Darstellung der in der Dreierzahl verehrten segenspendenden keltisch-german. Muttergottheiten (Matronae, Matres); i. d. R. als Dreiersitzgruppe, mit Haubenfrisur und Fruchtbarkeitsattributen; in Gallien und Germanien, v. a. im Köln-Bonner Raum und im Voreifelgebiet, verbreitet.

Matschinsky-Denninghoff, Brigitte, Bildhauerin, geb. Meier-Dennighoff, *Berlin 2. 6. 1923, ∞ mit Martin Matschinsky, *Grötzingen/Baden 4. 7. 1921, mit dem sie seit 1955 zusammenarbeitet. Seit 1970 signieren sie als M.-D.: Plastiken aus geschweißten Messingstäben, Großskulpturen aus Chromnickelstahl (›Landmarken‹) z. B. am Sipplinger Berg, Bodensee (1972/73) oder für das Zweite Dt. Fernsehen, Mainz-Lerchenberg (1973–75).

Matsu|e, Stadt in Japan, im W von Honshu an der Japansee; ehem. Burgstadt. Die Burganlage wurde 1611 erbaut, der dreigeschossige Turmbau (1642) gehört noch zu den wenigen originalen in Japan.

Matsuma|e, Stadt in Japan, auf der südwestl. Halbinsel von Hokkaido; im 16. Jh. als Burgstadt gegr., hieß in der Edo-Zeit ›Fukuyama‹, wurde 1854 mit dem 2. Burgbau strategisch wichtig für die Kolonialisierung von Hokkaido (dessen einzige Burgstadt M. war und somit die nördlichste Japans); 1961 rekonstruiert.

Matsumoto, Stadt im Zentrum von Honshu in den Japan. Alpen, 185 200 Ew. Ehem. Burgstadt mit gut erh. Burganlage von 1504; das sechsstöckige Turmgebäude gehört zu den elegantesten Burgbauten in Japan; in M. bed. Papierherstellung (versch. Arten; Ausstellung im Volkskunst-Mus.).

Matsushima [-ʃ-], Landschaft im NO von Honshu, Japan, bei Sendai. Eine Bucht mit über 200 kleinen Inseln aus vulkan. Tuffstein, mit Kiefern bewachsen, ergab reizvolle Motive für die darstellende Kunst.

Matsuyama, Matsujama, Stadt in Japan, im W von Shikoku; ehem. Burgstadt. Die Burg (1602 errichtet) gehört zu den besterhaltenen in Japan; der dreigeschossige Turmbau (Regional-Mus.) ist von den originalen Mauer- und Wallanlagen mit 4 gut erh. Torbauten umgeben. 1 km östlich liegt Ishiteji, eine buddhist. Tempelanlage (1318), gutes Beispiel der Tempelarchitektur der Kamakura-Zeit mit Torgebäude (Nationalschatz).

Matsys [m'atsɛjs], niederländ. Malerfamilie, →Massys.

Matta Echaurren [-tʃ-], Roberto Sebastián Antonio, chilen. Maler, *Santiago de Chile 11. 11. 1911, studierte Architektur ebd. und bei Le Corbusier in Paris (wo er seit 1954 meist lebt), schloß sich 1936 den Surrealisten an; emigrierte 1939 nach den USA (wo er durch seinen Einfluß auf A. Gorky den Abstrakten Expressionismus einleitete). Seine Bilder spiegeln als Zeichen kosmischer und menschl. Zerstörung eine leidenschaftl. Auseinandersetzung mit der Gegenwart.

Matteo di Giovanni [-dʒov'anni], auch **Matteo da Siena,** ital. Maler, *wahrscheinlich in Siena um 1430, †Siena Juni 1495, schuf realist. Altar- und Andachtsbilder im Stil des späten Quattrocento, darunter viele Fassungen des ›Bethlehemitischen Kindermordes‹.

Mattfarben, Maltechnik: →Totfarben.

Matthäus, einer der 12 Jünger Jesu, Apostel und Evangelist, in der Überlieferung mit dem Zöllner Levi identisch; in der bildenden Kunst meist im Zusammenhang mit den 4 →Evangelisten dargestellt, als Zöllner mit den individuellen Attributen Hellebarde, Winkelmaß und Zählbrett, Waage. Seine legendäre Berufung aus der Tätigkeit als Zolleinnehmer wurde schon seit dem frühen MA. dargestellt (Codex Egberti), später v.a. von M. DA CARAVAGGIO (1599; Rom, S. Luigi dei Francesi), sein Gastmahl für Christus bes. von P. VERONESE (1572; Venedig, Accademia); als Einzelfigur von L. GHIBERTI (1420; Florenz, Or S. Michele) und C. RUSCONI (1703–19; Rom, S. Giovanni in Laterano).

Mattheuer, Wolfgang, Maler, Graphiker, *Reichenbach (Vogtland) 7. 4. 1927, 1965–74 Prof. in Leipzig, entwickelte den Sozialist. Realismus durch surreal-ambivalente Bilderfindungen zum ›Kritischen Realismus‹ weiter. Als Landschaftsmaler verschmilzt er die Bildtradition der Romantik mit einer sozialist. Utopie.

Matthias von Arras, frz. Baumeister, *Arras, †Prag 1352, stand in den 40er Jahren des 14. Jh. im Dienst des

Wolfgang Mattheuer: Leipzig; 1971 (Besitz des Rates des Bezirks Leipzig)

Daniel Mauch: Musizierender Engel vom Altarschrein aus Talheim; Lindenholz, 1523 (Stuttgart, Württemberg. Landesmuseum)

päpstl. Hofs in Avignon, seit 1344 im Dienst des Markgrafen von Böhmen (später Kaiser KARL IV.) in Prag. Nach dem Vorbild südfrz. Kathedralen (Narbonne, Rodez) entwarf er ebd. den St.-Veits-Dom und baute von ihm das Chorhaupt mit Umgang und den Ostteil des Langchores. Sein Nachfolger war P. PARLER.

Matthieu [matj'ø], Georg David, Maler, Kupferstecher, *Berlin 20. 11. 1737, †Ludwigslust 3. 11. 1778, Schüler seines Vaters David und seiner Stiefmutter A. R. LISIEWSKA, wurde 1767 Hofmaler des Herzogs von Mecklenburg in Schwerin. – M. malte, von A. PESNE ausgehend, charaktervolle Porträts, die das Stoffliche vollendet wiedergeben.

Mattmalerei, Maltechnik: schwarze bis dunkelbraune Dekorationen auf hellem Grund, die einer mittelhellad. Keramikgattung in der 1. H. des 2. Jahrtsd. v. Chr. den Namen gab; die Verbreitung ging vielleicht von Ägina aus (im dortigen Mus. typische Beispiele, v. a. große Gefäße mit streng geordneten Dekorationen). Die M. ist (zus. mit der →minyschen Keramik) eine wichtige Vorstufe für die früheste myken. Keramik.

Mattoir [matw'a:r, frz.] *das,* Arbeitsgerät des Radierers bei den graph. Techniken der →Kreide-Manier und der →Punktier-Manier. Die keulenförmige Verdikkung am unteren Ende dieses Stahlstabs ist mit feinsten Stacheln besetzt. Durch das Eindrücken in die Metallplatte entsteht eine feine Körnung, die im Abdruck einem Kreidestrich ähnelt. (→Roulette)

Mattvergoldung, Maltechnik: nicht polierte Vergoldung.

Matwejew, Matveev, Fjodor Michajlowitsch, russ. Landschaftsmaler, *St. Petersburg 1758, †Rom 1826, lebte nach 1779 in Italien; nahm, von P. HACKERT beeinflußt, die Tradition der klass. Landschaftsmalerei auf. Seine Kompositionen sind von streng rational ausgewogenen Proportionen bestimmt und zeichnen sich durch besondere Klarheit aus.

Mauch, Daniel, Bildhauer, *Ulm um 1477, arbeitete in Ulm, Geislingen (um 1520) und Tübingen (1523). 1529 übersiedelte M. wegen der Bilderfeindlichkeit der Reformation nach Lüttich; er ist bis 1540 nachweisbar. Sein spätgot. Stil zeigt in Details bereits Elemente der frühen Renaissance.

HW: Sippenaltar (1501; Bieselbach bei Zusmarshausen, Kapelle); Altarschrein (1520; Geislingen, Stadtkirche); Talheimer Altar (1523; Stuttgart, Württemberg. Landesmus.); Marienhalbfigur (Ulm, Mus.); Immaculata (Dalhem bei Lüttich, Kirche).

Mauer [aus lat. murus], Wand aus Bausteinen, die übereinandergreifend, d. h. im Mauerverband, aufgebaut sind. M. werden meist aus **Mauerwerk** errichtet, dem Baustoff aus Mauersteinen und Mörtel für Wände und Pfeiler, für Verblendungen und – heute selten – für Gewölbe. **Trockenmauerwerk** ohne Mörtel wird nur noch selten angewendet.

Der **Mauerverband (Mauerwerksverband)** gibt dem in Schichten aufgebauten Mauerwerkskörper den Zusammenhalt durch die **Läufersteine,** die parallel, und die **Bindersteine,** die senkrecht zur M.-Flucht angeordnet

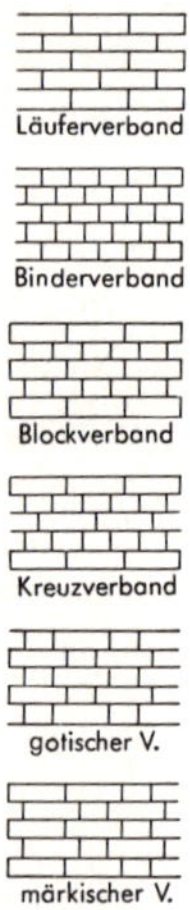

Mauer: Mauerverbände

sind. Die wichtigsten Verbände bei M. aus **künstl. Steinen** sind Läufer-, Binder-, Block-, Kreuz-, gotischer und märkischer Verband.

Beim **Natursteinmauerwerk** werden unterschieden: **Zyklopenmauerwerk** aus unregelmäßigen, nicht lagerhaften Bruchsteinen, **Bruchsteinmauerwerk** aus lagerhaften Bruchsteinen versch. Größe mit unregelmäßigen Fugen, **Schichtenmauerwerk** aus Steinen, die in den Lager- und Stoßfugen senkrecht zur Ansichtsfläche auf mindestens 12 cm Tiefe bearbeitet sind. Bei **Quadermauerwerk** (→Bossenwerk) sind die Steine nach Zeichnung und Angabe ganz zu bearbeiten. Bei **Mischmauerwerk** ist dessen Sichtfläche aus Natursteinen, die Hintermauerung aus Bruchsteinen, Beton oder Ziegelmauerwerk. **Zweihäuptiges Mauerwerk** hat auf beiden Seiten Sichtfläche. Bei **zweischaligem Mauerwerk** nimmt die innere Schale die Lasten und bewirkt die äußere Schale den Wetterschutz.

Geschichtliches. Im Vorderen Orient bestanden die M. in ältester Zeit aus Lehm mit untermischten Steinen, später aus vermörtelten, luftgetrockneten Lehmziegeln, an deren Stelle in Mesopotamien (Sumer) der gebrannte Ziegelstein trat. In Ägypten dienten schon in früher Zeit behauene Blöcke von gebrochenem Felsgestein (meist Kalkstein) als Baumaterial. Auch in Troja und in den myken. und etrusk. Städten wurden M. aus großen Steinblöcken **(Megalithische M.)** errichtet. Die Römer verwendeten anfangs luftgetrocknete und erst später gebrannte Ziegel. Im vorkolumb. Nord- und Südamerika wurden ebenfalls luftgetrocknete Ziegel verwendet, daneben für Monumentalbauten auch Steine (polygonale M. der Inka).

In der mitteleurop. Vorzeit herrscht der Typ der Holz-Stein- oder Holz-Erde-M. (mit verstärkendem Balkenwerk) vor. In der Hallsteinzeit gab es Fachwerkhütten auf Steinsockeln **(Trocken-M.)**, in der Latènezeit aus Steinen errichtete Umfriedungen der Siedlungen. Bes. standfest waren die kelt. M. mit längs- und quergelegten Binderbalken. Mörtel-M. erscheinen in Mitteleuropa mit den Römern, bleibend im frühen MA. Die Ziegel-M. kam mit der Ausbreitung der röm. Kultur nach Nordeuropa.

Mauer bei Melk, Teil der Gem. Dunkelsteinerwald, NÖ. Die unvoll. got., 1737 teilweise barockisierte Pfarrkirche birgt einen hervorragenden spätgot. geschnitzten Flügelaltar (um 1520), in dessen Aufbau sich schon Elemente der Renaissance zeigen.

Maulbertsch, Maulpertsch, Franz Anton, Maler, getauft Langenargen (Bodensee) 7. 6. 1724, †Wien 8. 8. 1796, ebd. seit 1739, seit 1759 Mitgl. der Akad., malte Deckengemälde in österr., ungar. und böhm. Kirchen (auch in Schlössern und Bibliothekssälen) sowie Altarblätter. Sein Stil nimmt Elemente der venezian. (G. B. PIAZZETTA u. a.) wie der österr. Kunst (P. TROGER) auf, verbindet erzähler. Dramatik – oft ins Visionäre und Expressive gesteigert – mit atmosphärisch-verfeinertem Kolorismus und bildet den glänzenden Abschluß der österr. Barockmalerei. Das Spätwerk zeigt schon die Wende zum Klassizismus.

Franz Anton Maulbertsch: Sonne und Wahrheit vertreiben die Mächte der Finsternis, Allegorie (Köln, Wallraf-Richartz-Museum)

HW: Fresken: Wien, Piaristenkirche (1752/53), Sümeg/Ungarn, Pfarrkirche (1757/58), Wien, Theologiesaal der Alten Univ. (1766/67), Innsbruck, Hofburg (1775/76); Gemälde: Sonne und Wahrheit vertreiben die Mächte der Finsternis, Allegorie (Köln, Wallraf-Richartz-Mus.). – Samml. von Gemälden und Skizzen (Wien, Österr. Barock-Mus.).

F. A. M., Ausst.-Kat., Wien (1974); F. M. HABERDIZL: M. (1977).

Maulbronn, Stadt im Enzkreis, Bad.-Württ., 5800 Ew. Die ehem. Zisterzienserabtei (1147 gegr.) ist das besterhaltene Kloster in Dtl. aus dem MA.: Klosterkirche, eine roman. Pfeilerbasilika (1178 gew.) mit Paradies (um 1210–15), bemaltem Netzgewölbe (1424) und spätgot. 92sitzigem Chorgestühl; got. Kreuzgang mit neuneckiger Brunnenkapelle (um 1350; Deckengemälde von J. RATGEB 1512); zweischiffiges Herrenrefektorium mit achtteiligen Rippengewölben (um 1220/25), sterngewölbter Kapitelsaal (Mitte 14. Jh.) und Parlatorium (1493). Die Wirtschaftsgebäude im Klosterbezirk sind meist Fachwerkbauten des 16. Jh. (BILD S. 251)

Maulpertsch, Franz Anton, →Maulbertsch.

Maureske *die,* im 16. Jh. aus der →Arabeske entwickeltes, bes. in Dtl. beliebtes Flächenornament, das aus kalligraphisch geschwungenen und sich überschneidenden Pflanzenranken mit stark abstrahierten Blättern und Blüten besteht.

maurischer Stil, westislam. Kunstform im Maghreb und auf der Iber. Halbinsel. Sie wurzelt in der Kunst

Maulbronn: Brunnenkapelle; um 1350

der span. Omajjaden und späterer Teilreiche und assimilierte ostislam. Formen und Techniken. Entwickelt und zur Vollendung geführt wurde sie von den maghrebin. Berberdynastien der Ziriden, Almoraviden, Almohaden, Meriniden und den spanisch-arab. Nasriden vom 11. bis 15. Jh. Über den →Mudéjarstil strahlt sie bis in den europ. Barock und nach Lateinamerika aus. Wesenszüge wie die durch Ineinanderfließen von Bau- und Dekorformen bewirkte Entmaterialisierung und mehrfache Lesbarkeit aller Formen, die Kombination von Monumentalität mit feinster Detailgestaltung und mathematisierender Abstrahierung mit stets sichtbar bleibender Individualform u. a. machen den m. S. zur Idealverkörperung islam. Lebensgefühls.

Bestimmende Einzelelemente der Baukunst sind v. a. die oft mit reichverziertem Alfiz versehenen typisch maur. Bogenformen, die 7elementige Stalaktittrompe (in Kuppeln, Wölbungen, Nischen), Ajimez-Fenster, überkragende Schnitzvordächer (Aleros) zum Schutz reichgeschmückter Stuckfassaden und Portale, ferner grüne Lasurdachziegel und Artesonadodecken in Innenräumen. Im Moscheebau dominiert die vielschiffige Hallenmoschee in T-Konzeption (Querschiff vor der Kiblawand, Betonung des Mittelschiffs durch Kuppeln und größere Breite) mit Rechteck-Sahn, Riwaks, Schmucktoren und hohem, reichgegliedertem quadrat. Minarett. Durch Reihung wechselnder Bogenformen (meist über Backsteinpfeilern) wurden verschiedenartige Perspektiven geschaffen. Der Festungsbau ist cha-

maurischer Stil

maurischer Stil: Bogenformen; **1** ›echter‹ Hufeisenbogen (Überhalbkreisbogen); **2** gekielter Hufeisenbogen (im Scheitelpunkt gebrochener Hufeisenbogen); **3** polylober Bogen (Vielpaßbogen);

maurischer Stil: einer der beiden Pavillons im Sahn der El-Qarawijjin-Moschee in Fès; 16. Jh.

rakterisiert durch Stampfbetonmauern mit Rechtecktürmen und monumentalen gewinkelten Schmucktoren. Im Palastbau wurden schon von den Ziriden in Asir und Kal'at Beni Hammad richtungweisende raumstrukturelle und dekorative Neuerungen entwickelt, die in der Alhambra Vollendung erfuhren. Nach der eher asket. Formgestaltung der Almoraviden erreicht der Dekor merinid. und nasrid. Bauten Höhepunkte in atekton. geometr. Ornamentik und entnaturalisierten Filigranarabesken in Verbindung mit stilisierten Schriftfriesen. Zentren maur. Baukunst sind: Fès, Marrakesch, Rabat, Meknès, Tinmal, Taza; Tlemcen, Algier; Tunis; Granada, Malaga, Almería, Sevilla.

In der Kleinkunst ragen v. a. die großen Alhambravasen in Fayencetechnik mit Lüsterdekor und Aquamanile in Löwengestalt hervor. Die Lüsterfayence (Zentrum Malaga) und die Fliesentechnik mit ihrem Kolorit beeinflußten die europ. Renaissance-Kleinkunst. Weltruf hatten die Filigrandurchbruchtechnik von Metallflächen, die Waffenschmiedekunst (damaszierte Toledo-Klingen, Boabdilschwerter, Ohrendolche) und die Lederstickerei. Seidentücher und Goldbrokate weisen außer geometr. und Schriftdekor seit dem 12. Jh. auch antithet. Figuren auf. Koranillumination mit schön geschwungener Maghrebi-Kunstschrift sowie in der Webkunst Knüpftechnik, Musterung und Kolorit zeigen ebenfalls Eigenständigkeit.

H.-J. Kress: Die islam. Kulturepoche auf der Iber. Halbinsel (1970); M. Brett u. W. Forman: Die Mauren (a. d. Engl., 1982).

maurischer Stil

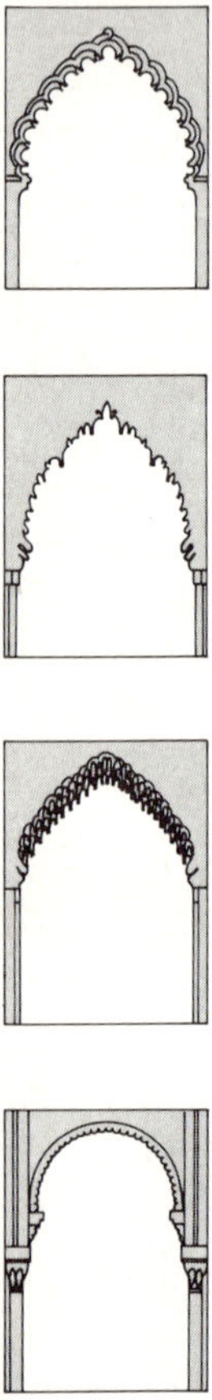

4

5

6

7

maurischer Stil: Bogenformen: **4** kreuzpolylober Bogen (Zackenbogen); **5** Lambrequinbogen; **6** Mukarnasbogen (Stalaktitbogen); **7** gestelzter Rundbogen

Mauritius, Anführer einer röm. Legion (›Thebäische Legion‹), die sich weigerte, Christen zu verfolgen und deshalb zw. 280 und 300 n. Chr. bei Agaunum (heute Saint Maurice im Wallis) das Martyrium erlitt; in der bildenden Kunst (wegen seines Namens oder seiner Herkunft aus Afrika?) oft als Mohr dargestellt, so auf einem Flügel des Pfirtscher-Altars von L. CRANACH D. Ä. (1524; Aschaffenburg), in ritterl. Rüstung zu Fuß (Statue, um 1240; Magdeburg, Dom) oder zu Pferd; dann oft nur schwer von der Darstellung des Hl. Georg unterscheidbar; diesem gegenübergestellt von H. BALDUNG auf dem Dreikönigsaltar (1507; Berlin-West, Staatl. Museen); im Gespräch mit Erasmus (M. mit den Gesichtszügen des Kardinals Albrecht von Brandenburg) von M. GRÜNEWALD (um 1522; München, Alte Pinakothek).

Mauritshuis [m'ɔuritshœjs], barockes Stadthaus in Den Haag (Niederlande), wurde 1633–44 für den Prinzen MAURITS von Nassau-Siegen erbaut. Nachdem Teile der unter NAPOLEON I. nach Paris gebrachten Kunstsamml. wieder zurückgeholt worden waren, wurde das M. 1822 als Mus. mit Gemälden von P. P. RUBENS, A. VAN DYCK, JAN STEEN, A. V. OSTADE u. a. eröffnet. Später kamen Kunstwerke u. a. von J. VERMEER VAN DELFT, R. VAN DER WEYDEN und REMBRANDT hinzu. Unter der Leitung von A. BREDIUS (1889–1909) begann gegen Ende des 19. Jh. der Ausbau des Mus., das heute zu den bedeutendsten Samml. niederländ. Malerei und Skulptur des 14.–18. Jh. gehört.

Maursmünster, frz. **Marmoutier** [marmutj'e], Gem. im Unterelsaß, südlich von Zabern, 1800 Ew. Die ehem. Abteikirche (um 1140–13. Jh.) hat roman. W-Bau (um 1140/50; bed. Beispiel frühstauf. Kunst im Elsaß) mit zweiteiliger Vorhalle, ein dreischiffiges Langhaus (mit Bauplastik, u. a. Konsolfiguren), Querhaus (13. Jh.) und Chor in historisierenden got. Formen (1761–67); Rokoko-Chorgestühl (um 1770).

Maurya-Dynastie, altind. Herrscherhaus (4.–Anf. 2. Jh. v. Chr.), gegr. von CHANDRAGUPTA MAURYA, dessen Enkel ASHOKA als Initiator der Steinplastik und -architektur in Indien gelten kann (→indische Kunst).

Mausoleum [grch.-lat.] *das,* monumentaler Grabbau. Der Name stammt von dem für König MAUSOLOS (pers. Satrap in Karien, 377–355 v. Chr.) bestimmten Grabbau in Halikarnassos (→Bodrum). Dieses etwa 50 m hohe M. ist bei PLINIUS D. Ä. beschrieben und durch Ausgrabungen bekannt: Über einem Sockelunterbau mit Friesen (Amazonenkämpfe, Teile in London, Brit. Mus.) erhob sich der Grabtempel mit 36 Säulen, nach oben schloß er mit einer Stufenpyramide und einer Quadriga ab. Baumeister war PYTHOS; die Bildhauer BRYAXIS, LEOCHARES, SKOPAS und TIMOTHEOS arbeiteten miteinander am plast. Schmuck des Baus. Wo die Mausolos und Artemisia (seine Gemahlin) genannten Kolossalstatuen (heute London, Brit. Mus.) standen, ist unklar. Das durch Erdbeben zerstörte Monument zählte zu den Sieben Weltwundern. Weitere M. der Antike sind in Rom das Augustus-M. und das M. des Hadrian

(Engelsburg, BILD) sowie das Theoderichgrab in Ravenna. Über die M. im islam. Kulturbereich und die M. der Mogul-Dynastie in Indien →Grabbauten.

Mauve [m'ɔuvə], Anton, niederländ. Maler, *Zaandam 18. 9. 1838, †Arnheim 5. 2. 1888, lernte bes. von J.-F. MILLET und den Malern von Barbizon. M. malte silbrig zart getönte niederländ. Weide- und Strandlandschaften; auch Zeichnungen und Aquarelle.

Mavignier [mav'ɪɲɛr], Almir **da Silva,** dt. Maler brasilian. Herkunft, *Rio de Janeiro 1. 5. 1925, lebt seit 1951 in Europa, wurde 1965 Prof. an der Akad. in Hamburg; Vertreter der Op Art. Seine Bilder zeigen leicht reliefierte Punktfelder, deren Elemente sich in Größe und Farbe nach strengen Regeln verändern, wodurch eine subtile räuml. Vibration bewirkt wird.

M., Ausst.-Kat., Zürich (1974).

Max, Gabriel von (1900), Maler, *Prag 23. 8. 1840, †München 24. 11. 1915, ebd. Schüler von K. V. PILOTY, 1879–83 Prof. der Akad.; malte in einem dem Symbolismus nahen Stil weibl. Porträts und Akte von eigentüml., sinnl. Reiz, später bes. Bilder von kranken Menschen und realist. Darstellungen von Menschenaffen.

Maxentiusbasilika, Konstantinsbasilika, großer dreischiffiger Hallenbau an der Via Sacra des Forums in Rom, unter dem röm. Kaiser MAXENTIUS um 310 beg., unter KONSTANTIN nach 313 voll. Der mittl. Längssaal war von 3 etwa 50 m hohen Kreuzgewölben überspannt, die Seitenschiffe von Kassettentonnen (N-Schiff erh.). Der urspr. längsgerichtete Bau (Eingang an der östl. Schmalseite mit gegenüberliegender Apsis im W) bekam unter Konstantin eine neue Querachse durch Verlegung des Eingangs an die südl. Breitseite mit entsprechender N-Apsis. (BILD Basilika)

Maximianskathedra, der von Erzbischof MAXIMIAN (546–um 556) in Konstantinopel vermutlich für die ravennat. Kathedrale (Basilica Ursiana) in Auftrag gegebene Bischofsthron aus Elfenbein (Ravenna, Mus. Arcivescovile). Elfenbeinzähne bilden die Pfosten, die Gewände sind mit kleinen Reliefplatten ausgefüllt; unter dem Sitz das Monogramm des Maximian. – Die M. ist das bedeutendste Denkmal der frühchristl. (frühbyzantin.) Elfenbeinschnitzerei (BILD).

May, Ernst, Architekt und Stadtplaner, *Frankfurt a. M. 27. 7. 1886, †Hamburg 11. 9. 1970, praktizierte bei R. UNWIN in London, war 1925–30 Stadtbaurat von Frankfurt a. M. (Trabantenstädte), leitete 1930–33 Großplanungen für Städte und Industrie in der UdSSR, seit 1934 in O-Afrika (u. a. Entwicklungsplan von Kampala/Uganda, 1947). Seit 1953 mit dem Wiederaufbau und der Generalplanung mehrerer dt. Städte betraut (Hamburg-Altona, Bremerhaven, Mainz, Wiesbaden).

RUTH DIEHL: Die Tätigkeit E. M.s in Frankfurt... (1976).

Maya, indian. Volk in Mesoamerika, in vorkolumb. Zeit Träger einer hochentwickelten Kultur, die von S-Mexiko (heutige Bundesstaaten Tabasco, Chiapas, Campeche, Yucatán, Quintana Roo) über Guatemala

Maya: Türsturz mit Relief aus einem Palast in Yaxchilán, 1,09 m hoch; um 730 (London, Brit. Museum)

und Belize bis W-Honduras und El Salvador verbreitet war. Seit Beginn der systemat. M.-Forschung (19. Jh.) wurden, über das ganze Gebiet verstreut, hunderte von Zeremonialstätten unterschiedlichster Größe entdeckt und freigelegt. Ihre Blütezeit hatte die M.-Kultur in der klass. Epoche (300–900), in der datierte Stelen errichtet wurden. Die wichtigsten Zentren dieser Zeit waren Tikal (BILD), Palenque (BILD), Yaxchilán, Copán (BILD), Piedras Negras, Quiriguá (BILD), Uaxactún, Bonampak (BILD); die meisten wurden um 900 verlassen, z. T. zerstört. In der nachklass. Zeit (900–1540) erlebte die M.-Kultur in N-Yucatán (wichtigste Zentren: Chichén Itzá, BILD; Uxmal, BILD; Tulum), seit etwa 1000 unter dem Einfluß der Tolteken (maya-toltek. Kultur), eine neue Blüte. Hieroglypheninschriften auf Stelen, Altären, Türstürzen u. a. geben Auskunft über die dynast. Geschichte des jeweiligen Zentrums. Die vier erh. Bilderhandschriften der M. enthalten kalendar., astrolog. und astronom. Berechnungen.

Die Kunst der M. stellt unter den →Mesoamerikanischen Hochkulturen einen Höhepunkt dar.

In der Baukunst gibt es trotz regionaler Besonderheiten viel Gemeinsames: Bauten aus Stein, Errichtung von Pyramiden mit Tempeln und von niedrigen, langgestreckten Palästen; Anlage von Ballspielplätzen; Aufstellen von →Stelen, häufig mit zugeordneten Altären; Verwendung von Bauelementen wie Treppen, falschem Gewölbe, Dachkämmen; Fassadendekoration mit Reliefs, Steinmosaik oder Stuck u. a. In Yucatán sind in Bau und Baudekoration 3 Stile zu unterscheiden (→Puuc-Stil, →Chenes-Stil, →Río Bec).

Die meisterhafte Bildhauerkunst der M. zeigt sich

Maya: Bemaltes Tongefäß aus Guatemala, 19,6 cm hoch (Berlin-West, Museum für Völkerkunde)

v. a. in den Reliefs; die schönsten finden sich auf Stelen in Piedras Negras und Copán sowie auf Türstürzen in Yaxchilán. Meisterwerke der Steinplastik wurden v. a. in Copán und Palenque gefunden.

Wandmalereien sind nur wenige erhalten. Auf den erst 1946 entdeckten Wandbildern (144 m^2 Wandfläche) von Bonampak sind mit großer Lebendigkeit und Farbenpracht Szenen aus dem Leben der M. dargestellt. Die gleichen künstler. Fähigkeiten finden sich auch in der Bemalung von Gefäßen sowie in den Bilder-Hss.

Die Keramik der frühen klass. Zeit zeigt den Einfluß von Teotihuacán (Dreifußgefäße mit Deckel). Gefäße und Schalen der klass. Zeit sind auf orangefarbigem Grund vielfarbig mit naturalist. Mustern und Szenen sowie Inschriften bemalt. Figürl. Keramik, meist kleine, fein modellierte, z. T. bemalte Tonfiguren, entstand in der klass. Zeit auf der Insel Jaina. Bes. aus Tikal sind Knochenschnitzereien mit Inschriften und szen. Darstellungen überliefert. Aus Jade wurden Anhänger, Perlen, Ohrschmuck, auch mit Muschelschalen zusammengesetzte Schmuckstücke gefertigt.

S. G. MORLEY: The ancient M. (Stanford, California, [3]1956); TATJANA PROSKURIAKOFF: An album of M. architecture (Neuausg., Norman, Oklahoma, 1963); M. D. COE: Die M. (a. d. Engl., 1968); H. HARTUNG: Die Zeremonialzentren der M. (1971); B. RIESE: Gesch. der M. (1972); H. J. SPINDEN: A study of M. art (Nachdr., New York 1975); J. E. THOMPSON: Die M. (a. d. Engl., 1975); D. F. POTTER: M. architecture of Central Yucatán Peninsula, Mexico (New Orleans 1977); H. STIERLIN: Die Kunst der M. (1981); H. WILHELMY: Welt und Umwelt der M. (1981).

Maya, die Mutter des histor. Buddha Shakyamuni, der ind. Glücksgöttin Lakshmi gleichgesetzt und als Lotus symbolisiert. In Reliefs der Gandhara- und Mathura-Kunst sowie in Amaravati wurde M. seit dem 2. Jh. in der Empfängnisszene als Liegende und in der Geburtsszene als Stehende dargestellt, die in das Geäst eines Baumes greift, während eine kleine Figur Shakyamunis aus ihrer Taille tritt.

Maya|gewölbe, Baukunst: →Gewölbe.

Mayapán, archäolog. Fundort der nachklass. Maya-Kultur (1200–1450) im Bundesstaat Yucatán, Mexiko. Erh. ist eine große, von einer 9 km langen Ringmauer umgebene Stadtanlage (4500 Häuser, 20 Tempelanlagen); die Gebäude sind schmucklose, bescheidene Imitationen ähnl. Anlagen in Chichén Itzá. Die gefundenen polychrom bemalten Weihrauchgefäße und Graburnen sind aus schlecht gebranntem Ton in Massen hergestellt. Architektur und Keramik dokumentieren deutlich einen Niedergang des Kunstschaffens.

Mayekawa, Kunio, japan. Architekt, *Niigata 15. 5. 1905, seit 1935 selbständig in Tokio und bis heute durch seine Verbindung zur europ. Architektur (Mitarbeit bei LE CORBUSIER 1928–30) von großem Einfluß auf die Entwicklung der modernen japan. Architektur.

HW: Nat. Mus., Tokio (1953); Pavillon der Weltausstellung, New York (1964); Mus. für Ostasiat. Kunst, Köln (1979).

Mayen, Stadt in der östl. Eifel, Rheinl.-Pf., 20600 Ew.; im 2. Weltkrieg stark zerstört. Die ehem. kurtrier. Genovevaburg mit 4 Rundtürmen (13./14. Jh.) wurde im 18. Jh. schloßartig erweitert (Mus.). Die Clemenskirche (14. Jh.; nach 1945 wiederaufgebaut) ist eine weiträumige got. Rundpfeilerhalle mit Doppelturmfassade: der höhere Nordturm ist durch jahrhundertelange Windeinwirkung spiralig gedreht. Die moderne Veitskirche (1953–55 von G. BÖHM) wurde durch einen Zwischenbau mit der barocken Veitskapelle (18. Jh.) verbunden. Teile der einstmals 16türmigen ma. Stadtbefestigung erh.

Mayno, Maino, Fray Juan Bautista, span. Maler (nach manchen Quellen aus der Lombardei stammend), *vermutlich Pastrana (Prov. Guadalajara) 1568 oder 1578, †Madrid 1. 2. 1649, seit 1608 in Toledo als Mönch des Klosters S. Pedro Mártir nachweisbar, später in Madrid Zeichenlehrer des Infanten Philipp (der spätere PHILIPP IV.). Beeinflußt von O. GENTILESCHI und CARAVAGGIO, war er einer der bedeutendsten Vertreter des span. Naturalismus im 1. Drittel des 17. Jh.

HW: Anbetung der Könige (Teil des Altars des Hl. Petrus Martyr, 1612; Madrid, Prado); Rückeroberung von Bahia 1625 (urspr. für das Schloß Buen Retiro gemalt; heute Madrid, Prado); Caballero (Porträt; ebd.).

Ma Yüan, chines. Maler, *Hochung (Prov. Shansi), tätig zw. 1190 und 1225, Hofmaler. Mit HSIA KUEI Hauptmeister des lyr. Landschaftsstils der Süd-Sung-Zeit (Ma-Hsia-Schule). Zeitgenossen nannten seinen Stil, bei dem das Motiv in einer unteren Bildecke erscheint und der atmosphär. Leere ein weiter Raum eingeräumt wird, Ma-Eineck (Eineckstil). Von seinem in der Familientradition ausgebildeten Sohn MA LIN (in der 1. H. 13. Jh. tätig) sind mehrere Originale erh. (BILD chinesische Kunst)

Mäzen, Förderer der Künste, →Maecenas.

Mazerolles [mazr'ɔl], Philippe de, franko-fläm. Buchmaler, *wahrscheinlich Mazerolles bei Saintes um 1420, †Brügge nach 1479, 1467 Hofmaler des burgund. Herzogs KARL DER KÜHNE. Von vielen mit seinem Namen verbundenen Hss. ist das ›Schwarze Gebetbuch‹ für Karl den Kühnen (ab 1466; Wien, Nat.-Bibl.) sein einziges gesichertes Werk.

Mazo [m'aθo], Juan Bautista **Martínez del M.** [mart'inεð ðεl], span. Maler, *Prov. Cuenca um 1612, †Madrid 10. 2. 1667, seit 1661 Hofmaler PHILIPPS IV.; Schüler seines Schwiegervaters D. VELÁZQUEZ, in dessen Stil er Porträts (Maria Anna von Österreich, 1666; London, Nat. Gal.), Landschaften (Ansicht von Saragossa, 1667; Madrid, Prado; mit Figurenstaffage von Velázquez) und Jagdstücke (Hirschjagd in Aranjuez, vor 1666; Prado) malte.

Mazzola, Francesco, ital. Maler, →Parmigianino.

Mazzolino, auch **Mazzuoli,** Ludovico, ital. Maler, *Ferrara um 1480, †ebd. um 1530, führte die Tradition der Malerschule von Ferrara fort, schuf v. a. kleinformatige Andachtsbilder in kräftigen Farben mit derben Figurentypen.

Mazzoni, 1) Guido, gen. **il Paganino** oder **il Moda-**

nino, ital. Bildhauer, *Modena um 1450, †ebd. 12. 9. 1518, schuf dramatisch bewegte Terrakottagruppen aus lebensgroßen, bemalten Figuren; 1495–1516 als Hofbildhauer in Frankreich tätig.

HW: Beweinungen (u.a. Modena, S. Giovanni Decollato, 1477 bis 1480; Neapel, Chiesa di Mont'Oliveto, 1492); Grabmal Karls VIII. in St. Denis (1498, 1793 zerstört).

2) Sebastiano, ital. Maler, Dichter, *Florenz um 1611, †Venedig 1678, wahrscheinlich seit 1649 in Venedig tätig; entwickelte unter dem Einfluß von D. FETTI und B. STROZZI einen malerisch bravourösen, häufig durch bizarre Bühneneffekte gekennzeichneten Stil.

Mazzucchelli [-k'ɛlli], Pier Francesco, ital. Maler, →Morazzone.

Mbala, Bambala, Volksgruppe in W-Zaire, im Regenwald östlich des unteren Kwango. Die M. schnitzen Figuren (M.-Masken sind nicht bekannt). Ihr Stil ist dem der südlich benachbarten Yaka und Suku verwandt. Ihre Mutter-Kind-Figuren unterscheiden sich jedoch durch einen bes. strengen und erhabenen Ausdruck von den übrigen im Kongogebiet. Die kammartige Frisur der M.-Figuren läuft hinten in einen Zopf aus. Die M. fertigen auch Miniaturfiguren aus Elfenbein.

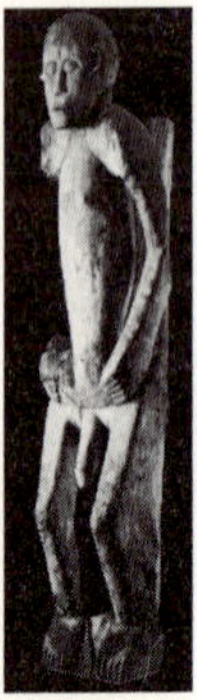

Mbembe: Pfostenfigur, Holz (Privatsammlung)

Mbembe, Volksstamm im Cross-Fluß-Gebiet (→Cross River), O-Nigeria. Ihr künstler. Stil ist stark von den →Ibo und den →Ekoi beeinflußt. Neben Pfosten- und Ahnenfiguren sind von den M. riesige (2–5 m lange) Schlitztrommeln bekannt, die früher auch als Altar für Menschenopfer gedient haben sollen; an einem Ende oder an beiden Enden ist aus dem Stamm eine menschl. Gestalt herausgeschnitzt, die wahrscheinlich einen Ahnen verkörpert. Die Ahnenfiguren der Oshopong, einem Unterstamm der M., sind stark von den weiter südlich lebenden →Oron beeinflußt.

Mbole, Bambole, Volksgruppe im nördl. Zentral-Zaire, im Lomami-Tal westlich von Kisangani. Ihre Skulpturen haben weiß gefärbte, herzförmige Gesichter und werden bei den Initiationszeremonien des Lilwa-(= Leoparden-)Geheimbundes mitgeführt; sie stellen Gehängte dar, als Mahnung für die Novizen (Söhne der Notabeln), die Geheimnisse des Bundes nicht zu verraten. Die schildförmig abstrakt gestalteten Masken der M. werden polychrom gefärbt und ebenfalls bei den Zeremonien des Lilwa-Bundes verwendet.

Mbundu, *Mz.* **Ovimbundu,** Bantu-Volk in SW-Angola, im Hochland von Bihé, etwa 1,5 Mio. Menschen. Die Kunstwerke der M. wurden lange Zeit für Erzeugnisse der benachbarten →Chokwe gehalten; sie neigen jedoch mehr zum Naturalismus und sind – mit wenigen Ausnahmen – nicht so ausdrucksstark. Bei den Skulpturen handelt es sich v. a. um Mutterfiguren, aber auch um Pfeifen, Stäbe für Würdenträger sowie Mädchen-Statuetten (hl. Objekte der alten M.-Häuptlinge), die ›Nana Yokama‹, die Wächterin des hl. Feuers, verkörpern sollen. Charakteristisch für die Frauen- und Mädchenfiguren in der M.-Kunst sind die seitlich herabfallenden Haarflechten, die am Hinterkopf zu einem hufeisenförmigen Bogen verbunden sind.

Mc, Abk. für →Mac. Mit Mac... zusammengesetzte Namen suche man dort.

McArdell [mək'ɑ:del], James, engl. Stecher, *Dublin 1728(?), †London 1. 6. 1765; seit 1746 in London tätig, fertigte er Porträtstiche v.a. nach Gemälden von J. REYNOLDS und REMBRANDT.

McKim, Mead and White [məkɪm, mi:d ænd waɪt], amerikan. Architektengemeinschaft, gegr. 1879 von C. F. MCKIM (*1847, †1909), W. R. MEAD (*1846, †1928) und S. WHITE (*1853, †1906), schuf von histor. Vorbildern beeinflußte Bauten.

HW: Stadt-Bibl., Boston (1888–92); Madison Square Garden, New York (1891); Triumphbogen auf dem Washington Square, ebd. (1889–92); Bibl. der Columbia Univ., ebd. (1893); Morgan Bibl., ebd. (1903); Pennsylvania Station, ebd. (1904–10).

McLean [məkl'eɪn], Richard, amerikan. Maler, *Hoquiam (Washington) 12. 4. 1934, Vertreter des Fotorealismus, den er als rein bildner. Umsetzung der photograph. Vorlage versteht. Motive sind u. a. Pferde, Jockeys, Rennplatzszenen, die er in gläserner Starre und künstlich fahlen Farben wiedergibt.

Mdina, Stadt im W von Malta, 1000 Ew., bis 1566 (Gründung von Valletta) Hauptstadt von Malta; bed. Paläste (Palazzo Santa Sofia, z. T. 13. Jh.), Kathedrale, nach Entwurf von L. GAFÀ 1697–1702 erbaut (Ikone des Apostels Paulus, 4. Jh. (?), Tabernakel vermutlich ein Werk B. CELLINIS), im Kathedral-Mus. über 100 Gemälde maltes., ital., frz. Meister; rd. 300 Radierungen); zw. M. und dem angrenzenden Rabat eine Villa der frühen röm. Kaiserzeit; in Rabat Katakomben des 4. und 5. Jh. (z. T. mit Wandmalereien).

Meaux [mo], Stadt im frz. Dép. Seine-et-Marne, an einer Marne-Schleife, 43 100 Ew.; kath. Bischofssitz; gallo-röm. Stadtmauer, Kathedrale (12./13. und 15. Jh., Fassade im Flamboyant-Stil, Seitenportal des 13. Jh.); im Bischofspalast (16./17. Jh.) stammen Großer Saal und Kapelle aus dem 12. Jh.; Mus. Bossuet.

Mebes, Paul, Architekt, *Magdeburg 23. 1. 1872, †Berlin 9. 4. 1938. Seit 1911 schuf er in Zusammenarbeit mit P. EMMERICH (*1876, †1958) bes. in Berlin Siedlungen und öffentl. Bauten. Er propagierte mit seinem Buch ›Um 1800‹ (1908) eine historische, am traditionellen Bauen des frühen 19. Jh. orientierte Architektur für die Bauaufgaben der Gründerzeit.

Mecheln, fläm. **Mechelen** [m'ɛxələ], frz. **Malines** [mal'in], Stadt in der belg. Prov. Antwerpen, 78 500 Ew.; Erzbischofssitz. Die kreisförmig angelegte Altstadt hat ihr altertüml. Bild gut bewahrt. Im Mittelpunkt liegt der Grote Markt mit dem spätgot. Rathaus (1529 beg., voll. 1902–10 nach dem urspr. Plan), der Tuchhalle (1320 beg. nach dem Vorbild der Tuchhalle von Brügge) und der Kathedrale St. Rombout (St. Romuald), einer kreuzförmigen Basilika (um 1300 beg.) mit spätgot. Turm, dem Wahrzeichen der Stadt (1452 beg., auf 167 m Höhe geplant, 1520 bei 97 m Bau eingestellt; im Innern u. a. Grabmal des Erzbischofs Creusen, Altar (1665) von L. FAIDHERBE, Gemälde von M.

Coxie, C. de Crayer, A. Janssens und v. a. eine ›Kreuzigung‹ von A. van Dyck (1627). Auch die übrigen Kirchen bergen wertvolle Kunstschätze: in der St. Janskerk (15. Jh.) Hochaltar mit Triptychon (›Anbetung der Könige‹, 1617–19) von P. P. Rubens; ebenfalls von Rubens das Triptychon ›Der wunderbare Fischzug‹ (1618–20) in der spätgot. Liebfrauenkirche (15.–17. Jh.); in der barocken Beginenkirche (1619–47) Skulpturen von Faidherbe, der auch der Baumeister der Liebfrauenkirche van Hanswijk (1663–78) ist; in der barokken ehem. Jesuitenkirche (1670–77) eine Kanzel von H. Verbruggen. Viele Profanbauten der Spätgotik und Renaissance sind erh.: Schöffenhaus (Ende 14. Jh.), Haus Busleyden (1507, heute Städt. Mus. mit Gemälde- und Skulpturensamml.), Justizpalast (als Palast für Margarete von Österreich 1507–25 erbaut, Frührenaissancegiebel), Haus ›De Zalm‹ (früher Zunfthaus der Fischhändler, 1530–34, heute Kunstgewerbe-Mus.).

Meckenem, Israhel van, niederrhein. Kupferstecher, Goldschmied, *Meckenheim bei Bonn um 1450, †Bocholt 10. 11. 1503, Sohn und Schüler des gleichnamigen Goldschmieds (von diesem stammen die frühesten bekannten Ornamentstiche), arbeitete seit spätestens 1480 in Bocholt. Seine technisch brillanten Stiche (insgesamt etwa 600) gehen größtenteils auf Vorlagen seines Vaters sowie des Meisters E. S., des Hausbuchmeisters, M. Schongauers, H. Holbeins d. Ä., A. Dürers u. a. zurück. Selbständige Blätter von M. behandeln Themen des Alltagslebens. In den 90er Jahren stellte sich M. selbst mit seiner Frau auf einem Stich dar (Dresden, Kupferstichkabinett; Bild Kupferstich); es ist das früheste graph. Selbstporträt.

I. v. M. und der dt. Kupferstich des 15. Jh., Ausst.-Kat., Bocholt (1972).

Meckseper, Friedrich, Graphiker, Maler, *Bremen 8. 6. 1936, lebt seit 1961 in Worpswede, gehört zum Umkreis des Phantast. Realismus, schuf v. a. magischrealist. Farbradierungen, in denen er altertüml. Geräte zu Stilleben von versponnener Poesie arrangiert. Seine Bilder zeigen die Tonskala einer altmeisterlich lasierenden Malerei.

Ölbilder und Radierungen, hg. v. R. P. Hartmann (1978); Homo ludens. Vollständiges Verz. der Collagen und Montagen 1959–78, hg. v. H. J. Hower (1978).

Medaille [med'aljə, frz.], gegossenes oder geprägtes münzförmiges Kunstwerk, vorzugsweise aus Bronze, auch aus Gold und Silber, das der Erinnerung an eine Person oder ein Ereignis dient (Schau- oder Denkmünze, Plakette). Am Band tragbare M. bilden im System der Orden die unterste Stufe. – Im 15. Jh. entstanden in Italien gegossene M., die auf der Vorderseite das Profilporträt eines Zeitgenossen (Fürst, Staatsmann, Gelehrter), auf der Rückseite szen. Darstellungen zeigten; Medailleure dieser Zeit waren Pisanello, M. de' Pasti, S. Savelli (†1457) u. a.; im 16. Jh. traten B. Cellini, V. Belli (*um 1468, †1546), A. Abondio (*um 1570, †1648) und Leone Leoni hervor. – I. Ggs. zu Italien wurde in Dtl. auch das Bürgertum der großen Städte (Nürnberg, Augsburg) porträtiert, u. a. von H. Daucher, H.

Medaille: Pisanello, ›Domenico Novello Malatesta‹; um 1445, LINKS Vorder-, RECHTS Rückseite

SCHWARZ, C. WEIDITZ, F. HAGENAUER, H. KELS (*um 1480/85, †um 1559), die ihre Modelle in Holz oder Stein schnitten. In der Reformationszeit entstand die relig. M., häufig mit je einer Darstellung aus dem A. T. und N. T. – In Frankreich begann die große Zeit der Guß-M. im 17. Jh. mit A. und G. DUPRÉ. Niederländ. Medailleure des 16. Jh. waren u. a. J. JONGHELINCK (*1530, †1606), C. BLOC (*um 1550), im 17. Jh. (Hohlguß-M.) P. VAN ABEELE (†nach 1677), oft mit Themen aus der holländ. Seegeschichte. – Um 1800 gab es eine internat. Blüte der Kunst der M. mit L. POSCH (*1750, †1831), B. ANDRIEU (*1761, †1822), G. SCHADOW, H. F. BRANDT (*1789, †1845), C. F. VOIGT (*1800, †1874). Nach Rückgang der M.-Kunst ging Ende des 19. Jh. eine Belebung von Frankreich aus (J. C. CHAPLAIN, A. CHARPENTIER u. a.); in Dtl. stellten v. a. A. SCHARFF, A. v. HILDEBRAND, H. HAHN Medaillen her.

Medaillon [medalj'ɔ̃, frz.], Architektur und Kunsthandwerk: rundes oder ovales gerahmtes Schmuckfeld, Bestandteil von Innendekorationen, auch über Portalen, an Türen und Möbeln. Es kann gemalt, stukkiert, aus Ton gefertigt oder intarsiert sein. Auf dem M. sind oft histor. und mytholog. Szenen, aber auch Porträts u. a. dargestellt.

Medalla [engl. mɪd'æla], David, eigtl. D. **Cortez de M. y Mosqueda** [-kɔrt'eθ- i mosk'eða], engl. Kinetiker philippin. Herkunft, *Manila (Philippinen) 23. 3. 1942, lebt seit 1960 in England, schuf kinet. Environments, frühe Beiträge zur Land Art und Prozeßkunst, experimentierte mit organ. Environments (mit lebenden Tieren). 1973 gründete er das ›Mus. of Participation Art‹ in London.

Medea, grch. Mythos: die zauberkundige Tochter des Aietes, König in Kolchis (östlich des Schwarzen Meeres). Sie verhalf Iason zum Goldenen Vlies und floh mit ihm und den Argonauten nach Iolkos zu Pelias, den sie auf hinterhältige Weise tötete, dann nach Korinth. Als Iason sie verstieß, um sich mit der Königstochter Kreusa (Glauke) zu vermählen, verbrannte M. die Nebenbuhlerin. In den versch. Versionen des Mythos wird u. a. berichtet, daß die Korinther (oder M. selbst) ihre Kinder ermordeten. Sie floh später nach Osten, wo sie die Stammutter der Meder geworden sein soll. Darstellungen der M. auf grch. Vasen und Reliefs, röm. Wandbildern und Sarkophagen der Kaiserzeit zeigen sie als Zauberin bei der Erringung des Goldenen Vlieses, bei der Tötung des Riesen Talos, auf der Flucht vor Iason im Drachenwagen und v. a. bei der Vorbereitung des tödl. Verjüngungsbades für Pelias, wie auf einem röm. Marmorrelief (›Peliadenrelief‹ zus. mit dessen beiden Töchtern am Kessel, nach einem grch. Original des 5. Jh. v. Chr., Rom, Vatikan. Museen). Die Kunst der Neuzeit übernahm den Mythos (P. VERONESE, N. POUSSIN, E. DELACROIX, A. FEUERBACH).

Médéa, Stadt in N-Algerien, 40 000 Ew.; 91 km südlich von Algier an der Stelle der röm. Stadt **Lamdia;** im 10. Jh. von der berber. Ziriden-Dynastie neu gegr.; schöne Moschee (14. Jh.; Meriniden-Dynastie); Marabut des Sidi Sahraoui; Kunsthandwerkszentrum (traditionelle Lederstickerei).

Medeina [mədɛn'a], Ort in W-Tunesien, 40 km südlich von Le Kef; ausgedehntes Ruinenfeld des röm. **Althiburos**: u. a. gepflastertes Forum mit Portikus in korinth. Ordnung, Kapitol (Akanthusskulpturen, Triglyphen, Metopen), Tempel, Theater, Eckbrunnen; ferner Thermen, Monumentaltor, Hadrianspforte (128) und zahlreiche Villen.

Medellín [meðej'in], Hauptstadt des Dep. Antioquia, Kolumbien, 1540 m ü. M., 1675 gegr., 1,507 Mio. Ew. Die Kirche La Veracruz stammt noch aus der frühen Kolonialzeit. Die Kathedrale de Villanueva (1800 bis 1931), ein vom roman. Stil inspiriertes Backsteinbauwerk, dreischiffig mit Apsis, besticht durch ihren wuchtigen Gesamteindruck (Grundriß: lat. Kreuz).

Medemblik, Städtchen in der niederländ. Prov. Nordholland; Schloß (um 1288, Ende 19. Jh. stark verändert, Mus.) mit Portal der Frührenaissance (1550); ref. Kirche, eine spätgot. dreischiffige Halle (15./16. Jh.) mit hohem Turm, Ausstattung der Renaissance, u. a. geschnitzte Kanzel (1550–70).

Médenine [medn'in], Provinzhauptstadt in SW-Tunesien, Handelszentrum der Djeffara-Ebene, 15 800 Ew. Von einst 27 befestigten Ksar-Anlagen mit über 5000 Ghorfas der berber. Ouerghamma-Nomaden ist eine erh.: um 3 große Plätze bis zu 5 Etagen übereinandergeschachtelte Vorrats-Tonnenwaben; tradiertes Kunsthandwerk (Teppiche, Stoffbahnen für Nomadenzelte).

Mediaş [medi'aʃ], dt. **Mediasch,** Stadt im Kr. Sibiu, Mittelrumänien, 65 000 Ew. Die Festung (heute histor. Mus.), deren Anfänge in vorgeschichtl. Zeit reichen, wurde unter dem ungar. König Matthias Corvinus (1458–90) mit mächtigen Mauern und Wehrtürmen ausgebaut. Die evang. Margaretenkirche (15.–16. Jh.) wurde nach dem Vorbild einer röm. Basilika erbaut; der 70 m hohe, schiefstehende Trompeterturm stammt von 1450.

Mediccera, →Ain Mdeker.

Medici [m'e: ditʃi], florentin. Patriziergeschlecht, das durch Teilnahme an internat. Bankgeschäften und geschickte Politik zu großem Reichtum und polit. Macht gelangte. COSIMO DE'M. IL VECCHIO (›der Alte‹; *1389, †1464) gab bei F. BRUNELLESCHI, MICHELOZZO und DONATELLO Prachtbauten in Auftrag (S. Lorenzo, Palazzo

M.), stiftete die ›Platon. Akad.‹ und versammelte dort die bedeutendsten Humanisten der Zeit. 1444 begründete er die **Biblioteca Medicea Laurenziana,** die sein Enkel LORENZO IL MAGNIFICO (›der Prächtige‹; *1449, †1492) weiter ausbaute und für deren Gebäude MICHELANGELO 1524 erste Pläne entwarf. Lorenzo verfaßte selbst Gedichte und förderte großzügig Musik, Malerei und Bildhauerkunst. 1494 von der Bürgerschaft vertrieben, konnten die M. mit Hilfe von Papst LEO X. aus dem Hause M. 1512 nach Florenz zurückkehren. Auf seine Initiative geht der Bau der ›Neuen Sakristei‹ (→Florenz) zurück. – Nach der Ermordung ALESSANDRO M.s durch seinen Vetter LORENZINO 1537 gelangte die jüngere Linie an die Regierung. COSIMO I. (*1519, †1574), seit 1569 Großherzog von Toskana, führte die Tradition des Mäzenatentums fort. Die M. erwarben den Palazzo →Pitti und richteten hier eine Gemälde-Gal. ein. G. VASARI lieferte die ersten Pläne für den Bau der →Uffizien; hier befindet sich seit 1677 die **Mediceische Venus,** eine nach ihren früheren Besitzern benannte Statue der Aphrodite, eines der bekanntesten Kunstwerke des Hellenismus (3. Jh. v. Chr.). Die Samml. der M. gingen nach dem Tod des letzten Großherzogs (†1737) in öffentl. Besitz über.

M. BRION: Die M. (a. d. Engl., Tb. 1979); MY HEILMANN: Florenz und die M. (1979); J. R. HALE: Die M. und Florenz (a. d. Engl., 1979); J. CLEUGH: Die M. (a. d. Engl., 1980)

Medici-Porzellan [m'e:ditʃi-], eine Art Weichporzellan, das als erstes in Europa das ostasiat. Porzellan nachahmen sollte, jedoch damit nur eine äußere Ähnlichkeit hat; meist kobaltblaue Dekors im chines. und pers. Stil. Das M.-P. wurde in der 2. H. des 16. Jh. in Florenz am Hof des Großherzogs FRANCESCO MARIA DE' MEDICI hergestellt; Marke: Florentiner Domkuppel oder das Wappen der Medici.

Medina, El-M., Oase und Stadt in Saudi-Arabien, 198 000 Ew., nach Mekka der wichtigste Wallfahrtsort der Muslime. Die erste (Große) Moschee, 707–09 vom Kalifen AL-WALID I. an der Stelle des Hauses und des Grabes von Mohammed errichtet, hatte einen annähernd quadrat. Grundriß, einen von Säulen umstandenen Hof und reiche Ausstattung (Goldmosaike, Edelsteine); Grabstätte von Mohammed, seiner Tochter Fatima und den ersten Kalifen. Die Moschee wurde (nach Brand, 1236) häufig verändert; der heutige Bau stammt aus dem 19. Jh. (1853/54).

Medina as-Sahra, Medina az-Zahra, mauerbefestigte Palaststadt (heute Ruinenstätte) in Spanien, 10 km westlich von Córdoba, vom omajjad. Kalifen ABD AR-RAHMAN III. 936 gegr.; die Stadt war in 3 übereinanderliegenden Terrassen angelegt (unten Garten, in der Mitte Wohnstadt, oben Palastbezirk). Die ausgegrabenen Dekorationsfragmente lassen auf reich ausgestattete Bauten schließen; v. a. die beiden Repräsentationsbauten (Audienzsäle, von denen einer, eine fünfschiffige Anlage mit vorgelagertem Narthex, wiederaufgebaut ist) hatten prachtvoll ornamental verzierte Wandnischen, Pfeiler und Kapitelle. Während einer Revolte 1111 wurde M. as-S. zerstört.

Medinaceli [-θ'eli], span. Ort in Altkastilien, rd. 60 km südlich von Soria; gut erh. röm. Triumphbogen (3. Jh. n. Chr.; 9 m hoch, 13 m breit).

Medina del Campo, span. Stadt, rd. 17 000 Ew., in der Prov. Valladolid; mit Castillo de la Mota (um 1440), aus Backstein gefügter Wehrbau mit wuchtigem Bergfried; Palacio de Dueñas (16. Jh.; Renaissance-Innenhof); Casa Blanca (1556–63; im Platereskenstil; mit Yeserías geschmückter Innenhof).

Medina del Rioseco, span. Städtchen, rd. 5000 Ew., in der Prov. Valladolid, altertüml. Stadtbild mit Stadttor des 13. Jh., Laubengängen und zahlreichen Kirchen des 15.–18. Jh., so S. Francisco (15. Jh.; im Innern von Delphinen getragene Renaissance-Kanzel, platereske Grabmäler und Skulpturen) und v. a. S. María de Mediavilla (15./16. Jh.) mit der prächtigen Capilla de los Benavente (1550; Sterngewölbe und Wände mit farbigen Stuckreliefs überzogen; Altarretabel von J. DE JUNI, 1557).

Medinet Habu, ägypt. Tempelkomplex auf dem westl. Nilufer (KARTE ägyptische Kunst), Teil der alten Nekropole von Theben. Neben einem kleinen Tempel mit Umgang, der von THUTMOSIS III. errichtet und in der Spätzeit erweitert wurde, legte RAMSES III. um 1180 v. Chr. seinen Totentempel an und umgab den ganzen Komplex, der auch einen Palast des Königs, einen heiligen See und Vorratshäuser umfaßte, mit einer hohen, festungsartigen Ziegelmauer. Den Zugang bildete das Hohe Tor im O, mit Siegesreliefs des Königs; am Pylon, auf der N-Wand und im 1. Hof des Tempels weitere Reliefbilder der Siege über Seevölker und Libyer, im 2. Hof Festdarstellungen und auf der S-Wand des Tempelhauses ein ausführl. Festkalender.

Medingen, Ortsteil von Bad Bevensen, Kr. Uelzen, Ndsachs., mit ehem. Zisterzienserinnenkloster (1228 gegr., 1336 hierher verlegt, jetzt evang. Damenstift); die große, im Grundriß 2 T-förmige Flügel bildende Barockanlage (1788 gew.) schließt in ihrer Mitte die Kirche ein; gute klassizist. Ausstattung. Am Eingang des Klosterbezirks das fürstl. Herrenhaus (1541 im Renaissancestil).

medische Kunst, die Kunst der Meder etwa 700 bis 550 v. Chr., wie sie sich in den Kunstdenkmälern manifestiert, die in der Umgebung von Ekbatana, der früheren Hauptstadt des medischen Reiches (heute Hamadan), ausgegraben worden sind: in Godin Tepe ein Palast mit 2 Säulensälen (Vorläufer des achaimenid. Apadana), in Nuschijan eine Gebäudegruppe mit einem Feuertempel, einer Säulenhalle und einem Magazin, in Bisutun eine Stadtmauer, deren Tor das Relief eines Löwen ziert, in Babadjan ein kleiner Fürstensitz mit einem Palastpavillon und einem reich verzierten Tempel. Die Bauweise aus Lehmziegeln und Holzsäulen ist im Stil den Bauten aus Urartu und Babylonien verwandt, der Dekor mit bemalten Wandfliesen dagegen ist eigenständig. Tempel- und Palastanlagen fanden Nachfolger in der →achaimenidischen Kunst.

Die m. K. ist ein Teil der iranischen Kunst, in ihrer

Definition noch umstritten, da die Monumente der Meder erst seit 1967 aufgedeckt wurden. Die frühere Ansicht, versch. Felsengräber in W-Persien seien aus medischer Zeit, läßt sich nach neueren Forschungen nicht mehr vertreten; sie stammen meist aus achaimenid. und späterer Zeit.

Medracen [medras'ɛn], numid. Berbergrabdenkmal aus dem 3.–2. Jh. v. Chr. in NO-Algerien, 35 km nordöstlich von Batna. Über zylindr. Haustein-Unterbau (∅ 59 m, Basishöhe 4,75 m) mit 60 dorischen Halbsäulen und Gesims über dem Architrav mit ägypt. Hohlkehle erhebt sich der Tumulus aus 24 konischen Steinringen. Gesamthöhe 20 m. Auf der O-Seite Fundamente eines Vorbaus (23,7 × 18,3 m) mit Podium. Eingangstür in 6 m Höhe, im Innern zentraler Grabraum (Bestattung auf Steinbank) mit Vorkammer. M. war Vorbild für die Konzeption von →Kbor Roumia und den →Djeddars und schließt an die ägypt. Pyramiden an.

Medrese, Medresse, Madrasa, in den Maghrebländern **Medersa,** islam. Hochschule, etwa den europ. Universitäten entsprechend, meist mit Internat; verband urspr. die Funktion eines theolog. Seminars, einer Rechtsschule und einer Moschee; gleichzeitig Bet-, Lehr- und Wohnort für Lehrer und Studenten. Bibliothek, Krankenhaus, Bad, Küche konnten angeschlossen sein, auch das Mausoleum des Stifters (Grab-M.). Klass. Grundriß ist der von zwei- oder mehrgeschossigen Wohnzellen umgebene rechteckige oder quadrat. Hof; in der Mitte jeder Hoffront ein Iwan; seldschuk. M. haben oft 1 oder 2 Minarette. Zu den ersten Gründungen rechnet die von dem Wesir NIZAM AL-MULK gegr. M. in Bagdad (Nizamija, 1067 eröffnet).

Medum, Ruine einer Stufenpyramide, rd. 75 km südlich von Kairo (KARTE ägyptische Kunst), unter dem letzten König der 3. und dem Begründer der 4. Dynastie (SNOFRU, um 2570 v. Chr.) errichtet. Die urspr. siebenstufige Pyramide bekam in einer 2. Bauphase eine Ummantelung (verbreiterte Basis, erhöhte Stufen) und erhielt unter König Snofru die Gestalt einer echten Pyramide.

Medusa, im grch. Mythos ein weibl. Ungeheuer, →Gorgo.

Meer, 1) Jan van der, genannt **van Delft,** holländ. Maler, →Vermeer.

2) Jan van der (auch Vermeer), genannt **van Haarlem d. Ä.,** holländ. Maler, getauft Haarlem 22. 10. 1628, begraben ebd. 25. 8. 1691, malte, von J. VAN RUISDAEL und P. KONINCK beeinflußt, weitgedehnte Dünenlandschaften in braungrünen Grundtönen mit dunklen Baumgruppen. – Sein gleichnamiger Sohn, getauft Haarlem 29. 11. 1656, †ebd. 28. 5. 1705, malte italianisierende Landschaften mit Tieren.

Meeres|stil, Bez. für die Verzierung einer Vasengattung der kretisch-myken. Kunst aus der 1. H. des 15. Jh. v. Chr. mit Meeresmotiven, wie Tintenfische, Kraken (Oktopoden), Korallen, Schnecken, Seefedern usw.;

Meeresstil: Pilgerflasche mit Darstellung eines Oktopus; Glasurfarbenbemalung, Höhe 28 cm, Palaikastro, Ostkreta; 16. Jh. v. Chr. (Heraklion, Archäolog. Museum)

die Dekoration ist organisch mit den Gefäßformen (v. a. Kannen und Rhyta) abgestimmt.

Meergötter, grch. Mythos: meist Mischwesen (zw. Mensch und Tier oder Dämon und Ungeheuer), die ihre Gestalt änderten, auch weissagen konnten, oft von furchterregendem Wesen, aber auch menschenfreundl. Natur. Die Bedeutung des Meeres für die Griechen erklärt die Vielzahl der urspr. oft lokalen M.; im röm. Mythos sind sie seltener (Neptun). Die Kunst des Altertums stellte sie zunächst als unbenannte Mischwesen, dann, häufig schon im 6. Jh. v. Chr., personifiziert dar (Poseidon, Okeanos, Nereus und die Nereiden, Triton u. a.).

Meersburg, altertüml. Stadt am Bodensee, Bad.-Württ., 5000 Ew.; 1526–1803 Residenz der Bischöfe von Konstanz. Ober- und Unterstadt, durch Treppen miteinander verbunden, weisen reizvolle Straßenzüge auf. Das Alte Schloß (Mus.) ist eine malerisch-verwinkelte Anlage (Dagobertsturm 12. Jh., Umbau 1520–26, im Innern auch frühes 18. Jh.). Dem repräsentativen Äußeren des Neuen Schlosses (1712 beg., 1740/41 nach Plänen B. NEUMANNS ausgebaut, Umbau 1759–62 durch F. A. BAGNATO) entsprechen die festl. Innenräume (v. a. Treppenhaus); Hofkapelle von J. A. FEUCHTMAYER (1741–43) und G. B. GÖTZ (1741) ausgestattet. Einer der schönsten Rokokoräume im Bodenseegebiet ist die Kapelle (1763–65) des vierflügeligen ehem. Priesterseminars (1732–34). Got. Obertor (1300–30); Rathaus (16. Jh.). In **Baitenhausen** barocke Wallfahrtskapelle Maria zum Berge Karmel (1702) mit Deckenfresken von J. W. BAUMGARTNER (1760).

Meerschaum, Mineral, kristalline, feinerdige, derbe oder knollige, poröse und deshalb leichte, auf Wasser schwimmende, weiße bis rötl. Massen. Verwitterungsprodukt von Serpentin. Bed. Vorkommen bei Eskişehir (Türkei) und im Kilimandscharo-Gebiet (Afrika). – M. wird zu Schmuck und seit dem frühen 18. Jh. bes. zu Pfeifenköpfen verarbeitet. Das Material wurde an der Luft getrocknet und dann zur Verzierung gebohrt und geschnitten oder auch in Formen gepreßt.

Meerssen [m'e:rsə], dt. **Mersen,** Gem. in der niederländ. Prov. Limburg, 8400 Ew. Von der karoling. Pfalz Mersen ist nichts erh. Die kath. Kirche ist ein hervorragendes Beispiel der Maasgotik; im Chor ein überaus reich verziertes Sakramentshaus im Stil der späten Brabanter Gotik (16. Jh.).

Megalithgräber [grch. ›Großsteingräber‹], volkstümlich **Hünengräber,** aus Steinblöcken oder -platten errichtete Grabbauten, die urspr. mit einem Erdhügel überdeckt waren. Haupttypen sind auf ebener Erde errichtete Dolmen und Ganggräber. In den Boden eingetieft sind Galeriegräber mit hochkant gestellten Seitenplatten und Steinkisten. Auch die westeurop. Kuppelgräber (New Grange) sind M. Mit den Henge-Monumenten, den Menhiren und Menhirstatuen werden die M. zur Denkmälergruppe der vorgeschichtl. ›Megalitharchitektur‹ zusammengefaßt.

Megalopolis, Ort auf der Peloponnes, Griechenland, 3400 Ew.; das antike M. wurde zur Stärkung W-Arkadiens gegenüber Sparta 371 v. Chr. gegr. Reste der Ummauerung und eines Theaters mit an die Orchestra anschließendem Sitzungsgebäude der Arkader, dem monumentalen ›Thersileion‹ (nach seinem Erbauer THERSILOS), dessen nahezu quadrat. Saal (66 × 52 m) von 67 Säulen gestützt war.

Megara, Stadt in Attika, Griechenland, am Saron. Golf, 18800 Ew. – M., im Altertum Hauptort der dor. Landschaft Megaris, war vom 7.–6. Jh. v. Chr. eine der bedeutendsten grch. Städte, viele Kolonien wurden von hier aus gegr. M. war einer der Fundorte der in Athen hergestellten reliefierten Keramikbecher **(Megarische Becher),** in der Frühzeit (3. Jh. v. Chr.) schwarz, metallisch glänzend, später auch rot oder grau.

Megara Hyblaea, eine der ältesten grch. Koloniegründungen von Megara aus an der O-Küste von Sizilien (728 v. Chr.), von GELON, Tyrann von Syrakus, 483 v. Chr. zerstört; Neubesiedlung im 4. Jh. v. Chr. Trotz dieser darüberliegenden, jüngeren Siedlungsschicht, die Ausgrabungen erschwert und Reste materieller Hinterlassenschaft stark beeinträchtigt hat, ist es den Ausgräbern erstmalig gelungen, die frühe Siedlungsgeschichte einer grch. Koloniestadt archaischer Zeit zu erforschen. Die urspr. nur als Wohnstadt angelegte Siedlung erhielt erst etwa 40 Jahre nach ihrer Gründung öffentl. Bauten (Agora, Tempel, Hallenbauten).

Megarische Becher, →Megara.

Megaron [grch. ›Halle‹] *das, Mz.* **Megara,** Gebäudetyp im ägäischen Raum (BILD Haus), seit dem Neolithikum entwickelt: ein Rechteckbau mit Vorhalle und Hauptraum, in dessen Mitte der Herd stand. Dieser Typ, in der frühen Bronzezeit in Troja I und II nachgewiesen, bildete den Kern der myken. Paläste (Mykene, Pylos, Tiryns); im Hauptraum stand an der O-Wand, dem Herd gegenüber, ein Thron, der Estrich war mit bemaltem Stuck versehen. Vier Holzsäulen trugen die flache Decke, in der über dem Herd eine als Rauchfang dienende, seitlich geöffnete Erhöhung (Laterne) angenommen wird. Den minoischen Palästen fehlt der Typus des M. ganz. Ob und wie entsprechende Bauten in vorgeschichtl. Zeit in Mittel- und N-Europa mit der Entwicklung des M. zusammenhängen, ist ungeklärt.

Wegen der Ähnlichkeit der myken. M. mit grch. Bauten (Kernbauten der Ringhallentempel, andere Sakral- und Wohnbauten, die noch in hellenist. Zeit vorkommen) wurde bisher angenommen, daß dieser Bautypus aus dem myken. Herrenhaus abgeleitet sei. Die in neuerer Zeit ausgegrabenen Reste von Häusern der geometr. Zeit, die den homer. Schilderungen wirklich entsprechen, sind jedoch nur entfernt denen der myken. Burgen ähnlich und bildeten offenbar unabhängig von ihnen ihre Formen aus. Da sie aber mit einer Vorhalle verbunden sein können (Antenhaus), enthalten sie auch ein Element des myken. M.

Megiddo, Vulgata: **Mageddo,** Stadt im alten Palästina (jetzt **Tell el-Mutesellim**), im SW der Jesreelebene; freistehender Rundaltar mit Treppenstufen aus der frühen Bronzezeit (in seiner Umgebung versch. Tempel der nachfolgenden Epoche); aus der Zeit Salomos Reste einer neu angelegten Stadt mit Toranlage, Kasemattenmauern, Ställen und Palastanlage (hier Elfenbein-Funde in phönik. Mischstil).

Megilloth [hebr. ›Buchrollen‹], Judentum: seit dem 6.–9. Jh. Name der bibl. Bücher ›Esther‹, ›Hohes Lied‹, ›Klagelieder‹, ›Prediger Salomo‹, für den jüd. Gottesdienst in der Synagoge auf Pergamentrollen (seit dem 16. Jh. z. T. reich illuminiert) geschrieben, die in kostbaren Hülsen aus Silber (Treib- oder Filigran-Arbeit) verwahrt werden.

Meglinger, Caspar, schweizer. Maler, *Luzern 15. 8. 1595, †ebd. um 1670, malte 1626–35 die urspr. 65 Bilder umfassende Totentanzfolge auf der Spreuerbrücke in Luzern (davon 46 am Ort, die anderen im Mus. ebd.).

Mehdia-Kasba, mächtige Festung der Aliden-Dynastie an der marokkan. W-Küste, 39 km nördlich von Rabat nahe der Mündung des Sebou, Ende des 17. Jh. über einer span. Festung (Anf. 17. Jh.) erbaut. Guterhaltener span. Befestigungsgürtel im Stil von S. VAUBAN; basteibestücktes Monumentaltor (nach 1942 restauriert) mit Hufeisenbogen und Zwillingsfenster; im Innern der ehem. Gouverneurspalast (17. Jh., großer Patio, Galerie, Mukarnasbögen) mit Moschee.

Meid, Hans, Radierer, Maler, *Pforzheim 3. 6. 1883, †Ludwigsburg 6. 1. 1957, lehrte an der Berliner und Stuttgarter Akad., schuf in phantasievoll impressionist. Stil Radierungen (Zyklen und Einzelblätter), Buchillustrationen und Bilder aus ital. Städten.

Meidiasmaler, attischer Vasenmaler des rotfigurigen Stils (spätes 5. Jh. v. Chr.), nach seinem Töpfer MEIDIAS M. genannt; Sorgfalt der Zeichnung, zierl. Stil und reicher Linienfluß der Gewänder sind für ihn charakteristisch (Meidias-Vase, London, Brit. Mus.).

Meidner, Ludwig, Maler, Schriftst., *Bernstadt (Schlesien) 18. 4. 1884, †Darmstadt 14. 5. 1966, lebte 1939–53 im Exil; gründete 1912 die expressionist. Künstlergruppe ›Die Pathetiker‹, malte 1913/14 visionär-apokalypt. Städtebilder, die den Krieg vorwegnahmen; außerdem Porträtzeichnungen expressionist. Künstler und Dichter für den ›Sturm‹. Im Spätwerk v.a. relig. Themen.

J. P. HODIN: L. M. (1973).

Meier, Richard, amerikan. Architekt, *Newark (New Jersey) 12. 10. 1934, unterhält seit 1963 ein Büro in New York und ist Mitgl. der ›New York Five Architects‹, einer Gruppe künstlerisch verwandter Architekten (P. EISENMAN, *1932; M. GRAVES, *1934; C. GWATHMEY, *1938; J. HEJDUK, *1929). In formaler Anlehnung an die Formensprache der Architektur des Rationalismus der Vorkriegszeit bemüht sich M. um Gebäude höchster ästhet. Präzision.

HW: Smith House, Darien, Connecticut (1965); Saltzman House, East Hampton, New York (1967); Douglas House, Harbor Springs, Michigan (1973); Bronx Development Center, New York (1978). – Entwurf: Mus. für Kunsthandwerk, Frankfurt a. M. (1980).

R. M., hg. von der ETH Zürich (Zürich [2]1982).

Meier-Denninghoff, Brigitte, Bildhauerin, →Matschinsky-Denninghoff.

Meiji [japan. ›Erleuchtete Regierung‹], Regierungsdevise des japan. Kaisers MUTSUHITO und Name der Epoche von 1868 bis 1912 (→japanische Kunst).

Meil, Johann Wilhelm, Zeichner, Radierer, *Altenburg (Thüringen) 23. 10. 1733, †Berlin 2. 2. 1805, ebd. seit 1752, seit 1801 Direktor der Akad. M. zeichnete Entwürfe für kunstgewerbl. Arbeiten und radierte zierl. Vignetten und Titelkupfer im Geschmack des Rokoko (u.a. zu Schriften von FRIEDRICH D. GR., G. E. LESSING, C. M. WIELAND und J. W. V. GOETHE).

Meinerzhagen, Stadt im westl. Sauerland, NRW, 18900 Ew., mit rheinisch geprägter spätroman. Emporenbasilika (1. H. 13. Jh.); bemerkenswert der Wandaufbau: Über niedrigen Pfeilerarkaden sind doppelsäulige, von Kleeblattbogen gerahmte Emporenöffnungen und Dreipaßfenster angeordnet.

Meiningen, Stadt im Bez. Suhl, an der Werra, Dt. Dem. Rep., 26100 Ew.; 1680–1919 Hauptstadt des Hzgt. Sachsen-M. Im Residenzschloß Elisabethenburg, einer barocken Dreiflügelanlage (1682–92), Innenräume z.T. Rokoko, befinden sich die Staatl. Museen (KunstsammL. mit europ. Malerei 15.–19. Jh., Theatermus. u.a.). Neugot. Stadtkirche (1884–89) mit Madonna mit Kind (um 1430) und Grabdenkmälern (15. bis 17. Jh.). Zahlreiche Bürgerhäuser (v.a. 16.–18. Jh.). Nahe M. das neugot. Schloß Landsberg (1836–40).

Meisenheim, Stadt im Kr. Bad Kreuznach, Rheinl.-Pf., 2800 Ew; 1444 bis zur Frz. Revolution Nebenresidenz des Hzgt. Pfalz-Zweibrücken. Das maler., unzerstörte Ortsbild wird von vielen Adelshöfen und Bürgerhäusern (16.–18. Jh.) geprägt. Die Schloßkirche, eine spätgot. Rundpfeilerhalle mit prächtigen figurierten Gewölben (1479–1503), besitzt einen der schönsten Kirchtürme der Spätgotik; zahlreiche qualitätvolle Renaissance-Grabmäler. Vom ehem. Schloß ist das ›Herzog-Wolfgang-Haus‹ erh. (1614, 1825 durch G. MOLLER verändert). Rathaus (Anf. 16. Jh.) mit reich geschnitzten Rokokotüren (1765).

Meißen, Stadt im Bez. Dresden, Dt. Dem. Rep., 41 900 Ew. Auf dem Burgberg, steil über der Elbe, liegen Dom und Albrechtsburg: Der Dom (11. Jh. gegr., in got. Formen nach 1240 beg.) ist eine dreischiffige Hallenkirche mit Fürstenkapelle (um 1425), Georgskapelle (um 1530 als Grablege der Wettiner); Skulpturen aus Naumburger Werkstatt (um 1260), Reste von Glasmalereien (um 1270), gemalter Hauptaltar (Anf. 16. Jh.), Triptychon von L. CRANACH D. Ä. (1534), Laienaltar aus Cranach-Werkstatt, zahlreiche Grabdenkmäler. Die Albrechtsburg, 1471 von ARNOLD VON WESTFALEN beg., dreigeschossig mit unregelmäßigem Grundriß, kleinem und großem Wendelstein, zeigt den Übergang vom Burg- zum Schloßbau; auffallend ist der Formenreichtum der Gewölbe; im 19. Jh. viele Räume ausgemalt; kunstgeschichtl. Sammlung (u. a. sakrale Plastik 15./16. Jh.); ursprüngl. Sitz der Porzellanmanufaktur (→Meißener Porzellan). Weitere Bauten auf dem Burgberg sind das Bischofsschloß (1518 voll.) und Domherrenhöfe. St. Afra (um 1300–1480), die Kirche des ehem. Augustiner-Chorherrenstifts, ist eine im wesentlichen got. Basilika; Reste der ma. Stiftsgebäude erh. In der Stadt 2 spätgot. Hallenkirchen (2. H. 15. Jh.): Frauenkirche und Franziskanerkirche (jetzt Stadtmus.). Spätgot. Rathaus (um 1472); viele stattl. Bürgerhäuser (Spätgotik, Renaissance, Barock).

Meißener Porzellan, das erste europ. Hartporzellan, das 1708 von E. W. VON TSCHIRNHAUS erfunden, von J. F. BÖTTGER weiterentwickelt und seit 1710 in der von AUGUST DEM STARKEN gegr. Meißener Manufaktur hergestellt wurde. Durch den seit 1720 tätigen Chinoiserienmaler J. G. HÖROLDT wurde das M. P. durch farbige Dekors verfeinert; der 1731 berufene Bildhauer J. J. KÄNDLER entwickelte die plast. Möglichkeiten des Porzellans: Einzelfiguren und Gruppen in zeitgenöss. Gesellschaftskleidung und Theaterkostümierung. Höroldt und Kändler sicherten dem M. P. bis zum Siebenjährigen Krieg trotz zahlreicher anderer Manufakturgründungen den unbestrittenen Vorrang. Die Erzeugnisse dieser Zeit haben als ›Vieux Saxe‹ seit ihrer Entstehung Weltruhm erlangt und sind vielfach nachgeahmt worden. Nach den Rückschlägen während des Krieges gewann die Manufaktur unter Graf C. MARCOLINI (Direktor 1774–1814) erneut an Bedeutung. Das Rokoko trat zurück hinter einem klassizist. Geschmack. Im 19. Jh. arbeitete die Manufaktur v. a. wieder im Stil des Rokoko. In neuerer Zeit behält sie die Ausformung der alten Modelle bei, sucht aber durch Heranziehung moderner Modelleure den Anschluß an die Porzellankunst der Gegenwart. Das M. P. wird bis heute durch die Schwertermarke gekennzeichnet. (BILD Porzellan)

M. P. 1710 bis 1810, bearb. v. R. RÜCKERT, Ausst.-Kat., München (1966); O. WALCHA: M. P. (Dresden 1973); M. P. des 18. Jh. in Hamburger Privatbesitz, Ausst.-Kat., Hamburg (1982)

Meissonier [mɛsɔnj'e], **1)** (Jean Louis) Ernest, frz. Maler, Graphiker, *Lyon 21. 2. 1815, †Paris 31. 1. 1891, Schüler von L. COGNIET; schuf Genreszenen in technisch raffinierter Manier, Kriegsbilder (›Campagne de France 1814‹, 1864; Musée d'Orsay, Paris) und Buchillustrationen.

2) Juste-Aurèle, frz. Ornamentstecher, Baumeister, *Turin 1693 oder 1695, †Paris 31. 7. 1750, wo er seit 1723 wirkte. M. ist ein Hauptmeister des frz. Rokoko-Ornaments, lieferte Vorlagen und Entwürfe für Festdekorationen Ludwigs XV., Bauten, Kleingeräte und Geschirre. (BILD Rokoko)

Meister, Kunstgeschichte: Hilfsbez. für einen seinem Stil nach faßbaren, aber nicht mit Namen bekannten Künstler. So werden die meisten Künstler des MA. entweder nach einem Ort ihres Schaffens (›Naumburger M.‹), nach ihrem Hauptwerk (›M. des Marienlebens‹) oder nach einer Eigentümlichkeit in ihrem Werk (›M. der Bandrollen‹) benannt; ferner die nach Jahreszahlen benannten Unbekannten (›M. von 1473‹).

Meister Bertram von Minden, Maler, →Bertram.

Meister der Dangolsheimer Madonna, Bildschnitzer um 1460–90 am Oberrhein (Straßburg?), benannt nach der Wandstatue Maria mit dem Kind aus Dangolsheim, Elsaß (Berlin-West, Staatl. Museen), einem bed. Werk der dt. Spätgotik. (BILD Gotik)

Spätgotik am Oberrhein, Ausst.-Kat., Karlsruhe (1970).

Meister der Darmstädter Passion, nach 2 großen Tafeln im Hess. Landesmus. in Darmstadt (Kreuztragung und Kreuzigung) benannter Maler, der nach Ausbildung in den Niederlanden zw. 1435 und 1450 am Mittelrhein oder am Bodensee tätig war. Ihm waren wohl die Werke von J. VAN EYCK und R. CAMPIN (→Meister von Flémalle) bekannt; auch stand er wohl dem Kreis um K. WITZ nahe. – Zugeschrieben wird ihm auch ein Kreuzigungsaltar in der St. Martinskirche von Bad Orb (um 1450, Flügel in Berlin-West, Staatl. Museen).

Meister der Goslarer Sibyllen, Sibyllenmeister, nach den spätgot. Wandgemälden des Huldigungssaals im Rathaus in Goslar benannter Maler, der nach (vermutl.) Ausbildung im Umkreis von A. DÜRER um 1500 in Ndsachs. tätig war.

Meister der Heiligen Sippe, zur →Kölner Malerschule gehörende Maler, die vermutlich jeweils einer Werkstatt vorstanden. **1)** d. Ä., im 1. Viertel des 15. Jh. in Köln tätig. Ihm wird der Flügelaltar der Hl. Sippe zugeschrieben (urspr. Köln, Kapelle des Armenhospitals St. Heribert, heute ebd., Wallraf-Richartz-Mus.). **2)** d. J., *Köln um 1450, †ebd. nach 1515, benannt nach einem Sippenaltar (urspr. Köln, Dominikanerinnenkloster St. Achatius, heute ebd., Wallraf-Richartz-Mus.). Ihm werden ferner ein Fürbitte-Altar (um 1492; Nürnberg, German. Nat.-Mus.) und Glasgemälde des Kölner Doms (1507–09) zugeschrieben. Im Spätwerk wird der Einfluß des HUGO VAN DER GOES deutlich.

Herbst des MA. Spätgotik in Köln und am Niederrhein, Ausst.-Kat., Köln (1970).

Meister der Heiligen Veronika mit dem Schweißtuch, nach einer urspr. in St. Severin, Köln, aufbewahrten Tafel (um 1415; München, Alte Pinakothek), einem HW der →Kölner Malerschule, benannter Maler, der um 1395–1415 in Köln tätig war; sein von der frz.-burgund. Kunst beeinflußter Stil wirkte bis

Meister der Heiligen Veronika mit dem Schweißtuch: Tafel mit der Hl. Veronika; um 1415 (München, Alte Pinakothek)

nach Westfalen und Ndsachs. Zugeschrieben werden ihm auch kleinformatige Andachtsbilder: Madonna mit der Erbsenblüte (um 1400; Nürnberg, German. Nat.-Mus.), Madonna mit der Wickenblüte (um 1415 bis 1420; Köln, Wallraf-Richartz-Mus.), Veronika mit dem Hl. Antlitz (London, Brit. Mus.).

Die Kölner Maler von 1300 bis 1430 vor S. Lochner, Ausst.-Kat., Köln (1974).

Meister der Historia, früher: **Meister der Vita,** auch **Meister von Pulkau** genannt, nach einer Bilder-Hs. benannter Maler, der um 1510–25 tätig war, neben A. Altdorfer und W. Huber der bedeutendste Meister der →Donauschule. Seine Identifizierung mit Niklas Breu (tätig zw. 1490 und 1533) ist umstritten. Er verzierte die Bilder-Hs. (›Historia Friderici et Maximiliani‹, 1514/16; Wien, Österreich. Staatsarchiv) mit eigenwilligen kolorierten Federzeichnungen. Sein Hauptwerk ist der Heiligenblutaltar von Pulkau/NÖ (um 1520).

Lit.: →Donauschule.

Meister der Karlsruher Passion, Maler Hans →Hirtz.

Meister der (Kölner) Ursulalegende, nach 19 Tafelbildern mit der Ursulalegende benannter Maler, der nach Ausbildung in den Niederlanden um 1510 in Köln tätig war und zur →Kölner Malerschule gehört. Sein Stil verbindet den niederländ. Einfluß mit der heim. Tradition; er stellt spätgotisch manierierte Figuren (mit wächsernem Inkarnat) in weite Innenräume und ist durch maler. Pinselführung und blühendes Kolorit ausgezeichnet.

HW: 19 Tafelbilder mit der Ursulalegende (u.a. Köln, Wallraf-

Meister der (Kölner) Ursulalegende: Erscheinung des Engels; um 1495–1500 (Köln, Wallraf-Richartz-Museum)

Richartz-Mus.); Szenen aus dem Leben des Hl. Severin (? urspr. Köln, St. Severin, heute: ebd., Schnütgen-Mus.).

Meister der Pietà von Avignon [-aviɲ'ɔ̃], →Avignon, Schule von Avignon.

Meister der Spielkarten, →Spielkartenmeister.

Meister der Tegernseer Tabula Magna, nach dem 1445/46 in der Stiftskirche St. Quirin in Tegernsee aufgestellten Flügelaltar (›Tabula Magna‹) benannter Maler, der vermutlich in München tätig war – eine der urwüchsigsten und kraftvollsten Erscheinungen altbayer. Kunst. Er wurde früher irrtümlich mit dem Münchner Maler G. MÄLESSKIRCHER gleichgesetzt und wird daher zuweilen ›Pseudo-Mäleßkircher‹ genannt.

Meister der Ursula|legende, Maler, →Meister der (Kölner) Ursulalegende.

Meister der Verkündigung von Aix [-ɛks], südfrz. Maler (Mitte des 15. Jh.), benannt nach dem Triptychon aus der Kirche Ste. Madeleine in Aix-en-Provence, um 1442 gestiftet (die Flügel heute verteilt in Brüssel, Musées Royaux des Beaux-Arts, Rotterdam, Mus. Boymans-van-Beuningen, Amsterdam, Rijksmus., ein Fragment im Louvre). Der Maler scheint von J. VAN EYCK und C. SLUTER beeinflußt. Sein Werk ist von jener Realistik geprägt, die auch die französisch-burgund. Plastik des 15. Jh. kennzeichnet.

Meister der Virgo inter Virgines, holländ. Meister, zw. 1470 und 1500 in Delft(?) tätig, benannt nach einer Tafel mit ›Maria zw. den hl. Jungfrauen‹ (Rijksmus., Amsterdam); zugeschrieben werden ihm u. a. ›Anbetung der Könige‹ (Staatl. Museen, Berlin-West) und ›Heimsuchung Mariä‹ (Mus. Salzburg).

Meister der Votivtafel von St. Lambrecht, ein Hauptvertreter des →Schönen Stils in Österreich, von der französisch-burgund. Malerei beeinflußt. Er kann vielleicht mit dem Maler →Hans von Tübingen identifiziert werden. Außer seinem HW (Votivtafel von St. Lambrecht, Graz, Landesgal.) werden ihm neben Tafelbildern (Kreuzigung Christi, Wien, Kunsthistor. Mus.) auch Glasfenster, Buchmalereien, Handzeichnungen und Holzschnitte zugeschrieben.

Meister der weiblichen Halbfiguren, südniederländ. Maler, tätig im 1. Drittel des 16. Jh., benannt nach zahlreichen, vielfach nur in der Haltung variierten, weibl. Halbfigurenbildern von Heiligen (u. a. Hl. Magdalena), häufig auch von Musizierenden.

HW: Drei musizierende Frauen (Wien, Samml. Harrach).

Meister des Amsterdamer Kabinetts, Maler, →Hausbuchmeister.

Meister des Bartholomäus|altars, Maler, *Geldern(?) um 1445, †nach 1515, war 1480/85–1510 in Köln tätig. In seiner subtilen Farbigkeit und manierierten Form ist er der eigenwilligste Künstler der Spätgotik in Köln. (→Kölner Malerschule)

HW: Stundenbuch der Sophia von Bylant, Miniaturen (1475; Köln, Wallraf-Richartz-Mus.); Die Muttergottes mit der Nuß (um 1480; ebd., BILD Kölner Malerschule); Marienaltar (um 1480; München, Alte Pinakothek); Thomasaltar (um 1499; Köln, Wallraf-Richartz-Mus.); Kreuzaltar (um 1501; ebd.); Bartholomäusaltar (um 1505–10; urspr. Köln, St. Columban, heute München, Alte Pinakothek).

Meister des Breisacher Hochaltares, →H L.

Meister des Hausbuchs, →Hausbuchmeister.

Meister des Mari|enlebens, nach den 8 Tafeln eines Marienaltars benannter Kölner Maler der Spätgotik, der um 1460–80 tätig war und in seinem Stil den Einfluß von ROGIER VAN DER WEYDEN und D. BOUTS zeigt. Sein Werk ist durch übersichtl. Komposition, realist. Einzelheiten und lichte Farbigkeit ausgezeichnet. Durch seine umfangreiche Tätigkeit auch als Maler von Glasfenstern und Wandbildern übte er großen Einfluß auf andere Kölner Werkstätten aus. (→Kölner Malerschule) BILD S. 275

HW: Marienaltar (um 1460; München, Alte Pinakothek und London, Nat. Gal.); Anbetung der Könige (um 1480; Nürnberg, German. Nat.-Mus.); Kreuzigung, Kreuzabnahme (um 1480; Köln, Wallraf-Richartz-Mus.).

Meister des Paraments von Narbonne [-narb'ɔn], frz. Tafel- und Buchmaler, der 1364–77 ein aus der Kathedrale von Narbonne stammendes Altarparament (Pinsel-Grisaillemalerei auf weißer Seide, mit Passionsszenen; seit 1852 im Louvre) schuf. Er war als Miniaturmaler wahrscheinlich an der Illustration eines Stundenbuches des Herzogs von Berry um 1390 (um 1416/17 von den Brüdern VAN EYCK fortgesetzt) beteiligt.

Meister des Registrum Gregorii, →Gregormeister.

Meister des Todes Mariä, Joos van →Cleve.

Meister des Marienlebens: Geburt Mariä; um 1460 (München, Alte Pinakothek)

Meister des Tucher|altars, nach einem Altar in der Frauenkirche in Nürnberg (um 1445; ein Predellenflügel ebd., German. Nat.-Mus.) benannter Maler des 15. Jh., der wie K. WITZ und L. MOSER einen neuen, kraftvollen Realismus vertrat. In den schweren, gedrungenen Gestalten des Altars wirkt jedoch auch eine in Nürnberg lebendig gebliebene, ältere böhm. Tradition nach.

Meister E. S., Kupferstecher, →E. S.

Meister Francke, Maler, →Francke.

Meister H L, →H L.

Meister H. W., Maler, Hans →Witten.

Meistermann, Georg, Maler, Glasmaler, *Solingen 16. 6. 1911, lehrte seit 1952 an der Städelschen Kunstschule in Frankfurt a. M., seit 1955 an der Düsseldorfer, seit 1960 an der Karlsruher Akad. Ausgehend vom Spätkubismus und beeinflußt von A. MANESSIER, schuf er seit 1937 kirchl. und profane Glasfenster (WDR-Haus in Köln, 1950; St. Kilian in Schweinfurt, 1952), die wie seine Gemälde und Lithographien zeichenhaft abstrahierte Formen und dekorative Farbigkeit zeigen.

G. M. Werke und Dokumente, Ausst.-Kat., Nürnberg u. a. (1981).

Meister von Flémalle [-flem'al], niederländ. Maler des 15. Jh., benannt nach 3 angeblich aus der Abtei Flémalle bei Lüttich stammenden Altartafeln (Frankfurt a. M., Städelsches Kunstinstitut), früher auch nach einem Triptychon aus der Samml. Mérode (jetzt New York, Metropolitan Mus. of Art, Cloisters) **Meister des Mérode-Altars** genannt. Er ist vermutlich mit Robert

Meister von Flémalle: Altartafel, ›Maria mit Kind‹ (Frankfurt am Main, Städelsches Kunstinstitut)

Campin (†Tournai 26. 4. 1444) identisch, dem mehrfach erwähnten Lehrer von ROGIER VAN DER WEYDEN. Hervorgegangen wahrscheinlich aus der südniederländisch-italienisch beeinflußten Tafelmalerei, auch von J. VAN EYCK und später von Rogier van der Weyden beeindruckt, entwickelte er einen neuen Stil, in dem die sichtbare Welt in scharfer, klarer Zeichnung und hellkühler Farbe mit zugespitzten Einzelbeobachtungen dargestellt und plast. Monumentalität und Räumlichkeit erreicht wird. Seine Porträts beeindrucken durch lebensvollen Naturalismus (›Feister Mann‹, Berlin-West, Staatl. Museen). Von ihm ging der bürgerlich-niederländ. Realismus aus sowie die von diesem angeregte frz. und oberdt. Malerei des 15. Jh.

WW: Geburt Christi (Dijon, Mus.); Diptychon: Dreifaltigkeit u. Maria mit Kind (Leningrad, Eremitage); Grablegungs-Triptychon (London, Princes Gate Collection); Maria mit Kind (Frankfurt am Main, Städelsches Kunstinstitut); 2 Flügel des Werl-Altars (1438, Madrid, Prado).

Meister von Hohenfurth, nach Altartafeln aus dem Zisterzienserkloster Hohenfurth in S-Böhmen (tschech. Vyšší Brod) benannter Maler aus der Mitte des 14. Jh., der in Prag tätig war und in seinem Werk Elemente der über Venedig nach Böhmen gelangten byzantin. Kunst mit der heim. Tradition verband.

Lit.: →Böhmische Malerschule.

Meister von Meßkirch, Maler, der etwa zw. 1530 und 1543 in Meßkirch bei Sigmaringen tätig war (1530 bis 1538 im Dienst des Grafen G. W. v. ZIMMERN ebd.). Sein frühmanierist. Stil steht in der Nachfolge von A. DÜRER und zeigt verwandte Züge mit H. BALDUNG und H. SCHÄUFELIN. Seine zahlreichen Werke erweisen ihn als guten Koloristen.

HW: Hochaltar und 8 Seitenaltäre für die ehemal. Stiftskirche St. Martin in Meßkirch (1538; nur Mitteltafel des Hochaltars ebd.).

Meister von Moulins [-mul'ɛ̃], flämisch-frz. Maler, der vermutlich um 1475 von Brüssel nach Frankreich auswanderte, benannt nach dem großen Flügelaltar in der Kathedrale von Moulins mit der Madonna im Mittelbild und den von Heiligen begleiteten Stiftern (1498/99). Früher hat man versucht, u. a. J. →Perréal mit dem M. v. M. zu identifizieren; inzwischen neigt man eher zu der Annahme, daß es sich um JEAN HEY (›Ecce Homo‹, 1494 datiert; Brüssel, Musées Royaux des Beaux-Arts) oder den Lyoner Glasmaler JEAN PRÉVOST (†1504) handeln könnte. Die Kunst des M. v. M. (helle, kühle Farben, monumentale Auffassung der Figuren) ist von H. VAN DER GOES und J. FOUQUET beeinflußt.

Zugeschriebene Werke: Geburt Christi mit dem Kardinal Rolin (Autun, Mus. Rolin); Madonna mit Kind (Brüssel, Musées Royaux des Beaux-Arts); Hl. Magdalena mit Stifterin (Louvre); Hl. Mauritius mit Stifter (Glasgow, Art Gal. and Mus.); Kardinal Karl II. von Bourbon (München, Alte Pinakothek).

Meister von Pulkau, Maler, →Meister der Historia.

Meister von Wittingau, Meister von Třeboň [-trʃ'ɛbɔnj], bed. Vertreter der →Böhmischen Malerschule, benannt nach seinem HW, einem Altar der Augustinerkirche St. Ägidius in Wittingau (tschech. Třeboň). Von ihm sind die Ölbergszene, die Auferstehung und die Grablegung Christi erh. (um 1380/90; Prag, Nat.-Gal.). Sein Werk zeigt neuartige Licht- und Schattenwirkungen und bildet mit den gestreckten Proportionen der Figuren und dem weichen Fall der Gewänder eine Vorstufe zum →Schönen Stil.

Meister Wilhelm von Köln, →Wilhelm von Köln.

Meisterzeichen, geschütztes Signum, meist Stempel oder Brandmarke, seit dem Spät-MA. oft zusätzlich zum Beschauzeichen auf Goldschmiedearbeiten oder anderen kunsthandwerkl. Erzeugnissen angebracht. Über die Autorschaft hinaus garantierten M. die handwerkl. und die Materialqualität.

Meit, Meijt, Conrad, Bildhauer, *Worms um 1475, †Antwerpen(?) um 1550, anfangs (1506–09) in der Werkstatt L. CRANACHS D. Ä. in Wittenberg für FRIEDRICH DEN WEISEN tätig, seit 1512 Hofbildhauer der Statthalterin MARGARETE VON ÖSTERREICH in Mecheln, wo ihn A. DÜRER besuchte, 1526–32 in Brou, seit 1534 in Antwerpen. Seine HW sind die Grabmäler für Margarete, ihren Gatten PHILIBERT II. von Savoyen und dessen Mutter (1526–32; Brou, St. Nicolas, zus. mit anderen Künstlern). M. entfaltete die Überlieferung der dt. Spätgotik zu einer der Renaissance gemäßen Klarheit der Form und gehört damit zu den bed. dt. Bildhauern seiner Zeit.

WW: Judith (um 1511–14; München, Bayer. Nat.-Mus.); kleinplast. Arbeiten in Marmor, Alabaster, Buchsbaum, z. B. Adam und Eva (Gotha, Mus.); Porträtbüsten, z. B. Tonbüste Karls V. (Brügge, Mus.).

CONSTANCE LOWENTHAL: C. M. (Ann Arbor, Michigan, 1980).

Conrad Meit: Judith mit dem Haupt des Holofernes; Alabaster-Statuette, um 1511–14 (München, Bayer. Nationalmuseum)

Mekka, arab. **al-Makka,** die zweitgrößte Stadt Saudi-Arabiens, als Geburtsort Mohammeds hl. Stadt und islam. Wallfahrtsort, 367 000 Ew. – Mittelpunkt der Stadt und wichtigstes Ziel der Wallfahrt ist die Große Moschee mit dem Heiligtum der →Ka'aba. Um sie ließ Kalif AL-WALID I. um 700 eine Halle mit Marmorsäulen und Goldmosaiken errichten; der Moscheecharakter entstand durch erste Erweiterungen der Halle und Veränderungen der eigtl. Moschee bis heute (bes. im 16. Jh.).

Meknès, eine der 4 ›Königsstädte‹ Marokkos, 403 000 Ew.; städtebaul. Blüte unter den Meriniden (14. Jh.) und v. a. unter dem Aliden-Sultan Mulei Ismail (1672–1727). Medina, Alte und Neue Mellah sowie die eigtl. Königsstadt werden von einem 40 km langen, z. T. dreifachen Zinnenmauersystem mit vielen Rechteckbasteien und monumentalen Prunktoren (v. a. 17. Jh.) umschlossen. Das Bab el-Mansour el-Aleuj (1732) mit großem gekieltem Hufeisenbogen, 2 quadrat. Zierbasteien über offenen Hufeisenbögen (Säulen aus Volubilis) und 2 vorkragenden Schmuckrisaliten über gewaltigen Marmorsäulen sowie Flechtbanddekor, farbigen Keramikarabesken und Schriftfriesen gilt in seinen ausgewogenen Proportionen als schönstes Stadttor des Maghreb; in der Medina die merinid. Medrese Bou Inania (14. Jh., prachtvolle Fayencemosaiken, Stuckarabesken, Holzschnitzereien), die almohad. Moschee

En-Nejjarin (13. Jh., 1756 restauriert), die Große Moschee (1276 gegr., Stuckvorhalle), die Medrese Filada (1689) und der prunkvolle Palast Dar Jamai (19. Jh.) mit dem Mus. für marokkan. Kunst; in der Königsstadt der Komplex des Mausoleums Mulei Ismail (18. Jh., restauriert) mit Schmucktor (Steinskulpturfiligranwerk) und reichdekorierten Innenhöfen (Fayencemosaiken, Stuckarabesken) und der Königspalast Dar el-Makhzen (Ende 18. Jh.). Das große ehem. Sultansschloß Dar el-Beida (Ende 18. Jh., im Innenpark Bauteile des Badi-Palasts von Marrakesch) ist Militärakademie.

Melanesien, Teil von Ozeanien, umfaßt die Kunst-Regionen →Neuguinea, Bismarck-Archipel mit →Admiralitätsinseln, →Neuirland und →Neubritannien, →Salomonen, St.-Cruz-Inseln, Banks-Inseln, →Neue Hebriden (Vanuatu), Loyalty-Inseln, →Neukaledonien u. a. Die Gesch. der dunkelhäutigen, kraushaarigen Bev. altasiat. Ursprungs verdeutlicht sich in Überlieferungen, die sowohl mündlich weitergegeben als auch in Werken v. a. der plast. Kunst (diese fehlt im Innern von Neuguinea weitgehend) anschaulich dargestellt werden. Den differenzierten Vorstellungen von der Entstehung der Lebenswelt, vom Wirken übermenschl. Kräfte und von der gesellschaftl. Organisation (i. a. führende Stellung ›großer Männer‹, aber keine undurchlässige soziale Schichtung) entsprechen dabei spezif. Formen des eigenständigen künstler. Ausdrucks. Gemeinsam ist vielen Kulturen in M. eine Betonung der Holzschnitzkunst und des Maskenwesens. Für →Masken haben häufig vergängl. Materialien

Melanesien: Kultbrett der Iatmül, mittlerer Sepik, Papua-Neuguinea, 208 cm hoch (Berlin-West, Museum für Völkerkunde)

meist pflanzl. oder tier. Herkunft wie Baumbaststoff, Blätter, Palm- und Baummark, Samen, Federn, Vogelbälge, Haare, Schildpatt u. a. Verwendung gefunden, so daß die in den Samml. bevorzugt überlieferten Werke der Holzschnitzkunst nur einen unvollständigen Eindruck vom künstler. Reichtum geben. Bei Schnitzwerken fehlt oft der Eindruck der leuchtend frischen, die Oberflächen gliedernden Bemalung, die nach Auffassung einheim. Künstler in vielen Fällen unerläßlich für den ›richtigen‹, ›kräftigen‹ (somit in europ. Terminologie schönen) Zustand eines im religiös fundierten Brauchtum verwendeten Gegenstandes ist. Entsprechend der Tatauierung am menschl. Körper können die Flächen auch gegliedert werden durch das Einlegen z. B. von hellen Muschelschalteilen in geschwärzten Flächen oder durch die Inkrustation von gekerbten Linien mit Kalk (zentrale Salomonen; Trobriand-Inseln).

Besondere Vielfalt der Formen, Materialien und Motive (→Kopfschmuck, →Muschelarbeiten) kennzeichnet West-M., v. a. →Sepik u. a. Teile Neuguineas (→Asmat, →Marind-anim, →Massim, →Papua-Golf, →Sentani) sowie den Bismarck-Archipel (→Manus, →Malanggane, Neubritannien). In der Schnitzkunst bilden flächige, oft durchbrochen gearbeitete Werke aus den Brettwurzeln trop. Bäume eine Ergänzung zu den in die Stammform hineinkonzipierten figürl. Darstellungen. Die meisten Werke sind aus einem einzigen Stück Holz gefertigt, zusammengesetzte Formen bilden die Ausnahme, z. B. bei Malanggan-Masken. Die farbige Gestaltung geschnitzter oder aus plast. Masse geformter Gegenstände leitet ohne Bruch über zur Malerei als einer selbständigen Kunstform, v. a. im Sepik-Gebiet. Aus versch. Teilen von M. sind auch Felsbilder bekannt. Fremde Einflüsse auf die Kunst von M. können nur in den randnahen Gebieten näher umschrieben werden; am deutlichsten sind formale Gemeinsamkeiten mit ost-indones. (einschließlich alt-philippin.) Kunst in NW-Neuguinea (→Korware) und auf den Admiralitätsinseln. Ein beschränkter Austausch mit polynes. Regionalkulturen hat im Bereich von O-Melanesien (Neue Hebriden, Neukaledonien) stattgefunden. Einwanderer aus Polynesien und Mikronesien haben versch. isolierte Inselgruppen, u. a. die Westl. Inseln (Wuwulu, Aua, Kaniet), erreicht. Unklar sind die Verhältnisse z. B. auf den zentralen Salomonen und auf den Trobriand-Inseln. Die Kunst M.s hat in Europa die dt. Expressionisten und v. a. die Surrealisten beeindruckt.

W. STÖHR: M., Ausst.-Kat., Köln (1971). – Weitere Lit.: Neuguinea, Ozeanien, Sepik.

Melanesien: Geschnitzte Stevenfigur, Holz mit Perlmutteinlagen, 33 cm hoch, Salomonen (Berlin-West, Museum für Völkerkunde)

Melbourne [m'elbən], Hauptstadt des Bundesstaates Victoria, an der S-Küste Australiens, 2,76 Mio. Ew., mit stark englisch geprägtem Stadtbild. Die Nat. Gal. of Victoria enthält Werke alter Meister sowie moderner europ. und austral. Kunst.

Melchior, Johann Peter, Bildhauer und Modelleur, getauft Lintorf 10. 3. 1747, †(München-) Nymphenburg 13. 6. 1825, wurde 1767 Modellmeister der Höchster, 1779 der Frankenthaler, 1791 der Nymphenburger Porzellanmanufaktur. Bes. die Höchster Manufaktur gewann durch seine Chinesen- und Kindergruppen im

Stil des frz. Rokoko an Ansehen. Seine späteren Werke (oft in Biskuitausführung) zeigen die Wende zum Klassizismus.

Melchisedek, im A. T. Priesterkönig von Salem (Jerusalem), durch messian. Deutung von Ps. 110 wurde M. im N. T. typolog. Vorbild Christi, in der frühchristl. Kunst als Prototyp des Neuen Bundes dargestellt (Wiener Genesis; Mosaiken in Ravenna, Apsiden von S. Vitale und S. Apollinare in Classe, 6. Jh.), auch als typolog. Bild des Abendmahls (Klosterneuburger Altar, 1181). Das Mittelalter erfaßte ihn in seiner Begegnung mit Abraham (Chartres, Glasmalereien; Reims, Innenwand der Fassade, Plastik nach der Mitte des 13. Jahrhunderts).

Meldorf, Stadt im Kr. Dithmarschen, Schlesw.-Holst., 7200 Ew. Die frühgot. Backsteinbasilika (1250 bis 1300), die Dithmarscher Hauptkirche (›Dom‹), besitzt u. a. eine prächtige Spätrenaissance-Chorschranke (1603) sowie einen figurenreichen Schnitzaltar (um 1520). Das Alte Pastorat (1601) ist das besterhaltene Beispiel eines massiven Marschhauses mit Fachwerk und blendengeschmücktem Backsteingiebel. Dithmarscher Landesmus. (u. a. Silber, Fayencen); Freilichtmus. Osterrader Bauernhaus.

Meleagros, lat. **Meleager,** grch. Mythos: ein Heros, Speerwerfer und Jäger, Sohn des Oineus, Königs von Kalydon (oder des Ares) und der Althaia, erlegte auf der Kalydon. Jagd einen von Artemis zur Strafe für ein relig. Versäumnis des Oineus gesandten Eber, der das Land verwüstete. Nach Homer erschlug M. im Streit um Kopf und Fell des Tieres die Brüder seiner Mutter, die daraufhin Blutrache übte und ein Holzscheit verbrannte, an das die Moiren bei seiner Geburt sein Leben gebunden hatten. Die Kalydon. Jagd wurde später mythologisch mit dem Leben zahlreicher Helden und dem Sagenkreis der Atalante verknüpft und war begehrtes Thema v. a. der grch. Vasenmalerei seit dem 6. Jh. v. Chr. (Françoisvase), häufig auch in der Bauplastik (Metopen des Sikyonierschatzhauses in Delphi, Reliefs vom Heroon in Gölbaşi, Giebel des Athenatempels in Tegea) und auf Sarkophagen der Kaiserzeit. Eine Plastik von SKOPAS hat sich in röm. Kopien (u. a. im Vatikan) erh. In der neuzeitl. Kunst findet sich häufig die Kalydon. Jagd (J. JORDAENS, N. POUSSIN), auch M. zus. mit Atalante (P. P. RUBENS).

Meléndez [-dεθ], auch **Menéndez,** Luis Eugenio, span. Maler, *Neapel 1716, †Madrid 1780, kam mit seinem Vater Francisco Antonio (*1682, †vor 1752), der Miniaturmaler am Hof PHILIPPS V. wurde, nach Spanien. Nach Italienaufenthalt wurde M. unter KARL III. und später FERDINAND VI. Hofmaler in Madrid; zunächst Miniaturist, wandte er sich später dem Stilleben zu. Die Gegenstände seiner Bilder sind mit realistisch ausgeprägtem Sinn für das Detail gemalt, spannungsvoll komponiert und effektvoll beleuchtet (Folge von 44 Stilleben für das Schloß Aranjuez, 1760–72; heute z. T. in Madrid, Prado; Boston, Mus. of Fine Arts; Paris, Louvre). Daneben schuf er vorzügl. Porträts (Selbstporträt, 1746; Louvre).

Melilla [mel'iʎa], Hafenstadt an der marokkan. Mittelmeerküste, seit 1497 span. Exklave, 64900 Ew.; über dem phönik. **Rusadir** (705 zerstört) im 10. Jh. durch den Kalifen von Córdoba neu gegr.; Blütezeit unter den Meriniden im 13. Jh. (Hafen für Fès und Taza). Maler. alte Oberstadt (›Medina Sidonia‹) mit Häusern im andalus. Baustil, umgeben von einer Mauer aus dem 6. Jh. (spätere Ausbesserungen); in deren N-Ecke Festung (heute noch als solche genutzt) mit städt. Mus. (punisch-röm. Keramik).

Melische Reli|efs, →Melos.

Melk, Stadt am westl. Ausgang der Wachau, NÖ, 6400 Ew. In beherrschender Lage auf einem Felsen über dem reizvollen Stadtkern liegt das Benediktinerstift, das auf ein 985 gegr. Chorherrenstift zurückgeht. Der großartige Neubau, 1702 von J. PRANDTAUER beg., ist dank der einheitl. Durchführung des Bauplans eine der bedeutendsten Schöpfungen des Barock in Europa. Die zweitürmige W-Fassade und die Kuppel der Stiftskirche (1702–26) überragen die Stiftsgebäude; das Innere zeigt eine Verbindung der Architektur mit der plast. und maler. Ausstattung von einzigartiger Vollendung (A. GALLI DA BIBIENA, P. TROGER, J. M. ROTTMAYR u. a.). Die ebenso prachtvoll ausgestatteten Stiftsgebäude (Marmorsaal, Bibl., Stiegenhaus, Kaiserzimmer u. a.) wurden nach Prandtauers Tod von J. MUNGGENAST fertiggestellt. Im Stift bed. Kunstschätze (›Melker Kreuz‹, 1362, u. a.).

Mellan [məl'ã], Claude, frz. Kupferstecher, getauft Abbeville 23. 5. 1598, †Paris 9. 3. 1688, war 1624–37 in Rom, wo er zeitweise Schüler von S. VOUET war, bildete eine mit parallelen Linien statt mit Kreuzschraffierungen arbeitende Sticheltechnik aus, bei der er die Modellierung durch Verdickung des Strichs erreichte. Sehr lebendig sind seine meist nach eigenen Zeichnungen gestochenen Porträts.

Melk: Stift M.; Westfassade

Melle, Stadt im Kr. Osnabrück, Ndsachs., 40900 Ew. In der Matthäuskirche, einer zweischiffigen got. Halle (13./14. Jh.), roman. Triumphkreuz (13. Jh.), mächtige Barockorgel (1713) und barocke Holzplastiken von J. W. Gröninger. Die Petrikirche (1721–24), eine Hallenkirche in nachgot. Formen mit umlaufenden bemalten Emporen, besitzt gute Ausstattung aus der Erbauungszeit; Grönegau-Mus. (bäuerl. und bürgerl. Wohnkultur). Außer Haus Bruche (1733) und in →Gesmold auch in den Ortsteilen **Handarpe, Neuenkirchen, Oldendorf** und **Riemsloh** Wasserburgen des 16. bis 18. Jh.; in **Schiplage** Kirchenburg mit spätgot., fast vollständig ausgemalter Annakirche (1505–14).

Mellerstain House [m'eləsteın haʊs], schott. Landschloß südöstlich von Edinburgh, 1725 von William Adam beg. und 1770–78 von seinem Sohn Robert als klassizist. Bau mit reicher antikisierender Innenausstattung vollendet.

Mellifont Abbey [m'elıfənt 'æbı], Benediktinerkloster in der histor. Provinz Leinster, Irland; im 7. Jh. gegr., wurde M. A. 1142 von Zisterziensern übernommen; die nur als Ruine erhaltene Kirche (1157 gew.) ist eine Querhausbasilika mit Rechteckchor.

Mellin [məl'ɛ̃], Charles, frz. Maler, *Nancy um 1597, †Rom 21. 9. 1649, lebte schon früh in Italien, wo er in Rom Schüler von S. Vouet war. Seine Gemälde, eng an N. Poussins Arbeiten um 1630 angelehnt, unterscheiden sich von diesen durch schärferes Licht, das Hell-Dunkel-Effekte hervorruft, und durch eine unruhigere Komposition, die die Harmonie Poussins vermissen läßt.

Mellon [m'elən], Andrew William, amerikan. Unternehmer, Bankier, Politiker, *Pittsburgh (Pennsylvania) 24. 3. 1855, †Southampton (New York) 26. 8. 1937, war 1921–32 Finanz-Minister, 1932–33 Botschafter in London. Seine Gemälde-Gal. und seine Stiftung waren die Grundlage für die Nat. Gal. of Art in Washington.

Melnik, kleine Stadt in SW-Bulgarien, urspr. thrak. Siedlung, im MA. befestigter Bischofssitz (1014 erstmals erwähnt). Die meisten der etwa 80 ma. Bauwerke sind seit dem 1. Weltkrieg Ruinen. Die Kirchen des 11. bis 13. Jh. sind zumeist bescheidene einschiffige Bauten, die späteren dreischiffige Basiliken. Bed. ist v. a. die alte Metropolitenkirche St. Nikolaus (Anfang 13. Jh.) mit Resten von Wandmalereien aus der Erbauungszeit.

Mělník [mj'ɛlnji: k], Stadt im Mittelböhm. Kr., ČSSR, nördlich von Prag, 17800 Ew. Stadtmauer-Ruinen; Prager Tor und Wasserturm aus dem 13. Jh. Das got. Schloß aus dem 14. Jh. wurde mehrfach verändert (heute Mus.; Kunstgal.). Vom ersten Bau der Peter-und-Paul-Kirche (11. Jh.) ist der roman. Turm erh.

Melos, ngrch. **Milos,** im MA. ital. **Milo,** grch. Kykladeninsel, 4500 Ew. – Die Insel (Obsidianvorkommen) hatte schon im 2. Jahrtsd. eine minoische und eine myken. (→Phylakopi), im 1. Jahrtsd. eine dorische Siedlung. – Im 7. Jh. v. Chr. besaß M. eine bed. Glyptik- und Keramikproduktion: Grabkratere, Amphoren, Teller,

Schüsseln im Orientalisierenden Stil **(Melische Vasen).** Die mit mytholog. Darstellungen versehenen Terrakottareliefs **(Melische Reliefs)** aus dem 5. Jh. v. Chr. wurden auf Holzkästchen befestigt und waren eine weitverbreitete Handelsware. Von der archaischen Bildhauerkunst gibt der ›Kuros von M.‹ (um 560–550 v. Chr., Athen, Nat.-Mus.) eine Vorstellung. 1820 wurde hier die ›Venus von Milo‹ (Louvre), eine hellenist. Statue (Ende 2. Jh. v. Chr.), gefunden. (BILD Aphrodite von Melos)

Melọtti, Fausto, ital. Bildhauer, *Rovereto (N-Italien) 8. 6. 1901, † Rom Juni 1986, gestaltet aus Kupferdraht und Messing mit Hilfe von Stoffetzen abstraktgeometr. Skulpturen von fast schwebender Leichtigkeit; auch große Plastiken aus Stahl und Marmor.

Melọzzo da Forlị̀, ital. Maler, *Forlì 1438, †ebd. 8. 11. 1494, früher als Schüler von PIERO DELLA FRANCESCA angesehen, doch wahrscheinlich in Padua bei ANSUINO DA FORLÌ ausgebildet. Angeregt von A. MANTEGNA, war er in Forlì, Rom, Loreto und Urbino tätig. Glänzende Beherrschung von Perspektive, Lichtführung und Modellierung vermittelt seinen Fresken eine sichere Raumgestaltung. In seinen großartigen, realistisch erfaßten Gestalten erreicht er schon fast die Monumentalität der Hochrenaissance.

HW: Papst Sixtus IV. ernennt Platina zum Präfekten der Vatikan. Bibl. (Fresko auf Leinwand übertragen, 1477; Rom, Vatikan. Gal.); Bruchstücke der Apsisfresken von SS. Apostoli in Rom (um 1480); Himmelfahrt Christi (Rom, Quirinal); 8 musizierende Engel u. a. (ebd., Vatikan. Gal.); Fresken in der Sakristei in Loreto (nach 1484).

Melrose Abbey [mˈelrəʊz ˈæbɪ], Zisterzienserkloster in der südschott. Borders Region, gegr. 1136 von König DAVID I. (1124–53). Von der im 14. Jh. erneuerten Ab-

Melozzo da Forlì: Musizierender Engel (Rom, Vatikan. Galerie)

teikirche ist nur der östl. Teil des basilikalen Langhauses mit offenem Strebewerk erh., das Querhaus mit aufwendiger S-Fassade und Vierungsturm ist heute Ruine. Die im 15. Jh. hinzugefügten äußeren Seitenschiffe besitzen Maßwerkfenster mit rotierenden Fischblasen nach dem Vorbild der kontinentalen Spätgotik.

Melsungen, Stadt im Schwalm-Eder-Kr., Nordhessen, 13 300 Ew. Das maler. Ortsbild wird durch zahlreiche Fachwerkbauten bestimmt, von denen das dreigeschossige Rathaus mit 4 Fassadenseiten und Ecktürmchen zu den schönsten in Dtl. zählt (1555/56). Die Stadtkirche (1415–25) ist eine gedrungene, fast quadrat. Rundpfeilerhalle, das Schloß ein schmuckloser Renaissancebau (1550–77); größere Teile der ma. Stadtbefestigung mit dem Eulenturm (1556) sind erh.

Melun [məl'œ̃], Hauptstadt des frz. Dép. Seine-et-Marne, an der Seine, 39 000 Ew. Die Altstadt liegt auf einer Insel mit den Kirchen Notre-Dame (11./12. Jh., Fassade 16. Jh.) und St. Aspais (15./16. Jh.; mit Renaissance-Glasfenstern) und dem im Renaissance-Stil 1848 voll. Rathaus. 6 km nordöstlich von M. Schloß →Vaux-le-Vicomte.

Melzi, Francesco, ital. Maler, *Mailand 1493, †Vaprio d'Adda um 1570, Lieblingsschüler LEONARDO DA VINCIS. Das einzige erh. signierte Gemälde, Halbfigur einer jungen Frau, zeigt eine starke Abhängigkeit von Leonardo. Aus dessen Nachlaß gab M. eine Kompilation theoret. Schriften heraus (›Trattato della pittura‹).

Memleben, Gem. an der unteren Unstrut, Bez. Halle, Dt. Dem. Rep., 1100 Ew.; von der otton. Königspfalz sind nur geringe Reste erh.; Ruine der ehem. Benediktiner-Klosterkirche, einer spätroman. kreuzförmigen Basilika (13. Jh., Benutzung älterer Grundmauern), mit Krypta unter Chor und Vierung.

Memling, Hans, niederländ. Maler, *Seligenstadt (bei Aschaffenburg) um 1433, †Brügge 11. 8. 1494, wo er seit 1465 nachgewiesen ist. M. war wahrscheinlich Schüler des ROGIER VAN DER WEYDEN, lernte aber auch von D. BOUTS und H. VAN DER GOES, vielleicht auch von Italienern. Er malte, bes. auf ideale Schönheit bedacht, Andachtsbilder in ausgewogener Komposition, sorgfältiger Zeichnung und erlesener Farbigkeit. Seine bed. Porträts bilden oft mit einer Heiligendarstellung zus. ein Diptychon. (BILD S. 285)

HW: in Brügge, Johannesspital: Dreikönigsaltar (1479); Johannesaltar (1479); Beweinungsaltar (1480); Christophorusaltar (1484); Diptychon mit der Madonna in Halbfigur und dem Bildnis des M. van Nieuwenhoven (1487); Ursula-Schrein (1489). Marienaltar des Sir John Donne of Kidwelly (um 1468; London, Nat. Gal.); Weltgerichtsaltar für Jacopo Tani, aus der Marienkirche in Danzig (1471/73; Danzig, Nat.-Mus.); Sieben Freuden Mariä (um 1480; München, Alte Pinakothek); Bathseba im Bade (1480/90; Stuttgart, Staatsgal.); Triptychon der thronenden Madonna mit Heiligen (um 1485; Wien, Kunsthistor. Mus.); Passionsaltar des Heinrich Greverade aus der Greverade-Kapelle des Doms in Lübeck (1491/94; Lübeck, St.-Annen-Mus.).

M. CORTI u. G. T. FAGGIN: L'opera completa di M. (Mailand 1969).

Memmi, Lippo, ital. Maler, nachweisbar 1317 bis

Hans Memling: Verkündigung an die Hirten, Ausschnitt aus den ›Sieben Freuden Mariä‹; um 1480 (München, Alte Pinakothek)

1347, Mitarbeiter und Nachahmer seines Schwagers SIMONE MARTINI; er malte v. a. Madonnenbilder von zarter Empfindung und erlesener dekorativer Wirkung. M.s Anteil an der von ihm und Simone Martini gemeinsam signierten Verkündigung für den Dom von Siena (1333; heute Florenz, Uffizien) beschränkt sich auf die beiden seitl. Heiligenfiguren.

Memmingen, ehem. Reichsstadt im bayer. Schwaben mit gut erh. altem Stadtbild, 37 700 Ew. In der Martinskirche (1419–1501), einer schlichten Pfeilerbasilika mit sterngewölbtem Chor von M. BÖBLINGER, großartiges spätgot. Chorgestühl (1501–08); Frauenkirche (1456–60) mit umfangreichen Wandmalereien der 2. H. 15. Jh.; in der ehem. Kreuzherrenkirche (profaniert), einer zweischiffigen got. Halle (1480–84), ausgezeichneter Akanthusstuck (1709) der Wessobrunner Schule. Rathaus (1589, Rokokostuckfassade 1765) und Steuerhaus (1495/1708 mit 20 zum Markt geöffneten Bögen). Unter den zahlreichen Bürgerhäusern ragen heraus das Siebendächerhaus (1601) und der Hermannsbau (1766; Städt. Mus.). Bei M. liegt das Kloster **Buxheim,** das besterhaltene dt. Kartäuserkloster (got. Bausubstanz 14./15. Jh., 1709–11 von den Brüdern J. B. und D. ZIMMERMANN barockisiert); von D. Zimmermann auch

Memnon: Memnonskolosse in Theben-West; um 1400 v. Chr.

die reich geschmückte Annakapelle im NW des Kreuzgangs (1738/39) und die Pfarrkirche (1726/27).

Memnon, grch. Mythos: ein Sohn der Eos, König der Äthiopen, der den Trojanern zu Hilfe kam und von Achill getötet wurde. Sein Kampf mit Achill findet sich v. a. auf grch. Vasen, so auf einer Amphora aus Melos (um 650 v. Chr., Athen, Nat.-Mus.). Die **Memnonskolosse** (um 1400 v. Chr.), zwei 17,9 m hohe Sitzfiguren des ägypt. Königs AMENOPHIS III. in Theben-West, galten den Griechen als Bilder des M.; der nördl. Koloß soll bei Sonnenaufgang singende Töne hervorgebracht haben, wohl infolge des durch den Temperaturwechsel veranlaßten Springens der verwitterten Steine.

Memorialbau, Bauwerk zur Erinnerung an ein histor. oder legendäres Ereignis oder an eine Person. Die ersten M. sind die Pyramiden des alten Ägypten. In der vorderasiatisch-grch. Baukunst ist das →Mausoleum als Bautyp entstanden. Der röm. Grabbau brachte reiche Variationen, die Einfluß auf die frühchristl. Märtyrergrabbauten hatten. Im MA. bekamen Kirchen Memorialcharakter als Wallfahrtskirche oder als Herrscher-Grablege. Das 19. Jh. griff auf die Form des M. zurück, um nationale und polit. Ereignisse i. S. des Historismus architektonisch zu überhöhen (Ruhmeshalle, München, 1843–54, von L. v. KLENZE; Völkerschlachtdenkmal bei Leipzig, 1898–1913; nach einem Entwurf von C. BEHRENS).

Memphis, 1) altägypt. Stadt auf dem linken Nilufer oberhalb von Kairo (KARTE ägyptische Kunst). Der 1. ägypt. König MENES, auf den die Einigung von Ober- und Unterägypten zurückgeführt wird, gründete hier um 3000 v. Chr. im Grenzbereich der beiden Landesteile seine Residenz mit der Königsburg ›Weiße Mauern‹ und einem Tempel für das Hauptheiligtum des Ptah. Während des Alten und (mit Unterbrechungen) auch während des Mittleren und Neuen Reiches war M. Hauptstadt von Ägypten. Von der einst prachtvollen

Metropole blieben nur geringe Reste (u. a. des Ptahtempels, der Paläste der Könige MERENPTAH und APRIES, eine Alabastersphinx und eine Kolossalstatue von RAMSES II.). Die benachbarte Nekropole →Sakkara sowie die Pyramiden von →Giseh und →Dahschur, Begräbnisstätten von Königen und Privatleuten seit der ägypt. Frühzeit, weisen auf die Bedeutung von M. hin.

2) Stadt in Tennessee, USA, 646 400 Ew. Die 1916 eröffnete Brook Memorial Art Gal. zeigt neben zeitgenöss. amerikan. Kunst v. a. ital. Renaissancegemälde. – Südwestlich von M. liegt **Chucalissa** [tʃu:kəlˈısə], ein von etwa 900 bis 1600 bewohntes Dorf der Chickasaw-Indianer (Mus. mit Funden der Ausgrabungen).

Menabuoi, ital. Maler, →Giusto de' Menabuoi.

Menai Strait [mˈenaı streıt], Meerenge zw. der NW-Küste von Wales und der Insel Anglesey, die seit dem 19. Jh. bei Bangor von 2 Eisenbrücken überspannt wird. Die Menai Bridge, eine Hängekonstruktion über mächtigen Steinpfeilern, wurde 1818–26 von T. TELFORD erbaut, die Britannia Bridge (1845–50) wurde eine bahnbrechende Konstruktion der →Eisenarchitektur.

Menas|stadt, →Abu Mena.

Mena y Medrano [-i meðrˈano], Pedro de, span. Bildhauer, getauft Granada 20. 8. 1628, †Málaga 13. 10. 1688, bedeutendster Schüler von A. CANO, mit dem er seit 1652 zusammenarbeitete; Hauptmeister der Barockskulptur in Granada; nach 1663 (Reise nach Toledo) wurde er bes. von G. HERNÁNDEZ beeinflußt. In seinen oft farbig gefaßten Holzskulpturen verbindet M. y M. tief empfundene Religiosität, die bis zur Ekstase gesteigert sein kann, mit betontem Realismus. Seine Werke (schon zu seinen Lebzeiten kopiert) gehören der →Estofado-Skulptur an.

HW: 40 Holzreliefs am Chorgestühl der Kathedrale von Málaga (1658–62); Hl. Franziskus (um 1663; Toledo, Kathedrale); Hl. Magdalena (1664; Valladolid, Skulpturenmus.).

Pedro de Mena y Medrano: Hl. Magdalena; 1664 (Valladolid, Skulpturenmuseum)

Mende, Volk der Mandingo in Westafrika, bes. im O von Sierra Leone, mit hochstehender Schnitzkunst. Die ›Sowei‹-Helmmasken des Bundu-Geheimbundes, die bei der Initiation der Mädchen (wenn diese im Buschlager auf ihre Rolle als Frau vorbereitet werden) getragen werden, sind schwarz gefärbte Stülpmasken mit fein geschnittenem Gesicht und kunstvoller Frisur, die manchmal von einem mit Kaurischnecken geschmückten Band gehalten wird und in der oft angeschnitzte Antilopenhörner (als Zeichen der Kraft) stecken. Die Würdenträger des Poro-Bundes tragen ähnl. Masken, jedoch in gröberem Stil geschnitzt und klobiger wirkend. Seltener als Masken sind bei den M. Figuren, von denen es nur weibliche gibt (›Minsereh‹); sie sind ebenfalls schwarz eingefärbt, sollen zw. Geistern und Menschen vermitteln und werden von Priestern im Orakel befragt. Die Köpfe dieser Figuren tragen die gleichen Züge wie die Bundu-Masken, und die Hälse haben die gleichen (Wohlstand anzeigenden) Wülste.

Mende: Helmmaske ›Sowei‹ des Bundu-Geheimbundes aus schwarz gefärbtem Holz, 32 cm (München, Privatsammlung)

Mendelsohn, Erich, Architekt, *Allenstein (Ostpreußen) 21. 3. 1887, †San Francisco 15. 9. 1953, lebte nach Studien in Berlin und München in Berlin, schuf

1920 im expressionist. Stil den Einsteinturm (Potsdam; BILD Expressionismus), entwickelte danach streng gegliederte Baukörper mit kräftigem Materialreiz, bes. des Ziegels; prägte den modernen Warenhausstil mit vertikalen, rund um die Fenster laufenden Fensterbändern ohne erkennbare Stützen. – M. baute in der Emigration in England, Palästina und in den USA.

HW: Warenhaus Schocken, Stuttgart (1926–28); Universum-Kino, Berlin (1926–28); Haus der Metallarbeiter-Gewerkschaft, Berlin (1928); Hebr. Univ. und Hassadah-Krankenhaus, Jerusalem (1936–38); Synagogen, Cleveland/Ohio (1946–52), St. Louis/Mississippi (1946–50), St. Paul/Minnesota (1950–54).

E. M., hg. v. B. ZEWI (1983).

Mendrisio, Gem. im schweizer. Kt. Tessin, 10 150 Ew.; von mehreren Palästen, u. a. dem barocken Palazzo Pollini (1719/20), und Kirchen geprägtes maler. Straßenbild. Nordöstlich von M. die Kirche S. Martino, im 10. Jh. erwähnt, mit karoling. Apsis, frühroman. Schiff; Vorhalle, Chor und Sakristei von 1665.

Mendut, Candi M. [tç-], buddhist. Heiligtum auf Zentraljava (KARTE indonesische Kunst), aus dem 9. Jh. in der Nähe von Borobudur und in kultischem Zusammenhang damit; ehem. 25 m hoch, im 19. Jh. wiederentdeckt und restauriert. Relativ einfacher Cellatyp, reich mit Reliefs verziert (Jatakas u. a.); innen Kolossalfiguren des Buddha und zweier Bodhisattvas.

Menelaos, grch. Mythos: König von Sparta, Sohn des Atreus, jüngerer Bruder des Agamemnon, Gemahl der Helena, die ihm von Paris geraubt wurde; einer der tapfersten Helden von Troja. Nach einer der vielen Sagen irrte M. nach dem Fall Trojas, durch einen Sturm verschlagen, 7 Jahre umher, ehe er mit Helena die Heimat erreichte. Seit dem 7. Jh. v. Chr. wurde er häufig, v. a. Helena bedrohend (Amphora, um 670 v. Chr.; Mykonos, Mus.) oder umwerbend (Grabpfeiler, um 580 v. Chr.; Sparta, Mus.), auf Vasen und Reliefs dargestellt. Bei der Rettung der Leiche des Patroklos zeigte ihn eine hellenist. Gruppe (→Pasquino), die in röm. Kopien erh. ist (u. a. in Rom, Palazzo Braschi).

Menéndez [-dεθ], Luis Eugenio, span. Maler, →Meléndez.

Anton Raphael Mengs: Selbstporträt; Ausschnitt (Madrid, Museo Lazaro Galdeano)

Mengs, Anton Raphael, Maler, Kunstschriftsteller, *Aussig (Böhmen) 22. 3. 1728, †Rom 29. 6. 1779, Schüler seines Vaters Ismael M. (*Kopenhagen 1688, †Dresden 1764), unter dessen Anleitung er seit 1741 in Rom nach Fresken RAFFAELS und antiker Plastik zeichnete. 1746 wurde M. in Dresden Hofmaler von AUGUST III., 1754 in Rom Direktor der Accademia di S. Lucca. Er arbeitete an beiden Orten, ebenso in Madrid; hier wurde er 1761 Hofmaler KARLS III.

Durch seine Freundschaft mit J. J. WINCKELMANN (seit 1755) angeregt, wandte sich M. vom konventionellen Spätbarock seiner frühen Werke einem (auch theoretisch begründeten) eklekt. Klassizismus zu (Deckengemälde des Parnaß, 1761; Rom, Villa Albani). M. war auch ein hervorragender Porträtmaler.

HW: Porträts: Klemens XIII. (1758; Bologna, Mus.); J. J. Winkelmann (um 1761; New York, Metropolitan Mus.); Selbstporträt (Madrid, Museo Lazaro Galdeano). – Mytholog. Bilder: Deckenfresken im Schloß zu Madrid; Urteil des Paris, Perseus und Andromeda (Leningrad, Eremitage). – Relig. Bilder: Geburt Christi (Madrid, Prado); Verkündigung (unvoll., Wien).

Schriften: Gedanken über die Schönheit und über den Geschmak in der Malery, hg. v. J. C. FÜESSLI (1762); Opere, hg. v. D. G. N. D'AZARA, 2 Bde. (1780, dt.).

Mengwi, Ort auf Bali (KARTE indonesische Kunst), mit dem zweitgrößten Tempelkomplex der Insel, dem Staatstempel Pura Taman Ajun (Ende 17. Jh.) mit zahlreichen Merus und dem dreisitzigen Thron für Shiva, Vishnu und Brahma. Diese Anlage ist von einem Wassergraben umgeben und heißt daher ›Garten im Teich‹.

Menhir [breton. ›langer Stein‹] *der,* aufrechtstehender, bis 20 m hoher Stein von kult. Bedeutung, manchmal auf oder bei Gräbern errichtet. Das Verbreitungsgebiet der M. erstreckt sich über England (→Stonehenge), Frankreich (Champ Dolent, →Carnac), W-Dtl. (Hinkelstein) bis Mittel-Dtl. Ähnlich sind die skandinav. →Bautasteine. Die meisten M. stammen aus dem Neolithikum.

Menhirstatuen, auch **Figurenmenhire,** säulen- oder plattenförmige Steinstelen, die in Skulptur, Relief oder Gravierung menschenförmige Züge aufweisen. Die Darstellung ist oft auf die schemat. Andeutung des Gesichts und der Arme beschränkt. Ihr Hauptverbreitungsgebiet ist S-Frankreich und das südl. Alpengebiet vom Neolithikum bis in die Hallstattzeit.

Menn, Barthélemy, schweizer. Maler, *Genf 20. 5. 1815, †ebd. 11. 10. 1893, Schüler von J. A. D. INGRES (1834–38 mit diesem in Rom), schloß sich später E. DELACROIX und den Malern von →Barbizon an, in deren Art er stimmungsvoll-realist. Bilder der heimatl. Landschaft malte. Seit 1850 leitete M. in Genf die ›École de Dessin‹ (Schüler v. a. F. HODLER). – Zu den bedeutendsten Arbeiten M.s gehören seine Selbstporträts (Genf, Mus. d'Art et d'Histoire).

Mennige [aus lat.] *die,* →Bleimennige.

Menora [hebr.] *die,* Judentum: der siebenarmige Leuchter, als Gerät des 2. Tempels in Jerusalem 70 n. Chr. im Triumphzug in Rom von TITUS mitgeführt und auf seinem Triumphbogen abgebildet; häufig kult. Ornament auf Säulen und Gerät von Synagogen; in monumentaler Ausführung in Jerusalem gegenüber dem israel. Parlament (Knesseth) von B. ELKAN (1957). BILD jüdische Kunst

Mensa [lat. ›Tisch‹], die seit dem 5. Jh. bekannte Altarplatte (→Altar), urspr. rund oder quadratisch, bald jedoch nur noch rechteckig.

Menuisier [mənɥizj'e, frz.], Möbelschreiner, der einfache Kastenmöbel anfertigte, die später vom Ebenisten furniert wurden. Der M. war im 18. Jh. wie der Ebenist zum Signieren verpflichtet.

Menzel, Adolph von (1898), Maler, Graphiker, *Breslau 8. 12. 1815, †Berlin 9. 2. 1905, erlernte von seinem Vater (dieser seit 1830 mit Familie in Berlin) die Technik der Lithographie und war als Maler im wesentlichen Autodidakt (beeinflußt von K. BLECHEN und J.

Adolph von Menzel: Wohnzimmer mit Menzels Schwester; 1847 (München, Neue Pinakothek)

CONSTABLE). Bekannt wurde M. durch die Bildfolge von 6 lithographierten Federzeichnungen zu GOETHES Gedicht ›Künstlers Erdenwallen‹ (1833) und v. a. durch etwa 400 Federzeichnungen zu F. T. KUGLERS ›Geschichte Friedrichs d. Gr.‹ (1839–42), von anderen in Holz gestochen, wie auch die 200 Illustrationen für die Neuausgabe der Werke Friedrichs II. (1839–42). In ihrem maler. Stil bedeuten die Stiche eine kunstvolle Weiterentwicklung des Holzschnitts. – M. war ein unermüdl. Zeichner des im Alltag und auf Reisen Gesehenen (4000 Blatt in 30 Skizzenbüchern). In dieser Hinwendung zum realistisch skizzierten Detail als Vorbereitung des späteren Gemäldes ähnelt er W. LEIBL.

Nach ersten Versuchen als Maler (seit etwa 1836) wandte sich M. um 1845 in bed., damals jedoch unbeachteten Bildern anspruchslosen Motiven zu (Gegenstände, Innenräume, Landschaften, Hinterhäuser u. ä.), auch für seine Zeit kaum darstellungswürdigen Themen (›Berlin-Potsdamer Eisenbahn‹, 1847; Berlin-West, Staatl. Museen; ›Aufbahrung der Märzgefallenen‹, 1848, unvoll.; Berlin-Ost, Staatl. Museen). Sie zeigen eine freie maler. Haltung und die Wiedergabe des unmittelbaren Eindrucks, mit der M. den Impressionismus vorwegnahm. Erzählenden Stoffen, v. a. der Geschichte, widmete er seit 1850 seine bekanntesten Gemälde (›Tafelrunde Friedrichs d. Gr. in Sanssouci‹, 1850, 1945 zerstört, u. a.). Auch seine realist. Schilderungen (›Eisenwalzwerk‹, 1875; Berlin-Ost, Staatl. Museen, u. a.) zeigen sein Interesse an Farbwirkungen von Lichtreflexen.

WW: Das Balkonzimmer (1845; Berlin-West, Staatl. Museen); Garten des Prinzen Albrecht (1846; ebd.); Wohnzimmer mit M.s Schwester (1847; München, Neue Pinakothek); Schlafzimmer des Künstlers (1847; Berlin-West, Staatl. Museen); Salonkonzert (1851; München, Neue Pinakothek); Flötenkonzert in Sanssouci (1852; Berlin-West, Staatl. Museen); Friedrich d. Gr. in Lissa (1858; unvoll.; Hamburg

Kunsthalle); Krönung Wilhelms I. in Königsberg (1861 bis 1865; ebd.); Gottesdienst in der Buchenallee bei Kösen (1868; Dresden, Gemälde-Gal.); Ballpause (1870; München, Neue Pinakothek); Prozession in Hofgastein (1880; München, Neue Pinakothek); Piazza d'Erbe in Verona (1884; Dresden, Gemälde-Gal.). – **Weitere graph. Werke:** Friedrichs d. Gr. Armee in ihrer Uniformierung, 600 Lithographien, 3 Bde. (1845–57); Versuche auf Stein mit Pinsel und Schabeisen (1851); Zeichnungen zu H. v. Kleists ›Der zerbrochene Krug‹ (1877).

RENATE WEINHOLD: M.-Bibliographie (1959); A. M. Gemälde, Zeichnungen, Ausst.-Kat., Erlangen (1971); A. M. Das graph. Werk, hg. v. HEIDI EBERTSHÄUSER, 2 Bde. (1976); A. M. Realist, Historist, Maler des Hofes, Ausst.-Kat., Bremen (1981); M. – Der Beobachter, Ausst.-Kat., Hamburg (1982).

Menzel Bou Zelfa [-bu zɛlf'a], Stadt in NO-Tunesien, 41 km östlich von Tunis; Anf. des 17. Jh. von span. Mauren gegr.; Hauptmoschee in maur. Konzeption mit Michrab im Stil span. Barockaltäre und italianisierendem Dekor.

Meppen, Stadt im Emsland, Ndsachs., 29500 Ew. Die Propsteikirche (15. Jh.) ist eine fast quadrat. got. Hallenkirche; auf dem Kirchplatz Kalvarienberg mit Maria, Johannes und Magdalena (Sandstein, 1517). Im ehem. Jesuitenkolleg (1726–29) und der zugehörigen turmlosen Gymnasialkirche (1743–46; Seitenaltäre von J. C. SCHLAUN entworfen) Rokoko-Stukkaturen. Rathaus (1408/1605) mit Renaissance-Treppengiebel.

Meran, ital. **Merano,** Stadt in Südtirol, 34700 Ew.; zw. Küchelberg und Passer gelegene Altstadt mit Laubengängen und Bürgerhäusern des 16.–18. Jh.; Reste der Stadtmauern des MA. mit Pulverturm. Got. Pfarrkirche St. Nikolaus (Chor und Turm, 1302–76; Langhaus, 1350–1420; Turmvorhalle mit Fresken, um 1417; Steinplastik des Hl. Nikolaus an der südl. Außenwand, um 1350); daneben Barbarakapelle (achteckiger Zentralbau mit Krypta, 1425 bis 1450); jenseits der Passer spätgot. Spitalkirche zum Hl. Geist (1425–50; zweigeteiltes W-Portal mit Darstellungen des Gnadenstuhls und Stifterfiguren, um 1440; im Inneren Flügelaltäre, Kreuzigungsgruppe). Landesfürstl. Burg (um 1480; got. Mobiliar; Burgkapelle mit Wandfresken, um 1480); Zenoburg über dem Passertal (Ruine, 12./13. Jh.; Kapelle, um 1290). Städt. Mus. (volkskundl. Samml., got. Kunstwerke, Gemälde). Bei M. liegen die Schlösser →Tirol, →Schenna, Thurnstein, Rametz, Labers, Fragsburg, Brunnenburg u. a.

Mereworth Castle [m'erıwəθ ka:sl], Landhaus in der Cty. Kent, SO-England, erbaut um 1722 von C. CAMPBELL nach dem unmittelbaren Vorbild der Villa Rotonda (Vicenza) von A. PALLADIO als quadrat. Block mit vierseitig vorgesetztem Säulenportikus, umlaufendem Gebälk, Attikageschoß und überkuppelter zentraler Hall. M. C. gilt als eine der frühesten Palladiorezeptionen der engl. Landhausarchitektur.

Mergentheim, Bad M., Stadt im Main-Tauber-Kr., Bad.-Württ., 19400 Ew.; 1527–1809 Sitz der Hoch- und Deutschmeister des Dt. Ordens. Das Deutschmeisterschloß (Kern 13. Jh.) wurde ab 1568 im Renaissancestil umgebaut (Mus.; prächtiger klassizist. Kapitelsaal, 1778–82); doppeltürmige barocke Schloßkirche (1730–36, in den Seitenaltären Gemälde von G. B. PIAZ-

Maria Sibylla Merian: Span. Pfeffer; kolorierter Kupferstich, aus ›Metamorphosis insectorum surinamensium‹, 1705

ZETTA). In der ehem. Dominikanerkirche St. Maria (got. Chor 14. Jh., Langhaus 1879 neugotisch umgebaut) Bronzeepitaph von H. VISCHER (1539). Die Stadtkirche ist eine weiträumige frühgot. Pfeilerbasilika (um 1250 bis 1274) mit ornamentaler Ausmalung von 1584 und siebenstöckigem Turm. Marktplatz mit Rathaus (1564 bis 1566).

Merian, 1) Anna Maria Sibylla, Blumen- und Insektenmalerin, Kupferstecherin, Tochter von 2), *Frankfurt a. M. 2. 4. 1647, †Amsterdam 13. 1. 1717, Schülerin von A. MIGNON, arbeitete zunächst in der Heimat ihres Mannes, des Malers J. A. GRAFF, in Nürnberg, später in den Niederlanden. 1699–1701 schuf sie in Surinam die Zeichnungen zu ihrem HW, der ›Metamorphosis insectorum surinamensium‹ (Amsterdam 1705).

M. S. M., Ausst.-Kat., Nürnberg (1967); MARGARETE PFISTER-BURKHALTER: M. S. M., Leben und Werk 1647–1717 (1980).

2) Matthäus d. Ä., Kupferstecher, Verleger, Vater von 1) und 3), *Basel 22. 9. 1593, †Langenschwalbach (heute Bad Schwalbach) 19. 6. 1650, reiste 1610–19 in Frankreich, Dtl. und den Niederlanden, wirkte 1619–24 in Basel, danach in Frankfurt a. M. und übernahm hier den Verlag seines Schwiegervaters J. D. DE BRY. – M. illustrierte die ›Biblia Sacra‹ und die ›Historia Chronica‹ von J. L. GOTTFRIED und schuf v. a. zu M. ZEILLERS ›Topographia‹ über 2000 Städtebilder sowie Illustrationen zu dem von ihm selbst hg. ›Theatrum Europaeum‹ (19 Bde., 1635–1723). BILD S. 293

L. H. WÜTHRICH: Das druckgraph. Werk von M. M. d. Ä. (1966 ff., bisher 2 Bde.).

3) Matthäus d. J., Maler, Kupferstecher, Sohn von 2), *Basel 25. 3. 1621, †Frankfurt a. M. 15. 2. 1687, Schüler von J. V. SANDRART, in London Gehilfe von A.

Matthäus Merian d. Ä.: Wasserburg am Inn; Kupferstich, um 1644

VAN DYCK, übernahm nach dem Tod des Vaters dessen Verlag. Er schuf v. a. (mit farbiger Kreide auf getöntem Papier) Porträts im Stil von van Dyck.

Mérida [m'eriða], **1)** Stadt in der span. Prov. Badajoz, am Guadiana, 38200 Ew.; um 27 v. Chr. von den Römern gegr., hat M. viele, z. T. gut erh. Bauwerke aus dieser Zeit: Torbogen, Aquädukt, Theater und Amphitheater, 792 m lange Brücke über den Guadiana, Reste einer Villa (Mosaikfußboden); reiche Funde im Archäolog. Mus. (Säulen, Skulpturen, Glasarbeiten). Der Alcázar, urspr. westgotisch (v. a. Türpfosten an der Zisterne), wurde von den Mauren erweitert.

2) Hauptstadt des Staates Yucatán, Mexiko, 245000 Ew., 1542 von Montejo d. J. auf den Trümmern einer Maya-Stadt gegr. Schönstes der erh. kolonialzeitl. Bauwerke ist die Casa Montejo (1549) mit prunkvollem platereskem Portal. Die Kathedrale (1562–1598) ist eine dreischiffige Hallenkirche mit schlanken Glockentürmen. Archäolog. Mus. (v. a. Funde der Maya-Kultur).

Meriniden, Mereniden, berber. Dynastie in N-Afrika. Die M. übernahmen im 13. Jh. von SO-Marokko her das zerfallende Almohadenreich; sie dehnten ihr Imperium über den gesamten Maghreb bis nach S-Spanien aus und waren im 14. Jh. der bestimmende Machtfaktor in N-Afrika (Hauptstadt Fès seit 1248). Als Förderer von Kunst und Literatur schmückten die M. die großen Städte ihres Reiches mit prachtvollen Bauten, v. a. Medresen (starke Abwandlung ägypt. Vorläufer), Moscheen und Befestigungsanlagen. Durch den Einsatz rückgewanderter spanisch-muslim. Kunsthandwerker führten sie den Dekor des →maurischen Stils mit verfeinerten Steinskulpturen, polychromen Marmorarabesken und Gipsstukkaturen, Zedernholzschnitzwerk und Fayencefliesen zur Vollendung. Den M. folgten 1465 die blutsverwandten Wattasiden (bis 1549).

Merkur, lat. **Mercurius,** der altröm. Gott des Handels und der Kaufleute, der seit 495 v. Chr. einen Tempel in Rom hatte und schon früh mit dem grch. Gott Hermes in Zusammenhang gebracht wurde. Seit der Kaiserzeit genoß M. im german. und kelt. Bereich weitverbreitete Verehrung und wurde dort oft, darin unrömisch, dreiköpfig und bärtig dargestellt. Die Römer bildeten ihn dem →Hermes nach.

Merlini, Domenico, ital. Baumeister, *Castello di Vasolda (N-Italien) 22. 2. 1730, †Warschau 20. 2. 1797, schuf ebd., v. a. im Dienst des poln. Königs STANISŁAW II. AUGUST PONIATOWSKI, Paläste im Królikarwia (dt. Kaninchengehege, 1786–88) wie in Jablonna (1775–79) und bes. Innenräume im Warschauer Schloß (1776–86) sowie Erweiterungsbauten des Palais im Lazienski-Park (nach 1774; Alte Orangerie mit Theater), die seinen eleganten klassizist. Baustil aus der Tradition A. PALLADIOS mit Elementen des Spätbarock zeigen.

Mero|ë, antike Stadt am östl. Nilufer zw. dem 5. und 6. Katarakt in N-Sudan. Vom 6. Jh. v. Chr. bis 330 n. Chr. war M. Hauptstadt (vorher →Napata) des Reiches Kusch (›meroitisches‹ Reich) und Zentrum der Eisenherstellung im Sudan; um 270 v. Chr. wurde auch der Königsfriedhof von Napata nach M. verlegt, mit Grabbauten in Pyramidenform. Erh. sind Tempel- und Grabanlagen, Paläste und röm. Bäder; in einer der Pyramiden wurde 1834 der Goldschatz der Königin AMANISCHACHETE gefunden (1. Jh. v. Chr., jetzt in den Ägypt. Museen von Berlin-West und München). Die Kultur und Kunst von M. lehnt sich vielfach an ägypt. Vorbilder an, zeigt aber auch afrikan. und später hellenist. Einflüsse.

merowingische Kunst, die Kunst vom 5. bis zur Mitte des 8. Jh. im Merowingerreich, ein Teil jenes Kunstkreises, der im Bann des im Byzantin. Reich weitergepflegten spätantiken Kunstschaffens stand und vom Westgotenreich im W bis zum Sassanidenreich im

merowingische Kunst: Dagobert-Thron; unterer Teil mit Faltmechanismus wohl aus der Zeit Dagoberts I. (623–638), die oberen Lehnen aus dem 9. Jh., Bronze (Paris, Bibliothèque Nationale, Cabinet des Médailles)

merowingische Kunst: Krypta St. Paul in Jouarre (Dép. Seine-et-Marne) mit dem Sarkophag der Hl. Theodechilde († nach 660)

O und von Äthiopien im S bis nach Skandinavien im N reichte. Entsprechend den beiden Bevölkerungsgruppen im Frankenreich, den Galloromanen im SW und den Germanen im NO, gab es 2 Pflegestätten der Kunst: die Kirche im SW und im N die zunächst noch heidn. german. Adelshöfe.

Nach der Völkerwanderung war die Kirche die wichtigste Ordnungsmacht und zugleich Hüterin spätantiken Geisteserbes. In den sich schnell ausbreitenden, nach dem Vorbild von Montecassino (gegr. um 529) organisierten Klostergemeinschaften hatte sie eine relig. Lebensform gefunden, die kunstfertigen Menschen zugleich Heimstätte, Wirkungsbereich und Schulung bot.

Die spätröm. Tradition des Steinbaus fand im Klosterbau eine neue Bauaufgabe, für die sich rasch die bis heute verbindl. Lösung mit der Gruppierung der Hauptgebäude um den Kreuzgang herausbildete. Neben den weiterbenutzten spätröm. Basiliken entstanden neue Pfarr- und Friedhofskirchen als einfache Rechtecksäle sowie Bischofs- und Taufkirchen über vieleckigen Grundrissen. Wenige blieben erh. (Fréjus, Poitiers, Jouarre), die meisten Bauten kennt man von ergrabenen Grundrissen. In größerer Zahl sind Teile vom Baudekor (Kapitelle, Chorschranken) überliefert. Auch Sarkophage und Grabsteine, die in Flachrelief oder Ritzung christl. Symbolzeichen oder symbol. Szenen zeigen als Hinweis auf die unsichtbare Welt des Glaubens, sind häufig umrahmt von Pflanzenornamenten spätantiker Tradition. Unter dem Kultgerät sind mit Steinen besetzte und mit figürl. Preßblechen verkleidete Reliquienschreine. Buchmalerei mit der linearen Fisch-Vogel-Ornamentik des 8. Jh. und Elfenbeinschnitzerei standen noch lange im Dienst der Kirche (Reliquiare, Pyxiden, liturg. Bücher u. a.).

merowingische Kunst: Goldene Scheibenfibel aus Soest, Grab 106 (Münster, Westfälisches Landesmuseum für Vor- und Frühgeschichte)

Am fränk. Königshof herrschte trotz vielfältiger Beziehungen zum byzantin. Kaiser (dessen Bild auf fränk. Münzen erst König THEUDEBERT, †548, durch sein eigenes ersetzen ließ) eine in der Sozialstruktur des german. Adels verwurzelte Einschätzung der Kunst, nach der 3 Künstlergruppen bes. angesehen waren: Goldschmiede, Sänger, die zur Harfenbegleitung Helden- und Götterlieder vortrugen, und Frauen, die Wandteppiche knüpften und webten. Sie alle trugen zum Glanz von Hoffesten, anfänglich auch von heidn. Kultfesten, bei. Von den farbenprächtigen Wandteppichen hat sich keiner erh., doch weiß man aus Schriftquellen, daß sie Häuser, Höfe und seit dem 6. Jh. auch Kirchen schmückten. Aus Gräbern kennt man nur wenige Reste von Goldstickerei und Knüpfgeweben, hingegen zahlreiche Goldschmiedearbeiten. Ausgehend von spätröm. Kerbschnittarbeiten, entstand der für die Germanen typ. →Tierstil. Er zeigt eine virtuose Beherrschung des flächigen Ornaments in zahlreichen Spielarten, während figürl. Darstellungen selten sind.

Die Pracht des Königshofes spricht aus den Königsgräbern des noch heidn. CHILDERICH I. (→Childerich-Grab) und der bereits in einer Kirche bestatteten ARNEGUNDE (→Arnegunde-Grab). Childerichs Waffen und Ornat waren (unter hunn. Einfluß) mit goldgefaßten Granaten flächendeckend geschmückt, eine Zierweise, die vom fränk. Adel (Fürstengräber von Gellep, Krefeld; Kölner Dom; Wittislingen, Kr. Dillingen a. d. Donau) aufgenommen wurde, bis sie um 600 von der Silbertauschierung in Eisen und von der stärker von Byzanz beeinflußten Mode der Goldscheibenfibeln abgelöst wurde. – Zu den Meisterstücken des Bronzegusses dieser Zeit zählt der Dagobert-Thron.

Im 8. Jh. verwischten sich die Gegensätze zw. der mehr gallorömisch und der mehr germanisch geprägten m. K. Die christl. Franken ließen sich Grabsteine setzen, und roman. Goldschmiede und Steinmetze verwendeten den Tierstil, der im 8. Jh. infolge der angelsächs. Mission durch ein insulares Tierornament abgelöst wurde (→Tassilo-Kelch).

P. PÉRIN: La collection Mérovingienne, in: Catalogue d' art et d'histoire du Musée Carnavalet II (Paris 1982).

Merseburg, Stadt an der Saale oberhalb von Halle, Dt. Dem. Rep., 52 100 Ew.; otton. Pfalz, 968 Bischofssitz. Das Stadtbild wird vom 1015 gegr. viertürmigen Dom beherrscht, urspr. eine kreuzförmige Basilika, 1504–17 zur spätgot. Hallenkirche umgebaut, mit roman. Hallenkrypta (11. Jh.); an der frühgot. W-Vorhalle (1. H. 13. Jh., eingewölbt 16. Jh.) reiches spätgot. Portal, am Langhaus Quergiebel mit Blendenmaßwerk; ungewöhnlich reiche Ausstattung: mehrere spätgot. Flügelaltäre, roman. Taufstein (um 1150), geschnitzte Kanzel (um 1520), zahlreiche hervorragende Grabdenkmäler (seit 11. Jh.), darunter das Bronzegrabmal des Gegenkönigs RUDOLF VON RHEINFELDEN (†1080), die älteste dt. Monumentalplastik. Südlich des Doms Kreuzgang, nördlich angebaut die Dreiflügelanlage des bischöfl. Schlosses (1480–89, spätere Umbauten) mit schönen Erkern, Portalen und Zwerchhäusern in Spätrenaissanceformen. Am Markt in der Altstadt liegen Altes Rathaus (1468–1568) und die spätgot. Marktkirche

(1432–1501). Im N außerhalb der Altstadt Reste des ehem. Petersklosters (1091 gew.) und die barocke Kirche St. Viti mit roman. Turm. Rechts der Saale die roman. Neumarktkirche (beg. 2. H. 12. Jh.).

Mersen, dt. Name von →Meerssen.

Mersin, Stadt an der türk. SO-Küste (KARTE Alter Orient), 152 000 Ew., mit dem alten Siedlungshügel **Yümük Tepe**, dessen etwa 30 Siedlungsschichten bis ins Neolithikum zurückreichen. Schon im mittleren Chalkolithikum (um 4000 v. Chr.) gab es eine starke Befestigung; neben einheimischer wurde importierte Keramik des Halaf-Typs (→Tell Halaf) festgestellt. Die Ruinen einer bed. Festung stammen aus der Zeit des hethit. Großreichs (14.–13. Jh. v. Chr.).

Merten, Ortsteil von Eitorf, Rhein-Sieg-Kreis, NRW, mit ehem. Augustinerinnenkloster. Die Kirche, eine roman. flachgedeckte Pfeilerbasilika (um 1170) mit origineller Westemporenöffnung in Form einer Dreibogenarkade, hat in der reich gegliederten Doppelturmfassade charakterist. Schlüssellochfenster.

Meru [Skt.], zentraler Weltenberg der indischen Kosmographie, der Erde und Himmel verbindet und als Sitz der Götter mit Indra an der Spitze gilt. Symbolhaft werden die Türme (→Shikhara) indischer Tempel sowie die meist in Terrassenform angelegten Tempel SO-Asiens (→Angkor, Borobudur u. a.) als M. gedeutet. Abbildungen M.s als Berg in Form eines kopfstehenden Kegels finden sich in der tibet. Malerei.

Merveldt, Hanns Hubertus Graf von, Maler, *Coesfeld 24. 3. 1901, †Hamburg 6. 10. 1969; beeinflußt v. a. von P. CÉZANNE, suchte er in seinen Stilleben, Figurenbildern und Landschaften traditionelle und moderne Malerei zu verbinden.

Merw, Ruinenstätte westlich von Mary, turkmen. SSR; in achaimenid. Zeit Provinzhauptstadt (bisher keine archäolog. Reste aus dieser Zeit), entwickelte sich M. seit der Mitte des 3. Jh. v. Chr. unter den Parthern und Sassaniden zu einer bed. Stadt; die von einer ringförmigen Mauer umgebene Fläche erreichte 60 km². Als Residenz des Seldschukensultans SANDJAR erreichte M. seine höchste Blüte in der 1. H. des 12. Jh. Das Mausoleum des Sultans ist zum großen Teil erh.: ein massiver kubischer Bau mit umlaufender Bogengalerie und hohem Tambour (Kuppel nicht erh.). Nach Zerstörung durch die Mongolen (1222) erholte sich M. im 14./15. Jh. zwar wieder, verfiel jedoch im 19. Jh.; heute archäolog. Schutzgebiet.

Meryon [mɛrj'ɔ̃], Charles, frz. Radierer, *Paris 23. 11. 1821, †Charenton-le-Pont bei Paris 14. 2. 1868. Seine scharf beobachteten, meisterhaft radierten Ansichten von Paris (›Eaux-fortes sur Paris‹; 22 Blätter, 1852 bis 1854, später um 6 weitere vermehrt) rufen trotz klarer Strichführung maler. Wirkung hervor. Seine späteren Blätter sind voll romant. Geistes, oft mit gespenst. Erscheinungen erfüllt, Anzeichen seiner beginnenden Geisteskrankheit. M. hat auch einige Landschaften und Porträts (insgesamt über 100) radiert. (BILD S. 298)

Charles Meryon: La Morgue; Radierung, 1854

Merz, zusammenfassender Begriff für das dadaist. Lebenswerk von K. →Schwitters.

Merz, Mario, ital. Künstler, *Mailand 1925, urspr. Maler, lebt in Turin, Vertreter der Arte Povera; verwendet seit 1967 Materialien wie Erde und Zweige im Kontrast mit Neonröhren und Glas und beschäftigt sich mit der ma. Fibonacci-Folge (1/1/2/3/5/8/13...) als Ausdruck räuml. Wachstumsdynamik, die auch elementaren Kulturformen wie dem Iglu, das M. immer wieder variiert, zugrunde liegt. In den 1980er Jahren malte M. auch wieder Bilder von Urtieren, die an die myth. Vorzeit der Menschheit erinnern. (BILD S. 299)

M. M., Ausst.-Kat., Essen (1979); M. M. Disegni, hg. v. C. HAENLEIN, Ausst.-Kat., Hannover (1982).

Merzig, Kreisstadt im Saarland, 30200 Ew. Die ehem. Prämonstratenser-Stiftskirche ist eine dreitürmige roman. Säulenbasilika mit reichgegliedertem O-Bau (Anf. 13. Jh.), Langhaus um 1470/80 eingewölbt; monumentales Kruzifix (Gabelkreuz) um 1300. Repräsentatives Spätrenaissance-Rathaus (1647–49; urspr. Jagdschloß des Trierer Erzbischofs).

Mesa, Juan de, span. Bildhauer, *Córdoba 1583, †Sevilla 26. 11. 1627, Schüler von J. MARTÍNEZ MONTAÑÉS, schuf v. a. farbig gefaßte Holzskulpturen für Prozessionen (Pasos), die sich von denen seines Lehrers durch größeren Realismus und dramat. Spannung unterscheiden (→Estofado-Skulptur).

HW: Christusfiguren in Kirchen Sevillas (S. Lorenzo, S. Isabel); Madonna mit Kind (1623; ebd., Mus. der Schönen Künste).

Mesanepada, 1. König der 1. Dynastie von Ur (S-Mesopotamien), um 2500 v. Chr., durch seinen Namen auf einer Lapislazuliperle mit dem in →Mari gefundenen ›Schatz von Ur‹ (um 2650 v. Chr.) verbunden.

Mesa Verde [m'eɪsə vəːd], Nationalpark (seit 1906) in SW-Colorado, USA, mit einigen der besterhaltenen großen Wohnanlagen (→Cliff dwellings) der prähistor. Pueblo-Kultur, v.a. aus der Zeit zw. 1100 und 1300 n. Chr., in der erstmals behauene Steine in etwa gleicher Größe für das Mauerwerk verwendet wurden. ›Cliff palace‹, die größte und am besten erh. Anlage, ist fast 100 m lang, 27 m tief und bis 18 m hoch; sie umfaßte mehr als 200 Räume, 23 Kivas und wurde von etwa 200–250 Menschen bewohnt.

Meschhed, Mashhad, Hauptstadt der Prov. Chorasan, NO-Iran, 670000 Ew. M. ist der größte schiit. Wallfahrtsort in Iran zum Grab des 8. Imam Reza (†817). Das 1. Mausoleum wurde im 10. Jh. und 1220 zerstört, aber 1009 und Anf. des 14. Jh. erneuert. Unter den Safawiden wurde das Mausoleum prächtig ausgebaut, die Kuppel der Grabkammer ist bereits seit dem 15. Jh. vergoldet. Im hl. Bezirk wurde 1405–1417/18 die 4-Iwan-Moschee Dschauhar-Schad mit prachtvollem geometr. Dekor aus stumpfen und glasierten Fliesen erbaut. 1971–76 wurden in einem großen Umkreis um das Heiligtum die Gebäude der Stadt entfernt. (Bild S. 300)

Mario Merz: Iglu; Neon, Metall, Drahtgewebe, 1972 (Minneapolis, Walker Art Center)

Meschhed: Mausoleum des Imam Reza und Dschauhar-Schad-Moschee

Mesoamerikanische Hochkulturen: reich skulptierte Stele der Maya mit Herrscherporträt; 731 in Copán errichtet; 3,50 m hoch

Mescit [m'ɛsdʒit], moderne türk. Schreibung für arab. Masdjid (Moschee).

Mesdag [m'ɛsdax], Hendrik Willem, niederländ. Maler, *Groningen 23. 2. 1831, †Den Haag 10. 7. 1915, wandte sich erst mit 35 Jahren der Malerei zu, nach 1868 widmete er sich ausschließlich der Darstellung des Meeres; neben J. ISRAËLS der populärste niederländ. Maler des 19. Jh.; vermachte 1903 seine Samml. frz. und niederländ. Malerei des 19. Jh. (v. a. Impressionisten) dem Staat (heute Rijksmus. Mesdag, Den Haag).

Mesilim, Mesalim, sumer. König von Kisch in N-Babylonien, um 2600 v. Chr. Von ihm stammt ein in Tello gefundener Keulenknauf aus Kalkstein (heute im Louvre), der in flachem Relief einen Löwenadler und 5 aufgerichtete Löwen mit betonten Augen (Kugelbohrungen) zeigt. Auch auf Rollsiegeln dieser Zeit ist die gleiche Art der Darstellung in Tierkampfszenen (Figurenband) nachweisbar, die deshalb teilweise als **M.-Stil** bezeichnet wird.

Meskene, Ruinenstätte der syr. Handelsstadt →Emar (Ende 14. bis Anfang 12. Jh. v. Chr.).

Meso|amerika, kulturgeograph. Begriff, der das Gebiet der heutigen Staaten Mexiko (südl. Teil), Guatemala, El Salvador, Belize sowie Teile von Honduras, Nicaragua und Costa Rica umfaßt und damit das Gebiet der Azteken, Mixteken und Maya sowie ihrer Vorgängerkulturen einschließt.

Meso|amerikanische Hochkulturen, die vorkolumb. Indianer-Kulturen im Gebiet →Mesoamerikas. Ihre Geschichte ist nur z. T. aus schriftl. Zeugnissen der indian. Völker und der span. Eroberer zu erschließen. Viele Gebiete, bes. in N- und W-Mexiko sowie in Zentralamerika, sind noch wenig erforscht.

In die vorklass. Zeit (um 1500 v. Chr. bis 200 n. Chr.) fallen u. a. die Anfänge der Kulturen von Teotihuacán,

Mesoamerikanische Hochkulturen: Schild aus Rohrgeflecht mit geklebten und genähten Federn und Goldblechen; dargestellt ist ein singender Coyote, Ø 70 cm; aztekisch oder Mixteca-Puebla-Kultur; von H. Cortez an Karl V. gesandt (Wien, Museum für Völkerkunde)

Monte Albán sowie als früheste Hochkultur die der Olmeken an der Golfküste, die großen Einfluß in anderen Gebieten Mesoamerikas gewann. In die späte vorklass. Zeit gehören auch die Westmexikan. Kulturen (Jalisco, Nayarit). Die Träger der meisten dieser frühen Kulturen sind ethnisch ebenso unbekannt wie die der Kultur von Teotihuacán, die in der klass. Periode (200 bis 900 n. Chr.) ihre größten Leistungen hervorbrachte (bis etwa 650). Weitere Hauptkulturzentren dieser Zeit sind Monte Albán und Mitla (Zapoteken; BILDER Monte Albán und Mitla); El Tajín (Golfküste im Wohnge-

Mesoamerikanische Hochkulturen: Teil eines Wandgemäldes aus Teotihuacán mit einer Darstellung des Regengottes Tlaloc

biet der Totonaken); Tikal, Copán, Palenque (Maya). In nachklass. Zeit (nach 900) gründeten Tolteken Tula und drangen um 1000 ins Gebiet der Maya in Yucatán ein, dem sie eine neue kulturelle Blüte brachten (→Chichén Itzá). In Oaxaca (Monte Albán und Mitla) wurden die Zapoteken nach 1000 von den Mixteken vertrieben, deren Kultur sich nach 900 auch im Becken von Puebla um Cholula entfaltet hatte. Weiter nördlich begannen die Azteken, von Tenochtitlán (gegr. 1325) aus ihren Herrschaftsbereich auszudehnen.

Mesoamerikanische Hochkulturen

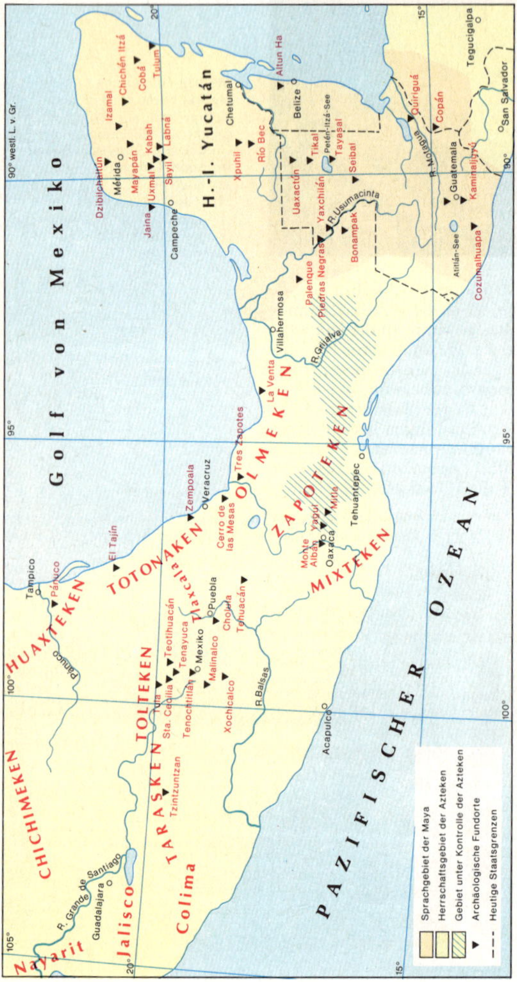

Mesoamerikanische Hochkulturen: LINKS Teil eines Reliefs von einer Seitenmauer des Ballspielplatzes in Chichén Itzá, maya-toltek. Kultur. RECHTS Steinfigur einer Maisgöttin der Azteken; 69 cm hoch (Berlin-West, Museum für Völkerkunde)

Die Kunst wurde stark von der Religion geprägt, die in allen M. H. eine bed. Rolle spielte. Die zentralen Figuren unter den Göttern wie Quetzalcoatl, der Regengott (Chac bei den Maya, Tlaloc bei den Azteken) oder der Maisgott, Todesgott, Sonnengott wurden ebenso vielfältig dargestellt wie Tiergestalten aus der Mythologie, v. a. Jaguar und Schlange, Erdungeheuer. Bei allen stilist. Eigenheiten und qualitativen Unterschieden gibt es in der Kunst jedoch entscheidende Gemeinsamkeiten, so die Errichtung von →Pyramiden und Palästen sowie von Ballspielplätzen. Höhepunkte der Monumentalarchitektur der klass. Zeit finden sich in den Hauptkulturzentren dieser Periode: im Hochtal von Mexiko (Teotihuacán), im Gebiet von Oaxaca (Monte Albán), an der Golfküste (El Tajín) sowie im Maya-Gebiet (Tikal, Copán u. a.). In nachklass. Zeit erlebte die Baukunst durch Mixteken (in Mitla), Tolteken (Tula, Chichén Itzá) und Azteken (Tenochtitlán u. a.) eine neue Blüte. – Bed. Werke der Bildhauerkunst sind die ›olmekischen‹ Kolossalköpfe (La Venta, San Lorenzo), Masken, Reliefs und Bauornamente aus Teotihuacán sowie Stelen und Altäre der Maya. In nachklass. Zeit schufen die Tolteken Monumentalfiguren, die Azteken stilisierte Götterstatuen und realist. Bildwerke von Menschen und Tieren. – Die Metallbearbeitung (v. a. Gold) breitete sich erst seit dem 10. Jh. aus.

Mesoamerikanische Hochkulturen: aztekisches Rundschild mit figürlichem Dekor in Federmosaik, 15. Jh. (Mexiko-Stadt, Museo Nacional de Antropologia)

Die besten Goldarbeiter, vertraut mit Guß und Legierung, waren die Mixteken. Erst kurz vor der span. Eroberung findet sich Bronze. – Höhepunkte der Keramik sind die figürl. Graburnen der Zapoteken (BILDER Figurengefäß und Zapoteken), die bemalten Gefäße der Maya, stuckierte Dreifußgefäße aus Teotihuacán. Menschl. und tier. Figuren, auch ganze Figurengruppen, z. T. mit Modeln geformt, wurden bes. in Westmexiko (Nayarit) hergestellt. Neben der Malerei auf Tongefäßen gibt es auch Malerei in den Fresken von Teotihuacán, Cacaxtla und Bonampak (BILD); reichhaltiger

Mesoamerikanische Hochkulturen: Kolossalkopf der Olmeken, aus Basalt, 2,40 m hoch, etwa 850–150 v. Chr. (Villahermosa, La-Venta-Park)

Körperschmuck (Reifen, Ketten, Ohrpflöcke) aus Jade, Muscheln und Metall sowie Kopfschmuck aus Federn und Textilien findet sich bei den Maya. Kopfschmuck und Textilien sind lediglich durch Darstellungen auf Stelen und Keramik überliefert. Einzelne Federarbeiten sind v. a. aus Zentral- und W-Mexiko erh. Bes. schönen Goldschmuck stellten die Mixteken her (z. B. Filigrananhänger). In klass. und nachklass. Zeit entstanden →Bilderhandschriften.

Durch alle Zeiten und den gesamten Raum kommen best. Merkmale innerhalb der Kulturen gehäuft vor, die das Gebiet als Kulturareal definieren. Dazu gehören das sich in den Bilderhandschriften und Steininschriften manifestierende Kalendersystem (52-Jahreszyklus, der sich aus der Kombination des 365tägigen Sonnenjahres und des 260tägigen rituellen Jahres ergibt), die in den Zeremonialzentren in unterschiedl. Formen vorhandenen Ballspielplätze, die Stufenpyramiden, die aus Pyrit und Obsidian hergestellten Spiegel und die Verwendung von Stuck und Zement in Architektur und Kunst.

S. K. LOTHROP: Das vorkolumbian. Amerika (a. d. Engl., 1964); W. KRICKEBERG: Altmexikan. Kulturen (^{2}1966); H. STIERLIN: Das Alte Mexiko (1967); J. SOUSTELLE: Die Kunst des alten Mexiko (a. d. Frz., 1968); H. TRIMBORN u. W. HABERLAND: Die Kulturen Alt-Amerikas (1969); G. R. WILLEY: Das Alte Amerika (1974); H. D. DISSELHOFF u. S. LINNE: Alt-Amerika (Neuaufl. 1976); J. ALCINA: Die Kunst des alten Amerika (a. d. Frz., 1978).

Mesolithikum, Mittelsteinzeit, die Übergangsstufe vom Paläolithikum zum Neolithikum (8000 bis 5000/4000 v. Chr.). Als Beispiele der Kunst des M. gelten bevorzugt →Felsbilder mit Jagdmotiven, wie sie für die →Levantekunst charakteristisch sind. Von den Felsbildern der Sahara werden Darstellungen von Wildtieren und Jägern (Bubalusphase) in das M. datiert. Auch bei den jägerischen Felsbildern N-Skandinaviens und Sibiriens sprechen manche Indizien für ein mesolith. Alter.

Im Ostseegebiet (Maglemosekultur) hat die Kunst des M. in der Ornamentierung von Knochengeräten und in Tierskulpturen aus Bernstein ihren unverkennbaren Ausdruck gefunden. In die Endphase des M. gehören die Skulpturen von →Lepenski Vir an der unteren Donau. Unmittelbare Zusammenhänge zw. der Eiszeitkunst und der mesolith. Kunst N-Afrikas und Sibiriens werden vermutet.

A. P. OKLADNIKOW: Der Hirsch mit dem goldenen Geweih. Vorgeschichtl. Felsbilder Sibiriens (a. d. Russ., 1972); Sahara – 10 000 Jahre zw. Weide und Wüste, Ausst.-Kat., Köln (1978).

Mespelbrunn, Gem. im Kr. Aschaffenburg, Unterfranken, 2100 Ew., mit romantisch in einem Spessarttal gelegenem Renaissance-Wasserschloß (15./16. Jh.); Schloßmus. (Möbel, Porzellan, Gemälde).

Messara, größte und fruchtbarste Ebene im Mittelteil Kretas (KARTE kretisch-mykenische Kunst). Seit dem 3. Jahrtsd. v. Chr. gab es hier viele Siedlungen, deren Sippengrüfte (mit reichen Beigaben) →Tholosgräber waren. Seit dem Beginn der Älteren Palastzeit wurde die M. von Phaistos beherrscht, von dessen günstiger

Lage die ganze Ebene zu überschauen ist. Dem Meer zugewandt, diente das nahegelegene Hagia Triada wohl als Umschlagplatz und Sommersitz der Herren von Phaistos. Auch Gortyn, das in der grch. und röm. Epoche Phaistos überflügelt hat, war schon in minoischer Zeit bewohnt. Neben diesen Hauptplätzen sind viele Tholosgräber, ein minoischer Gutshof (Kannia) und die Siedlung von Kommos ausgegraben worden.

K. BRANIGAN: The tombs of M. (London 1970).

Messel, Alfred, Architekt, *Darmstadt 22. 7. 1853, †Berlin 24. 3. 1909, seit 1886 ebd. tätig; knüpfte in seiner Bauweise an histor. Architektur an unter Einbeziehung konstruktiver und funktioneller Gestaltungsideen; mit dem Wertheim-Bau in Berlin (1897) schuf er einen neuen Kaufhaustyp.

HW: Landesmus. Darmstadt (1892–1905); Entwürfe für Berliner Museen (1907–09).

Messene, antike Hauptstadt der im SW der Peloponnes gelegenen Landschaft Messenien, beim heutigen Dorf Maurommati; 369 v. Chr. nach der Befreiung Messeniens von spartan. Herrschaft gegr., seitdem stark befestigt (Reste der Ummauerung mit gut erh. Festungstor). Ausgrabungen legten das späthellenist. Asklepieion frei, eine nahezu quadrat. Hofanlage.

Messerschmidt, Franz Xaver, Bildhauer, *Wiesensteig (Württ.) 6. 2. 1736, †Preßburg 19. 8. 1783, Schüler von J. B. STRAUB in München und M. DONNER in Wien, wo er v. a. tätig war. M. schuf Bildwerke mit virtuosem techn. Können, bes. aber, als Umsetzung seiner (J. K. LAVATER verwandten) physiognomisch-mim. Studien (wie vermutlich zur Bewältigung einer Geisteskrankheit), eine Folge von Charakterköpfen (seit 1770, davon 10 in Wien, Barockmus.). Sein eigentümlich ambivalenter Stil steht an der Grenze zw. dem Ausgang des Barock und dem Beginn des Klassizismus.

WW: Zinnstatuen Maria Theresias und Franz' I. (1764–66; Wien, Barockmus.); Immaculata (1769; Wien, Savoyisches Damenstift).

Maria Theresia und ihre Zeit, Ausst.-Kat., Wien (1980); MARIA PÖTZL-MALIKOVÁ: F. X. M. (1982; mit Werkverz.).

Messina, ital. Stadt und Bischofssitz an der NO-Küste Siziliens, 267 400 Ew. Nach dem Erdbeben von 1908 wurde die fast vollständig zerstörte Stadt nach einem schachbrettartigen Grundriß wiederaufgebaut (weitere schwere Schäden im 2. Weltkrieg). Zu den wiederhergestellten Bauwerken gehören u. a. der Dom und die Kirche SS. Annunziata dei Catalani (beide aus normann. Zeit) sowie die beiden großen, von G. A. MONTORSOLI (*1507?, †1563) geschaffenen Brunnen: Fontana d'Orione (1547) und Fontana del Nettuno (1557). Im Nationalmus. u. a. Gemäldesamml. (ANTONELLO DA MESSINA u. a.), Skulpturen und archäolog. Funde.

Messing|arbeiten. Gegenstände aus Messing, einer Legierung von Kupfer und Zink, deren Farbe je nach dem Mischungsverhältnis verschieden ausfällt (Gelbguß, Weißmessing), waren schon im Altertum in Gebrauch. Seit der spätröm. Zeit und bes. im MA. waren die Gelbguß- und Treibarbeiten aus Messing des Rhein- und Maasgebiets sehr geschätzt, seit dem 14. Jh. v. a. die M., die in Dinant bis zur Zerstörung der Stadt (1466) entstanden (Dinanderien). Hergestellt wurden kirchl. Geräte, Taufbecken, Chorpulte (Adlerpulte), Weihwasserkessel, Grabplatten, Aquamanile, Kronleuchter, aber auch profanes Gerät wie Wand- und Standleuchter, Mörser, getriebene Schüsseln, Becken u.a. Auch Nürnberg hatte früh eine große Bedeutung (Sebaldusgrab der Vischer-Werkstatt). Einsatzgewichte wurden bis ins 18.Jh. vorwiegend hier gefertigt. – I.a. wurden M. nicht mit Marken zur Kennzeichnung von Güte und Herkunft (wie häufig bei Zinn) versehen.

A. S. G. VERSTER: Bronze. Altes Gerät aus Bronze, Messing und Kupfer (1966); U. MENDE in: Keysers Kunst- und Antiquitätenbuch, 3 (1967).

Meßkirch, Stadt im Kr. Sigmaringen, Bad.-Württ. Die Martinskirche (1526) wurde ab 1772 frühklassizistisch umgebaut; in der 1732–34 angebauten Nepomukkapelle (1738/39 von den Brüdern ASAM im Régence-Stil ausgestattet) das Dreikönigsbild des MEISTERS VON MESSKIRCH (1538). Das ehem. Fürstenbergische Schloß (1557 beg.), eine Vierflügelanlage mit vorspringenden Ecktürmen, diente als Vorbild für →Wolfegg und →Zeil.

Meštrović [m'ɛʃtrɔvitsj], Ivan, jugoslaw. Bildhauer, *Vrpolje (Kroatien) 15. 8. 1883, †Notre Dame bei South Bend (Indiana) 16. 1. 1962, seit 1918 in Zagreb, seit 1946 Prof. in Syracuse (New York), seit 1955 in South Bend. Als HW entstanden in Rom vor dem 1. Weltkrieg (1908–14) etwa 40 monumentale Statuen für ein (nicht ausgeführtes) Denkmal der Schlacht auf dem Amselfeld (Belgrad, Prinz-Paul-Mus.). M. schuf ferner zahlreiche Plastiken, Denk- und Grabmäler, auch einige Grabkapellen. Seine expressive, z.T. symbolist. Kunst verarbeitete antike Stilelemente, auch Einflüsse von F. METZNER, A. RODIN und A. MAILLOL.

Metabolismus, vorwiegend theoret. Bewegung in der Baukunst, die in Japan seit etwa 1960 von K. KIKUTAKE, M. OTAKA, F. MAKI, K. N. KUROKAWA u.a. entwikkelt wurde und Gestaltungs- und Bauprozesse analog zu zellularen Wachstumsvorgängen betrachtet. Der M. fordert die architekton. Berücksichtigung der Übervölkerungsprobleme, z.B. K. Kikutake: ›Schwimmende Stadt‹, 1960, K. TANGE: Tokio-Plan (Überbauung der Bucht von Tokio, 1961).

Metallguß, →Bildguß.

Metallplastik, Gebiet der modernen und zeitgenöss. Kunst, außerhalb der traditionellen →Bronzekunst. Bereits die russ. Konstruktivisten (bes. W. TATLIN) benutzten vor dem 1. Weltkrieg Eisen, das bis heute ein beliebtes Material blieb (→Eisenplastik). Stahl (→Stahlplastik) und Aluminium werden v.a. in der Minimal Art verwendet. Plastiken aus Schrotteilen stammen u.a. von CÉSAR, J. TINGUELY.

100 Jahre M., hg. v. D. MAHLOW, 2 Bde. (1981).

Metallschnitt, die Kunst, nach dem gleichen Verfahren wie beim →Holzschnitt bildl. Darstellungen in weiches Metall zu schneiden. Der M. wurde zuerst wohl in frz. Büchern des 15.Jh. verwendet, später u.a. auch von H. HOLBEIN D.J. Eine die techn. Möglichkeiten des

Metallschnitt:
Hl. Michael; Köln, um 1470

Metalls nutzende Sonderart des M. ist der →Schrotschnitt.

Metapont, altgrch. Koloniestadt in Unteritalien, an der W-Seite des Golfs von Tarent, von Achaiern gegr. (8./7. Jh. v. Chr.; Gründungsdatum umstritten). Ausgrabungen seit 1966 legten 4 große Tempelanlagen (6. bis 4. Jh. v. Chr.) frei sowie Agora, Theater, Töpferviertel; außerhalb der Stadt Tempel der Hera, mit noch 15 stehenden dorischen Säulen.

Metelen, Gem. im Kr. Steinfurt, NRW, 5600 Ew., mit ehem. Damenstift (889 gegr.), dessen spätromanisch-frühgot. Kirche (12./13. Jh.) ein Beispiel einer münsterländ. Stufenhallenkirche ist; im quadrat. Chor Wandnischengliederung und bed. Kapitellplastik.

Meteora-Klöster, Klöster auf einer Felsengruppe in Thessalien, bei Kalabaka nordwestlich von Trikala. – Seit dem 9. Jh. siedelten hier Eremiten, zuerst in Höhlen am Fuß der Felsen, dann in der Höhe. Seit dem 14. Jh. entstanden unter der Herrschaft serb. Teilfürsten zahlreiche Klöster: Metamorphosis-Kloster (gegr. 1356–72, seit 1490 Hauptkloster; mit der ältesten Kirche, Mitte des 14. Jh., 1544 als Chorraum in eine neue Kirche einbezogen, die von Athos-Mönchen ausgemalt wurde), Hagios Stephanos (gegr. 1367, 1400 ausgemalt; Hauptkirche 1798), Hagia Triada (gegr. 1438), Hypaponte-Kloster (gestiftet 1366), Varlaam-Kloster (gegr. 1517, Malereien im Naos voll. 1548, Fresken im Narthex 1566).

Métezeau [metəz'o], frz. Baumeisterfam. Bedeutendste Mitgl. waren:

1) Clément, Bruder von 2), *Dreux (NW-Frankreich) 6. 2. 1581, †Paris Oktober 1652, nahm 1611 im Auftrag der Königinwitwe MARIA VON MEDICI die Pläne des Palazzo Pitti in Florenz für den Neubau des Palais du →Luxembourg in Paris auf, dessen Bauleiter er seit 1615 unter der Führung von S. DE BROSSE wurde; lieferte um 1620 die Pläne für die Kirche Temple de l'Oratoire in Paris. M. gilt als Schöpfer der Fassade von St. Gervais et St. Protais in Paris (1616–21; früher Brosse zugeschrieben), die als erste ›klass.‹ Kirchenfassade Frankreichs das Prinzip der grch. Säulenordnungen vereint (dorische, ionische und korinth. Säulen).

2) Louis, Bruder von 1), *Dreux (NW-Frankreich) um 1559/62, †Paris 18. 8. 1615, war ›Architekt des Königs‹ unter HEINRICH IV.; ihm wird der östl. Teil der Grande Galerie des Louvre in Paris (1595–1605) sowie der Typenentwurf für die Häuser der Place des Vosges (1605–12; →Paris) zugeschrieben.

Met|open [grch. ›Zwischenöffnung‹], Baukunst: annähernd quadrat. Platten, die abwechselnd mit den →Triglyphen den Fries über dem Architrav grch. dorischer Tempel gliedern. Die Entstehung wird aus (nicht erh.) Holzbauten abgeleitet: Triglyphen vor den Balkenköpfen, M. als Verkleidungsplatten der Zwischenräume; diese Annahme ist jedoch unsicher, da bereits an den ältesten Steintempeln die Balkendecke über dem Triglyphen-M.-Fries liegt. Die M. waren teils unverziert (glatt), teils bemalt oder mit Reliefs geschmückt; die ältesten M. des 7. Jh. v. Chr. sind bemalte Tonplatten (Thermos) oder Reliefplatten aus Marmor (Mykene). An einigen Tempeln tragen alle M. des Baus figürl. Schmuck (Parthenon auf der Athener Akropolis), an anderen nur die M. der Front, manchmal auch einige angrenzende M. der Langseiten (Olympia, Zeustempel; Athen, Theseion). Im Laufe der Entwicklung wurde die Zahl von 3 Triglyphen und 2 M. pro Säulenzwischenraum auf 3 oder mehr M. erhöht. (BILD Kentaur)

Metroon [grch.] *das*, grch. Bez. für einen Tempel der Großen Mutter (Kybele, Rhea). Das M. an der Agora von Athen wurde später Staatsarchiv; ein M. des 4. Jh. v. Chr. stand in Olympia vor der Schatzhausterrasse.

Metropolitan Museum of Art [metrəp'ɔlıtn mju:z'ıəm ɔv ɑ:t], Abk. **MMA,** New York, das bedeutendste und größte Kunstmus. der USA. Die Samml. entstanden seit Gründung des Mus. 1870 größtenteils aus privaten Schenkungen (Samml. CESNOLA 1874, ALTMAN 1913, W. H. RIGGS 1914, PIERPONT MORGAN 1917, R. W. DE FOREST 1924, D. ROCKEFELLER 1926, J. BRUMMER 1948, A. STIEGLITZ 1949) und sind seit 1880 in den Mus.-Gebäuden am Central-Park untergebracht. Die heutigen Abteilungen umfassen: europ. (bes. ital. und niederländ.) Malerei, prähistor. und antike Kunst, ägypt. Kunst, europ. und amerikan. Kunsthandwerk, Waffen, asiat. Kunst, amerikan. Malerei, moderne Kunst, Musikinstrumente, Kostüme; 1938 wurde als Zweigmus. für ma. Kunst ›The Cloisters‹ im Fort Tryon Park am Steilufer des Hudson eröffnet, eine Nachbildung südfrz. Klöster aus originalen ma. Architekturteilen in neuer Zusammensetzung.

Weitere große An- und Neubauten wurden für die Aufnahme der Samml. R. LEHMAN mit europ. Gemälden und Skulpturen, für die umfangreiche N. Rockefeller-Coll. of Primitive Art und für den Pharaonen-Tempel von Dendur, ein Geschenk der ägypt. Regierung an die USA für die Hilfe bei der Rettung des Abu Simbel-Tempels, erstellt. Das M. M. of A. betreibt einen ›Educational Service‹ (Erziehungs- und Öffentlichkeitsarbeit) mit ›Junior-Mus.‹ und Bibl.

The M. M. of A. Bulletin (seit 1905).

Metsu [m'ɛtsy], **Metzu,** Gabriel, niederländ. Maler, *Leiden Jan. 1629, begraben Amsterdam 24. 10. 1667, dort seit 1657/58 nachweisbar. Seine von G. DOU und von der von diesem ausgehenden ›Leidener Feinmalerei‹ beeinflußten Bilder schildern das holländ. Bürgertum in schlichten häusl. Szenen, z. T. mit galantem anekdot. Motiv, und zeichnen sich durch feinste stoffl. Wiedergabe und zartgetönte Farbigkeit aus. M. schuf in seiner Frühzeit auch relig. und mytholog. Historienbilder.

F. ROBINSON: G. M., 1629–1667 (New York 1974).

Metsys [m'ɛtsɛjs], niederländ. Malerfam., →Massys.

Mettel, Hans, Bildhauer, *Salzwedel 10. 4. 1903, †Falkenstein (heute zu Königstein, Taunus) 23. 1. 1966, war seit 1948 Prof. (1950–55 Leiter) der Städelschen Kunstschule in Frankfurt a. M.; stilisierte die menschl. Gestalt zu blockhaften, strengen Formen, ohne sie zu deformieren.

Metten, Marktgem. im Kr. Deggendorf, Niederbayern, 3600 Ew. Das Benediktinerkloster (766 gegr.) besitzt eine vorzüglich ausgestattete Barockkirche (1712 bis 1729, Stuckplastik von F. J. I. HOLZINGER, Hochaltarblatt von C. D. ASAM), ferner einen prunkvollen barocken Bibliothekssaal (1706–20 unter der Leitung Holzingers, auffallend die gewölbetragenden Atlanten) und einen Rokoko-Festsaal (1755).

Mettlach, Stadt im Kr. Merzig-Wadern, Saarland; 12800 Ew. Von der ehem. Benediktinerabtei (um 695 bis 1802, seit 1809 Steingutfabrik Villeroy & Boch) sind der ›Alte Turm‹ (zweigeschossiges Oktogon, 994 erbaut, im 14. Jh. verändert) und die barocken Klostergebäude am Saarufer (1728–86) erh. (Mus. der Familie von Boch, v. a. Architekturteile der Abtei). Im Park gußeiserner Brunnen von K. F. SCHINKEL (1838). Südlich von M. die viertürmige Burgruine **Montclair** (1428–39; eindrucksvoll die O-Wand des ehem. Wohnbaus).

Metz [frz. mɛs], Hauptstadt der Region Lothringen, beiderseits der Mosel, 117200 Ew.; kath. Bischofssitz. M., seit Anf. des 13. Jh. Freie Reichsstadt, besitzt zahlreiche ma. Bauwerke, so v. a. die got. Kathedrale (Neubau 1220 beg., 1540 gew.) mit hervorragenden Glasmalereien des 13.–16. Jh. (die Schäden des 2. Weltkrieges wurden durch moderne Glasfenster, u. a. von M. CHAGALL, behoben), St. Vincent (Neubau des 13./14. Jh., Fassade 18. Jh.), St. Eucaire (13., 14., 15. Jh.) und St. Martin (auf röm. Mauerwerk im 13. Jh. beg., mit zweigeschossigem W-Bau). Im Bereich der Zitadelle (im 16. Jh. angelegt) liegen St. Pierre-aux-Nonnains (im 7. Jh. in einem spätröm. Hallenbau gegr., im 10., 13. und 15. Jh. verändert; die merowing. Chorschrankenreliefs befinden sich heute im Mus.) und die Templerkapelle (achteckiger Zentralbau des 12. Jh.). Das viergeschossige Hôtel St. Livier (12. Jh.), auf dem höchsten Punkt der Stadt gelegen, ist die bedeutendste erh. ›Stadtburg‹ (wehrhafter Hausturm von Patriziern; mit ähnl. Gebäuden in Regensburg vergleichbar). An der Place St. Louis Häuser (14.–18. Jh., teilweise zinnenbekrönt) mit Laubengängen. Von der ma. Stadtbefestigung (durch S. VAUBAN Ende des 17. Jh., dann im 19. Jh. neu befestigt) blieb v. a. das Dt. Tor (Porte des Allemands, 13. Jh.) erh. Im 18. Jh. entstand an der Kathedrale als neues Stadtzentrum der Paradeplatz ›Place d'Armes‹ (nach Plänen von J.-F. BLONDEL 1764) mit dem Rathaus (1766–81); auf der Moselinsel Theater (1738–51) und Präfektur (1739–43). Das Mus. (Altertumssamml. in den röm. Thermen, ma. Skulpturen im Getreidespeicher) enthält eine Gemäldegalerie.

Metzer Schule, Gruppe von 3 großen illuminierten Hss. spätkaroling. Zeit, deren Entstehung wegen ihrer Herkunft und ihres Stils in Metz vermutet wird. HW ist das Drogo-Sakramentar (Paris, Bibl. Nat.), für Erzbischof DROGO von Metz, Sohn KARLS D. GR., zw. 830 und 835 angefertigt. Einflüsse des Krönungs-Evangeliars (→Palastschule Karls des Großen) und touronischer Werke (→Tours) klingen bei der M. S. nach. Aber an die Stelle der großen Evangelistenbilder treten hier Bildinitialen. Von antikischem Akanthusblattwerk umsponnene Initialen umschließen eine Fülle kleinfiguriger Szenen aus dem N T., in denen sich große Erzählfreudigkeit spiegelt.

F. UNTERKIRCHER: Zur Ikonographie und Liturgie des Drogo-Sakramentars (1977).

Metzinger [mɛtsɛ̃ʒ'e], Jean, frz. Maler, Kunsttheoretiker, *Nantes 24. 6. 1883, †Paris 1. 11. 1956, gehörte seit 1910 zum Kreis der Kubisten um P. PICASSO und G. BRAQUE, verfaßte mit A. GLEIZES die erste philosophisch begründete Theorie des Kubismus (›Du cubisme‹, 1912). Später stand M. unter dem Einfluß von J. GRIS.

Metzner, Franz, Bildhauer, *Wscherau bei Pilsen 18. 11. 1870, †Berlin 24. 3. 1919, entwarf 1894–1903 in Berlin Modelle für die Porzellanmanufaktur (seit 1896 in eigenem Atelier), 1903–05 Mitgl. der Wiener Sezession, seitdem in Berlin. Seine v. a. pathet. Werke (Figurenschmuck des Leipziger Völkerschlachtdenkmals, 1906–13, u. a.) gehören z. T. dem Jugendstil an.

Meudon [mød'ɔ̃], frz. Stadt am südwestl. Rand von Paris, 53 400 Ew., mit Schloß (von J. HARDOUIN-MANSART 1707 errichtet; heute astrophysikal. Observatorium) und Rodin-Mus. im Wohnhaus des Künstlers (im Park Grabmal des Bildhauers und Bronzefigur ›Der Denker‹, 1880).

Meulen [m'ølə], Adam Frans van der, fläm. Maler, getauft Brüssel 11. 1. 1632, †Paris 15. 10. 1690, seit 1664 Hofmaler LUDWIGS XIV.; malte dessen Schlachten und Reisen, auch frz. Schlösser und Jagdbilder; seine topographisch sehr genauen Zeichnungen sind auch historisch wertvoll. M. schuf u. a. Entwürfe für Gobelins.

Meunier [mœnj'e], Constantin, belg. Bildhauer, Maler, *Etterbeek bei Brüssel 12. 4. 1831, †Ixelles bei Brüssel 4. 4. 1905, war 1887–95 Prof. in Löwen, malte zuerst relig. Szenen, dann impressionist. Bilder; seit

Constantin Meunier. Der Lastträger; Bronze (Paris, Centre Pompidou)

1886 war er fast ausschließlich als Bildhauer tätig. Sein Hauptthema, den arbeitenden Menschen (bes. Bergarbeiter), gestaltete er in monumentalen Einzelfiguren (meist Bronze oder Stein) realistisch, aber mit einem gewissen Pathos in der Haltung (Entwurf für ein ›Denkmal der Arbeit‹, 1890–1905; Brüssel); schuf auch Porträts und allegor. Kleinplastiken. Sein letztes Wohnhaus in Brüssel wurde als M.-Mus. eingerichtet.

Mewar, Malschule der →Rajput-Malerei, nach dem ehem. Staat in Rajasthan, Indien.

Mexiko [m'ɛxiko], **Ciudad de México** [siuð'að-], Hauptstadt und größte Stadt der Rep. Mexiko, 2227 m ü. M., 8,650 Mio. Ew. M. wurde 1523 von H. Cortez über den Trümmern von →Tenochtitlán gegr. Im Zentrum des schachbrettartig angelegten Straßensystems entstand am Zócalo (heute ›Platz der Verfassung‹, 240 × 240 m) über dem zerstörten Palast des Aztekenherrschers Moctezuma der Nat.-Palast (1523 begonnen, später umgebaut und erweitert, 14 Innenhöfe; bed. Wandmalereien von D. Rivera, 1929–1945). Die Kathedrale auf dem südwestl. Teil des ehem. aztek. Tempelbezirks wurde 1525 begr., der heutige Bau 1573 beg., 1665 gew., im 18. Jh. fertiggestellt. Die dreischiffige, in 8 Joche gegliederte Säulenbasilika mit Kreuzgewölbe hat eine neoklassizist. Kuppel (1791, von M. Tolsá), Turmaufbauten des 19. Jh. Parallel zu den Seitenschiffen laufen je 7 Kapellen, in einer der ›Altar der Könige‹ (1716 bis 1739, ein HW des churrigueresken Stils), Gemälde und Skulpturen; im Chor kunstvoll geschnitztes Gestühl; kolonialzeitl. Gemälde auch in der Sakristei (16. Jh., mit got. Kreuzrippengewölbe). Trotz unterschiedl. Stile der Bauphasen hat die Hauptfassade mit ihren 3 Portalen einen monumentalen Barockcharakter; die filigranartig gestalteten Umrahmungen der Reliefs sind typisch für die Kolonialkunst im Land Mexiko. Die Portale der Rückfront (um 1615) wurden in strengem, von J. de Herrera beeinflußtem Stil gestaltet. Seitlich an die Kathedrale angebaut ist die Pfarrkirche El Sagrario (1768 geweiht) mit churrigueresker Fassade.

Zu den ältesten Kirchen des Landes gehören S. Fran-

Mexiko: Der 12stöckige Bücherturm der Universitätsbibliothek; Mosaikverkleidung von Juan O'Gorman u. a. (1951–53)

cisco (1525; mit schönem churriguereskem Portal, frühes 18. Jh.), die Klosterkirche S. Juan Bautista (1538, mit Seitenportal im Stil der span. Renaissance), La Asunción (1562, mit Portalen im got. und Mudéjar-Stil und alten Fresken), die Pfarrkirche S. Bernardino (um 1590, in Xochimilco, mit indianisch-plateresker Fassade, im Innern Renaissance-Retabeln des 16. und Chorgestühl des 17. Jh.). Vom Kloster La Merced (1634, später umgebaut) ist ein prächtiger Kreuzgang im Mudéjar-Stil erhalten.

Nationalheiligtum und bed. Wallfahrtsstätte ist das Gnadenbild der Jungfrau von Guadalupe in einem nordöstl. Vorort. Die 1700 gew. Kirche (Kreuzbasilika mit Vierungskuppel, 4 kleinen Kuppeln auf den Ecktürmen, schönem Portalrelief) war durch Senkung des Untergrunds so gefährdet (wird renoviert und Mus.), daß ein neuer Kirchenbau aus Beton und Marmor errichtet wurde (gew. 1976).

M. ist reich an barocken Kirchen der Kolonialzeit, von denen jede Besonderheiten aufzuweisen hat: La Santísima Trinidad mit einer der kunstvollsten churrigueresken Fassaden (1755–83) des Landes; S. Domingo (1. H. 18. Jh.) hat einen mit Kacheln verzierten Turm, churrigueresken Retabeln und klassizist. Hochaltar von M. Tolsá, der auch den Hochaltar der schönen dreischiffigen Jesuitenkirche La Profesa (1720) schuf. Bed. Beispiele für den churrigueresken Stil finden sich an oder in den Kirchen La Santa Veracruz (1764), La Enseñanza Antigua (1772–78; Retabeln, Gemälde), La Purísima (Mitte 18. Jh.; Portal). In der Kirche Jesús Nazareno (17. Jh.) wurden die Gewölbe 1942–44 von J. C. OROZCO ausgemalt. Eine der letzten der in der Kolonialzeit entstandenen Kirchen ist Nuestra Señora de Loreto (1809–16, klassizistisch, nach dem Vorbild des Pantheon in Rom). Beispiel für modernen mexikan. Kirchenbau ist die Kirche S. Maria Milagrosa von F. →Candela (1954).

Auch eindrucksvolle Profanbauten sind aus der Kolonialzeit erhalten: Palacio Iturbide (17./18. Jh., mit reich verzierter Renaissance-Fassade), ›Casa de los Azulejos‹ (Gebäude 1596, blau-weiß-gelb gekachelte Fassaden 1751). Das ›Haus der Masken‹ (1766–71) gilt als schönster Profanbau der Stadt mit churrigueresker Fassade. Das Edificio de las Vizcaínas (1734–86) und das 1749 erbaute Jesuitenkolleg (heute Escuela Nacional Preparatoria; die Wandmalereien 1922–27 waren der Beginn des Muralismo) sind Beispiele eines ausgewogenen Barockstils. Klassizistisch ist der Palacio de la Minería (1797–1813, v. M. Tolsá). Vom Jugendstil beeinflußt ist der Palacio de Bellas Artes (1900–34), mit Säulenportikus und großer Kuppel, erbaut aus weißem Carrara-Marmor (im Treppenhaus Fresken von J. C. OROZCO, D. RIVERA, D. A. SIQUEIROS und R. TAMAYO). Am ›Platz der drei Kulturen‹ (1964), dem Hauptplatz der präkolumb. Stadt Tlaltelolco, sind Zeugnisse aus 3 Epochen vereint: freigelegte indian. Bauwerke, moderne Architektur und die Barockkirche Santiago de Tlatelolco (Anf. 17. Jh., Kreuzbasilika).

Aus der modernen Zeit finden u. a. große Beachtung die Universitätsstadt (1950–55, mit Bauten vieler bed.

Architekten, z.T. mit Werken mexikan. Künstler geschmückt, →Muralismo); der fensterlose Bücherturm der Zentralbibliothek, mit farbigem Naturstein-Mosaik (indian. Motive) von J. O'GORMAN verkleidet; das Olympiastadion mit bunten Steinreliefs von D. Rivera; die ›Funktionslosen Türme‹ (›Los Torres de Satélite‹, 5 prismenförmige, verschieden hohe, farbige Obelisken) von M. GOERITZ (1957).

M. hat viele bed. Museen: v.a. das →Anthropologische Nationalmuseum, das Schloß Chapultepec (anstelle einer aztek. Anlage und einer span. Einsiedelei Ende 18.Jh. errichtet, 1863/64 durch Kaiser Maximilian umgestaltet, seit 1944 Nat.-Mus. für Geschichte; u.a. mit Fresken von J. C. Orozco, D. A. Siqueiros und J. O'Gorman); Pinacoteca Virreinal (mexikan. Gemälde der Kolonialzeit) in der Klosterkirche S. Diego (1594–1621); Museo Tamayo (moderne Kunst im Chapultepec-Park); Museo de S. Carlos (Gemälde mexikan. und ausländ. Künstler bis zum 19. Jh.).

Meyer, 1) Adolf, Architekt, *Mechernich (Eifel) 17.6.1881, †auf Baltrum 14.7.1929, war 1911–25 Mitarbeiter von W. GROPIUS; 1919–25 Lehrer für Architektur am Bauhaus, 1926–29 Stadtbaurat in Frankfurt a. M. Der Wettbewerbsbeitrag ›Völkerbundpalast in Genf‹ (1927) zeigt M.s geometrisch-rationale Architektur.

HW: Fagus-Werke in Alfeld a. d. Leine, als Mitarbeiter von W. GROPIUS (1911); Stadttheater in Jena (1925).

2) Friedrich Elias d. Ä., Bildhauer, Porzellanmodelleur, Bruder von 5), *Erfurt 1723, †Berlin 2. 10. 1785, wurde 1741 Hofbildhauer in Sondershausen (Thüringen), war anschließend in Weimar, Berlin und Dresden tätig, seit 1748 an der Porzellanmanufaktur Meißen unter J. J. KÄNDLER. 1761 holte ihn König FRIEDRICH II. an die Berliner Porzellanmanufaktur. M. gehört zu den bedeutendsten Künstlern der Porzellanplastik des dt. Rokoko.

3) Hannes, schweizer. Architekt, *Basel 18. 11. 1889, †Crocifisso di Savosa (Tessin) 19. 7. 1954, war 1928–30 Direktor des Bauhauses. M. sah in Architektur und Stadtplanung eine mit wissenschaftl. Methoden zu lösende soziale Aufgabe.

HW: Projekt Völkerbundpalast Genf (1926, mit H. WITTWER); Bundesschule des Allg. Dt. Gewerkschaftsbundes, Bernau/Berlin (1928/30); Pläne für Groß-Moskau (1931/32) und Birobidschan, UdSSR (1933/34); Siedlungsprojekt in Mexico City (1942).

4) Heinrich, schweizer. Maler, Kunstschriftst., *Zürich 16. 3. 1760, †Jena 11. 10. 1832, Schüler von J. C. FÜSSLI, wurde in Rom 1784–89 ein Freund Goethes, seit 1791 in Weimar (ebd. seit 1806 Leiter der Zeichenschule; Goethes Kunstberater). Seine Bilder zeigen einen trockenen Klassizismus.

5) Wilhelm Christian, Bildhauer, Porzellanmodelleur, Bruder und Schüler von 2), *Gotha 1726, †Berlin 10. 12. 1786, war in Leipzig, Berlin, Potsdam, Halle tätig, 1757 für den Kurfürsten CLEMENS AUGUST von Köln, kam 1761 nach Berlin und wurde Direktor der Kunstakad. ebd. M. trat u.a. als Plastiker für die Berliner Porzellanmanufaktur hervor. Seine vielseitigen künstler. Möglichkeiten reichen von Porzellangruppen bis zur Großplastik, zunächst im Stil des ausgehenden

Rokoko, später des beginnenden Klassizismus. Mit seinem Bruder schuf er einen vielfigurigen Tafelaufsatz für die Zarin KATHARINA II. von Rußland (1772).

RENATE PETRAS: Berliner Plastik im 18. Jh. (1954); Berliner Porzellan des 18. Jh., Ausst.-Kat. zum 200jährigen Jubiläum der Manufaktur (1963).

Otto Meyer-Amden: Impfung; 1919 (Basel, Kunstmuseum; Depositum der Eidgenössischen Gottfried-Keller-Stiftung)

Meyer-Amden, Otto, schweizer. Maler, *Bern 20. 2. 1885, †Zürich 15. 1. 1933, war 1909–12 Schüler von A. HOELZEL in Stuttgart, lebte seit 1912 in der Künstlerkolonie Amden am Walensee (Schweiz), war seit 1928 Lehrer an der Kunstgewerbeschule Zürich. Seine Menschengestalten (v. a. Knaben) sind in klare Räume komponiert und zu Schemen vereinfacht; wirkte auf W. BAUMEISTER und O. SCHLEMMER.

M. STETTLER: O. M.-A. (1965); O. M.-A., Ausst.-Kat., Basel (1979).

Meyerheim, 1) Eduard, Maler, Vater von 2), *Danzig 7. 1. 1808, †Berlin 18. 1. 1879, ebd. seit 1830. Er malte biedermeierl. Genrebilder aus dem Leben der Kleinbürger und Bauern.

2) Paul, Maler, Sohn von 1), *Berlin 13. 7. 1842, †ebd. 14. 9. 1915, seit 1887 Prof. an der Akad. ebd.; malte Landschaften und bes. Tierbilder in realist., mitunter ironisch-genrehafter Auffassung.

Meytens, Mijtens [m'ɛjtəns], Martin van, niederländisch-schwed. Maler, *Stockholm 24. 6. 1695, †Wien 23. 3. 1770, Schüler seines gleichnamigen Vaters (*Den Haag 1648, †Stockholm 1736), bildete sich auf Reisen durch ganz Europa weiter. 1721 ging M. nach Wien und wurde dort 1759 Direktor der Akad. – M. malte in der Wiedergabe des Stofflichen effektvolle Porträts für den Hof und arbeitete auch als Emailmaler.

Mezquita [meθk'ita, span.], Moschee in →Córdoba.

Mezza|majolika [ital.], →Fayence.

Mezzanin [ital.] *das,* Baukunst: Zwischengeschoß, Halbgeschoß, bes. in Renaissance und Barock. Das M. sitzt meist unter dem Hauptgesims und enthält untergeordnete Räume, z. B. für die Dienerschaft.

Mezzotinto [ital.], die →Schabkunst.

Miami [maɪˈæmɪ], Stadt an der SO-Küste von Florida, USA, 346900 Ew. In der Villa Vizcaya (1912–1916 im Stil der ital. Renaissance erbaut) heute das Dade County Art Mus. mit Samml. frz., span. und ital. Kunst; im Historical Mus. of Southern Florida and the Caribbean u. a. Kunst der Indianer.

Micha|el, ein Erzengel, der im A. T. als Engel Israels, im N. T. als Bekämpfer des Teufels und Höllendrachens auftritt. – In der bildenden Kunst ist er der am häufigsten dargestellte und am stärksten Person gewordene Engel. Zur Abwehr des (aus dem Westen kommend gedachten) Bösen ist ihm im →Westwerk karoling. Kirchen eine Kapelle geweiht. In den ältesten (byzantin.) Darstellungen (Mosaiken, Ravenna) erscheint M. in langem Kleid, geflügelt und mit dem Kreuzstab, nicht unterschieden von Gabriel und Raphael, neben Christus oder Maria, auch mit einem Fahnenstab als Wächter der Altarnische. Dieser Typus erhielt sich bis in das hohe MA. Die Josua-Rolle (6. Jh.?) zeigt M. jedoch schon als Krieger. Schon im 10. Jh. trug die Heerfahne des Dt. Reiches sein Bild. Noch im 17. Jh. erscheint M. am Augsburger Zeughaus als Schwertengel. Als solcher trägt er die Waffen, zunächst im Engelskleid, dann ritterlich gerüstet. Meist kämpft er den Drachen nieder, der seit dem späten MA. die Kennzeichen des Teufels erhielt; M. wurde damit zum Vorkämpfer des Glaubens. So stellt ihn die Gegenreformation dar, etwa H. GERHARD in seiner bis in das 18. Jh. oft wiederholten Bronzegruppe (1592; München, St. Michael) und G. RENI (Rom, S. Maria della Concezione). Anführer der himml. Heerscharen ist er beim Sturz Luzifers und der bösen Engel (→Engelssturz). – Seit dem 11. Jh. erscheint M. auch (zuerst in Byzanz) als Seelenwäger, bes. in Darstellungen des →Jüngsten Gerichts. Als ›Vorsteher des Paradieses‹ vertreibt er aus ihm Adam und Eva, wird aber auch als Seelengeleiter zum Paradies dargestellt, indem er die Seele, sie vor dem Teufel schützend, in sein Gewand oder auf seinen Arm nimmt (1467; Erfurt, Severikirche, Relief).

Michaelbeuern, Benediktinerkloster bei Salzburg, Österreich; in der Stiftskirche (urspr. romanisch, 1072 gew.; mehrfach umgebaut, Langhaus wegen Baufälligkeit 1946–50 romanisierend neugebaut) prachtvoller Hochaltar mit Skulpturen von M. GUGGENBICHLER und Gemälde von J. M. ROTTMAYR (1691); Klostergebäude 16.–18. Jh., im Abteisaal bed. Fresken (1771) im bayr. Rokoko mit bibl. Szenen und Landschaften.

Michałowski, Pjotr, poln. Maler, *Krakau 2. 7. 1800, †Krzyżtoporzyce bei Krakau 9. 6. 1855, malte nach Studien der frz. romant. Malerei (T. GÉRICAULT, E. DELACROIX) und alter Meister (D. VELÁZQUEZ) v. a. Pferde, Schlachten- und Genreszenen in lockerem, skizzen-

Henri Michaux:
Tuschzeichnung, 1963

haftem Stil und wandte sich später (v.a. Bauernporträts) dem Realismus zu.

Poln. Malerei von 1830 bis 1914, hg. v. J. C. JENSEN (1978).

Michaux [miʃ'o], Henri, belgisch-frz. Schriftst., Zeichner, * Namur 24. 5. 1899, † Paris 19. 10. 1984. Er wandte sich seit 1925 (unter dem Einfluß der Werke von P. KLEE und M. ERNST), verstärkt seit 1937, der Malerei zu, schuf v.a. der Informellen Kunst verwandte, rhythmisch bewegte Sepia- und Tuschzeichnungen, die auch alternierend zu seinen Gedichten in Buchform erschienen. Seit 1956 spiegeln sich auch in M.' Bildern die Experimente mit künstl. Rauschzuständen (v.a. durch Meskalin).

H. M., Ausst.-Kat., Paris (1978).

Michel, 1) [miʃ'ɛl], Georges, frz. Maler, *Paris 12. 1. 1763, †ebd. 7. 6. 1843, malte unter dem Einfluß der Niederländer, z.T. nicht mehr im Atelier, sondern in der Natur, Landschaften bes. aus der Umgebung von Paris, in deren stimmungsvoller Einfachheit sich eine dem 18. Jh. noch unbekannte Naturverbundenheit bekundet, die ihn zum Vorläufer der Schule von Barbizon macht.

2) Robert, Maler, Graphiker, Architekt, *Vockenhausen (Taunus) 27. 2. 1897, †Titisee-Neustadt 11. 6. 1983. Seine Holzschnitte zeigen phantast. Kombinationen von Naturwesen und Maschinen. Sein lange vergessenes Werk ist mit dem seiner Frau ELLA BERGMANN-M. (*1896, †1971) eine eigenständige, zum Konstruktiven neigende Variante des Dadaismus in Dtl.

Michelangelo [mikel'andʒelo], eigtl. M. **Buonarrọti,** ital. Bildhauer, Maler, Architekt, *Caprese (Toskana) 6. 3. 1475, †Rom 18. 2. 1564, Hauptmeister der Hochrenaissance und bedeutendster Wegbereiter des →Manierismus.

Frühzeit. M. erhielt seine Ausbildung als Maler bei D. GHIRLANDAIO, als Bildhauer wohl bei BERTOLDO DI GIOVANNI; wichtiger ist für den Maler der Rückgriff auf GIOTTO und MASACCIO, für den Bildhauer auf DONATELLO und J. DELLA QUERCIA. Unter den älteren Zeitgenossen haben ihn L. SIGNORELLI und BENEDETTO DA MAIANO beeinflußt; die stärksten Eindrücke aber empfing M.

durch Antiken-Studien. Schon die ersten Werke (um 1491) zeigen die Spannweite seines Œuvre: Der ›Kentaurenkampf‹ (Casa Buonarroti, Florenz) ist der Antike enger verbunden als jedes Werk der Frührenaissance, die ›Madonna an der Treppe‹ (ebd.) greift auf den Reliefstil Donatellos zurück, eröffnet aber durch Kühnheit der Verkürzungen und Kontraste der Modellierung den Weg in den Manierismus und ist daher in ihrer Eigenhändigkeit nicht unbestritten geblieben. – 1496 bis 1501 arbeitete M. erstmals in Rom: Es entstanden u. a. der ›Bacchus‹ (Florenz, Mus. Nazionale del Bargello) und die ›Pietà‹ für die Peterskirche. 1501–04 meißelte M. den überlebensgroßen David (4,34 m hoch; Kopie auf der Piazza della Signoria in Florenz, Original in der Gal. dell'Accademia, ebd.); er bezeichnet die engste Annäherung an die Antike in der abendländ. Skulptur. Mit dem heftigen Bewegungsmotiv des ›Matthäus‹ (Gal. dell'Accademia) entfernt sich M. von diesem Ideal in Richtung auf den Manierismus; die unvoll. Figur läßt seine schichtenweise, von vorne nach hinten den Stein abtragende Arbeitsweise erkennen. Von den maler. Werken dieser Zeit ist das Rundbild der ›Madonna Doni‹ erhalten (Uffizien), in der kühlen Farbigkeit und in den kühnen Bewegungsmotiven wegweisend für den Manierismus. Das Fresko der Schlacht bei Cascina für den Palazzo Vecchio ist nur in Teilkopien des Kartons überliefert.

Reifes Werk. 1505 berief Papst JULIUS II. M. zur Errichtung seines Grabmals nach Rom. Geplant war für

Michelangelo: Die Sintflut, Ausschnitt des Gewölbefreskos in der Sixtinischen Kapelle; 1508–12

die Peterskirche ein freistehendes Grabmal von zuvor unbekannten Ausmaßen; das Projekt fand bei dem reizbaren Künstler nicht die erhoffte Förderung des Papstes. M. floh und erhielt nach der Aussöhnung mit dem Papst den Auftrag zur Deckenausmalung der →Sixtinischen Kapelle (weiteres BILD Deckenmalerei). Hier übertrug er, vom Eingang zum Altar fortschreitend, auf die gemalte Figur zunehmend Kategorien der Skulptur: Die späteren Fresken erwecken den Eindruck farbig gefaßter Marmorfiguren. Nach dem Tod des Papstes (1513) widmete sich M. wieder dem Grabmalprojekt, jedoch in mehrfach reduzierter Form: 1513–16 entstanden der ›Moses‹ (Rom, S. Pietro in Vincoli) und die beiden ›Louvre-Sklaven‹ (Paris, Louvre), ab 1519 die 4 ›Boboli-Sklaven‹ (Florenz, Gal. dell' Accademia; BILD Bildhauerkunst). Das schließlich in S. Pietro in Vincoli, Rom, aufgestellte Wandgrab gibt nur eine schwache Vorstellung von dem urspr. Plan (BILD Grabmal). – 1516 erhielt M. von den Medici den Auftrag, für S. Lorenzo in Florenz eine Fassade mit Skulpturen zu errichten; der Plan wurde nicht ausgeführt. Zeichnungen überliefern ein Konzept, das Grundlagen für das ganze 16. Jh. bietet: Eine eindeutig begrenzte Wandfläche wird durch Wandzerlegung negiert, Außen und Innen werden austauschbar, die Geschoßteilung verunklärt, die Architekturglieder wie Skulpturen behandelt. Die gleichen Prinzipien liegen der 1520 beg. Grabkapelle der Medici (›Neue Sakristei‹) und der Biblioteca Medicea Laurenziana in Florenz zugrunde. Auch die ›Neue Sakristei‹ blieb ein Torso: Architektur, Skulptur in Marmor und Bronze, Freifigur und Relief sowie Fresken sollten hier zusammenwirken. Ausgeführt wurden: die Sitzfiguren des Giuliano und Lorenzo de' Medici und die als Allegorien der Tageszeiten gedeuteten und wohl gar nicht als Gegenstücke geplanten Liegefiguren (identifizierbar nur die ›Nacht‹) sowie die Madonna. Die Skulpturen sind ausschließlich Verkörperung eines absoluten Lebensgefühles: Das Lastende des ird. Daseins wird im Lastenden des Steins anschaulich. – 1534 übersiedelte M. endgültig nach Rom. Im ›Jüngsten Gericht‹ an der Altarwand der Sixtin. Kapelle schuf er eine Vision, in der das Licht der Erlösung nicht gegen die Finsternis des Verderbens aufkommt. Wie in den Fresken der Cappella Paolina, Vatikan (Bekehrung Pauli, Kreuzigung Petri, 1542–50), beschränkte er sich auf ein Minimum an Landschaft zugunsten äußerster Steigerung im Ausdruck der Figuren.

Spätwerk. An der Schwelle zum Greisenalter setzte sich M. nochmals mit dem Thema der Pietà auseinander (Florenz, Dom; ›Pietà Rondanini‹, Castello Sforzesco, Mailand). In seinen beiden letzten Jahrzehnten beschäftigte er sich zunehmend mit architekton. Plänen: seit 1538 Beginn der Pläne für die Neugestaltung des Kapitolsplatzes (→Kapitol 1), seit 1546 Vollendung des Palazzo Farnese und seit 1547 Bauleitung an der →Peterskirche. Auch bei dem Baumeister M. bleibt die bildhauer. Urbegabung stets spürbar; er hat nicht eigtl. ›Räume‹ geschaffen, sondern mit plast. Gliedern Wände und Flächen modelliert. – M. verkörpert einen neuen Typ des Künstlers, er befreite sich aus den Bin-

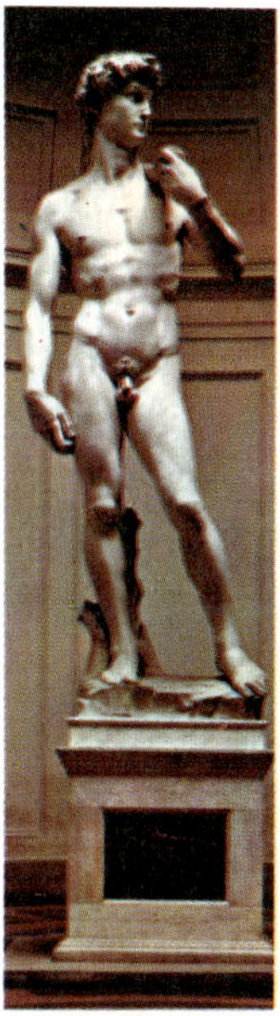

Michelangelo:
David; 1501–04
(Florenz, Galleria dell' Accademia)

dungen der Überlieferung und erschließt eine Welt zuvor unbekannter Ausdrucksmöglichkeiten. Nie zuvor ist das Werk eines Künstlers in gleichem Maße Bekenntnis persönl. Erlebens und Erleidens gewesen. (Weiteres BILD Bozzetto)

Dichtung. M. schrieb Sonette und Madrigale in petrarkisierendem Stil, z.T. an VITTORIA COLONNA gerichtet (›Rime‹, vollst. Ausg. 1863, dt.). Für seine Person aufschlußreich sind seine Briefe.

Briefe: Il carteggio di M., hg. v. P. BAROCCHI u. R. RISTORI, 6 Bde. (1965 ff.); dt. u. d. T. Die Briefe des M. B., hg. v. K. FREY (³1961).

C. JUSTI: M. (1909); L. DUSSLER: Die Zeichnungen des M., Krit. Katalog (1959); J. S. ACKERMAN: The architecture of M., 2 Bde. (London 1961); L. GOLDSCHEIDER: M., Gesamtausgabe (⁵1964); C. DE TOLNAY u. a.: M. (1966); E. STEINMANN u. R. WITTKOWER: M.-Bibliographie 1510–1926 (²1967); H. v. EINEM: M. (1973); R. SALVINI u. E. SEGRÉ: M. (a. d. Ital., 1977); U. BALDINI: M. Die Skulpturen (a. d. Ital., 1982); H. THIESS: M. Das Kapitol (1982).

Michelfeld, Gem. im Kr. Amberg-Sulzbach, Oberpfalz, mit ehem. Benediktinerabtei (1119 gegr.); der barocke Klosterneubau wurde 1692 von W. DIENTZENHOFER beg.; die Kirche hat eine erstklassige Innenausstattung der Brüder ASAM (1716/17).

Michelozzo [mikelˈɔttso], **M. di Bartolomẹo,** ital. Baumeister, Bildhauer, *Florenz 1396, begraben ebd. 7. 10. 1472; arbeitete als Bildhauer in Werkstattgemeinschaft zuerst mit L. GHIBERTI, dann mit DONATELLO; von ihm allein ist das Grabmal Aragazzi (1437; Montepulciano, Dom); als Baumeister (u.a. Nachfolger F. BRUNELLESCHIS als Dombaumeister, 1446–52) schuf er den schulemachenden Typus der florentin. Stadtpaläste, v.a. mit dem Palazzo Medici (heute Medici-Riccardi; Sockelgeschoß mit Bossenwerk, Kranzgesims, Arkadenhof, 1444 beg.); ebenso vorbildlich für die weitere Renaissancearchitektur waren seine Sakralbauten: S. Marco (Sakristei, Kreuzgang, Bibliothek, 1437–51; BILD Kreuzgang) und SS. Annunziata (1. ausgeführter Zentralbau der Renaissance, 1444 ff.), beide in Florenz, S. Maria delle Grazie in Pistoia (1452).

R. W. LIGHTBOWN: Donatello and M., 2 Bde. (London 1980).

Michelstadt, Stadt im Odenwald, Hessen, 13 700 Ew.; Hauptort der 1532–1806 reichsunmittelbaren Grafschaft Erbach. Altertüml. Stadtbild mit vielen Fachwerkhäusern, v. a. das spätgot. Rathaus (1484) mit offener Halle im Erdgeschoß. In der spätgot. Stadtkirche (1461–1537, mit reich figurierten Stern- und Netzgewölben) zahlreiche Grabmäler der Grafen von Erbach (14.–18. Jh.). Ehem. Synagoge (1791; Mus.); Kellerei (15./16. Jh.; ehem. Lorscher Klosterburg des 10. Jh.). Im Stadtteil **Steinbach** das Renaissanceschloß **Fürstenau** (urspr. Wasserburg, die 4 Ecktürme noch 14. Jh., sonst 16. Jh.; origineller westl. Galeriebogen mit Rollwerkbalustrade von 1588) und die karoling. **Einhardsbasilika** (827 voll.), eine dreischiffige flachgedeckte Pfeileranlage mit Stollenkrypta.

Michrạb, Mihrạb [arab.] *der,* die Gebetsnische (oder nur ein Bogen) der Moschee; sie zeigt die Gebetsrichtung (→Kibla) an. – Der früheste erh. M. ist vielleicht der am Gebetsplatz unter dem Felsendom in Jerusalem (691), der erste mit Nische befindet sich in der Moschee von Medina (707–709). Eine Ableitung von den kleinen Apsidennischen kopt. Kirchen und Klöster ist möglich. Marmor, Lüsterfliesen, Glas- und Fayencemosaik sind die häufigsten Materialien der Dekoration. Ein besonderes Schmuckelement sind oft Schriftzeichen mit Texten aus dem Koran. Im Zusammenhang mit der Lichtsure (XXIV, 35: ›Sein [Gottes] Licht ist einer Nische zu vergleichen mit einer Lampe darin‹) ist die Darstellung einer Moscheeampel nicht selten. Auf Gebetsteppichen ist meist ein M. dargestellt.

Midas, Name mehrerer phryg. Könige; der letzte M. herrschte 738–700 v. Chr. in Kleinasien. Auf ihn gehen mehrere grch. Sagen zurück. So ist M. im grch. Mythos der Sohn der Kybele, der Macht, Reichtum und Weisheit, später auch törichte Goldgier verkörperte. Er fing in seinen Rosengärten den weisen Lehrer des Dionysos, einen trunkenen Silen, den er dem Gott wieder zuführte. Zur Belohnung erhielt er die Gabe, alles von ihm Berührte in Gold verwandeln zu können. Eselsohren, die er unter der phryg. Mütze verbarg, wuchsen ihm zur Strafe, weil er sich in den musikal. Wettstreit zw. Apoll und Pan eingemischt hatte. Seit dem 6. Jh. v. Chr. wurde auf grch. Vasen die Gefangennahme des Silen, zuerst ohne Mitwirkung des M., dargestellt. Bereits im 5. Jh. v. Chr. erschien M. mit Eselsohren (Stamnos aus Chiusi, London, Brit. Mus.). Die neuzeitl. Kunst bevorzugte thematisch das Urteil des M. im musikal. Wettstreit (TINTORETTO, N. POUSSIN).

Middelburg [-byrx], Hauptstadt der niederländ. Prov. Seeland, auf der Insel Walcheren, 37300 Ew. In der Mitte der Altstadt liegt der große Komplex der ehem. Prämonstratenserabtei (gegr. 12. Jh.), nach einem Brand 1492 spätgotisch wiederaufgebaut, nach Zerstörung 1940 rekonstruiert; an der S-Seite der dreieckigen Anlage steht die Nieuwe kerk, nach Brand von 1568 erweitert, mit hohem achteckigem Glockenturm (›de lange Jan‹, 18. Jh.); in der hohen einschiffigen Koorkerk, urspr. mit der Nieuwe kerk verbunden, Grabmal der Brüder J. und C. Evertsen (†1666) von R. VERHULST (1680–82). Die Oostkerk ist eine klassizist. achteckige Kuppelkirche (1647–67 unter Mitwirkung von P. POST). Das Rathaus (1456 beg., 2. Bauperiode 1506–20) ist eine dreiflügelige Anlage mit Treppentürmen und hohem Mittelturm, eines der schönsten Beispiele der südniederländ. Spätgotik; reich verzierte Fassade mit 25 Statuen. Zahlreiche Bürgerhäuser wurden nach den Zerstörungen von 1940 wiederhergestellt. Erh. ist das Renaissancegebäude der Schützengilde ›Kloveniersdoelen‹ (1607–11).

Mielich, Hans, Maler, →Muelich.

Mierevelt, Michiel Janzs. van, holländ. Maler, *Delft 1. 5. 1567, †ebd. 27. 6. 1641, Hofmaler des Prinzen von Oranien, schuf seit 1590 zahlreiche ruhig-sachl. Porträts des statthalterl. Hofes und der Haager Gesellschaft; daneben noch eine kleine Anzahl Historienbilder. M. war Lehrer seiner Söhne Jan und Pieter.

Mieris, van M., niederländ. Malerfamilie in Leiden: Frans d. Ä. (*16. 4. 1635, †12. 3. 1681) malte häuslich-sittenbildl. Themen wie sein Lehrer G. DOU, dessen

Malweise (›Leidener Feinmalerei‹) er übernahm und im Spätwerk zur bloßen Routine ausbildete. Seine Söhne Jan (*1660, †1690) und Willem (*1662, †1747) ahmten ihn nach. Willem stellte auch Wachsarbeiten her. Der Sohn Willems, Frans d. J. (*1689, †1763), lehnte sich an die Arbeiten seines Großvaters in kalter, glatter Manier an. Er schuf auch Porträts und schrieb numismat. und histor. Werke.

Mies van der Rohe, Ludwig, Architekt, *Aachen 27. 3. 1886, †Chicago 17. 8. 1969, war 1905–07 bei B. PAUL, 1908–12 bei P. BEHRENS, seit 1912 in Berlin selbständig tätig; 1930–33 Direktor des →Bauhauses, 1938 emigrierte er in die USA, wurde Leiter der Architekturabteilung des Illinois Institute of Technology, Chicago (1938–58). – M. v. d. R. begann im neoklassizist. Stil, griff jedoch früh zeitgenöss. sachl. Gestaltungstendenzen auf. 1927 schuf er zum 1. Mal Wohnbauten in Stahlskelettbauweise (Stuttgart, Weißenhofsiedlung). Im Dt. Pavillon der Weltausstellung in Barcelona (1929) verwirklichte er am konsequentesten neue Vorstellungen von kontinuierl. Räumen (Wände sind ohne tragende Funktion, nur noch Versatzelemente mit ästhet. Bedeutung aus Edelhölzern, Marmor, Glas) sowie von Einheit von Innen- und Außenbau bei techn. Perfektion. Neben LE CORBUSIER, W. GROPIUS, F. L. WRIGHT gehört M. v. d. R. zu den stilprägenden Architekten der 1. H. des 20. Jh. In den 1940er Jahren nahm er starken Einfluß auf die Second School of Chicago (→Chicago, School of C.). Seine Möbelentwürfe beeinflußten die moderne Möbelkunst.

WW: Haus Tugendhat, Brünn (1928–30); Illinois Institute of Technology, Chicago (Gesamtplanung 1939–44, Einzelgebäude seit 1944, Crown Hall 1952–56); Seagram Building, New York (mit P. C. JOHNSON und L. I. KAHN, 1956/58); Siedlung Lafayette Park, Detroit (mit L. HILBERSEIMER, 1956–63); Neue Nat.-Gal., Berlin-West (1963–68); Chicago Federal Center (1964–68).

L. PAPI: M. v. d. R. (a.d. Ital., 1975); W. BLASER: M. v. d. R. (1977); W. TEGETHOFF: Wohnen in einer neuen Zeit. Die Villen und Landhausprojekte von M. v. d. R. (1981).

Mi Fu, Mi Fei, chines. Beamter, Maler, Kalligraph, Kunstkritiker, Sammler, *Hsiangyang (Prov. Hupeh) 1051, †1107, gilt mit seinem Freund SU TUNG-P'O als einer der Begründer der →Literatenmalerei. Seine cha-

Ludwig Mies van der Rohe: Crown Hall, Illinois Institute of Technology; Chicago, 1952–56

rakterist. Stilmerkmale sind ausschnitthafte Komposition und Vereinfachung der Naturformen, die konturenlos in impressionist. Weise durch übereinandergesetzte Tupfen modelliert werden. Seine Bilder wurden v.a. durch Kopien überliefert. Eines der wenigen möglicherweise echten Werke ist das in späterer Zeit stark übermalte Bild ›Frühlingsberge und grüne Kiefern‹ (Taipeh, Nat. Palace Mus.).

Mignard [miɲ'a:r], Pierre, frz. Maler, *Troyes 17. 11. 1612, †Paris 30. 5. 1695, Schüler von S. VOUET, lebte 1636–57 in Rom, wo er sich dem Stil von DOMENICHINO näherte, ohne dessen straffe Kompositionen zu erreichen. Nach Paris 1660 zurückgekehrt, malte er zahlreiche Porträts der königl. Fam., die zu seinen besten Leistungen zählen und mit ihrer privat-intimen Auffassung die offizielle Porträtmalerei von H. RIGAUD und C. LEBRUN überwanden; dem letzteren folgte er als Direktor der Akad. (1690). Ab 1663 malte er die Kuppel der Kirche Val-de-Grâce in Paris aus. Neben kirchl. Gemälden, bes. Madonnenbildern (›Mignardes‹), hat er mytholog. und allegor. Werke geschaffen.

Mignon [miɲ'ɔ̃], Abraham, Maler, *Frankfurt a. M. 21. 6. 1640, †Utrecht 26. 3. 1679, dort seit 1676 tätig. Er malte in der Art seines Lehrers J. D. DE HEEM Blumen- und Früchtestilleben, doch schärfer und härter in den Farben. Seine Schülerin war MARIA SIBYLLA MERIAN.

Mihintale, buddhist. Ruinenstätte auf einem Bergrücken nahe Anuradhapura, Sri Lanka, mit zahlreichen Stupa- (Dagoba-) und Klosterbauten. Der Ziegelkern des zentralen Dagoba, Kantaka Chetiya, reicht bis in das 2. Jh. v. Chr. zurück, seine steinerne Sockelverkleidung ist mit Tierfriesen reliefiert.

Mihla, Gem. an der Werra, nördlich von Eisenach, Dt. Dem. Rep., mit 2 Renaissanceschlössern: Rotes Schloß (1581) und Graues Schloß (1536–60). In der schlichten barocken Dorfkirche (1711) bemerkenswerter Erfurter Schnitzaltar (um 1490).

Mihrab, →Michrab.

Mikochi [-tʃi], Herstellungsort des japan. →Hirado-Porzellans.

Mikon, athen. Maler, Bildhauer in der 1. H. des 5. Jh. v. Chr., arbeitete oft mit POLYGNOT zus.; nach literar. Überlieferung malte er für versch. Bauten in Athen: ›Theseus auf dem Meeresgrund‹ und eine Amazonenschlacht für das Theseion, ein Argonautenbild für das Anakeion (Dioskurenheiligtum) und wiederum eine Amazonenschlacht für die Stoa Poikile. Nachklänge seiner Kunst finden sich auf Vasenbildern.

Mikronesi|en, Teil von Ozeanien. Künstler. Ausdrucksformen sind bes. von den →Palau-Inseln sowie von den →Mortlok-Inseln bekannt.

Mikulčice [-tʃitsɛ], Ort im südmähr. Kr., ČSSR, südwestlich von Brünn. Bei Ausgrabungen seit 1956 wurden Ruinen einer Burgsiedlung aus der Zeit des Großmähr. Reiches entdeckt sowie Ruinen einer Burg aus dem 9. Jh. und Reste von einigen Steinkirchen und Herrenhäusern freigelegt. Gefunden wurden ferner Gegenstände aus Gold und Silber sowie Waffen.

Mikulov, Stadt in der ČSSR, →Nikolsburg.

Mikwe [hebr. ›Bassin‹] *die,* **Judenbad,** unterird. Badeanlage, meist im Zusammenhang mit der →Synagoge. Die M. dient als rituelles Tauchbad der Einhaltung der Reinheitsgesetze. Die einfachste Form der M. ist ein bis zum Grundwasserspiegel reichender Schacht mit umlaufender Treppe (Friedberg, Hessen, 1260). Aufwendigere Anlagen besitzen einen Vorraum und Umkleidekabine (Worms 1185/86). Die gewölbten Räume und die Treppenanlage sind Bauaufgaben, die oft mit viel Anspruch von gleichzeitig am Ort an Kirchenbauten wirkenden →Bauhütten bewältigt wurden. Weitere ma. M. in Speyer, Andernach, Köln und Offenburg.

Milas, Stadt in der Türkei, das antike →Mylasa.

Milchglas, ital. **Lattimo,** durch Zinnoxidzusatz getrübtes, lichtdurchlässiges, opakweißes Glas, dessen Herstellung bereits im Alten Orient bekannt war. In Venedig war es seit dem 15. Jh. als Nachahmung ostasiat. Porzellans sehr beliebt; es wurde im 18. Jh. auch in Dtl. in großer Menge hergestellt.

Milde, Arij de, niederländ. Keramiker, *Delft 1634, †ebd. 1708, stellte v. a. Teekannen in rotem Steinzeug nach chines. Vorbild her. Marken: ›Ary de Milde‹ um einen springenden Fuchs und eine gekrönte Teekanne mit dem Namen ›de Milde‹.

Mildenhall [mˈɪldənhɔːl], Stadt in der Cty. Suffolk, Großbritannien, 26 600 Ew.; hier wurde in den 40er Jahren des 20. Jh. der Silberschatz einer vornehmen röm. Familie (über 30 Stücke Tafelgeschirrs, meist reich mit Reliefs verziert) aus dem 4. Jh. gefunden; wohl zw. 360 und 370 vergraben (heute London, Brit. Mus.).

Mildnergläser, Trinkgläser, die der Glasschleifer J. J. MILDNER (*1763 oder 1764, †1808) in Gutenbrunn (NÖ) zw. 1787 und 1808 herstellte. Die doppelwandigen Medaillongläser (zumeist Becher und Flaschen) waren in der Art der Zwischengoldgläser mit Goldradierungen, eingeklebten, auf Pergament gemalten farbigen Porträts, Monogrammen u. a. Darstellungen geschmückt und zählen zu den hervorragendsten Glasarbeiten des ausgehenden 18. Jh.

Mileševa, Mileševo [-ʃ-], Kloster bei Prijepolje, in Serbien, Jugoslawien, um 1228 gebaut. In der einschiffigen Kirche (mit Kuppel auf quadrat. Basis, dreiteiliger Apsis und Exonarthex, 1236) sind wertvolle Fresken erh. (die ältesten von vor 1228).

Milet, grch. **Miletos,** altgrch. Stadt im westl. Kleinasien, an der Mündung des Mäander in die Latmos-Bucht. Schon um 1600 v. Chr. kret., dann myken. Faktorei (Ausgrabungen), stieg M. seit dem 10. Jh. v. Chr. zur mächtigsten Stadt Ioniens auf und wurde zu einem Zentrum grch. Kultur; seit 630 wurden von M. aus etwa 80 Kolonien gegr. 546 kam die Stadt unter pers. Herrschaft und wurde 494 nach dem mißglückten Ionischen Aufstand von den Persern zerstört. Seit 479 v. Chr. wur-

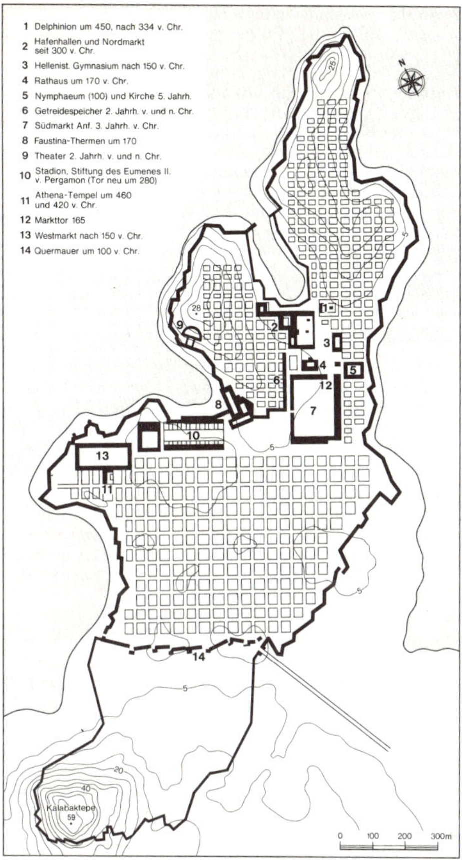

Milet: Plan der hellenistischen und römischen Stadt

de sie neu angelegt, nach einem Plan mit rechtwinklig sich kreuzenden Straßen (→Hippodamos). Unter ALEXANDER D. GR. erlebte M. wieder Blütezeiten (die Stadt hatte etwa 80000 Ew.); auch unter den Römern wurde es gefördert. In nachantiker Zeit versandeten die Häfen, und M. hatte nur noch geringe Bedeutung; im 12. Jh. gründeten die Seldschuken eine Niederlassung (Moschee, um 1400).

Durch dt. Ausgrabungen seit 1899 (T. WIEGAND) wurde das hellenist. Stadtbild erforscht, doch sind nur geringe Überreste erh. Haupttheiligtum war der in der Nähe des Haupthafens (Löwenbucht) gelegene Tempel des Apollon Delphinios (nur Fundamente des Baus aus dem 5. Jh. v. Chr. festgestellt). Die Stadt hatte 3 Marktplätze, von Hallen u. a. Gebäuden umgeben, mehrere Thermen, ein Stadion, Gymnasien, Buleuterion, ein

Nymphaeum und weitere Tempel (des Äskulap, der Athena, des Königs EUMENES II. von Pergamon). Gut erh. sind das unter TRAJAN völlig erneuerte gewaltige Theater (rd. 30000 Plätze) und die Thermenanlage der Kaiserin FAUSTINA (um 170 n. Chr.). Das repräsentative zweistöckige Markttor von der S-Agora (Pergamon-Mus., Berlin-Ost), durch Rundbogen, Pilaster mit davorstehenden paarweise angeordneten Säulen gegliedert sowie reich mit ornamentalem Dekor geschmückt, ist ein bed. Werk hellenistisch-röm. Kunst. M. war mit der nahe gelegenen grch. Orakelstätte in →Didyma durch eine hl. Straße verbunden. – Im Mus. von M. Ausgrabungsfunde, auch aus minoischer Zeit.

M. Ergebnisse der Ausgrabungen und Untersuchungen, hg. v. Dt. Archäolog. Institut (Nachdr. 1967ff., bisher 4 Teil-Bde.); Führer durch die Ruinen von M. – Didyma-Priene, hg. v. J. KLEINE (1980).

Milevsko, Stadt in der ČSSR, →Mühlhausen 2).

Millais [mil'eɪ], Sir (1885) John Everett, engl. Maler, *Southampton 8. 6. 1829, †London 13. 8. 1896, besuchte die Royal Academy ebd. und gründete 1848 mit D. G. ROSSETTI und H. HUNT die Bruderschaft der →Präraffaeliten. Seine späteren Bilder neigen zur Sentimentalität und waren sehr volkstümlich (›Bubbles‹, 1889).

Millarés Sall [miʎar'ɛs s'aʎ], Manolo, eigtl. Manuel M. S., span. Maler, *Las Palmas 17. 2. 1926, †Madrid 14. 8. 1972, stand zunächst dem Surrealismus nahe, gründete 1957 mit A. SAURA in Madrid die Gruppe ›El Paso‹, die im Zentrum der expressiven Informellen Kunst in Spanien stand. Seine Materialbilder aus grober Leinwand mit Schlitzungen und ›wundenartiger‹ Gewebestruktur beschwören sowohl landschaftl. Vorstellungen als auch blutige Gewalt.

Millefiori-Glas [ital. ›tausend Blumen‹], **Mosaikglas,** hergestellt aus verschiedenfarbigen Glasstangen, die zu einem Bündel zusammengeschmolzen und so in Scheiben geschnitten wurden, daß der Querschnitt ein blumenartiges oder geometr. Muster ergab. Die Mosaikscheiben wurden in eine farblose Glasmasse eingebettet, diese dann in die Form geblasen. Diese Technik war schon in der antiken Glaskunst sehr beliebt und wurde im 15. Jh. in Venedig erneut angewendet.

Miller, 1) Ferdinand d. Ä. von (1875), Erzgießer, Vater von 2), *Fürstenfeldbruck 18. 10. 1813, †München 11. 2. 1887, leitete ebd. seit 1844 die königl. Erzgießerei, die durch ihn (seit 1878 Eigentümer) weltbekannt wurde. Aus ihr gingen über 175 große Gußwerke hervor, u. a. L. v. Schwanthalers →Bavaria, das Tor des Kapitols in Washington und J. SCHILLINGS Germania (→Niederwalddenkmal).

2) Ferdinand d. J. Frhr. von (1912), Bildhauer, Erzgießer, Sohn von 1), *München 8. 6. 1842, †ebd. 18. 12. 1929, Schüler seines Vaters sowie von A. KISS, M. v. WIDNMANN und E. J. HÄHNEL, war 1900–18 Direktor der Münchner Akad. – M. schuf viele Denkmäler, bes. von bayer. Fürsten.

HW: Armeedenkmal (1892; München, Feldherrnhalle); Reiterstandbilder Kaiser Wilhelm I. (1892; Metz, 1918 zerstört) und Ludwig der Bayer (1902, Regensburg; 1905, München).

Milles, Carl, schwed. Bildhauer, *Lagga (bei Uppsala) 23. 6. 1875, †Lidingö (bei Stockholm) 19. 9. 1955, lehrte seit 1930 in den USA; fand nach impressionist. Anfängen unter dem Einfluß von A. RODIN und A. v. HILDEBRAND zu einem eklekt. Realismus, der mit expressiven oder archaisierenden Zügen bes. in der Verbindung mit Architektur zu monumentaler Wirkung kommt.

HW: Sten-Sture-Denkmal (1902–25; Kronåsen bei Uppsala); Sitzbild Gustav Wasas (1907 in Gips, 1925 in Holz; Stockholm, Nord. Mus.); Bärengruppe (1909; ebd., Berzeliuspark); Pegasus und der Mensch (1949; Des Moines, Iowa).

Millet [mil'ɛ], **1)** Francisque (eigtl. Jean François), fläm. Maler, getauft Antwerpen 27. 4. 1642, begraben Paris 3. 6. 1679, lebte seit 1659 ebd., ahmte die idealen Landschaften von N. POUSSIN nach.

2) Jean-François, frz. Maler, *Gruchy bei Cherbourg 4. 10. 1814, †Barbizon 20. 1. 1875, lernte in Paris bei P. DELAROCHE, malte anfänglich Schäferszenen sowie bibl. und mytholog. Bilder im Rokokogeschmack, seit Ende der 40er Jahre unter dem Einfluß von H. DAUMIER Szenen aus dem bäuerl. Leben (›Kornschwinger‹, 1848; ›Die Ährenleserinnen‹, 1857; ›Abendgebet‹, 1859; alle im Musée d'Orsay) und ließ sich 1849 in Barbizon nieder, wo er bes. mit T. ROUSSEAU befreundet war. Neben Bauerngestalten von dumpfer, erdgebundener Monumentalität malte M. Landschaften von meist melanchol. Stimmung. Er bevorzugte braune, graue und graublaue Farben. In seinen Zeichnungen, Radierungen und wenigen Holzschnitten behandelte er dieselben Themen, in den frühen Blättern mit durchsichtiger Zartheit, später dagegen kräftiger und herber.

Millstatt, Marktgem. am N-Ufer des Millstätter Sees, Kärnten, Österreich, 3100 Ew., mit ehem. Benediktinerkloster. Die ehem. Stiftskirche (beg. zw. 1060 und 1088) ist eine roman. Pfeilerbasilika mit Doppelturmfassade, got. und barocken Zubauten; reich verziertes roman. W-Portal, großes Weltgerichtsfresko (um 1515), barocke Ausstattung. Kreuzgang mit abwechslungsreichen Kapitellen. Stiftshof, im Kern romanisch,

Jean-François Millet: Die Ährenleserinnen; 1857 (Paris, Musée d'Orsay)

spätgot. Laubengang im O-Flügel, zweigeschossige Renaissance-Laubengänge im S- und W-Flügel.

Milot [mil'o], Ort südlich der Stadt Cap-Haïtien, Haiti, mit den Ruinen des prächtigen Schlosses Sans-Souci, das König Henri Christophe um 1813 nach dem Vorbild des Potsdamer Schlosses erbauen ließ. Darüber erhebt sich (945 m ü. M.) die 1804–17 erbaute Zitadelle La Ferrière mit einer bebauten Fläche von etwa 8000 m², bis zu 43 m hohen und meterdicken Mauern.

Miltenberg, Kreisstadt in Unterfranken, am Main, 9300 Ew. Das altertüml. Stadtbild wird von zahlreichen Fachwerkhäusern (15.–18. Jh.) geprägt, v. a. der Marktplatz (›Schnatterloch‹, Brunnen 1583, ehem. Mainzer Amtskellerei 1541/1611, jetzt Mus.) und die Hauptstraße (›Haus zum Riesen‹, 1590). Barocke Franziskanerklosterkirche (1667–87 von A. Petrini); Pfarrkirche (im Kern 2. H. 14. Jh.) mit klassizistisch geprägtem Innenraum, Osttürme 1829–31; stimmungsvolle Laurentiuskapelle (1456/1594) mit spätgot. Hochaltar und Malereien. M. wird malerisch von der gut erh. **Miltenburg** (13./14. Jh.) überragt.

Milwaukee [mɪlw'ɔːkɪ], Stadt in Wisconsin, USA, 965 000 Ew. – Im ›War Memorial Building‹ (von Eero Saarinen; 1957 eröffnet) befindet sich das ›M. Art Center‹ mit Werken amerikan. Künstler (C. Peale, G. Inness, W. Homer, D. Hanson) und Samml. internat. zeitgenöss. Kunst.

Mịmbar, arab. Predigtstuhl, →Minbar.

Mịmbres [n. dem Fundort, einem Flußtal im SW von New Mexiko, USA], prähistor. Indianerkultur (11. und 12. Jh.), gekennzeichnet durch Tonschalen, die, meist nur innen, kunstvoll szenisch-figürlich oder mit geometr. Mustern, schwarz auf weißem Grund, bemalt sind und zu den Höhepunkten des indian. Töpferhandwerks zählen.

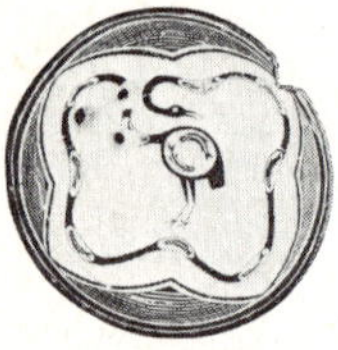

Mimbres: Tonschale; 11./12. Jh. (Köln, Rautenstrauch-Joest-Museum, Samml. Ludwig)

Min, altägypt. Gott, Herr der Zeugungskraft. Das M.-Fest in den Tempeln sollte die Fruchtbarkeit des Landes erneuern. M. war auch Beschützer der Wüstenwege. Sein Kultort Koptos war Ausgangspunkt der Wüstenstraße zum Roten Meer. Er wurde dargestellt mit Kappe (in der Verschmelzung mit Amun mit doppelter Federkrone) und Geißel, dem königl. Herrschaftsemblem als Symbol seiner Macht. Von den Griechen wurde M. mit →Pan gleichgesetzt.

Mina'i-Ware, [pers. mina ›Email‹], in der 2. H. des 13. Jh. in Iran aufgekommene Gattung von dünnwandiger Quarz-Fritte-Keramik, vielfarbig in und über der Glasur bemalt; erstes Zentrum war vermutlich Raj.

Minạkshi [-ʃi, Skt.], in Südindien ein Aspekt der hinduist. Göttin Parvati, die sich mit Shiva vermählt (→Kalyanasundara Shiva in Madurai).

Minangkạbau, jungmalaiisches Volk im Padang-Hochland SW-Sumatras. Die matrilineare Organisation der M. bedingt die Bauweise der Häuser, die jeweils bei Vermählung eines weibl. Familienmitglieds erweitert werden und so durch die Anzahl der Giebel die

Größe der Familie anzeigen. Bauform und künstler. Gestaltung der M.-Häuser gehören zu den schönsten in ganz Indonesien. Die Vorderseiten und Giebel aus Holz sind reich beschnitzt und bemalt mit floralen Ornamenten und häufig mit vergoldeten Tierköpfen oder Hörnern verziert.

Minardi, Tommaso, ital. Maler, Illustrator, Schriftst., *Faenza 4. 12. 1787, †Rom 12. 1. 1871, schuf in altertümelnder, an Vorbildern der ital. Hochrenaissance geschulter Manier Fresken und Andachtsbilder für Kirchen in Rom und Mittelitalien, auch figurenreiche Historienbilder und vereinzelt Porträts.

Minarett *das,* **Minar, Manara** [arab. ›Leuchtturm‹], Turm an einer Moschee für den Gebetsrufer (Muezzin); seit omajjad. Zeit Bestandteil jeder Moschee. Der erstmals in Damaskus an der Großen Moschee (um 715) vorkommende viereckige Turmtyp (Übernahme der Ecktürme des an dieser Stelle gelegenen Tempelbezirks aus der röm. Kaiserzeit) wurde für den M.-Bau des islam. W (Nordafrika, Spanien) verbindlich. Für den O wurde die runde, auch polygonale oder quadrat., meist sehr hohe Form charakteristisch, die auf das spiralförmig von Rampen umzogene M. in Samarra (›Malwija‹, um 850, eine Variation babylon. Stufentürme) zurückzuführen ist. Das oft freistehende M. wurde im Laufe der Zeit stärker in die Fassade oder die Hofarchitektur integriert (z. B. als Doppeltürme den Iwan flankierend). Die Osmanen bildeten die M. zu schlanken, hohen und spitzen Türmen aus (Nadel-M.), von denen häufig mehrere die Moscheen umgaben (Sultan-Ahmet-Moschee, Istanbul, mit 6 M., Anf. 17. Jh.). WEITERE BILDER S. 330

Minbar, Mimbar [arab. ›Sitz‹, ›Sessel‹] *der,* über einer Treppe erhöht aufgestellter Predigtstuhl für die Freitagspredigt rechts vom Michrab einer Moschee. Der Zugang ist durch eine Tür verschließbar, der Sitz mit einem Baldachin bekrönt. Wahrscheinlich geht der M. auf den kopt. Bischofsthron zurück. Der älteste erh. M. aus Holz steht in der Großen Moschee von Kairouan (9. Jh.). Im ostislam. Bereich oft aus Stein, Stuck, Fayence, mit Einlegearbeit verziert. Im W-Islam war und ist der M. zuweilen beweglich.

Min Ch'i-chi [-tʃi dʒi], chines. Verleger, Drucker, *Wuch'eng (Prov. Chekiang) 1580, †nach 1661. M. C.-c. verfaßte 1661 ein paläograph. Kompendium sowie mehrere textkrit. Kommentare zu den Klassikern. Er vervollkommnete die Technik des mehrfarbigen Holzplattendrucks für den Farbholzschnitt, wovon ein unvollständiges, technisch und künstlerisch äußerst delikates Exemplar der Illustrationsfolge zur Liebesromanze ›Das Westzimmer‹ (Hsi-hsiang-chi) von 1640 zeugt (Köln, Ostasiat. Mus.).

Mincho [-tʃo], japan. Maler, *1352, †Kioto 26. 9. 1431, Zen-Priester im Kloster Tofukuji ebd., für das er unter stark chines. Einfluß u. a. 50 Bilder der 500 Arhat (1383), ferner ein riesenhaftes Bild des Nirvana Buddha und als sein Meisterwerk das Porträt des Klostergründers Shoichi malte. Er gehört zu den Mönchsma-

Minarett
(Bauformen)

Istanbul
Sultan-Ahmet-Moschee

Medina,
Große Moschee

Minbar (Isfahan, Freitagsmoschee)

Minarett
(Bauformen)

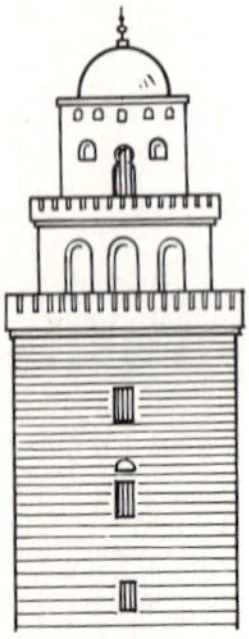

Kairouan,
Große Moschee

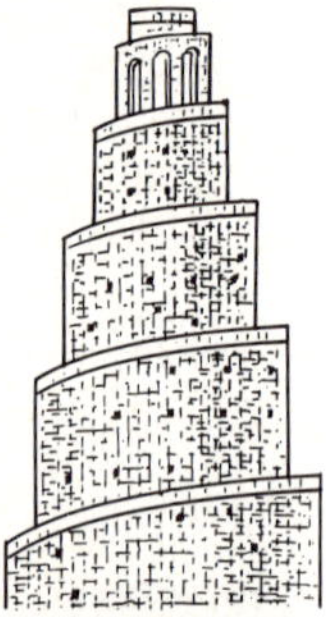

Samarra,
›Malwija‹

lern, die die Tuschmeister der chines. Süd-Sung-Zeit nachahmten und zählt zu den Klassikern japan. Tuschmalerei.

Mind, Gottfried, schweizer. Maler, Zeichner, Lithograph, getauft Bern 25. 9. 1768, †ebd. 7. 11. 1814, gewandt v. a. im Zeichnen von Katzen- (daher ›Katzen-Raffael‹ genannt), Bären- und Kindergruppen.

Mindelheim, Kreisstadt des Kr. Unterallgäu, Bayern, 12500 Ew.; altertüml. Ortsbild mit 3 Toren und Turm der Befestigung (14. Jh.). Pfarrkirche (1712/13 mit älterem Glockenturm, 1860–67 nüchtern umgestaltet); doppelgeschossige Gruftkapelle (Kern um 1400, 1726/27 reich stuckiert); ehem. Jesuitenkirche (1625/26, 1721/22 spätbarock umgebaut, mit hervorragender Stuckdekoration); Franziskanerinnenkloster Hl. Kreuz (17./18. Jh. mit prächtigem Refektorium 1739/40; Heimatmus.). In der spätgot. Liebfrauenkapelle (1725/35 barockisiert) das Holzrelief der ›Mindelheimer Sippe‹ (um 1510/15). Die **Mindelburg** über M. (um 1370, mehrfach umgebaut) gehörte mit der Stadt 1467–1586 der Familie Frundsberg.

Minden, Stadt an der Weser nördlich der Porta Westfalica, NRW, 78100 Ew.; um 800–1648 Bischofssitz. Der Dom (1945 schwer beschädigt, wiederaufgebaut) ist eine frühgot. Halle (13. Jh.) mit monumentalem roman., am Dom zu →Hildesheim orientiertem Westbau (um 1150); die inneren Seitenwände des Chorjochs (um 1230) sind durch übereinander angeordnete Bogenstellungen vollständig aufgelöst; großartige Maßwerkfenster, wertvolles Bronzekruzifix (wohl 2. H. 11. Jh.), Apostelfries des ehem. Lettners (2. H. 13. Jh.); kostbarer Domschatz. Ehem. Benediktinerinnen-Klosterkirche St. Marien (12./14. Jh.), eine romanisch-got. Halle mit stattl. Westturm und reich geschmückter Steinkanzel (1605). In der Martinikirche (12.–14. Jh.), einer got. Halle mit roman. Turm, reiches Fenstermaßwerk, spätgot. Chorgestühl, maler. Orgelempore; in der got. Simeonskirche (1305 beg., netzgewölbter Chor, 1434) vorzügl. Bronzetaufe (1609). Rathauslauben (Ende 13. Jh.), der Oberbau 1953/54 in got. Formen erneuert. Mus. für Geschichte, Landes- und Volkskunde.

Mineralfarben, Maltechnik: **1)** künstl. anorgan. Pigmente, z. B. →Eisenoxidfarben. **2)** Mal- und Anstrichfarben mit Wasserglas als Bindemittel.

Minerva, altitalische Göttin, deren Ursprung umstritten ist; mit Jupiter und Juno zur Kapitolin. Trias gehörend, erscheint sie in Rom als Stadtgöttin; später wurde sie der grch. Athene gleichgesetzt. Wie diese war sie Beschützerin der Handwerker und Künstler, aber auch der Lehrer, Schreiber, Dichter und Ärzte. In der röm. Kunst wurde sie der →Athene (nach hellenist. Vorbild meist sehr jugendlich) nachgebildet und hat sich v. a. in zahlreichen Bronzestatuetten erhalten.

Ming, chines. Dynastie (1368–1644), →chinesische Kunst. **Ming-Gräber,** Gräber von 13 Kaisern der Ming-Dynastie in →Ch'angp'ing.

Mingun, Ort nördlich von Mandalay, Birma, mit der

unvoll. M.- (oder Mantaragyi-)Pagode, die mit einer gigant. Höhe von 160 m geplant war. Die 1790 beg. Bauarbeiten wurden wegen einer negativen Prophezeiung nach 15 Jahren eingestellt, der Torso beim Erdbeben von 1838 schwer beschädigt. Die Pondow-Pagode am Ufer des Irrawaddy zeigt als 5 m hohes Modell den ehem. geplanten Bau. – In der Nähe findet sich die für die M.-Pagode vorgesehene Glocke, die größte Birmas und eine der größten der Erde (etwa 3,70 m hoch).

Miniaturfresken, Bez. für zwei 30 und 40 cm hohe Wandmalereien des 15. Jh. v. Chr. (später ergänzt) aus dem Palast von Knossos (Kreta; heute im Archäolog. Mus. Heraklion); in naiver Perspektive sind auf Tribünen sitzende Frauen und Männer, eine Kultfassade, Bäume, Wege und ein kultischer (?) Tanz von Frauen dargestellt.

Miniaturmalerei [aus lat. minium ›Mennigfarbe‹], **1)** eine Malerei oder Zeichnung in Hss. und Büchern, benannt nach der im frühen MA. für Überschriften, Randleisten und Initialen verwendeten roten Farbe. Über antike und christl. M. →Buchmalerei. Die nichtchristl. M. gelangte v. a. in der islam. und ind. Kultur zu hoher Qualität.

Das in frühislam. Zeit von Theologen formulierte Bilderverbot hat die Verbreitung figuraler Malerei vielleicht etwas eingeschränkt, nicht aber die Entwicklung einer reichen und eigenwilligen M. an den Höfen kunstliebender Fürsten verhindert. – Die Einteilung in arab., pers., türk. und ind. M. ist wegen der geograph. und sprachl. Unterschiede und darüber hinaus auch wegen der großen Verschiedenheit in den Bildaufgaben und den zu ihrer Bewältigung eingesetzten Mitteln sinnvoll. – Islam. M. ist weitgehend anonym. Malersignaturen sind selten, ihre Authentizität ist oft fraglich. Literar. Quellen zur M. gibt es vereinzelt seit dem 16. Jh.

Arabische M. ist seit etwa 1000 erh., ihren künstler. Höhepunkt erreichte sie im 13. Jh. (Schule von Bagdad, Zentrum in Syrien und N-Irak), eine Nachblüte gab es unter den Mamelucken im 14. und 15. Jh. in Syrien und Ägypten. Zunächst wurden in spätantiker Tradition naturwissenschaftl. Texte (z. B. DIOSKURIDES) illustriert,

Miniaturmalerei 2): Elisabeth I., M. von Nicholas Hilliard, 1572; etwa Orig.-Gr. (London, National Portrait Gallery)

Miniaturmalerei 1): Der Bau der Feste Kharwanak, Entwurf von Behsad; 1494 (London, Brit. Museum)

seit dem 13. Jh. auch Dichtung (Kalila und Dimna; Makamen des HARIRI). In den meist querformatigen Bildern sind die Menschen in ausdrucksvollen Gesten handelnd gezeigt.

Persische M., in Hss. seit 1300 erh. (Bagdad und Täbris), hatte ihre Blüte im 15. Jh. unter den Timuriden (Schiras und Herat) und erlebte nach Glanzleistungen im frühen 16. Jh. allmähl. Niedergang, um im 19. Jh. unter den Kadjaren erneut zu blühen. Pers. Maler illustrierten v. a. Epen: das Schah-Name (pers. Nationalepos) des FIRDAUSI (*um 940, †1020) und die romant. Epen des NISAMI (*1141, †1209), daneben oft sehr gefühlvolle, z. T. myst. Lyrik, v. a. der Dichter SA'DI, HAFIS, DJAMI. Das Querformat des Anfangs gab man bald auf; eine Experimentierphase im 14. Jh. – gleichzeitig mit starkem fernöstl. Einfluß auf die Motive – führte zur fortan gültigen Entscheidung für das Hochformat (Ende 14. Jh.).

Türkische M. stand anfangs ganz unter pers. Einfluß, von dem sie sich im Laufe des 16. Jh. befreite, um in der Illustration der Zeitgeschichte (Feldzüge, Schlachten, Feste) ihre eigtl. Aufgabe zu finden. Der schon im 16. Jh. spürbare europ. Einfluß wurde im 18. Jh. übermächtig.

In Indien nahm die M. im 16. Jh. unter der Mogul-Dynastie (→Mogul-Malerei) und an den von Hindus regierten Provinzhöfen v. a. in N-Indien (→Rajput-Malerei) einen großen Aufschwung. Sie lebte bis um die Mitte des 19. Jh. in Sonderformen fort, bis sie europ. Einflüssen erlag. (BILDER indische Kunst)

B. GRAY: Pers. Malerei (Genf 1961); R. ETTINGHAUSEN: Arab. Malerei (ebd. 1962); I. STCHOUKINE: La peinture turque d'après les manuscrits illustrés, 1, 2 (Paris 1966, 1971).

2) Bildnismalerei in kleinem Format. Porträtminiaturen erlangten im 16. Jh. durch H. HOLBEIN D. J. europ. Bedeutung und wurden im Elisabethan. England durch N. HILLIARD, I. OLIVER und S. COOPER verfeinert. Bahnbrechend unter den Emailmalern war J. PETITOT, der Ölgemälde, bes. von A. VAN DYCK, ins Miniaturistische übertrug. Weite Verbreitung fand im 18. Jh. die ›gepünktelte Manier‹, deren bedeutendster Repräsentant M. VAN MEYTENS war. Die großzügige, breite, durchgeistigte Malweise von H. FÜGER und J. B. ISABEY hat ihren Ursprung bei ROSALBA CARRIERA. Im 19. Jh. pflegte M. DAFFINGER die Wiener M. bis zur Ablösung durch die Photographie. Als Bildträger war Elfenbein bevorzugt. Auch zur Verzierung von Tabakdosen, Uhren und Schmuckgegenständen wurden Porträtminiaturen gern verwendet.

L. R. SCHIDLOF: Die Bildnisminiatur in Europa (1964).

Minimal Art [m'ɪnɪməl ɑːt, engl.], Kunstrichtung seit den 1960er Jahren, v. a. in den USA; nach der ersten zusammenfassenden Ausst. (1966) im Jewish Mus., New York, auch **Primary Structures** [pr'aɪmərɪ str'ʌktʃəz, dt. ›Grundstrukturen‹] gen. Die M. A. entstand als Gegenreaktion auf den Abstrakten Expressionismus: Einfachste geometr. Formen oder Ordnungen werden ohne eigene kompositionelle Differenzierung in den Raum gestellt oder zu kalkulierten Systemen (z. B. Platten auf dem Boden) gereiht. Ziel ist die absolute Identität der Form mit sich selbst ohne jede illusionist., assoziative Zutat. Vertreter sind u. a. D. JUDD, R. MORRIS (beide auch wichtige Theoretiker der M. A.), C. ANDRE, S. LE WITT, T. SMITH. Parallelen finden sich in der Farbfeldmalerei und im Systematic Painting; Wirkungen auch auf Konzeptkunst und Land Art.

Minium [lat.], Maltechnik: antike Bez. für Zinnober, in ma. Quellenschriften für Mennige gebräuchlich.

Minja, Minya, inschriftlich und durch Ausgrabungen (1932–59) für die Zeit des Kalifen AL-WALID I.

Minimal Art: Donald Judd, ›Ohne Titel‹, Münster 1977

(705–15) gesicherter omajjad. Landsitz in der Nähe des Sees Genezareth, in der typ. Form eines durch Rundtürme besetzten Rechtecks mit Innenhofarkaden; neben einer großen Audienzhalle im S eine Moschee, das Tor (mit Kuppelhalle) in einem mächtigen Turm. Die Bauplastik in M. zeigt einen stark antikisierenden Stil; ferner Fußbodenmosaiken.

Minne, George, Baron (1930), belg. Bildhauer, *Gent 30. 8. 1866, †Sint-Martens-Latem (O-Flandern) 20. 2. 1941, anfangs angeregt von A. RODIN. Seine zarten, vergeistigten Gestalten, deren schlanke, entsinnlichte Formen und zusammengefaßte Umrisse an got. Gestaltung erinnern, stehen dem Jugendstil nahe. Er beeinflußte v.a. W. LEHMBRUCK und war auch als Graphiker tätig.

HW: Brunnen der 5 Knienden (1898, ausgeführt 1906; Essen, Folkwang-Mus.); ferner Grabmäler, Denkmäler.

G. M., Ausst.-Kat., Hagen (1962).

Minneapolis [mɪnɪ'æpəlɪs], Stadt in O-Minnesota, USA, 371 000 Ew.; im Institute of Arts bed. Kunstsamml. mit Gemälden und Skulpturen auch europ. Meister (u.a. E. BARLACH, REMBRANDT, W. HOGARTH, J.-B. S. CHARDIN und E. DEGAS). Das 1926 eröffnete Walker Art Center enthält Werke u.a. von F. MARC, P. KLEE, W. KANDINSKY, H. MOORE und ist außerdem eines der wichtigsten amerikan. Museen für Ausstellungen zeitgenöss. Kunst außerhalb von New York.

Minnekästchen, kleines Deckelkästchen aus Holz, Elfenbein oder Leder; Geschenk des Bräutigams an seine Braut, gebräuchlich v.a. vom 13. bis 15. Jh. im Gebiet des Oberrheins; häufig mit gemalten oder geschnitzten Liebesallegorien geschmückt.

Mino da Fi|ẹsole, ital. Bildhauer, *Poppi (Prov. Arezzo) 1429, †Florenz 1484, Schüler des DESIDERIO DA SETTIGNANO, v.a. in Florenz und Rom tätig; schuf, geschult an den Werken der röm. Antike, für die Porträtkunst der Frührenaissance bahnbrechende Büsten (Piero de' Medici, 1453, Florenz, Mus. Nazionale del Bargello; N. Strozzi, 1454, Berlin-West, Staatl. Museen), Tabernakelaltäre und Grabmäler (Graf Hugo von Andersburg, 1469–81; Florenz, Badia) in sehr dekorativen, etwas spröden Formen.

minọische Kunst, die nach König →Minos benannte Kunst auf Kreta: →kretisch-mykenische Kunst.

Minorịtenkirchen, →Bettelordenskirchen.

Minos, grch. Mythos: Titel oder Eigenname eines Königs in Knossos auf Kreta, Sohn des Zeus und der Europa, Vater der Ariadne und Phädra. Da er einen von Poseidon aus dem Meer gesandten Stier nicht geopfert hatte, verliebte sich seine Gemahlin Pasiphae durch die rächende Fügung des Gottes in den Stier und gebar von ihm den →Minotaurus, den M. in das von →Daidalos geschaffene Labyrinth einsperrte. Zur Rache für die Tötung seines Sohnes Androgeos bekriegte M. die Athener und legte ihnen einen jährlich (oder alle 9 Jahre) zu entrichtenden Tribut von 7 Jünglingen und 7 Jungfrauen auf, die er dem Minotaurus vorwarf. Auf der Suche nach dem entflohenen Daidalos fand M. in

Sizilien den Tod. M. galt auch als Gesetzgeber und nach seinem Tod als Richter in der Unterwelt. Die minoische Kultur erhielt nach ihm ihren Namen (→kretisch-mykenische Kunst). Antike Darstellungen des M. sind selten, finden sich v. a. auf Münzen, zus. mit Pasiphae auf etrusk. Denkmälern sowie auf röm. Sarkophagen.

Minotaurus, grch. **Minotauros** [›Stier des Minos‹], grch. Mythos: ein Ungeheuer mit Menschenleib und Stierkopf, Sohn eines Stiers und der Pasiphae, deren Gatte Minos ihn im Labyrinth einsperrte und der schließlich von Theseus besiegt wurde. Wie er Theseus unterliegt, wurde seit dem 7. Jh. v. Chr. eines der am häufigsten dargestellten Themen der Antike, v. a. auf grch. Vasen und Reliefs (Metope vom Athenerschatzhaus in Delphi, Mus.), als Freiplastik (Bronzegruppe, 1. Jh. v. Chr., Berlin-West, Staatl. Museen) und auf röm. Mosaiken und Wandgemälden (Herculaneum). Etrusk. Werke zeigen ihn mit Pasiphae und dem entsetzten Minos. In der ma. Kunst erscheint er im Labyrinth als Sinnbild des schließlich besiegten Teufels. Seit dem Ende des 19. Jh. wurden M.-Darstellungen zum Symbol unerlöster menschl. Triebnatur (G. F. WATTS, A. RODIN, P. PICASSO, M. ERNST).

Minsk, Hauptstadt der Weißruss. SSR, 1,3 Mio. Ew., eine der ältesten Städte Rußlands (1067 erstmals erwähnt), 1326–1793 zu Polen-Litauen gehörig. Nach den schweren Zerstörungen des 2. Weltkriegs großzügig wiederaufgebaut, besitzt die Stadt an älteren Baudenkmälern 2 barocke Klöster der Bernhardiner und die in der Tradition des altruss. Kirchenbaus stehende Peter-Pauls-Kirche (1622).

minysche Keramik, die nach Funden in →Orchomenos und dessen sagenhaftem Gründer Minyas benannte mittelhellad. Keramikgattung (etwa 1900–1600 v. Chr.) in grauen, schwarzen und gelben Tönen; typisch sind die seifig glänzende Oberfläche und die kantigen, ›metallischen‹ Profile. Die m. K. ist neben der →Mattmalerei Leitform der mittelhellad. Zeit (→helladische Kunst); war über ganz Griechenland verbreitet.

Mique [mik], Richard, frz. Baumeister, getauft Nancy 18. 9. 1728, †(hingerichtet) Paris 8. 7. 1794, lernte in Straßburg und Paris bei J.-F. BLONDEL, wurde 1763 Nachfolger von E. →Héré de Corny als Hofarchitekt von König STANISŁAW LESZCZYŃSKI in Nancy, wo er u. a. die Porte Stanislas schuf; wurde 1775 Mitgl. der Akad. und ›Premier Architecte du Roi‹, baute in Versailles in den Trianon-Gärten 1784 ff. u. a. den ›Hameau‹ (ländl. Anwesen der Marie-Antoinette), den Amortempel und den Belvedere-Pavillon.

Miraflores, Cartuja de M. [kart'uxa ðe-], 4 km südöstlich von Burgos gelegenes span. Kartäuserkloster, 1454 von JUAN DE COLONIA beg., 1488 von dessen Sohn SIMÓN DE COLONIA voll.; in der einschiffigen Klosterkirche auf sternförmigem Grundriß Marmorgrabmal mit Liegefiguren König Johanns II. von Kastilien und seiner Gemahlin Isabella von Portugal von G. DE SILOÉ (1486–93), von dem auch das prächtige Hauptretabel (1496–99; zus. mit DIEGO DE LA CRUZ) stammt.

Miran, Ruinenstätte im S der Wüste Taklamakan in der Autonomen Region Sinkiang, VR China (KARTE zentralasiatische Kunst), entdeckt von dem engl. Archäologen M. A. STEIN (1906/07), der hier die frühesten aus dem östl. Zentralasien bekannten buddhist. Anlagen (3./4. Jh. n. Chr.) ausgrub. Es handelte sich v. a. um Lehmziegelstupas und Freibautempel, letztere teils von ungewöhnl. Bautyp (äußerer Grundriß quadratisch, innerer kreisförmig). In der Mitte von M. befand sich ein Stupa mit runder Basis, der auf einem Umwandlungsgang zu umschreiten war. Die Wände der Tempel waren mit buddhist. Malereien geschmückt.

Lit.: →zentralasiatische Kunst.

Mir Iskusstwa [russ. ›Welt der Kunst‹], Künstlervereinigung, 1899 in St. Petersburg gegr., die gegen den Akademismus und den Realismus der ›Peredwischniki‹ den Hinweis auf die zeitgenöss. Bestrebungen Westeuropas setzte und eine zweckfreie ›Kunst um der Kunst willen‹ forderte. Gründungsmitgl. waren A. BENOIS, K. SOMOW, L. BAKST, J. LANSERE, S. DIAGHILEW und D. FILOSOFOW; nach 1903 schlossen sich A. GOLOWIN, ANNA OSTROUMOWA-LEBEDEWA, N. ROERICH, M. DOBUSCHINSKIJ und I. GRABAR an. Typisch für die Arbeiten der Gruppe ist eine oft graph. Stilisierung und eine Vorliebe für vergangene oder exot. Kulturen. Besondere Leistungen liegen auf dem Gebiet des Bühnenbildes und der Graphik, v. a. der Buchkunst. Nach dem Zerfall der Gruppe schlossen sich Teilnehmer dem ›Bund russ. Künstler‹ an. – Die gleichnamige Ztschr. (St. Petersburg 1899–1904) machte das russ. Publikum mit der zeitgenöss. west- und nordeurop. Kunst vertraut.

ALLA P. GUSAROVA: M. I. (Leningrad 1972); G. J. STERNIN: Das Kunstleben Rußlands zu Beginn des 20. Jh. (a. d. Russ., 1980).

Mirko, eigtl. **M. Basaldella,** ital. Bildhauer, *Udine 28. 9. 1910, †Boston 25. 11. 1969, Bruder von →Afro. Seine abstrakten Plastiken, Denkmäler und Brunnen sind vom Kubismus und der Kunst der Naturvölker beeinflußt.

Miró, Joan, katalan. Maler, Bildhauer, Graphiker, *Montroig (heute zu Barcelona) 20. 4. 1893, †Palma de Mallorca 25. 12. 1983. M. studierte 1907–10 an der Akad. in Barcelona, begann mit Bildern in der Nachfolge der Fauves und kam 1919 nach einer Parisreise und der Begegnung mit P. PICASSO zu einem Stil, der kubist. Elemente, die harte Linearität der Neuen Sachlichkeit und die Buntheit der Naiven Malerei miteinander verband. 1923/24 entwickelte er daraus, nun in engem Kontakt mit den Surrealisten und unter dem Eindruck von W. KANDINSKY, P. KLEE und H. ARP, seine stark abstrahierende, frei assoziierende ›Traummalerei‹ biomorpher Formen, kindl. Strichfiguren, grotesker Querverbindungen, eine Hieroglyphenlandschaft der Heiterkeit, Erotik und Angst, die im Unterbewußtsein gründet. Daneben stehen, bes. in den 30er Jahren, aus Träumen verdichtete Schreckbilder (›Der Schnitter‹, 1937; Paris, Weltausstellung; verschollen). 1940 entstand, aus dem Erlebnis der Musik, die mikrokosm. Gouachenserie ›Konstellationen‹. Mit zunehmendem Abstand vom Krieg fand M. wieder zu einer poetischen, oft romant. Bildsprache aus skurrilen Figuratio-

Joan Miró: Die kleine Blonde im Park der Attraktionen; 1950 (Berlin-West, Nationalgalerie)

nen, archaischen Zeichen und kosm. Symbolen, die im Spätwerk zunehmend malerisch frei und heraldisch großformig wurden. Neben lithograph. Arbeiten beschäftigte sich M. u. a. mit Collagen, Keramikwandbildern (am UNESCO-Gebäude, Paris, 1955–58; Südwand des Wilhelm-Hack-Mus., Ludwigshafen, 1978) sowie Skulpturen (seit 1966 Großplastiken, die v. a. das Thema ›Frau‹ und ›Vogel‹ variieren). BILD Baukeramik

Ges. Schriften, Fotos, Zeichnungen, hg. v. E. SCHNEIDEGGER (1954; dt. 1957).

J. DUPIN: J. M. (1961); Y. BONNEFOY: M. (a. d. Frz., 1966); J. M. Das graph. Werk, Ausst.-Kat., Hamburg (1973); F. A. JOUFFROY: M., Plastik (a. d. Frz., 1974); M. Milano, Ausst.-Kat., Mailand (1981); W. SCHMALENBACH: M., Zeichnungen aus den späten Jahren (1982).

Miroku, auch **M.-Bosatsu,** japan. Name des zukünftigen Buddha (→Maitreya) vor seiner Inkarnation; versunken sinnend dargestellt (Holzfigur im Koryuji in Kioto, Mitte 7. Jh.) mit übereinandergeschlagenen Beinen und mit der Hand seine Wange haltend. (BILD Kanshitsu)

Mirow [-o], Stadt im Kr. Neustrelitz, Dt. Dem. Rep.; ehem. mecklenburg. Nebenresidenz. Barockschloß (1749–60) mit reichen Rokokodekorationen; in der nach Kriegszerstörung 1951 wiederaufgebauten got. Pfarrkirche (Anf. 14. Jh.) Fürstengruft.

Mirpur Khas, Ort in Sind, Pakistan, mit Resten eines Ziegelstupas aus der 2. H. des 4. Jh. Bemalte Terrakottareliefs mit Buddhadarstellungen zeigen ähnlich wie in →Devni Mori Einflüsse der Gandhara-Kunst auf den Stil der westl. Kshatrapas.

Mir Sajjid Ali, pers. Maler, †nach 1572, gehörte, wie auch sein Vater, zu den fähigsten Künstlern am pers. Hof in Täbris; seine Werke finden sich in mehreren kaiserl. Hss. Nach 1544 ging er nach Indien, wo er einer der Begründer der Mogul-Malerei wurde.

Mischtechnik, Maltechnik: seit Beginn des 20. Jh. eingeführter Begriff für das Übereinandermalen mit versch. Bindemitteln, z. B. Ölfarben über Tempera oder Tempera-Einzeichnungen in Ölmalerei. V. a. im 16. und 17. Jh. bedienten sich Maler dieser Technik.

Mischwesen, in der Kunst des Alten Orients sehr häufige Verbindung versch. menschl. und tier. Körperteile zu meist dämon. Gestalten. Sehr alt ist z. B. der Löwenadler (Imdugud), aber auch der Stiermensch mit menschl. Kopf auf einem Stierkörper. Hinzu kommen Skorpionmenschen, Vogelmenschen (als Genius) und versch. Arten von Sphingen (männlich, weiblich, z. T. mit Skorpionenschwanz), ferner der Schlangendrache Muschchusch, der Elemente von Reptil, Vogel und Skorpion in sich vereinigt. Die z. T. sehr elegante Lösung für die Verquickung versch. Körperteile gelang mit wenigen vorgegebenen Versatzstücken. Alle diese M., im religiös-kult. Bereich angesiedelt, haben meist apotropäischen Charakter (Lamassu, Lamaschtu). Ins Groteske gesteigert sind die M. z. B. auf Luristan-Bronzen. Wahrscheinlich ist der Typ des M. vom Alten Orient nach Griechenland und S-Rußland gewandert und beeinflußte so die ma. Ikonographie.

Miserikordie
vom Chorgestühl
des Kölner Doms

Miserabilismus [von lat. miserabilis ›armselig‹], Bernard →Buffet.

Miserikọrdi|e [lat.] *die,* die an der Unterseite der Klappsitze des →Chorgestühls angebrachte Stütze zum Anlehnen im Stehen bei längeren liturg. Handlungen; oft mit geschnitzten →Drolerien.

Misis, Stadt in der SO-Türkei, östlich von Adana. M., das antike **Mopsuestịa (Mọpsos),** angeblich vom grch. Seher Mopsos um 1000 v. Chr. gegr., erlebte Blütezeiten v. a. unter röm. Herrschaft; aus der Antike Reste der Stadtmauer, eines Theaters, einer Römerbrücke. Aus mameluck. und osman. Zeit Ruinen von 2 Karawansereien; im Mosaiken-Mus. Fußbodenmosaik einer frühchristl. Kirche des 4. Jh. n. Chr.

Miskolc [mˈiʃkolts], Stadt im Bez. Borsod-Abaúj-Zemplén, Ungarn, nordöstlich von Budapest, 210900 Ew. Die dreischiffige got. Kirche am Avasberg (Mitte des 13. Jh.) wurde mehrfach erweitert und umgebaut; nach Brand 1560–69 als ref. Kirche neu errichtet. Auf Pfeiler gestützte Arkaden tragen eine kassettierte Holzdecke. Der quadrat. Glockenturm neben der Kirche, 1557 erbaut, wurde nach Brand im 17. Jh. wieder errichtet. Got. Burgruine Diósgyőr mit 4 Ecktürmen aus dem 14. Jh. (seit dem 18. Jh. verfallen, 1962–68 restauriert).

Mi-Son, Tempelstadt der frühen →Cham-Kunst in Vietnam, etwa 3. bis 11. Jh., und danach benannte Stilrichtungen, die auch in Tra-Kieu vertreten sind. Nach chines. Quellen sollen dort schon früh shivait. und buddhist. Kultstätten vorhanden gewesen sein. Monumental wirkende Bauten mit Anklängen an die südind. Kunst der Pallava-Dynastie und die ceylones. Kunst mit fein ausgearbeitetem Reliefdekor stammen aus dem 7. Jh. Von diesen und späteren Bauten waren bereits vor den Vietnam-Kriegen des 20. Jh. nur noch Reste erhalten.

Mistail, ehem. Frauenkloster über der Albulaschlucht im schweizer. Kt. Graubünden; die Kirche St. Peter (vor 800) ist die älteste und besterhaltene Anlage eines karoling. Dreiapsidensaales; in der Mittelapsis Fresken (Ende 14. Jh.).

Mistra, Mistras, Mystras, Ruinenstätte in der Süd-Peloponnes, westlich von Sparta, mit bed. Resten der byzantin. Stadt: Statthalter-Palast (bald nach 1250 errichtet, mehrmals erweitert); mehrere Kirchen: Hagii Theodori (um 1295) mit Katholikon (nach 1300) im Brontochion-Kloster – ein Zentralbau mit 8 Kuppelstützen und fragmentarisch erhaltenen Fresken (Ende des 13. Jh.); Panagia Hodegetria (vor 1311) und Kloster des Peribleptos (Anfang 14. Jh.; Kreuzkuppelkirche auf dem Grundriß eines lat. Kreuzes) mit bed. Fresken; Pantanassa-Kloster (1430).

mitannische Kunst, die Kunst in den Gebieten N-Syrien, N-Irak und SO-Türkei z. Z. der Mitanni-Herrschaft (Mitte 16.–14. Jh. v. Chr.). Die Bev. bestand z. T. aus Hurritern, daher auch hurritisch-mitann. Kunst.

Die m. K. ist bisher schwer zu fassen, weil im Reichszentrum nur Tell Fecherije (nicht mit der gesuchten und noch nicht entdeckten Hauptstadt Waschschukanni identisch) ausgegraben wurde. Die Verbreitung der Nuzi-Keramik und der Nuzi- oder Kerkuk-Glyptik zw. Nuzi im O-Tigrisland und Alalach am Orontes entspricht allerdings ungefähr der polit. Ausdehnung des Mitanni-Reichs, weshalb die Annahme einer m. K. berechtigt zu sein scheint.

Einzig Nuzi hat Einblick in eine Architektur geliefert; ein Statthalterpalast, der Ischtar-Tempel und Wohnbauten lehnen sich mit geringfügigen Neuerungen an bekannte babylon. Grundrißschemata an. Die Nuzi-Ware ist eine Keramik mit hohen Becher- und schlanken Flaschenformen, die mit einem Knauffuß versehen sind. Die Gefäße sind mit breiten horizontalen Streifen in brauner Farbe bemalt, auf denen geometr. und vegetabile Muster in Weiß aufgetragen sind.

Bei Werken der mitann. Siegelkunst läßt sich ein ›populärer‹ Stil (engl. common style), vertreten in der Nuzi- oder Kerkuk-Glyptik, und ein ›sorgfältiger‹ Stil (engl. elaborate style) unterscheiden. Allg. ist eine Entwicklung vom Gegenständlichen zum Geometrisch-Abstrakten zu beobachten. Neue Motive und Kompositionen wurden eingeführt: gegenständige Tiere, Fabelwesen oder Sphingen sowie die Streuung der Figuren im Raum ohne Standlinien (z. B. Abrollung eines Siegels des Königs Sauschtatar von Mitanni um 1450 v. Chr.). In den wenigen Werken der Plastik und des Reliefs ist ein geometrisch-abstrahierendes Element zu beobachten (Widderköpfe aus Alalach und Nuzi), ebenfalls in der Statue des Königs Idrimi aus Alalach, in der aber auch gleichzeitig eine Befangenheit in altsyr. Tradition (syr. Gewand) unübersehbar ist. Ein in Assur gefundenes Relief mit Darstellung von Berggott und Wettergöttinnen (Frontalität der Figuren, übergroße Augen) könnte unter Einfluß der m. K. entstanden sein.

A. MOORTGAT: Die Kunst des alten Mesopotamien (1967); B. HROUDA: Vorderasien I, Hb. der Archäologie (1971); W. ORTHMANN: Der Alte Orient (1975); H. FRANKFORT: The art and architecture of the Ancient Orient (London, Neuaufl. 1978).

Mithila, Distrikt in N-Bihar, Indien, bekannt für die meist von Frauen gefertigten, mitunter sehr farbintensiven Wand- und Bodenmalereien, die für den Verkauf auch auf Papier gemalt werden; auch als ›Madhubani-Malereien‹ bezeichnet.

Mithras [grch.-lat.], **Mithra** [iran. ›Vertrag‹], **Mitra** [altind.], ein indo-iran. Gott, der urspr. das Vertragsrecht schützte; er entwickelte sich allmählich zum Sonnengott und sieghaften Kriegsgott. Mit dem Zustrom oriental. Götter ins röm. Weltreich verbreitete sich seine Verehrung seit dem 1. Jh. n. Chr. v. a. unter den röm. Legionären, er wurde dann auch von den Kaisern akzeptiert und schließlich um 300 n. Chr. Schutzgott des Röm. Reiches. In den M.-Mysterien, von denen Frauen ausgeschlossen waren, steigerte er sich zur Erlösergestalt im Kampf zw. Gut und Böse und versprach Unsterblichkeit auf der Grundlage eines Totengerichts. Im 4. Jh. wurde der M.-Kult endgültig vom Christentum verdrängt. Im röm. Mythos wurde M. am 25. Dezember (zur Sonnenwende) aus einem Felsen geboren, wobei ihm Hirten Gaben brachten. Er wurde zum Schöpfer der Welt, indem er einen Stier als Symbol der Finsternis besiegte, aus dessen Samen und Leib alles Leben entstand. Kultstätten waren die **Mithräen,** seit dem 2. Jh. n. Chr. im ganzen Röm. Reich in Felsgrotten, unterird. Räumen von Privathäusern oder öffentl. Gebäuden verbreitet: langgestreckte, meist gewölbte Säle mit Vorraum (Vestibulum), an den Längsseiten Steinbänke, an der Rückwand das Kultbild (meist als Relief), M., den Stier tötend. Kultstätten sind z. B. in Ostia, Rom (Caracalla-Thermen), London, Heddernheim bei Frankfurt a. M., Dieburg, Neuenheim bei Heidelberg, Carnuntum (Österreich) erh., nicht jedoch in Iran.

Mithuna [Skt.], erot. Darstellung indischer Paare in vielfältigen Posen, die an Portalen, Pfeilern und Tempelwänden (Khajuraho, Konarak), tantr. Kulten gemäß, relig. Ekstase in Liebesvereinigung symbolisieren, aber auch Aspekte der asket. Entsagung in sich tragen.

Mitla, archäolog. Fundort südwestlich von Oaxaca, Mexiko. Um 900 zunächst als ein Kulturzentrum der Zapoteken entstanden, zw. 1400 und 1521 von den Mixteken übernommen und ausgebaut. Vier Gruppen von Palästen sind erhalten, langgestreckte Bauten auf niedrigen Plattformen, die sich um einen Hof gruppieren. Durch Innenwände wurden einige Bauten in kleinere Säle unterteilt. Die monumentalen Türstürze der Eingänge sind aus einem Stück gefertigt, ebenso die Säulen, die das Dach der Vorhalle des Säulenpalastes tragen. Einzigartig ist die Dekoration der Innen- und Außenwände mit streng geometr. Steinmosaiken (14 unterschiedl. Variationen), die genau berechnete Kompositionen bilden und sich auch an den Wänden der unterird. Grabkammern finden. (BILD S. 341)

Mitow, Anton, bulgar. Maler, *Stara Sagora 13. 4. 1862, †Sofia 20. 8. 1930, war ebd. 1892–1927 Prof.

Mitla: Steinmosaik

(1912–18 und 1924–28 Direktor) der Kunstakad. M. malte zunächst in akadem. Manier Genreszenen, Porträts und Ikonen und wandte sich seit 1905 dem Pointillismus zu.

Mitra-Dynastie, versch. Herrscherhäuser in N-Indien, darunter die M.-D. von Mathura um 120–20 v. Chr. Die Abbildung der Lakshmi auf ihren Münzen und die frühesten großformatigen Götterplastiken (Balarama, Yaksha) bezeugen die Entfaltung des ind. Bilderkults in der Mathura-Kunst.

Mitsunaga, Familienname **Tokiwa,** auch **M. Fujiwara,** japan. Maler, tätig etwa 1158–79 am Kaiserhof in Kioto, dessen Leben er in 60 Querrollen schilderte (z.T. durch Kopien bekannt). Zugeschrieben werden ihm u. a. die zu den genialsten Leistungen des Yamato-e gehörenden 3 Bildrollen von 1173, die in dramat. Massenszenen und mit eindringl. Charakterisierung die Gesch. des Höflings BAN DAINAGON erzählen (Tokio, Samml. Graf Sakai).

Mittel|amerikanische Kulturen, →Mesoamerikanische Hochkulturen und →Zentralamerikanische Kulturen.

Mittelasien, sowjetruss. Begriff für das südl. asiat. Territorium der UdSSR. Über die archäolog. Stätten dieses Gebiets →zentralasiatische Kunst.

Mittelgrund, Malerei: die mittlere Bildzone, zw. Vorder- und Hintergrund.

Mittelheim, Stadtteil von Oestrich-Winkel im Rheingau, Hessen; die ehem. Augustinerinnen-Klosterkirche (12. Jh.) ist eine roman. flachgedeckte Pfeilerbasilika mit Vierungsturm; Kanzel (1511) mit reicher Flachschnitzerei.

Mittenwald, Markt im Kr. Garmisch-Partenkirchen, Oberbayern, 8300 Ew.; maler. Ortsbild mit z.T. bemalten Barockhäusern (›Lüftlmalerei‹). Die barocke

Pfarrkirche (1738–40 von JOSEPH SCHMUZER, Fresken von M. GÜNTHER) besitzt einen bemalten Turm.

Mittenwalde, Stadt in der Dt. Dem. Rep., südlich von Berlin; spätgot. Pfarrkirche St. Georg (14./15. Jh.), eine Backstein-Hallenkirche mit spätgot. Flügelaltar, Chorgestühl (16. Jh.); spätgot. Hospitalkirche St. Georg (wohl 15. Jh.) mit schönem Ostgiebel.

Mittleres Reich, Bez. für die klass. Zeit ägypt. Geschichte, zugleich 2. Blütezeit der altägypt. Kultur, reicht von der Wiedervereinigung des Landes um 2040 v. Chr. (nach dem Zerfall des Alten Reiches um 2160 v. Chr. und anschließender 1. Zwischenzeit) bis zur Eroberung durch die Hyksos um 1650 v. Chr. Die künstler. Leistungen dieser Zeit wurden v. a. auf dem Gebiet der Plastik, der Malerei und der Schmuckherstellung erbracht (→ägyptische Kunst).

Mittweida, Stadt nördlich von Karl-Marx-Stadt, Dt. Dem. Rep., 19600 Ew.; spätgot. Stadtkirche (1454 beg., Chor von ARNOLD VON WESTFALEN) mit ungewöhnlich reichem geschnitztem Altaraufbau (1661).

Mixed-Media [engl. mıkstm'i:dıə], **Multi-Media** [m'ʌltı-, aus lat. multi ›viel‹ und medius ›dazwischen‹], Äußerungsformen der zeitgenössischen Kunst, die eine Verbindung mehrerer Kunstbereiche (Bildende Kunst, Theater, Tanz, Musik) zu einer neuen Einheit anstrebt, unter Einbeziehung verschiedenster technischer Medien (Photographie, Film, Tonband, Video, Laser). Vorläufer sind u. a. der russ. Komponist A. SKRJABIN mit seiner Vorstellung einer Einheit von Musik und Farbe (›Prométhée‹, 1910; unter Verwendung eines Farbenklaviers), ferner experimentelle Darstellungen dadaist. Kreise (K. SCHWITTERS, EL LISSITZKY). Nach dem 2. Weltkrieg wurden diese Gedanken wieder aufgegriffen und gewannen seit Ende der 1950er Jahre eine neue Bedeutung. Um 1960 entstand die neodadaist. Kunstrichtung →Fluxus; ihre Anfänge gehen auf den amerikan. Komponisten J. CAGE zurück, der die erste M.-M.-Vorstellung (1952) unternahm. Überhaupt wurde die Entwicklung multimedialer Darstellung stark von der Neuen Musik beeinflußt (z. B. von M. KAGEL). Als beispielhaft für die Aufhebung der Mediengrenzen in der →zeitgenössischen Kunst entstanden v. a. das →Environment und das nach Überschreitung der Grenze zw. Leben und Kunst strebende →Happening.

Mixteken [mis-], Indianer im Gebiet des heutigen Bundesstaats Oaxaca, Mexiko, die in vorspan. Zeit (um 1000) eine bed. Kultur aufgebaut hatten. Zentrum war Mitla, aus dem die M. die Zapoteken seit dem 11. Jh. nach S abgedrängt hatten; seit 1300 war auch Monte Albán, das als Nekropole benutzt wurde, im mixtek. Machtbereich. Bemerkenswert sind Steinschneide- und Buchkunst. Die Geschichte der M. kann an Hand ihrer →Bilderhandschriften und der darin aufgezeichneten Herrschergenealogien und Kalenderdaten bis ins 6./7. Jh. zurückverfolgt werden. Stil und Farben der Bemalung aus den Hss. erscheinen auch auf der polychromen Keramik (weiß, rot, rotbraun, gelb und schwarz), die eine glänzende, hart gebrannte Oberfläche besitzt.

Mixteken: Brustschmuck aus Goldguß, 11,5 cm hoch; um 1200 bis 1520 (Oaxaca, Museo Regional)

Die Goldarbeiten der M. (Masken, Brustplatten, Anhänger, Schmuckstücke mit Türkiseinlagen) sind die hervorragendsten in Mesoamerika und am besten durch die Funde aus dem Grab 7 in Monte Albán dokumentiert. Ihre Kunst der Verarbeitung zeigt sich bes. in den Details; charakteristisch sind Arbeiten aus ›falschem Filigran‹ (→Goldschmiedekunst). Auch in der Herstellung von Mosaiken waren die M. große Künstler.

In der Spätzeit (seit etwa 1300) dehnte sich die Kultur der M. bis ins Becken von Puebla aus **(Mixteca-Puebla-Kultur),** von wo die Kunst der Azteken stark beeinflußt wurde.

Mixtion [lat.], Maltechnik: →Anlegeöl.

Miyajima [mijadʒima], shintoist. Inselheiligtum 45 km westlich von Hiroshima in der Inlandsee, eine der 3

Miyajima: Itsukujima-Schrein

Landschaften Japans, die in der Dichtkunst als schönste gepriesen und oft in der Kunst dargestellt werden. Gegr. wurde das Heiligtum im 6./7. Jh. Als hl. Insel durfte M. zunächst nicht betreten werden, daher wurde der Itsukujima-Schrein in einer Bucht im Wasser errichtet. Charakteristisch für diesen bed. Bau der japan. Architekturgeschichte (1556) sind die überdachten Verbindungsgänge zw. den Hauptgebäuden.

Miyazaki [-z-], Stadt in Japan, im S von Kyushu. Im Mus. (M.-Schrein) eine Samml. von Haniwa-Figuren.

Mjassojędow, Grigorij Grigorjewitsch, russ. Maler, *Pankowo (Gebiet Orel) 19. 4. 1834, †Poltawa 31. 12. 1911, Mitbegründer der ›Peredwischniki‹, trat v.a. als Genre- und Historienmaler hervor.

MMA, Abk. für →Metropolitan Museum of Art.

Mnẹsikles, bed. Architekt der perikleischen Zeit in Athen, Erbauer der Propyläen der Akropolis, die 438 bis 432 v. Chr. begonnen, jedoch nie vollendet wurden.

Mnichovo Hradiště [mn'i:xɔvɔ hr'adjiʃtjɛ], Stadt in der ČSSR, →Münchengrätz.

Möbel [aus frz.], Ausstattungsstücke eines Innenraumes, entsprechend ihrer Funktion unterschieden in: Kasten-M. (Truhen, Schränke, Kommoden), Tafel-M. (Tische, Pulte, Schreibtische usw.), Sitz- und Liege-M. (Bänke, Stühle, Sessel, Hocker, Liegen, Betten usw.). Oft kann ein Möbelstück auch mehrere Funktionen übernehmen, z. B. die Sitzbanktruhe (→Cassapanca). Form und Typus eines Möbelstücks werden entsprechend dem jeweiligen Zeitgeschmack variiert. Das Material ist i. d. R. Holz, nur ausnahmsweise Flechtwerk, Stein, Bronze, Silber (und andere Metalle) oder Elfenbein. Das Holz wird als Stamm, Block, Brett oder Furnier verarbeitet. Die dekorative Wirkung wird durch Schnitzereien, Intarsia oder durch farbige Fassung erreicht. Zum Einlegen werden farbig sortierte Holzfurniere oder Silber, Messing, Elfenbein, Schildpatt, Perlmutt in dünnen Blättchen verwendet. Die Schlösser und Beschläge (Bronze, Schmiedeeisen) haben sowohl techn. als auch dekorative Funktion.

Aus Grabfunden aus dem 2. Jahrtsd. v. Chr. sind ägypt. M. erhalten (Sessel, Truhen, Kästchen, Betten, Nackenstützen, meist aus Holz mit Einlegearbeiten und Flechtwerk). M. aus dem Alten Orient sowie die der Griechen, Etrusker und Römer sind fast nur durch Darstellungen auf Reliefs, Vasen, Fresken u. a. bekannt. Es waren M. aus Stein, Holz und Flechtwerk (Schränke, Sitzmöbel, Betten, Liegen, Tische), z. T. mit Einlegearbeiten verziert. In den vom Vesuv verschütteten Städten Pompeji und Herculaneum sind Bronze-M. ausgegraben worden. Mit dem Ende der Spätantike war auch ein Rückgang in der Wohnkultur festzustellen, für das repräsentative M. aber läßt sich Kontinuität nachweisen (Thron, z. B. Dagobert-Thron, →Faltstuhl). Aus dem frühen MA. sind nur wenige Stücke erhalten, meist aus kirchl. Bereich (gedrechselte Sitz-M., Chorgestühl; seit Anf. 13. Jh. Sakristeischränke). Im privaten Wohnbereich waren die M. bis zur Spätgotik nur auf die wichtig-

Möbel: Truhe aus Eichenholz, Frankreich. 13. Jh. (Paris, Musée des Arts Décoratifs)

sten Lebensbedürfnisse abgestimmt: bewegl. Truhen, Tische und Stühle, während Bänke und Betten fast immer in die Holzvertäfelung der Räume eingebaut waren, Schränke waren selten. Erst mit der von Italien ausgehenden gehobenen Wohnkultur der Renaissance ist wieder ein größerer Typenreichtum beim M., das jetzt auch seine völlige ›Beweglichkeit‹ zurückgewann, zu verzeichnen. Truhen (→Cassone), Bänke (Cassapanca), Kastensitze, Betten, nicht selten durch einen Sockel monumental gestaltet, und Tische präsentieren sich jetzt im antiken Gewand. Im 16. Jh. läßt sich dieser Wandel auch im übrigen Europa (Dtl., Schweiz, Niederlande, Frankreich, Spanien) nachweisen. Die süddt. Fassadenschränke vom Ende des 16. Jh. oder die Egerer Kabinettschränke sind schon für die Barockzeit typisch, in der dann Frankreich führend wird. In den norddt. Hansestädten entstand Ende des 17. Jh. als repräsentative Sonderform des bürgerl. M. der große zweitürige Dielenschrank (Schapp). Die Hofhaltung König LUDWIGS XIV. in Versailles und die von A. C. BOULLE entworfenen Prunk-M. wurden für Europa vorbildlich, zumal auch die Graphik das neue Ideengut schnell verbreitete (J. BÉRAIN). Die Vorliebe für Chinoiserien und die aus Südostasien importierten Porzellane und Lackarbeiten führten im höf. Bereich zu neuen Raumgestaltungen: Porzellan- und Lackkabinette,

Möbel: Schreibtisch mit versilberten Bronzen von Spindler, um 1765 (Potsdam-Sanssouci, Neues Palais, Arbeitszimmer Friedrichs II.)

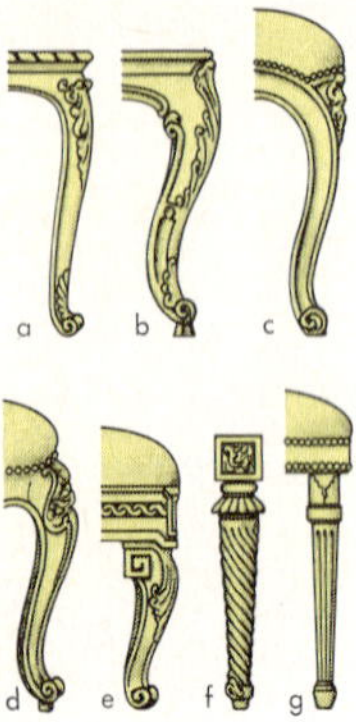

Möbel: Entwicklung des Möbelfußes von Louis-quatorze (a) über Louis-quinze (b–e) zu Louis-seize (f, g)

nicht selten mit Spiegelkabinetten kombiniert (Imitation von asiat. Lackarbeiten auf Schellackbasis; Schränke, Wandschirme, Spiegel, Türfüllungen). Auch für die Möbelkunst der Rokokozeit blieb Frankreich bestimmend (Louis-quinze). Neue Arten von Sitz- und Klein-M. (Sessel, Sofas, Tischchen, Konsolen, Kommoden) kamen auf. Die Pariser Ebenisten erlangten Weltruhm (F. OEBEN, J.-H. RIESENER, G. JACOB). In England wurden die M. des Bürgertums richtungweisend (T. CHIPPENDALE, J. und R. ADAM, G. HEPPLEWHITE, T. SHERATON). Die dt. M. standen unter frz. Einfluß (die CUVILLIÉS in München, Potsdam, Würzburg, Dresden u.a.). Nur A. und D. ROENTGEN in Neuwied entwickelten einen eigenen Stil und belieferten die Fürstenhöfe in Paris, Dresden und St. Petersburg. Die bürgerl. Richtung wurde durch die Aachen-Lütticher Eichenholz-M. vertreten. Im letzten Viertel des 18. Jh. (Louis-seize) kehrte man zu den einfachen tekton. Formen zurück, u.a. zu von der Antike entlehnten Schmuckformen. Das Napoleon. Kaiserreich setzte diese Tendenzen fort; auch hier war Frankreich für Europa Vorbild (→Empire). Der Umschwung zum Biedermeier setzte um 1830 ein; solide M. wurden hergestellt, die nicht mehr der Repräsentation, sondern zum Wohnen dienten. 1830 wurde der erste Stuhl nach dem Bugholzverfahren des rhein. Tischlers M. THONET maschinell hergestellt. Der Historismus in der 2. H. des 19. Jh. (Neugotik, Neurenaissance, Neubarock) zeigte überladene Formen, die durch den Jugendstil Ende des 19. Jh., in Großbritannien durch die Arts and Crafts-Bewegung sowie den Funktionalismus des Bauhauses im 20. Jh. abgelöst wurden.

Die industrielle Fertigung und neue Werkstoffe brachten eine Umwälzung für den M.-Bau der Gegenwart. Maßgebliche Architekten (u.a. A. AALTO, L. MIES VAN DER ROHE, G. RIETVELD) schufen M. in zweckentsprechenden und raumsparenden Formen.

Möbel: Chaiselongue, Frankreich, 18. Jh. (Paris, Musée des Arts Décoratifs)

In Ostasien entwickelte sich eine sparsame M.-Kultur mit eigener Ästhetik und, wie in der Architektur, bemerkenswerter Kontinuität. Bestimmend ist die Kastenform. In China diente ein niedriges, podestähnl., rechteckiges M., bestehend aus einem kastenförmigen, an den 4 Seiten durchbrochenen Holzgestell und feinem Rohrgeflecht oder Matten als Sitz- und Liegefläche, als Bett und konnte durch ein nach dem gleichen Schema konstruierten Gestell zum Tisch ergänzt werden. Der Stuhl in der Form des Faltstuhls gelangte seit dem 3. Jh. mit dem ind. Buddhismus über Zentralasien nach China, jedoch war das Sitzen auf Stühlen erst gegen Ende des 9. Jh. verbreitet. Größere, höhere Tische (Eßtisch, Hausaltar) sind Ableitungen der Kastenkonstruktion oder Bockgestellkonstruktion. Kommoden, Truhen (auch für Kleider) und raffiniert gegliederte Kastenschränke mit sparsam angebrachten Metallbeschlägen aus hellen Messinglegierungen ließen sich durch Aufsätze variieren. In Südchina bevorzugte man auf Grund des feuchtwarmen Klimas Bambus oder gelacktes, häufig mit Einlagen geschmücktes Holz (→Lackkunst). Die qualitätvollsten M. entstanden in der Ming- und frühen Ch'ing-Periode (15.–18. Jh.). Sie sind durch feinste handwerkl. Verarbeitung, sicheres Formempfinden und vornehme Zurückhaltung ausgezeichnet, was spätere, überreich mit Schnitzereien und Einlagen versehene Stücke selten aufweisen.

Möbel: LINKS Armlehnstuhl (sogenannter Caquetoire) mit reliefierter Rückenlehne und skulptierten Knäufen der Armstützen. Französische Arbeit um 1570 (Frankfurt am Main, Museum für Kunsthandwerk); RECHTS Thomas Chippendale, Lehnstuhl um 1755 (London, Victoria and Albert Museum)

In Japan erübrigten sich durch das Leben auf Strohmatten (Tatami) Bett und Stühle; hinter →Fusuma oder Holzschiebetüren blieb der Inhalt der Wandschränke, tagsüber auch die zusammengefalteten Schlafpolster, verborgen. Schreib-, Speise- und Spieltischchen, Armstützen, Spiegelständer, tragbare Kohlebecken (Hibachi) und Kommoden wurden im 17. Jh. allg. üblich. Letztere nahmen auch erst dann größere Ausmaße zur Kleideraufbewahrung an, waren meist rötlich lackiert, mit Metallbeschlägen verziert, meist aus 2 Teilen zusammengesetzt und an Metallbügeln vermittels einer Stange transportierbar. Schränkchen, Kasten und Kästchen, →Stellschirme und Kimonoständer waren oft Luxus- und Prunkrequisiten, da sie meist kostbar lackiert oder verziert waren. Durch die Portugiesen wurden neue M.-Formen nach Japan gebracht, die in Lackarbeit imitiert und wieder für den europ. Markt produziert wurden (Koffer mit gewölbtem Deckel, Kommoden mit nach vorn aufklappbarem Aufsatz, um die Mitte des 17. Jh. mit 2 Türchen).

Charakteristisch für die korean. M. sind ihre Schlichtheit und die Betonung der Holzmaserung. Um die unterschiedl. Maserung von Hölzern wie Kiefer, Ulme, Paulownia oder Kaki zu betonen, ist die Oberfläche in Paneele eingeteilt und gegeneinander abgesetzt. Die Eisen- oder Messingbeschläge dienen neben ihrem funktionellen Zweck gleichzeitig auch als dekorative Akzente. Weiterhin waren die Koreaner auf Lack-M. mit versch. Einlegetechniken spezialisiert. Auch Lackkästen für Sutren, Schreibutensilien oder Kosmetika wurden mit reichem Rankendekor aus Perlmutt, gefärbtem Schildpatt und gedrehtem Draht verziert (Najon ch'ilgi). Die schönsten Arbeiten entstanden z. Z. der Koryo-Dynastie (918–1392). In der frühen Yi-Dynastie (15.–16. Jh.) hat man die ganze Oberfläche mit buntem Perlmuttdekor bedeckt. Später wurden wiederum Einzelmotive bevorzugt, wie z. B. Pflanzen mit Glückssymbolen oder die ›Vier Edlen‹ (Bambus, Orchidee, Pflaumenblüte, Chrysantheme). Lack-M. mit Hwagak-Einlagen (flachgepreßtes Rinderhorn) wurden v. a. für Frauen hergestellt (Truhen, Schränkchen, Nähkästchen usw.).

H. Kreisel und G. Himmelheber: Die Kunst des Dt. M., 3 Bde. (1968–73); Robert Schmidt: M., ein Hb. für Sammler u. Liebhaber ([10]1974); Sigrid Müller-Christensen: Alte M. vom MA. bis zum Jugendstil ([8]1974); K. Mang: Gesch. der modernen M. (1978); M. Beurdley: Chines. M. (a. d. Engl., 1979); DuMonts Lex. der M.-Kunde (1982); K. J. Sembach: Neue M. Ein internat. Querschnitt von 1950 bis heute (1982); F. Windisch-Graetz: M. Europas (1982 ff.; bisher 2 Bde.).

Mobile [lat.-ital. ›beweglich‹], eine Art der Kinet. Plastik. Die einzelnen Objekte hängen an dünnen Metall- oder Kunststoffstäben und geraten durch Luftströmungen in Bewegung. Der Name wurde 1932 von M. Duchamp für die Frühwerke von A. Calder (Bild) geprägt.

Moche [m'otʃe], archäolog. Fundort und Tal im nördl. Peru, als Kultur- oder Stilbez. auch **Mochica** [motʃ'ika]. Die M.-Kultur breitete sich von 200 bis 800 vom M.-Tal über mehrere Küstentäler N-Perus aus. Am Ausgang des Tals entstand die Sonnenpyramide (→ Huaca del Sol). Steinskulpturen gibt es gar nicht, Holzplastiken und Wandgemälde sind nur wenige erhalten. Großartig ist dagegen die Keramik; Gefäßplastik und -bemalung gehören zu den besten Leistungen altamerikan. Töpferkunst. Für die Bemalung wurden stets 2 Farben verwendet, rötlich-braune, bisweilen auch schwarze Figuren auf elfenbeinfarbenem Grund. Die Zeichnungen selbst sind Darstellungen aus dem Alltagsleben: Tier- und Pflanzenwelt, Kriegsgeschehen und Götterwelt. Die Gefäße sind meist rund mit flachem Boden und Steigbügelhenkel; ein zweiter Keramiktyp sind die plastisch geformten →Figurengefäße, die Tiere, Pflanzen, Häuser, Landschaften, Menschen

Moche: Tongefäß, 22 cm hoch; etwa 300–600 n. Chr. (München, Museum für Völkerkunde)

(Porträts), Götter und Dämonen sowie regelrechte Szenen des tägl. Lebens darstellen. Form und Bemalung der M.-Keramik bieten ein lebendiges Bild vom Leben jener Zeit. Die Keramik stammt fast ausschließlich aus Gräbern (Raubgrabungen). Die M.-Gräber sind Schachtgräber und waren wesentlich reicher ausgestattet als Gräber früherer Kulturen in diesem Gebiet.

G. KUTSCHER: Nordperuan. Keramik (1954); C. B. DONNAN: M. art of Peru (Los Angeles 1978).

Mochi [m'ɔki], **Mocchi,** Francesco, ital. Bildhauer, *Montevarchi (Prov. Arezzo) 29. 7. 1580, †Rom 6. 2. 1654, gelangte, ausgehend vom florentin. Manierismus, zu einem pathet. barocken Stil, in dem er die beiden bedeutendsten Reiterdenkmäler des ital. Barock schuf.

HW: Bronzene Reiterdenkmäler des Ranuccio und Alessandros II. Farnese in Piacenza, Piazza dei Cavalli (1612–25); Überlebensgroße Marmorfigur der Hl. Veronika an einem Kuppelpfeiler von St. Peter in Rom (1629–40).

Francesco Mochi: Die heilige Veronika (1632–40; Rom, Sankt Peter)

Mochlos, Insel vor der N-Küste O-Kretas, die vor einer Küstensenkung in nachantiker Zeit (etwa 6. Jh. n. Chr.) mit Kreta verbunden war. Auf M. wurden minoische Häuser und an den Fels gebaute Gräber mit kostbaren Beigaben aus der 2. H. des 3. Jahrtsd. v. Chr. freigelegt. Die Funde (Steingefäße, Goldschmuck) sind heute im Mus. von Heraklion.

Abkürzungen

Endungen oder Wortteile werden zur Raumersparnis weggelassen, wo sie ohne Schwierigkeit ergänzt werden können, z. B. abgek. für abgekürzt; Abt. für Abteilung; geistl. für geistliche(r); künstler. für künstlerische(r). An stärkeren, formelhaften Abkürzungen werden verwendet:

Abk.	Abkürzung
ags.	angelsächsisch
ahd.	althochdeutsch
Akad.	Akademie
allg.	allgemein
Am.	Amos (A. T.)
Anf.	Anfang
Apg.	Apostelgeschichte (N. T.)
Art.	Artikel
ASSR	Autonome Sozialistische Sowjetrepublik
a. St.	alten Stils
A. T.	Altes Testament
Aufl.	Auflage
Ausst.-Kat.	Ausstellungskatalog
Ausw.	Auswahl
Auton. Geb.	Autonomes Gebiet
Bad.-Württ.	Baden-Württemberg
Bar.	Baruch (A. T.)
Bd., Bde.	Band, Bände
bed.	bedeutend
beg.	begonnen
begr.	begründet
Beitr.	Beitrag, Beiträge
bes.	besonders
best.	bestimmt
Bev.	Bevölkerung
Bez.	Bezirk, Bezeichnung
Bibl.	Bibliothek, Bibliothèque, Biblioteca
Bundesrep. Dtl.	Bundesrepublik Deutschland
Chr.	Christus; Chronik (A. T.)
Cod.	Codex
Coll.	Collection
ČSSR	Tschechoslowakei
Cty.	County oder -ties
d. Ä.	der (die) Ältere
Dan.	Daniel (A. T.)
Dep.	Departamento
Dép.	Département
dgl.	dergleichen, desgleichen
d. Gr.	der Große
d. h.	das heißt
Distr.	Distrikt
d. J.	der (die) Jüngere
dt.	deutsch
Dt. Dem. Rep.	Deutsche Demokratische Republik
Dtl.	Deutschland
Dtn.	Deuteronomium (A. T.)
ebd.	ebenda
ed., Ed.	editio, Edition
ehem.	ehemalig, ehemals
eigtl.	eigentlich
Einl.	Einleitung
Enz.	Enzyklopädie
Eph.	Epheserbrief (N. T.)
Erg.	Ergänzung
erh.	erhalten
Esr.	Esra (A. T.)
Est.	Esther (A. T.)
e. V.	eingetragener Verein
evang.	evangelisch
Ew.	Einwohner
Ex.	Exodus (A. T.)
Ez.	Einzahl; Ezechiel (A. T.)
f., ff.	folgend, folgende (z. B. Seiten, Jahre)
Faks.-Ausg.	Faksimileausgabe
Fam.	Familie
Frhr.	Freiherr
frz.	französisch
Fstt.	Fürstentum
Gal.	Galerie, Galérie, Galleria; Galaterbrief (N. T.)
gegr.	gegründet
Gem.	Gemeinde
gen.	genannt
Gen.	General; Genesis (A. T.)
Gen.-Gouv.	Generalgouvernement, Generalgouverneur
Ges.	Gesetz; Gesellschaft
Gesch.	Geschichte
Ges. W.	Gesammelte Werke
gew.	geweiht
Gfsch.	Grafschaft
ggf.	gegebenenfalls
Ghzgt.	Großherzogtum
Gouv.	Gouverneur, Gouvernement
grch.	griechisch
H.	Hälfte
Hab.	Habakuk (A. T.)

Hag. .... Haggai (A. T.)
Hb., Hbb. .... Handbuch, -bücher
hd. .... hochdeutsch
hebr. .... hebräisch
Hebr. .... Hebräerbrief (N. T.)
Hg. .... Herausgeber(in)
hg. v. .... herausgegeben von
Hi. .... Hiob (A. T.)
Hl., hl. .... Heilige(r), heilig
Hld. .... Hohelied (A. T.)
Hos. .... Hosea (A. T.)
Hs., Hss. .... Handschrift(en)
HW .... Hauptwerk(e)
Hwb. .... Handwörterbuch
Hzgt. .... Herzogtum
i. a. .... im allgemeinen
i. d. R. .... in der Regel
i. e. S. .... im engeren Sinn
i. Ggs. .... im Gegensatz
i. J. .... im Jahre
internat. .... international
i. S. .... im Sinn
ital. .... italienisch
i. w. S. .... im weiteren Sinn
Jahrtsd. .... Jahrtausend
Jak. .... Jakobusbrief (N. T.)
Jb. .... Jahrbuch
Jdt. .... Judith (A. T.)
Jer. .... Jeremia (A. T.)
Jes. .... Jesaja (A. T.)
Jh. .... Jahrhundert
Jo. .... Joel (A. T.)
Joh. .... Johannesevangelium (N. T.), Johannesbrief (N. T.)
Jon. .... Jona (A. T.)
Jos. .... Josua (A. T.)
jr. .... junior, der jüngere
Jud. .... Judasbrief (N. T.)
Kap. .... Kapitel
Kat. .... Katalog
kath. .... katholisch
Kgr. .... Königreich
Klgl. .... Klagelieder des Jeremia (A. T.)
Kol. .... Kolosserbrief (N. T.)
Kön. .... Könige (A. T.)
Kor. .... Korintherbrief (N. T.)
Kr. .... Kreis
Kt. .... Kanton
lat. .... lateinisch
Lb. .... Lehrbuch
Lev. .... Levitikus (A. T.)
Lex. .... Lexikon
Lfg. .... Lieferung(en)
Lit. .... Literatur
Lk. .... Lukasevangelium (N. T.)
Lw. .... Lehnwort
MA., ma. .... Mittelalter, mittelalterlich
magy. .... magyarisch
Makk. .... Makkabäer (A. T.)
Mal. .... Maleachi (A. T.)
max. .... maximal
md. .... mitteldeutsch
Metrop. Area .... Metropolitan Area
Metrop. Cty. .... Metropolitan County
mhd. .... mittelhochdeutsch
Mi. .... Micha (A. T.)
Mio. .... Million(en)
Mitgl. .... Mitglied
Mk. .... Markusevangelium (N. T.)
mlat. .... mittellateinisch
mnd. .... mittelniederdeutsch
Mos. .... Mose (A. T.)
Mrd. .... Milliarde(n)
Mt. .... Matthäusevangelium (N. T.)
Mus. .... Museum, Musée, Museo
Mz. .... Mehrzahl
N .... Nord(en)
n. .... nach
Nachdr. .... Nachdruck
Nah. .... Nahum (A. T.)
Nat. .... National
n. Ausg. .... neue Ausgabe
n. Chr. .... nach Christi Geburt
Ndsachs. .... Niedersachsen
Neh. .... Nehemia (A. T.)
Neuaufl. .... Neuauflage
ngrch. .... neugriechisch
nhd. .... neuhochdeutsch
nhg. .... neu herausgegeben
nlat. .... neulateinisch
NO .... Nordost(en)
NÖ .... Niederösterreich
NRW .... Nordrhein-Westfalen
n. St. .... neuen Stils
N. T. .... Neues Testament
Num. .... Numeri (A. T.)
NW .... Nordwest(en)
O .... Ost(en)
Ob. .... Obadja (A. T.)
Offb. .... Offenbarung des Johannes (N. T.)
o. J. .... ohne Jahr
OÖ .... Oberösterreich
orth. .... orthodox
österr. .... österreichisch
Petr. .... Petrusbrief (N. T.)
PH .... Pädagogische Hochschule
Phil. .... Philipperbrief (N. T.)
Phlm. .... Philemonbrief (N. T.)
Präs. .... Präsident
prot. .... protestantisch
Prov. .... Provinz

Ps. .... Psalmen (A. T.)
rd. .... rund
ref. .... reformiert
Reg.-Bez. .... Regierungsbezirk
relig. .... religiös
Rep. .... Republik
Rheinl.-Pf. ..... Rheinland-Pfalz
Ri. .... Richter (A. T.)
Röm. .... Römerbrief (N. T.)
Russ. SFSR .... Russische Sozialistische Föderative Sowjetrepublik
S .... Süd(en)
S. .... San, Santo, Santa, São
Sach. .... Sacharja (A. T.)
Sam. .... Samuel (A. T.)
Samml. .... Sammlung
Schlesw.-Holst. .... Schleswig-Holstein
Schriftst. .... Schriftsteller
Sir. .... Jesus Sirach (A. T.)
Skt. .... Sanskrit
SO .... Südost(en)
Spr. .... Sprüche (A. T.)
SS. .... Santi, Santissima, Santissimi
SSR .... Sozialistische Sowjetrepublik
St. .... Sankt, Saint
Ste. .... Sainte
svw. .... soviel wie
SW .... Südwest(en)
Tb. .... Taschenbuch
TH .... Technische Hochschule
Thess. .... Thessalonicherbrief (N. T.)
Tim. .... Timotheusbrief (N. T.)
Tit. .... Titusbrief (N. T.)
Tl., Tle. .... Teil(e)
Tob. .... Tobias (A. T.)
TU .... Technische Universität
u. a. .... unter anderem(n), und andere(s)
u. ä. .... und ähnliche(s)
UdSSR .... Sowjetunion
u. d. T. .... unter dem Titel
ü. M. .... über dem Meeresspiegel
u. M. .... unter dem Meeresspiegel
Univ. .... Universität, University, Université
urspr. .... ursprünglich
USA .... Vereinigte Staaten
usf. .... und so fort
usw. .... und so weiter
u. U. .... unter Umständen
u. v. a. .... und viele(s) andere
v. a. .... vor allem
v. Chr. .... vor Christi Geburt
Verf. .... Verfasser
versch. .... verschieden(e)
Verz. .... Verzeichnis
vgl. .... vergleiche
voll. .... vollendet
Vors. .... Vorsitzender
VR .... Volksrepublik
W .... Westen
Wb. .... Wörterbuch
Weish. .... Buch der Weisheit (A. T.)
Wiss. .... Wissenschaft
WW .... Weitere(s) Werk(e)
Wwschaft .... Woiwodschaft
z. B. .... zum Beispiel
Zeph. .... Zephanja (A. T.)
z. T. .... zum Teil
Ztschr. .... Zeitschrift
zus. .... zusammen
zw. .... zwischen
z. Z. .... zur Zeit
^{3}1977 .... 3. Aufl. 1977
3(1977) .... Band 3 (1977)

Weitere Zeichen: * geboren, † gestorben, ⚭ verheiratet, ∅ Durchmesser.